MAEVE BINCHY

KU-240-378

Il nuovo domani

Contae na Mídhe

SPERLING & KUPFER *economica*

Traduzione di Maria Luisa Cesa Bianchi
Evening Class
Copyright ©1996 by Maeve Binchy
© 1998 Sperling & Kupfer Editori S.p.A.
I edizione «Superbestseller» Paperback ottobre 2000

ISBN 978-88-6061-245-8
86-I-2008

II EDIZIONE

Al caro, generoso Gordon,
grazie per tutto,
con tutto il mio amore.

Aidan

C'ERA stato un periodo negli anni Settanta in cui si divertivano a rispondere ai test.

Spesso Aidan ne trovava qualcuno sul giornale durante il weekend. «Sei un marito premuroso?» Oppure: «Che cosa sai dello show Biz?» Raggiungevano un punteggio alto nelle risposte a domande tipo «Siete ben assortiti?» Oppure: «Come trattate i vostri amici?»

Ma tutto ciò accadeva tanto tempo prima.

Adesso, se a Nell o ad Aidan Dunne, sfogliando una rivista, capitava di trovare un elenco di domande che proponesse quesiti, non si affrettavano a rispondere subito per vedere quale punteggio avrebbero ottenuto. Sarebbe stato troppo penoso alla domanda: «Quante volte fate l'amore?» dover scegliere tra: a) Più di quattro volte alla settimana; b) In media due volte alla settimana; c) Ogni sabato sera; d) Meno.

Chi avrebbe avuto il coraggio di ammettere che era meno e poi leggere il genere di interpretazione che gli esperti del test avevano riservato a quella confessione?

In quel momento, se uno di loro due si fosse imbattuto in un test che chiedeva «Siete compatibili?» avrebbe subito voltato pagina. E non c'erano state liti né dissidi. Aidan non era stato infedele a Nell e riteneva che neanche lei avesse mai preso una sbandata. Talvolta si chiedeva se peccava di presunzione a pensarlo. Nell era una bella donna e gli uomini si giravano ancora a guardarla, come era sempre successo.

Molti degli uomini che si stupivano davanti alle prove del tradimento delle loro mogli, secondo Aidan, erano egoisti e poco osservatori. Ma lui no. Lui sapeva che Nell non vedeva nessun altro, non faceva l'amore con altri uomini; la conosceva così bene che se ne sarebbe accorto se così fosse stato. E poi, dove poteva aver incontrato qualcuno? E, anche ammettendo che avesse conosciuto qualcuno che le piaceva, dove avrebbero potuto vedersi? No, era un'idea ridicola.

Probabilmente la pensavano tutti così. Poteva essere una delle cose che non si raccontano invecchiando; come confessare di avere i polpacci doloranti e indolenziti dopo una lunga passeggiata, come non essere più in grado di sentire e capire le parole delle canzoni pop. Forse ci si allontana semplicemente dalla persona da sempre considerata il centro del proprio universo.

Era possibile che molti altri uomini sui quarantotto, quarantanove anni sperimentassero la stessa sensazione. In tutto il mondo c'erano senza dubbio uomini che desideravano che le loro mogli fossero più partecipi, più entusiaste. E non solo riguardo al sesso ma anche a tutto il resto.

Era passato tanto tempo da quando Nell gli chiedeva del suo lavoro a scuola, delle sue speranze, dei suoi sogni. C'era stata un'epoca in cui lei conosceva il nome di ogni insegnante e di molti degli allievi, un tempo in cui discuteva con Aidan di classi troppo numerose, di posti di responsabilità, di escursioni e recite scolastiche, di progetti per il Terzo Mondo.

Ma adesso sapeva a stento quello che stava succedendo. Quando era stato nominato il nuovo ministro dell'educazione, Nell si era limitata a scrollare le spalle. «Immagino che non possa essere peggiore dell'ultimo», era stato il suo unico commento. Nell non sapeva niente dell'Anno di Transizione, si limitava a definirlo un maledetto lusso. «Figuriamoci, concedere ai ragazzi tutto quel tempo per pensare e discutere e... guardarsi dentro invece di prepararsi agli esami», aveva detto.

E Aidan non la biasimava.

Era diventato molto noioso quando spiegava le cose. Sentiva la propria voce riecheggiargli nelle orecchie, con un monotono ronzio, mentre le sue figlie alzavano gli occhi al cielo chiedendosi perché all'età di ventuno e diciannove anni dovessero ascoltarlo ancora.

Cercava di non annoiarle. Aidan sapeva che quella era una caratteristica degli insegnanti: erano così abituati ad avere l'attenzione della classe che parlavano troppo a lungo, sviscerando ogni argomento, finché non erano sicuri che l'ascoltatore ne avesse afferrato bene il senso.

Compiva immensi sforzi per partecipare alla loro vita.

Ma Nell non aveva mai storie da raccontare o problemi da discutere sul suo lavoro come cassiera in un ristorante. «Oh, per carità, Aidan, è un impiego come un altro. Siedo lì e ritiro le carte di credito, o gli assegni, o i contanti, poi do il resto e una ricevuta. Alla fine della giornata torno a casa e alla fine della settimana ricevo lo stipendio. Ed è così per il novanta per cento delle persone che lavorano. Non abbiamo problemi, drammi o lotte per il potere; siamo normali, ecco tutto.»

Non aveva parlato con l'intenzione di ferirlo o umiliarlo, ma le sue parole furono comunque come uno schiaffo in pieno viso. Era ovvio che lui aveva dovuto sostenere confronti e conflitti nella sala professori. Ed erano passati i tempi in cui Nell aspettava ansiosa di sapere che cosa era successo, parteggiando sempre per lui, difendendo la sua causa e dichiarando che i nemici di Aidan erano suoi nemici. Aidan anelava alla complicità, alla solidarietà e all'affiatamento di una volta.

Forse, se fosse diventato preside, i loro rapporti sarebbero tornati quelli di un tempo.

O si stava illudendo? Probabilmente anche quell'incarico sarebbe apparso di scarso interesse agli occhi della moglie e delle figlie. La sua casa andava avanti facilmente. Di recente aveva provato la strana sensazione di essere già morto da molto tempo e di constatare che se la cavavano alla perfezione anche senza di lui. Nell andava e veniva dal ristorante. Si recava a trovare sua madre una volta alla settimana. No, non era necessario che Aidan andasse, aveva detto, andava solo a chiacchierare in famiglia. A sua madre piaceva vederla con regolarità per sapere che stavano tutti bene.

«E tu stai bene?» aveva chiesto ansiosamente Aidan.

«Non sei tra gli allievi del Quinto anno a fare filosofia per dilettanti», aveva risposto Nell. «Sto bene come chiunque altro, immagino. Non riesci proprio ad accettarlo?»

Ma naturalmente Aidan non riusciva ad accettarlo. Precisò che non si trattava di filosofia per dilettanti, bensì di introduzione alla filosofia, e che non era il Quinto anno, ma l'Anno di Transizione. Non avrebbe mai dimenticato l'occhiata che Nell gli aveva lanciato. Era stata sul punto di dire qualcosa, ma poi ci aveva ripensato. Il suo viso esprimeva commiserazione e disprezzo. Lo guardò come avrebbe potuto guardare un povero vagabondo seduto per strada, la giacca stretta alla vita con una corda, mentre si scolava una bottiglia di vino allo zenzero.

Con le figlie non se la cavava meglio.

Grania, la maggiore, lavorava in banca, ma aveva poco da riferire al riguardo, a suo padre almeno. A volte Aidan la sorprendeva mentre parlava con le amiche e sembrava molto più animata. La stessa cosa avveniva con Brigid. «Va tutto bene all'agenzia viaggi, papà, smettila di preoccuparti», diceva. Certo, tutto bene, con vacanze pagate due volte all'anno e lunghe ore libere a pranzo perché facevano i turni.

Grania non voleva parlare del sistema bancario e di come fosse ingiusto incoraggiare le persone ad accettare prestiti che poi avrebbero avuto difficoltà a ripagare. Non aveva inventato lei le regole, gli disse. Lei aveva semplicemente un cestino sulla sua scrivania con i fogli degli ordini e le indicazioni di quello che doveva fare e ogni giorno lo affrontava. Tutto lì. Brigid non aveva alcuna opinione sul perché l'agenzia viaggi vendesse ai turisti una specie di sogno che non si sarebbe mai realizzato. «Papà, se non vogliono fare una vacanza, nessuno fa loro nulla, semplicemente non devono venire a prenotarla.»

Aidan avrebbe voluto essere più osservatore. Quando era incominciato tutto quello... quell'estraniarsi sempre di più? C'era stato un tempo in cui le bambine erano solite sedersi accanto a lui tutte fresche e profumate dopo il bagno avvolte nelle loro vestagliette rosa; lui raccontava loro delle favole, e Nell li osservava compiaciuta dall'altra parte della stanza. Ma questo succedeva anni prima.

Certo, c'erano stati bei momenti da allora. Quando facevano gli esami, per esempio, Aidan preparava alcuni riassunti affinché le figlie imparassero a trarre il massimo del profitto dallo studio. Gliene erano state grate allora. Ricordava la festa in occasione del diploma di Grania, e poi quando era stata accettata in banca. Avevano festeggiato con un pranzo in un grande albergo in entrambe le occasioni, con il cameriere che scattava fotografie a tutti i presenti. E la stessa cosa era avvenuta per Brigid, un pranzo e una serie di foto. Sembravano una famiglia perfettamente felice in quelle immagini. Che fosse soltanto una facciata?

In un certo senso doveva essere stato così perché, a qualche anno di distanza, non poteva starsene seduto con sua moglie e le due figlie, le persone che amava di più al mondo, a raccontar loro dei suoi timori di non essere probabilmente eletto preside.

Aveva investito molto del suo tempo in quella scuola facendo tanti straordinari, si era occupato di ogni problema, e tuttavia dentro di sé sapeva che sarebbe stato scavalcato.

Un'altra persona, che aveva quasi la sua età, avrebbe potuto ottenere il posto. Questi era Tony O'Brien, un uomo che non era mai rimasto a scuola più del dovuto, che non si era mai preoccupato di arricchire il suo curriculum, né di raccogliere fondi per il progetto del nuovo edificio. Tony O'Brien che fumava apertamente nei corridoi della scuola, che faceva colazione al pub con una pinta e mezza di birra e un sandwich al formaggio. Uno scapolo che si vedeva spesso in giro con una ragazza che aveva la metà dei suoi anni e malgrado ciò veniva proposto come candidato per la carica di preside.

Molte cose avevano sconcertato Aidan negli ultimi anni, ma niente quanto quella. Tony O'Brien non avrebbe neanche dovuto entrare in lizza. Aidan si passò le mani tra i capelli che ormai si stavano diradando. Tony O'Brien aveva una folta chioma castana che gli ricadeva sugli occhi e gli arrivava al colletto della camicia. Il mondo non poteva essere diventato così pazzo da prendere in considerazione la candidatura di quell'uomo a preside.

Avere tanti capelli era un punto in più, averne pochi uno in meno... Aidan sorrise. Se riusciva a ridere di sé in simili momenti di paranoia, forse sarebbe riuscito a tenere a bada l'autocommiserazione.

C'era un test, in uno dei giornali della domenica, riguardante lo stress. Aidan rispose con sincerità a tutte le domande. Raggiunse più di 75 punti, un punteggio alto, lo sapeva. Tuttavia non era preparato allo sbrigativo verdetto: «Se hai raggiunto più di 70 punti, sei teso come la corda di un violino. Rilassati, amico, prima di esplodere».

Si erano sempre detti che quei test erano burle, passatempo. Almeno quello era quanto Aidan e Nell solevano ripetersi allorché ne uscivano meno bene di quanto avessero sperato. Ma quella volta, naturalmente, era solo a commentare il risultato. Pensò che i giornali dovevano escogitare qualcosa che occupasse mezza pagina, altrimenti sarebbero usciti con spazi in bianco. Tuttavia Aidan era sconvolto. Sapeva di essere teso, era una cosa certa. Ma come la corda di un violino? Chiaro che ci avrebbero pensato due volte a eleggerlo preside.

Aveva annotato le risposte su un foglio di carta a parte, per timore che qualcuno della famiglia potesse leggere il giornale e venire a conoscenza delle sue ansie, delle preoccupazioni e delle notti insonni.

La domenica era il giorno che in quel periodo Aidan trovava più difficile da sopportare. In passato, quando erano una vera famiglia, una famiglia felice, andavano a fare i picnic in estate e lunghe, salutari passeggiate, quando il tempo rinfrescava. Egli si vantava che la sua famiglia non sarebbe mai stata come quelle famiglie di Dublino che non conoscevano altro che la zona in cui vivevano.

Una domenica le aveva portate in treno verso sud e avevano scalato il Bray Head, spaziando con lo sguardo sulla vicina contea di Wicklow; un'altra domenica si erano recati verso nord nei villaggi di Rush, Lusk e Skerries, piccoli centri in riva al mare, molto caratteristici, tutti sulla strada che portava al confine. Aveva organizzato escursioni giornaliere a Belfast, perché non crescessero ignorando come fosse l'altra parte dell'Irlanda.

Quelli erano stati i tempi più felici. Papà sapeva tutto, solevano ripetere le sue figlie: dove prendere l'autobus per il Carrickfergus Castle, o l'Ulster Folk Museum, dove mangiare squisite patatine prima di risalire sul treno per tornare a casa.

Aidan ricordava che una donna sul treno aveva detto a Grania e a Brigid che erano bambine fortunate ad avere un papà che insegnasse loro tutte quelle cose. Loro avevano annuito solennemente e Nell gli aveva sussurrato che la donna si era certamente invaghita di lui, ma che lei non le avrebbe lasciato mettergli neanche un dito addosso. E Aidan si era sentito l'uomo più importante del mondo.

In quelle ultime domeniche aveva l'impressione che in casa si accorgessero a stento della sua presenza.

Non erano mai stati abituati al tradizionale pranzo domenicale, con roast-beef, o agnello, o pollo, e immensi piatti di patatine e verdure, come tante altre famiglie. Per via delle scampagnate, la domenica era un giorno come un altro in casa loro, ma Aidan avrebbe voluto che ci fosse qualche punto fisso di riferimento. Andava a messa. Nell, talvolta, lo accompagnava, ma di solito dopo si recava da qualche altra parte per incontrare una delle sorelle o qualche collega. E ormai i negozi erano aperti anche la domenica, così c'era sempre un posto dove andare.

Le ragazze non andavano mai alla funzione domenicale. Era inutile parlarne. Ci aveva rinunciato quando avevano diciassette anni. Non si alzavano fino all'ora di pranzo e poi si preparavano dei sandwich, guardavano quello che avevano registrato alla televisione durante la settimana, bighellonavano in vestaglia, si lavavano i capelli, i vestiti, parlavano al telefono con le amiche, invitavano altre amiche per il caffè.

Si comportavano come se vivessero in un appartamento insieme alla madre, una simpatica ed eccentrica affittacamere che andava assecondata. Grania e Brigid contribuivano alle spese con una piccolissima somma di denaro che consegnavano sgarbatamente come se venissero dissanguate. Per quello che ne sapeva lui, non contribuivano con niente altro al budget familiare. Non una scatola di biscotti, una vaschetta di gelato o un fustino di detersivo usciva mai dalle loro borse, ma si arrabbiavano se queste cose non erano a portata di mano.

Aidan si chiedeva come trascorresse le domeniche Tony O'Brien. Sapeva che Tony non andava in chiesa, l'aveva detto chiaramente ai suoi allievi quando glielo avevano chiesto: «Signore, va alla messa la domenica?»

«A volte ci vado, quando mi sento in vena di parlare con Dio», aveva risposto Tony O'Brien.

Aidan lo sapeva. Gli era stato riferito con aria trionfante dai ragazzi, che se ne servivano come arma contro coloro che li esortavano ad andare in chiesa ogni domenica, se non volevano commettere un peccato mortale.

Era stato molto intelligente, troppo, pensò Aidan. Non aveva negato l'esistenza di Dio, aveva anzi dichiarato che era amico di Dio e come tale andava spesso a fare una capatina in chiesa per fare una chiacchierata con Lui, quando era in vena.

La domenica, probabilmente, Tony O'Brien si alzava tardi. Abitava in una delle cosiddette villette a schiera, che erano l'equivalente di un appartamento. Un grande salone con cucina al piano di sotto, camera da letto e bagno al piano di sopra. La porta si apriva direttamente sulla strada, e varie volte, la mattina, era stato visto uscire accompagnato da giovani donne.

Un tempo, una cosa del genere avrebbe significato la fine della sua carriera, per non parlare della possibilità di una promozione… In passato, negli anni Sessanta, alcuni insegnanti erano stati licenziati per aver avuto relazioni extraconiugali. Non che ciò fosse giusto, naturalmente. Avevano infatti protestato tutti vivacemente. E, malgrado ciò, per un uomo che non si era mai impegnato con una donna, ostentarne una dopo l'altra, ed essere ugualmente considerato come un probabile preside, un modello per gli studenti… era altrettanto ingiusto.

Chissà che cosa stava facendo Tony O'Brien in quel momento, alle due di una piovosa domenica pomeriggio? Forse stava andando a pranzo a casa di uno degli altri insegnanti. Aidan non l'aveva mai potuto invitare dato che loro non facevano un pranzo vero e proprio, e Nell avrebbe chiesto, a ragione, perché imponesse loro la presenza di un uomo che lui criticava da cinque anni. Forse stava ancora intrattenendo la ragazza della sera prima. Tony O'Brien diceva di avere un grosso debito di gratitudine nei confronti del popolo cinese dato che c'era un fantastico *take away* a sole tre porte da casa sua… il pollo al limone, i toast al sesamo e gli scampi al pepe erano sempre ottimi con una bottiglia di Chardonnay australiano e i giornali della domenica. Figuriamoci, alla sua età, un uomo che poteva essere nonno, che invece intratteneva ragazze e mangiava alla cinese di domenica.

Ma perché no?

Aidan Dunne era un uomo giusto. Doveva ammettere che la gente aveva libertà di scelta in queste cose. Tony O'Brien non trascinava a casa sua quelle donne per i capelli. Non esisteva una legge che imponesse che doveva essere sposato e allevare due figlie scostanti come aveva fatto Aidan. E, in un certo senso, andava a suo favore il fatto che non fosse un ipocrita, che non cercasse di dissimulare il suo stile di vita.

Era solo che le cose erano così cambiate!

Qualcuno aveva modificato i parametri su ciò che era accettabile e ciò che non lo era, e non aveva consultato Aidan prima di farlo.

E come avrebbe trascorso Tony il resto della giornata?

Probabilmente non sarebbero tornati a letto nel pomeriggio. Forse sarebbero andati a fare una passeggiata, oppure la ragazza sarebbe tornata a casa e Tony avrebbe ascoltato musica, parlava spesso dei suoi CD. La volta in cui aveva vinto 350 sterline con una quaterna al lotto, si era rivolto a un falegname della scuola e l'aveva pagato in anticipo perché gli costruisse un raccoglitore per sistemare i suoi 500 CD. Ne erano rimasti tutti colpiti e Aidan aveva provato una fitta di invidia. Dove trovava i soldi per comprare tanti CD? Sapeva che Tony ne comprava circa tre alla settimana. E quando aveva il tempo per ascoltarli? Poi Tony era solito recarsi al pub a incontrare gli amici, oppure andare a vedere film in lingua originale con i sottotitoli, o al jazz club.

Forse era tutto quel darsi da fare che lo rendeva così interessante e gli dava un vantaggio sugli altri, per lo meno su Aidan. Le domeniche di Aidan non avrebbero potuto interessare nessuno.

Quando tornava dalla messa, verso l'una, e chiedeva se qualcuno gradiva uova al bacon, si levava un coro di disgusto da parte delle figlie: «Dio no, papà!» oppure: «Papà, ti prego, non nominarla nemmeno quella roba, anzi, tieni chiusa la porta della cucina». Se Nell era a casa, avrebbe magari alzato gli occhi da un romanzo e chiesto: «Perché?» Il suo tono non era mai ostile, solo stupito, come se fosse la proposta più inverosimile che le fosse mai stata fatta. Rimasta sola, Nell si sarebbe probabilmente preparata un sandwich con l'insalata verso le tre.

Aidan ripensò con nostalgia alla tavola di sua madre, dove si commentavano i fatti della settimana e non c'erano scuse per chi non era presente. Naturalmente era stato lui a cambiare tutto, a trasformare le figlie in spiriti liberi, a far loro scoprire la contea di Dublino e anche quelle vicine durante il suo giorno libero. Come poteva sapere che quella scelta avrebbe condotto a una situazione del genere, con lui che vagava dalla cucina, dove negli orari più impensabili ci si scaldava il cibo nel forno a microonde, al salotto, dove la televisione trasmetteva programmi che non gli interessavano, alla camera da letto, dove non faceva più l'amore con sua moglie da talmente tanto tempo che non ne sopportava quasi la vista, se non quando era giunta l'ora di coricarsi?

C'era naturalmente la sala da pranzo con i pesanti mobili scuri che non avevano quasi mai usato da quando avevano comprato la casa. Anche se fossero state persone che amavano ricevere ospiti, era troppo piccola e modesta. Nell aveva suggerito che Aidan ne facesse il suo studio, ma lui aveva opposto resistenza. Sentiva che se l'avesse trasformata in una copia dell'ufficio che aveva a scuola, avrebbe in qualche modo perduto la sua identità di capofamiglia, di padre, di uomo che una volta credeva che quello fosse il centro della vita.

Temeva anche che se si fosse installato lì, il passo successivo sarebbe stato quello di doverci anche dormire; dopotutto c'era un bagno anche al pianterreno. Sarebbe stato normale lasciare a disposizione delle tre donne il piano di sopra.

Non lo avrebbe mai fatto, avrebbe lottato per mantenere il suo posto in famiglia, così come stava combattendo per mantenere viva la sua presenza nelle menti del Consiglio direttivo, gli uomini e le donne che avrebbero scelto il prossimo preside del Mountainview College.

Sua madre non aveva mai capito perché alla scuola non fosse mai stato dato il nome di un santo. Era difficile spiegarle che le cose erano cambiate, ma continuava a rassicurarla che nel Consiglio direttivo c'erano pur sempre un prete e una suora. Certo, non prendevano tutte le decisioni, ma in parte ricoprivano ancora il ruolo che i religiosi avevano avuto per anni nell'educazione dei giovani irlandesi.

Invano Aidan aveva cercato di spiegare la crisi delle vocazioni. Anche le scuole medie confessionali, negli anni Novanta, avevano pochi insegnanti appartenenti a ordini religiosi. Mancavano sacerdoti.

Una volta Nell lo aveva sentito discutere della situazione con sua madre e gli aveva suggerito di risparmiare il fiato. «Dille che sono ancora loro a dirigere la scuola, Aidan. Ti semplifica la vita. E in un certo senso è ancora così. La gente ha paura di loro.» Lo irritava enormemente sentire Nell esprimersi in quel modo. Nell non aveva motivo di temere il potere della chiesa cattolica. Ne aveva osservato i precetti finché le aveva fatto comodo, poi aveva abbandonato abbastanza presto la confessione e ogni insegnamento del Papa riguardo le pratiche contraccettive. Perché fingere che fosse un grosso peso per lei? Ma non ne discuteva. Era calmo e arrendevole come in molte altre cose. Nell non aveva tempo per la suocera; non c'era ostilità, ma neanche alcun interesse per lei.

A volte la madre di Aidan si chiedeva quando l'avrebbero invitata a cena, e lui doveva spiegarle che al momento la situazione era un po' instabile, ma quando si sarebbero organizzati...

Lo andava ripetendo da più di due decenni e come scusa non reggeva ormai molto. Ma non era giusto incolpare Nell per quello, infatti non si poteva dire che invitasse molto neanche sua madre. La madre di Aidan veniva sempre invitata alle feste di famiglia tenute nei ristoranti, naturalmente. Ma non era la stessa cosa. Ed era parecchio tempo che non c'era più niente da festeggiare. Fatta eccezione, com'era ovvio, dell'eventualità che venisse eletto preside.

«Hai passato un buon weekend?» gli chiese Tony O'Brien nella sala professori.

Aidan lo guardò, sorpreso. Era da tanto tempo che nessuno glielo domandava. «Tranquillo», rispose Aidan.

«Oh, beato te. Io sono stato a un party ieri sera e ne sto ancora subendo le conseguenze. Mi dividono però soltanto tre ore e mezzo dalla buona, vecchia pinta di birra dell'ora di pranzo», gemette Tony.

«Ma è fantastica! La tua capacità di resistenza, voglio dire.» Aidan sperò che amarezza e critica non fossero troppo evidenti nel tono della sua voce.

«Niente affatto, sono troppo vecchio per queste cose, ma non ho la consolazione di una moglie e di una famiglia come tutti voi.» Il sorriso di Tony era cordiale. Se non avesse conosciuto né lui né il suo stile di vita lo avrebbe creduto sinceramente rattristato.

Passeggiarono insieme lungo i corridoi del Mountainview College, il luogo che sua madre avrebbe voluto che si chiamasse Saint Kevin, o ancor meglio Saint Anthony; quest'ultimo era il santo che, secondo la tradizione, ritrovava le cose smarrite, e sua madre, invecchiando, lo invocava sempre più spesso. Per esempio, le trovava gli occhiali una dozzina di volte al giorno. E il minimo che la gente potesse fare per ringraziarlo, era dare il suo nome alla scuola locale. Ma, quando suo figlio fosse diventato preside… viveva nella speranza.

I ragazzi gli passavano accanto correndo, alcuni augurandogli il buon giorno, altri distogliendo imbronciati lo sguardo. Aidan Dunne conosceva tutti gli studenti e i loro genitori. E ricordava i loro fratelli e sorelle. Tony O'Brien non ne conosceva quasi nessuno. Era così ingiusto.

«Ho incontrato qualcuno che ti conosce, ieri sera», ruppe il silenzio all'improvviso Tony O'Brien.

«A un party? Ne dubito.» Aidan sorrise.

«Sì, ti conosce di sicuro. Quando le ho detto che insegno qui, mi ha chiesto se ti conoscevo.»

«E chi è?» Aidan era incuriosito suo malgrado.

«Non so come si chiami. Una ragazza simpatica.»

«Un'ex allieva, probabilmente.»

«No, altrimenti avrebbe saputo chi sono.»

«Un mistero, allora», osservò Aidan e guardò Tony O'Brien entrare in Quinta.

Il silenzio che seguì era inspiegabile. Perché lo rispettavano tanto? Paura di essere sorpresi a chiacchierare, a comportarsi male? Tony O'Brien non ricordava i loro nomi. Correggeva a malapena i loro compiti e non perdeva un'ora di sonno sui risultati degli esami. Fondamentalmente non gli importava molto di loro. Eppure loro, ragazze e ragazzi di sedici anni, cercavano la sua approvazione. Aidan non riusciva a capire.

È risaputo che le donne preferiscono gli uomini che le trattano male, pensò. E provò un fremito di sollievo al pensiero che Nell non avesse mai incrociato il cammino di Tony O'Brien. Poi avvertì un altro fremito, dettato dalla consapevolezza che Nell lo aveva, in un certo senso, abbandonato tanto tempo prima.

Aidan Dunne entrò in Quarta e indugiò sulla soglia per qualche minuto finché gradualmente non si fece una specie di silenzio.

Credette che Mr Walsh, il vecchio preside, fosse passato dietro di lui in corridoio. Ma doveva averlo immaginato. Pensava sempre che passasse il preside quando la sua classe era in subbuglio. Era qualcosa che ogni insegnante che aveva conosciuto ammetteva. Aidan sapeva che era una preoccupazione di poco conto. Il preside lo ammirava troppo per curarsi se la sua classe era un po' più rumorosa del solito. Aidan era l'insegnante più responsabile del Mountainview. Lo sapevano tutti.

Nel pomeriggio di quello stesso giorno Mr Walsh lo chiamò nel suo studio. Era un uomo stanco, che non vedeva l'ora di andare in pensione e, per la prima volta, arrivò subito al problema che gli stava a cuore.

«Lei e io la pensiamo allo stesso modo su molte cose, Aidan.»

«Lo spero, Mr Walsh.»

«Sì, guardiamo il mondo dallo stesso punto di vista. Ma non è sufficiente.»

«Non capisco esattamente che cosa intenda.» Aidan diceva solo la verità. Che fosse una discussione filosofica? Un avvertimento? Una ramanzina?

«È il sistema, vede. Il modo in cui dirigono le cose. Il preside non ha diritto di voto. Se ne sta lì come un povero eunuco, ecco a che ruolo viene ridotto.»

«Diritto di voto?» Aidan pensava di sapere dove stava andando a parare, ma decise di fingere di non saperlo.

Era stato un calcolo sbagliato che servì solo a far irritare il preside. «Via, amico, sa benissimo di che cosa sto parlando. L'incarico, l'incarico, amico.»

«Be', sì.» Aidan adesso si sentiva sciocco.

«Io sono un membro che nel Consiglio direttivo non ha diritto di voto, non posso dire la mia. Se potessi, otterrebbe lei quest'incarico a settembre. Le darei qualche consiglio su come non accettare stupidaggini da quei tangheri del Quarto anno. Ma credo comunque che lei sia un uomo dotato di principi e sappia che cosa è più giusto per una scuola.»

«Grazie, Mr Walsh, mi fa piacere saperlo.»

«Amico, mi ascolti prima di farfugliare frasi inutili... non c'è niente di cui ringraziarmi. Non posso fare niente per lei, è questo che sto cercando di dirle, Aidan.» L'uomo più anziano lo guardò disperato, come se Aidan fosse un ragazzino del Primo anno, un po' duro di comprendonio.

Per quel che ne sapeva Aidan, poteva darsi che Mr Walsh fosse in grado di leggergli nel pensiero, di riconoscere la consapevolezza che era appena affiorata nel suo cervello.

«Su, si ricomponga adesso. Non assuma quell'espressione afflitta. Potrei anche essermi sbagliato, potrei aver capito male. Probabilmente volevo solo mettermi al riparo nel caso che la situazione non volgesse in suo favore.»

Aidan vedeva che il preside stava rimpiangendo di aver parlato. «No, no, le sono molto grato. È stato molto buono a spiegarmi la sua posizione in tutto questo... voglio dire...» La voce di Aidan si affievolì.

«Non sarà la fine del mondo... se non dovesse ottenerlo lei.»

«No, no, assolutamente.»

«Lei è un uomo di famiglia, con molte soddisfazioni, mi sembra. Buona parte della sua vita si svolge a casa, non è sposato a questo posto come lo sono stato io per tanto tempo.» Mr Walsh era vedovo da molti anni e il suo unico figlio andava a trovarlo di rado.

«Ha perfettamente ragione», ammise Aidan.

«Ma?» L'uomo più anziano aveva un'espressione gentile sul viso, disponibile.

Aidan parlò lentamente. «Ha ragione, non è la fine del mondo, ma credo di aver pensato... sperato che potesse essere un nuovo inizio, che potesse ravvivare un po' la mia vita. Non mi sarebbe importato delle ore in più, non mi è mai importato. Trascorro già molte ore qui. In un certo senso sono un po' come lei, sa, sposato con Mountainview.»

«Lo so.» Mr Walsh era gentile.

«Non l'ho mai considerato come un lavoro spiacevole. Mi piacciono le mie classi e soprattutto l'Anno di Transizione, quando si può tirarli un po' fuori, imparare a conoscerli, lasciarli pensare. Mi piacciono anche le sere con i genitori, che invece detestano tutti, perché ricordo il nome dei ragazzi e... credo che mi piaccia tutto, fatta eccezione per la politica, per le gomitate per ottenere il posto.» Aidan s'interruppe all'improvviso. Temeva d'avere la voce rotta e all'improvviso si rese conto che le sue gomitate non erano servite.

Mr Walsh era silenzioso.

Fuori dalla stanza si udivano i tipici rumori di ogni scuola alle quattro e trenta del pomeriggio. In lontananza si sentivano i campanelli delle biciclette, le porte che sbattevano, le voci dei ragazzi mentre correvano a prendere gli autobus. Da lì a poco si sarebbe sentito il rumore degli uomini delle pulizie muniti di secchi e di stracci, e il ronzìo della lucidatrice. Tutto era così familiare, così sicuro. E fino a quel momento Aidan aveva pensato che c'era una grossa possibilità che tutto quello diventasse suo.

«Immagino che il prescelto sia Tony O'Brien», osservò con tono sconfitto.

«A quanto pare è quello che vogliono. Niente di definitivo ancora, non fino alla settimana prossima, ma sono orientati in quella direzione.»

«Mi domando perché.» Aidan era quasi stordito per la gelosia e la confusione.

«Oh, non ne ho la minima idea, Aidan. Quell'uomo non è neanche un cattolico praticante. Ha la moralità di un gatto randagio. Non ama questo posto, non gli importa di ciò che importa a noi, ma loro ritengono che sia l'uomo adatto ai tempi in cui viviamo. Maniere forti per problemi grossi.»

«Come pestare un ragazzo di diciott'anni fino a farlo quasi svenire», osservò Aidan.

«Be', erano tutti convinti che il ragazzo spacciasse droga e, comunque, non si è più avvicinato alla scuola.»

«Non si può dirigere una scuola in questo modo», asserì Aidan.

«Lei non lo farebbe e neanch'io, ma il nostro tempo è finito.»

«Lei ha sessantacinque anni, con rispetto parlando, Mr Walsh. Io ne ho solo quarantotto, non pensavo che il mio tempo fosse finito.»

«E non è così, Aidan. È quello che sto cercando di dirle. Lei ha una moglie e delle figlie deliziose, una vita là fuori. Dovrebbe iniziare a costruire su questo. Non permetta a Mountainview di diventare la sua amante.»

«Lei è molto gentile e io apprezzo le sue parole. No, non sto farneticando. In realtà, sono lieto di essere stato avvertito per tempo, mi fa sentire meno sciocco.» E abbandonò la stanza cercando di tenere la schiena dritta.

A casa trovò Nell con il suo abito nero e la sciarpa gialla, l'uniforme che indossava per andare a lavorare al ristorante.

«Ma di solito non lavori il lunedì sera», osservò interdetto.

«Erano a corto di personale e allora mi sono detta 'perché no', non c'è niente alla televisione», rispose. Poi vide la sua faccia. «C'è una bella bistecca nel frigorifero», aggiunse. «E le patate di sabato... sono ottime saltate con un po' di cipolla. Va bene?»

«Va bene», replicò lui. Non gliel'avrebbe detto comunque. Forse era meglio che Nell uscisse. «Le ragazze sono a casa?» chiese.

«Grania ha preso possesso del bagno. Ha un appuntamento importante stasera, sembra.»

«Qualcuno che conosciamo?» Non sapeva perché l'avesse domandato. Notò l'irritazione di lei.

«Come può essere qualcuno che conosciamo?»

«Ricordi che quando erano piccole conoscevamo tutti i loro amici?» chiese Aidan.

«Sì, e ricordo anche quando ci tenevano svegli tutta la notte, strillando e piangendo. Adesso vado.»

«Bene, abbi cura di te.» La sua voce era piatta.

«Stai bene, Aidan?»

«Farebbe differenza se non stessi bene?»

«Che razza di risposta è mai questa? Non vale la pena di farti una domanda civile, se poi dai questo genere di risposte.»

«Dico sul serio. Farebbe differenza?»

«No, non cominciare con questa storia dell'autocommiserazione. Siamo tutti stanchi, Aidan. La vita è dura per tutti. Perché credi di essere l'unico ad avere problemi?»

«Che problemi hai tu? Non me ne parli mai.»

«E non lo farò certamente adesso che mancano pochi minuti al passaggio dell'autobus.»

Se ne andò.

Aidan si preparò una tazza di caffè istantaneo e sedette al tavolo della cucina. Entrò Brigid. Aveva i capelli scuri e la faccia lentigginosa esattamente come lui, ma meno quadrata, per fortuna. Sua sorella, invece, aveva la carnagione chiara di Nell.

«Papà, non è giusto, Grania è in bagno da quasi un'ora. È tornata a casa alle cinque e mezzo, ci è entrata alle sei e adesso sono quasi le sette. Papà, dille di uscire e di lasciarmi entrare.»

«No», rispose lui calmo.

«Che cosa vuoi dire, con quel no?» Brigid era sbigottita.

Che cosa avrebbe detto di solito? Qualcosa di blando, cercando di mantenere la pace, ricordandole che c'era una doccia nel bagno al pianterreno. Ma quella sera non aveva l'energia di placarle. Che litigassero pure, non avrebbe fatto nessuno sforzo per impedirglielo.

«Siete donne ormai, sbrigatevela voi con il bagno», aggiunse, ed entrò con il suo caffè nella sala da pranzo, chiudendosi la porta alle spalle.

Sedette immobile per un po' e si guardò attorno. Sembrava che la sala da pranzo fosse lì a testimoniare tutto quello che di sbagliato c'era nella loro vita. Nessun pranzo felice era mai avvenuto intorno a quel grande tavolo severo.

Quando Grania e Brigid invitavano degli amici, li conducevano di sopra nelle loro camere da letto o si chiudevano in cucina a ridacchiare con Nell. Aidan restava solo in salotto a guardare programmi televisivi che non voleva vedere. Non sarebbe stato meglio che avesse una stanza sua, un posto dove poteva sentirsi in pace?

Aveva visto una bella scrivania, in un negozio di mobili di seconda mano, una di quelle meravigliose scrivanie con la ribalta. E avrebbe avuto fiori freschi nella stanza perché ne amava la bellezza e non gli importava di dover cambiare l'acqua tutti i giorni, mentre Nell lo considerava una scocciatura.

Durante il giorno entrava una bella luce dalla finestra; avrebbe potuto sistemarci un divano e appendervi delle tende, e poi sedersi a leggere e invitare amici, be', chiunque ci fosse, perché sapeva di non avere più una vita famigliare. Poteva rendersene conto prima e smettere di sperare che le cose cambiassero.

Avrebbe potuto avere una parete di libri e magari delle musicassette, finché non avesse comprato un lettore CD, ma forse non lo avrebbe mai comprato, non doveva più cercare di competere con Tony O'Brien. Appendere fotografie alle pareti, riproduzioni di affreschi provenienti da Firenze, di quelle teste aggraziate dipinte da Leonardo da Vinci. Suonare brani musicali, leggere articoli sui grandi capolavori d'arte che tanto gli piacevano. Mr Walsh pensava che avesse una sua vita. Era ora che l'avesse. L'altra sua vita era finita. Non sarebbe più stato sposato con Mountainview da quel momento in poi. Stava seduto scaldandosi le mani attorno alla tazza, pensando che quella stanza doveva essere riscaldata meglio. Ma a quello si poteva provvedere. E poi avrebbe avuto bisogno di alcune lampade, la luce centrale non creava certo atmosfera.

Bussarono alla porta. Ecco Grania, agghindata per il suo appuntamento. «Stai bene, papà?» chiese. «Brigid ha detto che eri un po' strano, mi stavo chiedendo se non ti sentissi male.»

«No, sto bene», rispose. Ma la sua voce sembrava venire da lontano.

Cercò di sorridere. «Vai in qualche posto carino?» le domandò.

Grania si sentì sollevata nel vedere che il padre era di nuovo se stesso. «Non lo so, ho conosciuto un tipo formidabile ma, senti, te ne parlo un'altra volta.» Il suo viso era morbido, più dolce di quanto non fosse da lungo tempo.

«Parlamene adesso», insistette lui.

Lei cercò di tergiversare. «No, non è ancora il momento, devo vedere come va. Se succederà qualcosa, tu sarai il primo a saperlo.»

Aidan si sentì infinitamente triste. Quella ragazza, che aveva tenuto per mano per tanti anni, che rideva delle sue battute e pensava che lui sapesse tutto, non vedeva l'ora di andarsene. «Va bene», si arrese.

«Non rimanere qui, papà, questa stanza è fredda e triste.»

Avrebbe voluto dirle che era freddo e triste dappertutto, ma non lo fece. «Divertiti», soggiunse.

Tornò a sedersi accanto alla televisione.

«Che cosa guardi stasera?» chiese a Brigid.

«Che cosa ti andrebbe, papà?» rispose lei.

Doveva aver incassato quel colpo assai peggio di quanto avesse creduto: la delusione e la consapevolezza di aver subìto un'ingiustizia dovevano trasparire dal suo viso, se le sue figlie...

Guardò la figlia minore, la faccia lentigginosa e i grandi occhi marroni così amati e familiari da quando era una bimbetta in carrozzina. Di solito era impaziente con lui, ma quella sera lo guardava con simpatia, come se fosse stato qualcuno sdraiato su una barella in un corridoio d'ospedale.

Sedettero l'uno accanto all'altra fino alle undici e mezzo, guardando programmi televisivi che non interessavano nessuno dei due, ma entrambi con l'espressione compiaciuta di chi credeva di far piacere all'altro.

Aidan era a letto quando Nell tornò a casa alla una; aveva spento la luce, ma non dormiva. Sentì il taxi fermarsi davanti a casa; le pagavano il taxi per tornare a casa quando faceva tardi al ristorante.

Entrò nella stanza senza far rumore e scivolò nel letto. Aveva una lampada sul comodino che le illuminava direttamente il libro che si era messa a leggere, senza disturbare lui. Nessuna parola che lui potesse dirle sarebbe stata più interessante dei tascabili che lei, le sue amiche e le sue sorelle leggevano, per cui adesso non le proponeva neppure più di parlare. Neanche quella sera che si sentiva il cuore di piombo e avrebbe desiderato stringerla tra le braccia, piangere contro la sua morbida pelle e dirle che Tony O'Brien avrebbe ottenuto la carica di preside perché sapeva stare meglio in prima linea, qualunque cosa quello potesse significare. Gli sarebbe piaciuto confessarle che l'addolorava che lei dovesse andare a sedersi dietro una cassa, guardando i ricchi mangiare, sbronzarsi e pagare i conti perché era meglio di qualunque altra cosa che un lunedì sera potesse offrire a una coppia sposata con due figlie grandi. Ma rimase lì ad ascoltare il lontano orologio del municipio che batteva le ore.

Alle due Nell posò il libro con un piccolo sospiro e si addormentò, il più lontano possibile da lui come se dormisse nella stanza accanto. Quando l'orologio batté le quattro, Aidan realizzò che Grania avrebbe avuto solo tre ore di sonno prima di recarsi al lavoro.

Ma non c'era niente che potesse dire o fare. Era sottinteso che le ragazze vivessero la loro vita senza subire interrogatori. Tornavano a casa all'ora che volevano e se non tornavano chiamavano alle otto del mattino per dire che stavano bene e che avevano passato la notte da un'amica. Quella era l'educata finzione che copriva Dio sa che cosa ma, come diceva Nell, spesso era la semplice verità, ed era preferibile che le ragazze restassero nell'appartamento di un'amica piuttosto che rischiare di venir accompagnate a casa da un ragazzo sbronzo.

Tuttavia Aidan si sentì sollevato quando udì la porta d'ingresso aprirsi e passi leggeri salire velocemente le scale. Alla sua età Grania poteva sopravvivere anche dormendo solo tre ore. E sarebbero state tre ore in più di quelle che avrebbe dormito lui.

La sua mente correva, facendo sciocchi piani. Avrebbe potuto dare le dimissioni in segno di protesta e trovare lavoro in un college privato, come il Sixth Year College, per esempio, dove svolgevano un programma intensivo. Insegnando latino, Aidan sarebbe stato utile lì, poiché c'erano ancora tante professioni per le quali gli studenti avevano bisogno di conoscere quella lingua. Avrebbe potuto rivolgersi al Consiglio direttivo, compilare un elenco di tutte le cose che aveva fatto per la scuola: le ore che le aveva dedicato, i suoi studi sull'ambiente e sugli spazi verdi necessari perché ottenesse il suo giusto posto nella comunità.

Senza darlo a vedere, avrebbe potuto far loro sapere che Tony O' Brien era un elemento negativo. Oppure avrebbe potuto scrivere una lettera anonima ai religiosi del Consiglio che probabilmente non avevano idea del disinvolto codice morale di Tony O'Brien. Oppure, avrebbe dovuto accettare il punto di vista di Mr Walsh e farsi una vita all'esterno della scuola.

C'erano molte cose che avrebbe potuto fare. La testa gli doleva come se qualcuno vi avesse attaccato un peso durante la notte, ma dato che non aveva chiuso occhio, sapeva che non poteva essere successo.

Si rasò con molta cura, si guardò intorno per la stanza da bagno come se non l'avesse mai vista. Su ogni centimetro di parete disponibile c'erano luminose riproduzioni di quadri di Turner che aveva comprato alla Tate Gallery, a Londra.

Le accarezzò chiedendosi se ci sarebbe mai ritornato. C'era stato due volte da giovane e poi avevano trascorso la luna di miele in Italia, dove aveva mostrato a Nell la sua Venezia, la sua Roma, la sua Firenze, la sua Siena. Era stata una vacanza meravigliosa, ma purtroppo non erano più tornati in Italia. Quando le bambine erano piccole non c'erano abbastanza soldi né il tempo; ultimamente... be'... chi sarebbe andato con lui?

Chissà come, a un certo punto, si erano trovati tutti d'accordo a far colazione in silenzio. Alle otto il caffè era pronto, e veniva accesa la televisione per il notiziario. Sul tavolo c'era un piatto italiano a colori vivaci con alcuni pompelmi, ognuno si serviva da sé. Accanto c'erano anche un cestino per il pane e un tostapane elettrico posato su un vassoio con la riproduzione della Fontana di Trevi. Era stato un regalo di Nell per il suo quarantesimo compleanno. Per le otto e venti, Aidan e le ragazze se n'erano andati, dopo che ognuno aveva infilato piatti e tazze nella lavastoviglie per ridurre al minimo il lavoro di Nell.

Non era brutta la vita che offriva a sua moglie, pensò Aidan. L'aveva mantenuta secondo le promesse fatte. La loro non era una casa elegante, ma era provvista di radiatori, elettrodomestici e lui pagava perché le finestre venissero lavate tre volte all'anno, la moquette fosse pulita ogni due e le mura esterne della casa ridipinte ogni tre.

Smettila di pensare in maniera così meschina, si rimproverò Aidan e, sforzandosi di sorridere, si avviò alla porta.

«Hai trascorso una bella serata ieri, Grania?» chiese.

«Sì, OK.» Nessun segno delle esitanti confidenze della sera prima.

«Bene, bene.» Annuì. «C'era gente al ristorante?» domandò a Nell.

«Abbastanza per un lunedì sera, direi, niente di spettacolare», rispose in maniera gentile, ma come se parlasse a un estraneo che aveva incontrato sull'autobus.

Aidan prese la cartella e si diresse a scuola. Dalla sua amante, Mountainview College. Che strana idea! Non possedeva certo il fascino di un'amante, per lui, quella mattina.

Indugiò un momento sul cancello del cortile della scuola, teatro della disonorante e brutale lotta tra Tony O'Brien e quel ragazzo che ne era uscito con le costole rotte e alcuni punti sopra l'occhio e il labbro inferiore. Il cortile era sporco, il capannone per le biciclette andava ridipinto e le bici erano accatastate in disordine. La tettoia della fermata dell'autobus, appena fuori dal cancello, era esposta ai venti. Quelle erano il genere di cose di cui Aidan si era proposto di occuparsi non appena diventato preside. Cose di cui adesso non si sarebbe occupato nessuno.

Fece un brusco cenno col capo ai ragazzi che lo salutavano, invece di chiamarli per nome come faceva sempre, ed entrò nella sala professori, non trovando altri che Tony O'Brien intento a mescolare nel bicchiere d'acqua una compressa effervescente per il mal di testa.

«Sto diventando troppo vecchio per le notti brave», esordì confidandosi con Aidan.

Aidan avrebbe voluto chiedergli perché non vi rinunciava, ma sarebbe stato controproducente. Non doveva fare mosse false, anzi, non doveva farne alcuna finché non avesse deciso che strategia seguire. Doveva continuare a mostrarsi mite e affabile.

«Tutta fatica e niente divertimento...» incominciò.

Ma Tony O'Brien non era in vena di simili banalità. «Credo che quarantacinque anni siano una sorta di punto di demarcazione. Sono la metà di novanta dopotutto e questo dovrebbe suggerire qualcosa. Benché nessuno di noi ascolti.» Scolò il bicchiere e schioccò la lingua.

«È valsa la pena fare tardi, voglio dire?»

«Chi può mai dire se ne vale la pena, Aidan. Ho conosciuto una ra-

Leabharlann
649259 0
Contae na Midhe

gazza molto carina, ma a che scopo quando si deve affrontare il Quarto anno?» Scosse la testa come un cane che esce dall'acqua cercando di scrollarsela di dosso. E quell'uomo avrebbe diretto il Mountainview College per i prossimi vent'anni mentre il povero, vecchio Mr Dunne avrebbe dovuto farsi da parte e lasciare che ciò accadesse. Tony O' Brien gli assestò una manata sulla spalla. «Mah, bisogna andare avanti; solo quattro ore e tre minuti prima di poter stringere in mano quella meravigliosa, salutare, pinta di birra.»

La giornata passò come sempre, sia che si soffrisse dei postumi di una sbronza come Tony O'Brien, sia che si avesse il cuore pesante come Aidan Dunne, e così la successiva e quella dopo ancora. Aidan non aveva ancora stabilito un piano d'azione. Non riusciva mai a trovare il momento giusto per confessare a casa che le sue speranze di diventare preside si stavano affievolendo. Pensava infatti che sarebbe stato più facile non dire niente, finché non fosse stata annunciata la decisione, facendola così apparire come una sorpresa per tutti.

Ma non aveva dimenticato i progetti per il suo studio. Vendette il tavolo e le sedie della sala da pranzo e comperò una piccola scrivania. Mentre sua moglie lavorava al *Quentin Restaurant* e le figlie uscivano per i loro appuntamenti, lui sedeva a fare piani. A poco a poco mise insieme il suo sogno: cornici di seconda mano, un basso tavolino vicino alla finestra, un grande divano a buon mercato che riempisse esattamente lo spazio. E un giorno avrebbe comprato delle fodere, qualcosa in oro o giallo, un colore solare, e anche un tappeto che avrebbe formato una macchia di un altro colore, magari rosso, arancio, porpora, insomma qualcosa che avesse vita e forza.

A casa non sembravano molto interessate, così non disse quasi niente del suo piano. In un certo senso sentiva che sua moglie e le figlie lo consideravano come un altro dei suoi innocui passatempi... i progetti per l'Anno di Transizione, la lunga battaglia per ottenere qualche metro di giardino in più e la direzione del Mountainview.

«Non si sa ancora niente dell'incarico a scuola?» chiese inaspettatamente Nell una sera mentre sedevano tutti e quattro attorno al tavolo della cucina.

Aidan sentì il cuore balzargli in petto quando mentì: «Neanche una parola. Ma voteranno la settimana prossima, questo è sicuro». Appariva calmo e imperturbabile.

«Lo otterrai certamente tu. Il vecchio Walsh bacia la terra sulla quale cammini», osservò Nell.

«Non ha diritto al voto, a dire il vero, così non mi è di nessuna utilità.» Aidan scoppiò in un risolino nervoso.

«L'otterrai tu, papà?» chiese Brigid.

«Non si sa mai, la gente vuole cose diverse in una persona che occuperà un ruolo così importante. Io sono lento e metodico, potrebbe non essere ciò di cui si ha bisogno oggigiorno.» Allargò le mani, con un'espressione che esprimeva rassegnazione.

«Ma chi potrebbero eleggere se non te?» volle sapere Grania.

«Se lo sapessi, non farei delle congetture. Un *outsider*, magari, o qualcuno all'interno della facoltà che non avevamo preso in considerazione...»

«Ma non penserai che ti mettano da parte?» chiese Nell.

C'era qualcosa che lo infastidì nel suo tono, una specie di incredulità al pensiero che potesse lasciarsi sfuggire l'occasione.

Aidan cercò di sorridere, fiducioso. «Mettermi da parte? Mai!» esclamò.

«Direi proprio di no, papà», osservò Grania prima di salire al piano di sopra a trascorrere un altro po' di tempo nella stanza da bagno, dove probabilmente non vedeva neanche più le belle immagini di Venezia appese alla parete, ma soltanto il suo viso nello specchio e la sua preoccupazione di apparire al meglio per l'uscita in programma quella sera.

Era al sesto appuntamento. Adesso Grania sapeva che non era sposato. Gli aveva rivolto abbastanza domande da farlo cadere in trappola. Ogni sera, lei aveva detto no. Ma quella volta poteva essere diverso. Le piaceva davvero molto. Sapeva tante cose ed era assai più interessante dei ragazzi che frequentava di solito. E non era neanche uno di quei chiacchieroni di mezza età che fingevano di avere vent'anni meno.

C'era solo un problema. Tony lavorava nella scuola di papà. La sera in cui si erano incontrati gli aveva chiesto se conosceva Aidan Dunne, ma non aveva rivelato che era suo padre. Le era sembrata una cosa da non dire, perché lo avrebbe messo in un'altra generazione. E c'erano così tanti Dunne nella zona, che difficilmente Tony avrebbe fatto il collegamento. Non valeva la pena di accennare a suo padre, non ancora perlomeno, non finché il loro rapporto fosse diventato più importante, ammesso che ciò avvenisse mai. E se fosse diventato importante, allora tutto il resto, come il fatto che lavorasse nella stessa scuola di papà, sarebbe andato a posto: a quel pensiero Grania fece una smorfia nello specchio e rifletté che Tony sarebbe stato ancora più carino con lei se fosse diventata la figlia del preside.

Tony sedeva al bar e tirava lunghe boccate dalla sigaretta. Quella era una cosa a cui avrebbe dovuto rinunciare una volta diventato preside. E avrebbe probabilmente dovuto anche bere meno pinte di birra a pranzo. Non era un prezzo così alto da pagare per un buon impiego, e non gli avrebbero chiesto della sua vita privata. Poteva anche essere la Santa Irlanda Cattolica, ma era il 1990, dopotutto.

E con straordinario tempismo aveva appena conosciuto una ragazza che risvegliava il suo interesse e che avrebbe potuto stargli accanto per più di un paio di settimane. Una brillante, vivace ragazza di nome Grania, che lavorava in banca. Molto acuta, ma per niente dura o spigolosa. Era calda e generosa nella sua visione delle cose. Non capitava spesso di incontrare ragazze simili; aveva ventun anni, meno della metà dei suoi, e quello naturalmente era un problema, ma non sarebbe sempre stato così. Quando lui avrebbe avuto sessant'anni, lei ne avrebbe avuti trentacinque, il che era la metà di settanta a pensarci bene.

Non era tornata a casa con lui, ma era stata molto franca al riguardo. Non era andata non perché avesse paura del sesso, ma perché non si sentiva ancora pronta con lui, tutto lì, e se avessero continuato a vedersi, avrebbero dovuto rispettarsi e non esercitare pressione l'uno sull'altro. Lui si era mostrato d'accordo, gli sembrava assolutamente giusto. E per una volta fu così. Normalmente avrebbe considerato quella risposta come una sfida, ma non con Grania. Era disposto ad aspettare. E lei gli aveva assicurato che non si sarebbe presa gioco di lui.

Quando la vide entrare nel bar si sentì allegro e felice come mai si era sentito da molto tempo. Neanche lui si sarebbe preso gioco di lei. «Sei deliziosa», disse. «Grazie per esserti messa così graziosa per me, lo apprezzo molto.»

«Ne valeva la pena», rispose semplicemente Grania.

Bevvero insieme, come persone che si conoscevano da sempre, interrompendosi, ridendo, ansiosi di ascoltare quello che l'altro aveva da raccontare.

«Ci sono molte cose che potremmo fare stasera», osservò Tony O' Brien. «C'è una serata tipo New Orleans, sai, cucina creola e jazz in uno degli alberghi, oppure c'è quel film di cui parlavamo ieri sera... oppure potrei cucinarti qualcosa a casa. Mostrarti che grande chef sono.»

Grania rise. «E dovrei credere che mi hai preparato *won ton* o anatra alla pechinese? Vedi, ricordo che hai detto di avere vicino a casa un ottimo ristorante cinese.»

«No, se torni a casa con me, cucinerò io. Per mostrarti quanto significa per me questo.» Tony O'Brien non si esprimeva così esplicitamente da molto tempo.

«Mi piacerebbe venire a casa tua, Tony», ribatté Grania molto semplicemente, senza lasciare adito a sottintesi.

Il sonno di Aidan fu tormentato. Poco prima dell'alba, si sentì completamente sveglio e con le idee chiare. Tutto quello che aveva era la parola di un preside prossimo alla pensione, un uomo agitato e confuso da come stava andando il mondo. La votazione non aveva ancora avuto luogo, non c'era niente di cui preoccuparsi, nessuna azione da intraprendere, né carriera da abbandonare. Quel giorno sarebbe stato un giorno migliore ora che si era chiarito le idee.

Avrebbe parlato con Mr Walsh, l'attuale preside, e gli avrebbe chiesto direttamente se le sue osservazioni di alcuni giorni prima avevano un fondamento, oppure se erano state semplici congetture. Sarebbe stato conciso, si ripeté Aidan. Infatti era un suo difetto, la tendenza a tirare le cose troppo per le lunghe. Sarebbe stato chiaro e freddo.

In cucina Brigid e Nell si scambiarono occhiate e scrollate di spalle nel sentirlo fischiettare. Non lo faceva molto bene, ma nessuno ricordava quando era stata l'ultima volta che ci aveva provato.

Poco dopo le otto suonò il telefono.

«Indovina chi sarà mai?» disse Brigid, prendendo un altro toast.

«È assolutamente prevedibile, tutte e due lo siete», osservò Nell, e andò a rispondere.

Aidan si chiese che cosa ci fosse di tanto prevedibile nel fatto che una delle figlie trascorresse la notte con un uomo che era stato descritto dall'altra come un importante appuntamento. E sul quale, solo una settimana prima, la stessa Grania aveva nutrito dei dubbi. Era affidabile... sincero? Aidan non espresse le sue preoccupazioni. Osservò Nell mentre parlava al telefono.

«Certo, brava, bene. Hai gli abiti adatti per andare in banca o torni qui a prenderli? Oh, hai portato un maglione, bene. D'accordo, cara, ci vediamo stasera.»

«E come ti è sembrata?» chiese Aidan.

«Via, Aidan, non incominciare con i tuoi atteggiamenti. Abbiamo concordato che è meglio che Grania rimanga da Fiona in città, piuttosto che farsi dare un passaggio a casa.»

Aidan annuì. Nessuno dei due dubitò neppure per un momento che Grania fosse realmente dall'amica.

«Nessun problema allora?» chiese Tony.

«No, te l'ho detto... mi trattano come una persona adulta.»

«E anch'io, ma in modo diverso.» Tese la mano verso di lei mentre si sedeva sul bordo del letto.

«No, Tony. Non posso proprio. Dobbiamo andare a lavorare. Io devo andare in banca, tu al Mountainview.»

Era contento che ricordasse il nome del posto dove lavorava. «Be', non ci faranno caso, sono molto comprensivi lì, permettono agli insegnanti di fare quello che vogliono, il più delle volte.»

Lei scoppiò a ridere. «No, questo non è vero, non è per niente vero. Alzati e fatti la doccia, mentre io preparo un po' di caffè. Dov'è la macchinetta?»

«Ho solo caffè istantaneo, temo.»

«Oh, penso che non sia abbastanza di classe per me, Mr O'Brien», asserì, scuotendo la testa e fingendo un'espressione contrariata. «Le cose dovranno migliorare qui attorno se tornerò a farle visita.»

«Speravo che mi facesse visita stasera», disse lui.

I loro occhi si incontrarono. In essi non c'era inganno.

«D'accordo, purché tu faccia del caffè vero.»

«Consideralo già fatto», ribatté lui.

Grania mangiò una fetta di pane tostato e Tony fumò un paio di sigarette.

«Dovresti dare un taglio alle sigarette», commentò lei. «Ti ho sentito respirare affannosamente tutta la notte.»

«Quella era passione», scherzò Tony.

«No, erano le sigarette», ribatté decisa Grania.

Forse per quella briosa, vivace ragazza, sarebbe riuscito a eliminarle. Era già un punto a suo sfavore essere tanto più vecchio di lei, non voleva avere anche il respiro affannoso. «Potrei cambiare, sai», dichiarò seriamente. «Presto ci saranno molti mutamenti nel mio lavoro, ma, adesso che ti ho incontrata, penso che troverò la forza per cambiare molte altre cose nella mia vita.»

«Credimi, ti aiuterò», disse Grania, prendendogli la mano attraverso il tavolo. «E tu dovrai aiutare me. Aiutarmi ad arricchire la mente. Ho smesso di leggere da quando ho lasciato la scuola. Voglio riprendere a farlo.»

«Credo che dovremmo prenderci entrambi una giornata libera per cementare questa promessa», propose lui, scherzoso solo in parte.

«Ehi, il prossimo trimestre non ti verrà nemmeno in mente di proporre una cosa simile», rise lei.

«Perché il prossimo trimestre?» Come poteva aver saputo della sua promozione? Nessuno lo sapeva, a eccezione del Consiglio direttivo che gli aveva offerto la carica. Avrebbe dovuto rimanere una notizia segreta finché non fosse stata annunciata ufficialmente.

Non era intenzione di Grania dirgli che suo padre faceva parte dello staff, ma con tutto quello che avevano diviso, sembrava inutile mantenerlo ancora segreto. Sarebbe venuto fuori prima o poi, e comunque lei era così orgogliosa della nuova posizione di suo padre.

«Be', succederà sicuramente con mio padre, sta per diventare preside del Mountainview College.»

«Tuo padre sta per diventare che cosa?»

«Preside. È un segreto fino alla settimana prossima, ma credo che se lo aspettino tutti.»

«Come si chiama tuo padre?»

«Dunne, come me. È l'insegnante di latino, Aidan Dunne. Ricordi che ti ho chiesto se lo conoscevi la prima volta che ci siamo incontrati?»

«Non mi hai detto che era tuo padre.»

«Be', no, era un posto così affollato e non volevo fare la parte della bambina. E poi non ha più avuto importanza.»

«Oh, mio Dio!» esclamò Tony O'Brien, e non sembrava affatto contento.

Grania si morse il labbro e rimpianse di averne parlato. «Ti prego, non dirgli che mi conosci, per favore.»

«Te lo ha rivelato lui che sta per diventare preside?» Il viso di Tony O'Brien non riusciva a dissimulare lo choc. «Quando? Quando te lo ha detto? È stato molto tempo fa?»

«Ne parla da secoli, ma ce ne ha parlato ieri sera.»

«Ieri sera? No, devi esserti sbagliata, devi aver capito male.»

«Non ho capito affatto male, ne stavamo giusto parlando prima che uscissi per incontrare te.»

«E gli hai detto che avresti incontrato me?» Sembrava furioso.

«No. Tony, che cosa c'è?»

Le prese entrambe le mani e parlò molto lentamente, soppesando con cura le parole. «Questa è la cosa più importante che abbia mai detto in tutta la mia vita. In tutta la mia lunga vita, Grania. Non dovrai mai, mai raccontare a tuo padre quello che hai detto a me ora. Mai.»

Lei rise nervosamente e cercò di ritirare le mani. «Oh, via, ti stai comportando come il personaggio di un melodramma.»

«È un po' così, francamente.»

«Non dovrò mai far sapere a mio padre che ti ho conosciuto, che mi sei piaciuto... Ma che genere di relazione sarebbe?» I suoi occhi lo fissavano sfavillanti attraverso il tavolo della prima colazione.

«No, glielo diremo naturalmente. Ma più in là, perché c'è qualcosa che devo chiarire prima.»

«Dimmela», chiese lei.

«Non posso. Se in questo mondo c'è ancora un po' di dignità, essa dipende dalla fiducia che dimostri di avere in me in questo momento e dal fatto di credere che io voglio il meglio, assolutamente il meglio per te.»

«Come posso crederci se non mi spieghi che cos'è tutto questo mistero?»

«È una questione di fiducia e di fede.»

«No, tu vuoi tenermi all'oscuro di cose importanti, ecco che cos'è, e lo detesto.»

«Che cos'hai da perdere a credermi, Grania? Senti, due settimane fa non ci conoscevamo nemmeno, adesso pensiamo di essere innamorati. Non puoi concedermi un giorno o due finché non chiarisco una cosa?» Si stava alzando e infilando la giacca. Per un uomo che aveva appena dichiarato che il Mountainview College era un posto permissivo, dove non si faceva caso all'ora in cui ci si andava, Tony O'Brien pareva avere una grandissima fretta.

Aidan Dunne era nella sala professori. Appariva lievemente eccitato, febbricitante perfino. I suoi occhi erano innaturalmente luminosi. Che stesse soffrendo di qualche delusione? O che sospettasse che la sua adorata figliola fosse stata sedotta da un uomo della sua età, ma molto più inaffidabile?

«Aidan, ho bisogno di parlarti con molta, molta urgenza», sibilò sottovoce Tony O'Brien.

«Dopo la scuola se vuoi Tony...»

«No, in questo preciso momento. Vieni, andiamo in biblioteca.»

«Tony, la campana suonerà tra cinque minuti.»

«Al diavolo la campana.» Tony lo trascinò quasi a forza fuori dalla sala professori.

In biblioteca due studiose ragazze del Sesto anno alzarono lo sguardo, sorprese.

«Fuori», ordinò loro Tony O'Brien con un tono di voce che non ammetteva repliche.

Una di loro cercò di ribattere. «Ma siamo qui per studiare, stavamo cercando...»

«Mi hai sentito?»

Quella volta captarono il messaggio e se ne andarono.

«Non è questo il modo di trattare i ragazzi, dovremmo incoraggiarli a venire in biblioteca, non sbatterli fuori così bruscamente. Che razza di esempio diamo?»

«Non siamo qui per dare alcun esempio, siamo qui per insegnare loro qualcosa, per ficcargli in testa qualche nozione. Semplicissimo.»

Aidan lo guardò sconvolto, poi parlò. «Ti sarò grato se non mi beneficerai della tua filosofia post-sbornia a quest'ora del mattino, né in qualsiasi altra ora. Lasciami tornare in classe.»

«Aidan.» La voce di Tony O'Brien era cambiata. «Aidan, senti, diventerò io preside. Lo annunceranno la settimana prossima, ma credo sia meglio che dica loro di farlo oggi.»

«Che cosa... Perché vuoi fare questo?» Ad Aidan sembrava di aver appena ricevuto un pugno nello stomaco. Era troppo presto, non era preparato. Niente era stato ancora stabilito definitivamente.

«Perché tu possa scordarti di tutte queste sciocchezze che hai nella testa, perché tu non vada in giro a dire che sei tu che avrai l'incarico... mettendo in imbarazzo te stesso e gli altri... ecco perché.»

Aidan alzò lo sguardo su Tony O'Brien. «Perché mi stai facendo questo, Tony, perché? Ammesso che offrano a te l'incarico, la tua prima reazione è di trascinarmi qui e sbattermi sulla faccia il fatto che tu... proprio tu, a cui non importa niente di Mountainview, stai per ottenere l'incarico? Non hai alcuna dignità? Non puoi neanche aspettare che il Consiglio ti nomini prima di incominciare a vantartene? Sei così maledettamente sicuro di te, così ansioso...»

«Aidan, non puoi aver creduto veramente che nominassero te. Quel vecchio chiacchierone di Walsh non te l'ha detto? Erano tutti convinti che ti avrebbe informato e in realtà ha dichiarato di avertelo riferito.»

«Ha detto che era probabile che ottenessi tu l'incarico, e potrei aggiungere che ha ammesso che gli sarebbe dispiaciuto molto se così fosse stato.»

Un ragazzo fece capolino alla porta della biblioteca e fissò meravigliato i due insegnanti, rossi in viso, che si guardavano con aria ostile attraverso il tavolo.

Tony O'Brien emise un grugnito che sollevò quasi da terra il ragazzo. «Fuori dai piedi, ficcanaso, torna nella tua classe.»

Pallido, il ragazzo guardò Aidan Dunne per avere conferma.

«È così, Declan. Di' alla classe di aprire Virgilio, sarò lì a minuti.» La porta si richiuse.

«Conosci tutti i loro nomi», osservò pensieroso Tony O'Brien.

«E tu non ne conosci quasi nessuno», ribatté piatto Aidan Dunne.

«Essere preside non ha niente a che fare con l'essere un brav'uomo, sai.»

«Evidentemente no», ammise Aidan. Erano molto più calmi adesso che la collera aveva abbandonato entrambi.

«Avrò bisogno di te, Aidan, del tuo aiuto, se vogliamo mantenere a galla questo posto.»

Ma Aidan era irrigidito per la delusione e l'umiliazione. «No, questo è chiedere troppo. Posso essere accomodante, ma non arrivare a questo punto. Non potrei più restare qui. Non ora.»

«Ma che cosa farai, in nome di Dio?»

«Non sono completamente finito, sai, ci sono molte scuole che sarebbero liete di avermi, anche se questa non sembra esserla.»

«E invece fanno affidamento su di te, stupido. Tu sei la pietra miliare di Mountainview, lo sai.»

«Non certamente una pietra miliare, se non mi vogliono in veste di preside.»

«Devo proprio spiegartelo? Il lavoro che un preside dovrà svolgere sta cambiando. Non vogliono un saggio predicatore per questo posto... hanno bisogno di qualcuno che faccia la voce grossa, che non abbia paura di discutere con il Ministero dell'istruzione, o di far venire qui la polizia se si verificano atti di vandalismo o spaccio di droga, che sappia tenere testa ai genitori se incominciano a lagnarsi...»

«Non potrei lavorare sotto di te, Tony, non ti rispetto come insegnante.»

«Non devi rispettarmi come insegnante.»

«Sì, invece. Non potrei mai accettare le cose che imporrai o quelle che invece ignorerai.»

«Fammi un esempio, uno solo, ora, in questo momento. Che cosa pensavi passando attraverso il cancello della scuola... che cosa avresti fatto come preside?»

«Avrei fatto ridipingere l'immobile, è sporco, trasandato...»

«Okay. Questo è quanto farò anch'io.»

«Oh, tu lo dici soltanto.»

«No, Aidan, non mi limito a dirlo. Anzi, so in che modo lo metterò in pratica. Tu non sapresti da che parte incominciare. Io farei venire qui un tale del giornale che conosco, con un fotografo, a scrivere un articolo intitolato: 'Il Magnifico Mountainview', mostrando l'intonaco scrostato, le ringhiere arrugginite e l'insegna con le lettere mancanti.»

«Non umilieresti mai così questo posto.»

«Non sarebbe un'umiliazione. Il giorno dopo l'uscita dell'articolo otterrei l'approvazione del Consiglio per un grosso lavoro di restauro. Potremo elencare tutto quello che andrebbe fatto, fin nei dettagli, dire che tutto era già previsto e che vi contribuirebbero anche degli sponsor locali... farei i loro nomi... Ho una lista di interventi e restauri lunga come il mio braccio.»

Aidan abbassò gli occhi sulle mani. Sapeva che lui non sarebbe mai riuscito a mettere in atto qualcosa del genere, un piano che avrebbe sicuramente funzionato. L'anno seguente, in quello stesso periodo, il College sarebbe apparso completamente rinnovato; e lui non sarebbe mai stato in grado di organizzare tutto quanto. Ne rimase più che mai sconcertato. «Non potrei restare, Tony. Mi sentirei così umiliato, così messo da parte.»

«Ma nessuno qui ha mai pensato che diventassi tu preside.»

«Io sì», ribatté Aidan semplicemente.

«Be', allora l'umiliazione di cui parli è solo nella tua mente.»

«E per la mia famiglia, naturalmente... stanno aspettando di festeggiare.»

Tony O'Brien avvertì un groppo alla gola. Sapeva che quello era vero. L'entusiastica figlia di quell'uomo era così orgogliosa della nuova posizione di suo padre. Non c'era tempo per i sentimentalismi, ma soltanto per l'azione.

«Allora offri loro qualcosa da festeggiare.»

«Che cosa, per esempio?»

«Immagina che non ci sia stata nessuna competizione per la carica di preside. Immagina di poter avere una posizione diversa all'interno della scuola, di poter apportare qualcosa di nuovo... Che cosa ti piacerebbe in questo senso?»

«Senti, so che lo stai dicendo a fin di bene, Tony, e te ne sono grato, ma non sono nello spirito adatto di fingere in questo momento.»

«Sono io il preside, cerca di ficcartelo in testa. Posso fare quello che voglio, non è una finta o altro. Ti voglio al mio fianco. Ti voglio entusiasta. Dimmi, che cosa ti piacerebbe fare, se avessi l'OK?»

«Be', so che non ti interesserà perché non ha molto a che vedere con la scuola, ma credo che dovremmo tenere dei corsi serali.»

«Che cosa?»

«Ecco, sapevo che non avresti accettato.»

«Non ho detto questo. Che genere di corsi serali?»

I due uomini continuarono a discutere in biblioteca e, stranamente, le loro classi rimasero tranquille. Di solito non era così. Ma le due studiose ragazze sbattute fuori dalla biblioteca da Mr O'Brien erano tornate di corsa nella loro classe e avevano raccontato di come erano state fatte sloggiare e della faccia di Mr O'Brien. Si convenne che l'insegnante di geografia fosse sul sentiero di guerra e che sarebbe probabilmente stato meglio mantenere le cose tranquille finché non fosse arrivato. Era già capitato a tutti di vederlo perdere la pazienza, e non desideravano rivederlo.

Declan, a cui era stato ordinato di riferire alla classe di tirar fuori Virgilio, si espresse in toni sommessi. «Credo che stessero litigando», disse. «Erano rossi in viso, tutti e due, e Mr Dunne parlava come se avesse un coltello nella schiena.»

Lo guardarono con gli occhi sbarrati. Declan non era un ragazzo dotato di fervida immaginazione, quindi doveva essere vero. Tirarono fuori obbedienti Virgilio. Non lo studiarono, né tradussero o altro, quello non faceva parte delle istruzioni ricevute, ma tutti i ragazzi in classe avevano una copia aperta del Quarto libro dell'*Eneide* davanti a sé, e tutti guardavano timorosi la porta, nel caso che Mr Dunne vi entrasse barcollando, con il sangue che gli colava tra le scapole.

L'annuncio fu fatto quel pomeriggio. In due parti.

Sotto la supervisione di Mr Aidan Dunne sarebbe incominciato a settembre un corso pilota di Istruzione per adulti. Mr John Walsh, che aveva raggiunto l'età pensionabile, si sarebbe fatto da parte e il suo posto sarebbe stato occupato da Mr Anthony O'Brien.

* * *

Nella sala professori gli insegnanti si congratularono allo stesso modo sia con Aidan sia con Tony. Furono stappate due bottiglie di spumante e si brindò alla salute dei presenti bevendo dalle tazze da caffè.

L'argomento dei corsi serali era stato tirato in ballo anche in precedenza, ma era stato sempre respinto. Era la zona sbagliata, c'era troppa competizione da parte di altri Centri di istruzione per adulti. E poi sarebbe stato un problema riscaldare la scuola di sera, tenere un custode fuori orario e trovare i finanziamenti. Che cosa era avvenuto ora?

«Evidentemente Aidan li ha persuasi», affermò Tony O'Brien, versando altro spumante nelle tazze.

Era ora di andare a casa.

«Non so che cosa dire», ammise Aidan rivolto al nuovo preside.

«Abbiamo fatto un patto. Hai ottenuto quello che volevi, adesso devi tornare a casa dalla tua famiglia e presentare le cose come stanno. Perché è quello che desideri. Non desideri dover lottare con la gente mattina, pomeriggio e sera, che è quanto deve fare un preside. Ricordalo, presenta loro le cose come sono.»

«Posso chiederti una cosa, Tony? Perché ti importa di come presento le cose alla mia famiglia?»

«Semplice. Ho bisogno di te, soddisfatto e felice. Se non ti presenti a casa come ti presentavi prima nel tuo ruolo di uomo-messo-da-parte, allora comincerai a crederci di nuovo anche tu.»

«Ha senso?»

«E poi tua moglie e le tue figlie saranno contente per te se avrai ottenuto quello che desideravi realmente da sempre.»

Uscendo dal cancello della scuola, Aidan si fermò per un momento a toccare la pittura scrostata del cancello e a guardare le serrature arrugginite. Tony aveva ragione, lui non avrebbe saputo da che parte incominciare con un progetto come quello. Poi guardò l'edificio annesso dove lui e Tony avevano deciso che si sarebbero tenuti i corsi serali. Aveva un ingresso indipendente, non avrebbero dovuto attraversare tutta la scuola. Disponeva di servizi e di due grandi classi: sarebbe stato l'ideale.

Tony era un tipo strano, questo era indubbio. Gli aveva perfino proposto di tornare a casa con lui per conoscere la sua famiglia, ma Tony aveva risposto che preferiva aspettare. Sarebbe stato meglio a settembre, con l'inizio del nuovo trimestre.

«Chissà che cosa succederà da qui a settembre», aveva detto. Strano e imprevedibile, ma probabilmente anche la cosa migliore che potesse capitare a Mountainview.

All'interno dell'edificio Tony O'Brien tirò una lunga boccata di fumo. Avrebbe fumato nel suo ufficio da allora in poi, mai più fuori.

Osservò Aidan Dunne trattenere il cancello e accarezzarlo amorevolmente. Era un buon insegnante e un brav'uomo; meritava il sacrificio dei corsi serali. Tutto quel maledetto lavoro che lo aspettava, le lotte con la commissione e il Consiglio direttivo, le promesse che i corsi si sarebbero autofinanziati quando tutti sapevano che non c'era una sola possibilità che accadesse.

Fece un profondo sospiro e si augurò che Aidan se la cavasse bene a casa, altrimenti il suo futuro con Grania Dunne, la prima ragazza con la quale poteva prendere in considerazione il fatto di impegnarsi seriamente, sarebbe stato molto incerto.

«Ho delle bellissime notizie», annunciò Aidan a cena.

Raccontò loro dei corsi serali, del progetto pilota, dell'edificio annesso alla scuola, dei fondi a sua disposizione e di come avrebbe tenuto lezioni di lingua e cultura italiana.

Il suo entusiasmo fu contagioso. Fu bersagliato di domande. Avrebbe avuto pareti libere su cui attaccare fotografie, poster, cartine? Che genere di esperti avrebbe invitato a tenere le lezioni? Ci sarebbero stati anche corsi sulla cucina italiana? E la possibilità di ascoltare brani di opere liriche italiane?

«Non ti porterà troppo lavoro, visto che sarai anche preside?» domandò Nell.

«Oh no, lo farò al posto di quell'incarico», spiegò con ansia, osservando le loro espressioni. A nessuna sfuggì una battuta, anzi, sembrò a tutte un'alternativa perfettamente ragionevole. E stranamente cominciò a sembrare anche a lui così. Forse quel pazzo di Tony O'Brien era più intelligente di quanto la gente lo ritenesse. Continuarono a parlare come una vera famiglia. Di che somma avrebbero avuto bisogno? Doveva essere un italiano colloquiale adatto per le vacanze? O qualcosa di più ambizioso? Furono spinti da parte i piatti sul tavolo mentre Aidan prendeva appunti.

Più tardi, molto più tardi, Brigid chiese: «Chi diventerà preside adesso se non lo diventerai tu?»

«Oh, un tale di nome Tony O'Brien, l'insegnante di geografia, un buon diavolo. Andrà benissimo per Mountainview.»

«Sapevo che non sarebbe stata una donna», osservò Nell, inspirando rumorosamente.

«Veramente, credevo che ci fossero due donne in lizza, ma hanno assegnato la carica alla persona giusta», ribatté Aidan. Versò loro un altro bicchiere di vino dalla bottiglia che aveva comprato per festeggiare la buona notizia. Presto si sarebbe trasferito nella sua stanza; quella sera avrebbe preso le misure per gli scaffali. Uno degli insegnanti della scuola faceva lavori di falegnameria nel suo tempo libero, avrebbe pensato lui agli scaffali per i libri e ai raccoglitori per i suoi dischi italiani.

Non notarono che Grania si alzò lentamente e lasciò la stanza.

Sedeva in salotto e aspettava. Sarebbe venuta soltanto per dirgli quanto lo odiava. Il campanello della porta d'ingresso suonò ed eccola lì, gli occhi rossi per il pianto.

«Ho comprato una macchinetta per il caffè», esordì. «È un'ottima miscela colombiana. Va bene?»

Lei entrò nella stanza. Giovane ma non sicura di sé, non più. «Sei un tale bastardo, un tale maledetto, subdolo bastardo.»

«No, non è vero.» La sua voce era molto calma. «Sono un uomo giusto. Devi credermi.»

«Perché dovrei credere alla tua lealtà? Hai riso di me tutto il tempo, hai riso di mio padre, anche dell'idea della macchinetta del caffè. Bene, ridi quanto vuoi. Sono venuta a dirti che sei la persona più ignobile, la peggiore che abbia mai incontrato. Spero di avere una lunga vita e di incontrare centinaia e centinaia di persone, e che questa sia la peggior cosa che mi accadrà mai: fidarmi di qualcuno a cui non importa niente dei sentimenti altrui. Se c'è un Dio, allora ti prego, fa che questa sia la persona più vile che abbia mai conosciuto.»

Il suo dolore era tale che Tony non osò neppure allungare una mano verso di lei.

«Questa mattina non sapevo che tu fossi la figlia di Aidan Dunne, non sapevo nemmeno che Aidan pensasse di diventare preside», cominciò.

«Avresti potuto dirmelo», gridò lei.

D'un tratto Tony si sentì molto stanco. Era stata una lunga giornata. Parlò in tono pacato. «No, non avrei potuto dirtelo. Non avrei potuto dire: 'Tuo padre ha capito male, in realtà sono io che otterrò l'incarico'. Se c'entrava la lealtà in tutto questo, la mia era verso di lui, il mio dovere era di assicurarmi che non si rendesse ridicolo, che non rimanesse deluso e che ottenesse quello che era suo di diritto... una nuova posizione di potere e autorità.»

«Oh, capisco.» La sua voce era sprezzante. «Concediamogli i corsi serali, un contentino.»

La voce di Tony O'Brien era fredda. «Bene, se è così che la vedi, allora non posso sperare di farti cambiare idea. Se non la vedi per quello che è, un passo avanti, una sfida, probabilmente l'inizio di qualcosa che cambierà la vita della gente, soprattutto la vita di tuo padre, allora sono dispiaciuto. Dispiaciuto e sorpreso. Credevo che saresti stata più comprensiva.»

«Non sono nella tua classe, Mr O'Brien. Non mi lascio ingannare da due paroline convincenti. Ti sei preso gioco di mio padre e di me.»

«E come?»

«Non sa che sei andato a letto con sua figlia, che hai appreso così delle sue speranze e sei corso subito ad accaparrarti l'incarico. Ecco come.»

«E gli hai raccontato tutte queste cose per farlo sentire meglio?»

«Sai che non l'ho fatto. Ma essere stato a letto con sua figlia, non è importante. Non si è trattato che dell'avventura di una notte, tutto qui.»

«Spero che cambierai idea, Grania. Ti voglio molto bene e mi sento attratto da te.»

«Sìì.»

«Sì. È tutto vero. Per quanto possa sembrarti strano, non mi sento attratto dalla tua età o dal tuo aspetto. Ho avuto molte ragazze belle e giovani, e se volessi compagnia sono sicuro che potrei trovarne altre. Ma tu sei diversa. Se mi lasci, avrò perso qualcosa di molto importante. Puoi crederci o no, ma è realmente quello che provo.»

Quella volta rimase silenziosa. Si guardarono per un po'. Poi lui riprese a parlare. «Tuo padre mi ha chiesto di venire a conoscere la sua famiglia, ma io gli ho risposto che dovevamo aspettare fino a settembre. Gli ho detto che settembre era ancora lontano e chissà che cosa sarebbe potuto accadere per quel tempo.» Lei si strinse nelle spalle. «Non pensavo a me stesso, in realtà pensavo a te. O sarai ancora piena di rabbia e di disprezzo per me, e non ti farai trovare il giorno in cui verrò, oppure ci ameremo sinceramente e totalmente e sapremo che tutto quello che è accaduto qui, oggi, è stato soltanto il frutto di una decisione affrettata e sbagliata.»

Grania non aprì bocca.

«Dunque a settembre», fece lui.

«D'accordo.» Si girò per andarsene.

«Lascerò che sia tu a contattarmi, Grania. Io sarò qui, mi farà piacere rivederti. Non è necessario essere amanti se non lo desideriamo. Se tu per me fossi solo l'avventura di una sera, sarei felice di vederti andare via. Se non provassi quello che provo, penserei che forse era troppo complicato e che è meglio che sia finita ora. Ma sarò qui ad aspettare che ritorni.»

La sua espressione era ancora dura e sconvolta. «Telefonando prima, naturalmente, per accertarmi che tu non abbia già compagnia», ribatté lei.

«Non avrò compagnia finché non tornerai tu», dichiarò Tony.

Grania gli tese la mano. «Non credo proprio che ritornerò», concluse.

«Ti prego, mai dire mai.» Il suo sorriso era affettuoso. Restò in piedi sulla soglia, mentre lei si diresse verso la porta, le mani infilate nelle tasche della giacca, la testa bassa. Appariva sola e sperduta. Avrebbe voluto rincorrerla e riportarla indietro, ma era troppo presto.

Aveva fatto quello che doveva. Non ci sarebbe stato un futuro per loro se avesse agito alle spalle di Aidan raccontando a sua figlia quello che nemmeno lui sapeva. Si chiese quante probabilità aveva che tornasse da lui. Il cinquanta per cento, forse.

Ed erano previsioni molto più rosee di quelle che si sarebbero potute fare sull'esito dei corsi serali. Quella era una scommessa che nessuna persona sana di mente avrebbe mai fatto. I corsi erano destinati a fallire prima ancora di incominciare.

Signora

In tutti gli anni in cui aveva vissuto in Sicilia, Nora O'Donoghue non aveva ricevuto una sola lettera da casa.

Era solita guardare piena di speranza il postino mentre risaliva la stradina sotto il caldo cielo azzurro. Ma non c'era mai una lettera dall'Irlanda, benché lei scrivesse regolarmente il primo di ogni mese per far sapere come stava. Aveva comperato della carta carbone; questa era stata un'altra cosa difficile da descrivere al negozio dove vendevano carta da lettere, matite e buste. Nora doveva ricordare ciò che aveva già scritto a casa, per non ripetersi nelle lettere successive. Loro non rispondevano mai, ma leggevano sicuramente le sue lettere. Se le sarebbero passate dall'uno all'altro con profondi sospiri, avrebbero inarcato le sopracciglia e scosso ripetutamente il capo. Quella stupida testarda di Nora che non capiva quanto si fosse comportata da sciocca, che non ammetteva la sconfitta e non tornava a casa.

«Non siamo riusciti a farla ragionare», avrebbe detto sua madre.

«Non è stato possibile aiutare quella ragazza e non ha mostrato alcun rimorso», sarebbe stata la versione di suo padre. Era un uomo molto religioso e, ai suoi occhi, il peccato di aver amato Mario fuori dal matrimonio era più grave che averlo seguito nel remoto villaggio di Annunziata anche quando aveva dichiarato che non l'avrebbe sposata.

Se avesse saputo che non si sarebbero mantenuti in contatto, avrebbe finto che lei e Mario si fossero sposati. Perlomeno il suo vecchio padre avrebbe dormito sonni più tranquilli e non avrebbe temuto tanto il pensiero di incontrare Dio e spiegargli il peccato mortale commesso da sua figlia.

Ma al dunque non avrebbe potuto farlo, perché Mario aveva insistito per essere esplicito con loro.

«Vorrei sposare vostra figlia», aveva detto, spostando lo sguardo dei suoi grandi occhi scuri da suo padre a sua madre e viceversa. «Ma, purtroppo, non è possibile. La mia famiglia vuole che sposi Gabriella, e anche la sua famiglia vuole questo matrimonio. Siamo siciliani, non possiamo disobbedire al volere delle nostre famiglie. Sono sicuro che in Irlanda accada la stessa cosa.» Aveva sperato in un po' di comprensione, un po' di tolleranza, perfino un buffetto sulla guancia.

Aveva vissuto a Londra per due anni con la loro figlia e loro adesso erano venuti per un chiarimento. A lui sembrava di essere stato ammirevolmente sincero e giusto. Che cos'altro potevano desiderare?

Bene, innanzitutto desideravano che sparisse dalla sua vita e che Nora tornasse in Irlanda. Speravano e pregavano che nessuno venisse mai a sapere di quello sfortunato episodio della sua vita, oppure le sue possibilità di sposarsi, già molto ridotte, si sarebbero ulteriormente assottigliate.

Nora cercò di giustificarli. Era il 1969, loro vivevano in una città molto piccola ed era già un'impresa andare a Dublino. Chissà che cosa avevano provato andando a Londra a trovare la figlia che viveva nel peccato e poi apprendendo la notizia che avrebbe seguito quell'uomo in Sicilia?

Purtroppo ne erano rimasti sconvolti e, di conseguenza, non rispondevano alle sue lettere.

Avrebbe mai potuto perdonarli? Sì, una parte di lei li perdonava, ma non poteva perdonare le sue due sorelle e i suoi due fratelli. Loro erano giovani, dovevano capire l'amore, sebbene il tipo di persona che avevano sposato potesse lasciare interdetti. Ma erano cresciuti insieme, avevano lottato per andarsene dalla remota e triste cittadina in cui abitavano. Avevano diviso l'ansietà per l'isterectomia della madre, per la caduta sul ghiaccio del padre che da allora era molto fragile. Si erano sempre consultati vicendevolmente sul futuro, su quello che sarebbe accaduto se mamma e papà fossero rimasti soli. Nessuno dei due sarebbe stato in grado di cavarsela. Avevano sempre ripetuto che la piccola fattoria andava venduta e il denaro usato per mantenere chi fosse rimasto in vita in un appartamento di Dublino, vicino a dove abitavano loro.

Nora si rendeva conto che l'essersi trasferita in Sicilia non rientrava in quel piano a lungo termine. Dato che non era sposata, gli altri fratelli avevano supposto che potesse prendersi cura lei del genitore rimasto. Ecco perché probabilmente non mandavano mai loro notizie. Tuttavia pensava che le avrebbero scritto e fatto sapere se mamma o papà fossero malati, o magari anche morti.

Ma, a volte, non era sicura che l'avrebbero fatto. Sembrava così lontana da loro, come se anche lei fosse già morta. Così, faceva affidamento su un'amica di nome Brenda che aveva lavorato con lei negli alberghi. Brenda telefonava di tanto in tanto per andare a trovare gli O' Donoghue. Non era difficile per lei scrollare la testa insieme alla famiglia sulla stupidità della loro figlia Nora. Brenda aveva trascorso giorni e notti a cercare di persuadere Nora di quanto fosse irragionevole quello che voleva fare: seguire Mario al suo paese di Annunziata e affrontare l'ira di ben due famiglie.

Brenda era ben accetta in casa O'Donoghue perché nessuno sapeva che si manteneva in contatto con l'amica lontana e le raccontava quello che accadeva in Irlanda. Fu così, attraverso Brenda, che Nora apprese dei suoi nuovi nipoti, del fabbricato annesso alla fattoria, della vendita di tre acri di terra e della roulotte che adesso era attaccata alla macchina di famiglia. Brenda scriveva e le raccontava di come guardassero molto la televisione, del forno a microonde che era stato regalato loro dai figli per Natale. Be', i figli che loro riconoscevano.

Brenda cercava di indurli a scrivere. Aveva detto che era sicura che Nora sarebbe stata felice di ricevere loro notizie; doveva sentirsi un po' sola laggiù. Ma loro avevano riso e ribattuto: «Non si sente affatto sola, Nora sta facendo una bella vita ad Annunziata, una vita di cui probabilmente chiacchierano tutti, rovinando la reputazione delle donne irlandesi».

Brenda era sposata con un uomo di cui avevano riso anni addietro, un uomo chiamato Pillow Case, per qualche motivo che adesso avevano dimenticato. Non avevano avuto figli e lavoravano entrambi in un ristorante. Patrick, come adesso Brenda chiamava Pillow Case, era lo chef e Brenda la direttrice del locale. Il proprietario viveva per lo più all'estero ed era contento di aver affidato la gestione a loro. Brenda scriveva che era soddisfatta, come se il posto fosse suo, senza però le preoccupazioni finanziarie. Sembrava contenta, ma forse non diceva tutta la verità.

Nora non raccontò mai a Brenda di come erano andate le cose, degli anni vissuti in un paesino più piccolo del villaggio in Irlanda dal quale proveniva, amando un uomo che viveva dall'altra parte della piazza, un uomo che poteva andare a trovarla soltanto con un sotterfugio e che, con il passare degli anni, ricercava sempre meno tali opportunità.

Scriveva invece di come fosse bello il paese con i suoi edifici bianchi con piccoli balconi in ferro battuto nero traboccanti di gerani. E di come ci fosse un belvedere fuori dal paese dove si poteva ammirare la valle. Nella chiesa, inoltre, c'erano preziose ceramiche che la gente veniva ad ammirare anche da lontano.

Mario e Gabriella mandavano avanti l'albergo locale e servivano le colazioni ai turisti. Tutti guadagnavano bene ad Annunziata ed erano contenti del turismo crescente: la signora Leone che vendeva cartoline e piccole riproduzioni della chiesa e gli amici di Nora, Paolo e Gianna, che creavano piatti e caraffe in ceramica con la scritta ANNUNZIATA. E altri ancora che vendevano arance e fiori. E anche lei, Nora, traeva beneficio dai turisti da quando, oltre a fare fazzoletti e tovaglie bordati di pizzo, spiegava ai visitatori di lingua inglese le bellezze del luogo.

Non raccontò a Brenda dei figli di Mario e Gabriella, cinque in tutto, con quei grandi occhi scuri che la scrutavano insospettiti dall'altra parte della piazza. Troppo giovani per sapere chi fosse, perché fosse odiata e temuta, troppo astuti per pensare che si trattasse soltanto di una vicina.

Brenda e Pillow Case non avevano figli e non sarebbe interessato loro sapere di quei bei bambini siciliani che non sorridevano mai e guardavano dalla scala dell'albergo di famiglia la piccola stanza dove Signora sedeva a cucire e a osservare quello che accadeva.

Era così che la chiamavano ad Annunziata, semplicemente Signora. Quel nome somigliava così tanto al suo, Nora, che pensava sarebbe stata chiamata sempre così. Quando era arrivata, aveva raccontato di essere vedova.

E anche se in Irlanda ci fosse stato qualcuno che l'amava veramente e si fosse interessato alla sua vita, sarebbe stato difficile spiegare che tipo di esistenza conduceva in quel paesino siciliano. Un posto che anche lei avrebbe disprezzato quando era ancora in Irlanda: niente cinema, sala da ballo, supermercato, un solo autobus sempre in ritardo.

Ma adesso ne amava ogni pietra, perché era il luogo dove viveva e lavorava Mario, dove allevava i suoi figli e le sorrideva mentre lei sedeva a cucire presso la finestra. E Signora rispondeva graziosamente al suo saluto, senza notare che gli anni passavano. Gli infuocati anni vissuti a Londra fino al 1969 erano ormai dimenticati da tutti, fuorché da Mario e Nora.

Naturalmente Mario doveva averli ricordati come lei con amore e rimpianto, altrimenti certe notti non si sarebbe introdotto furtivamente nel suo letto, usando la chiave che lei gli aveva fatto fare. Scivolando attraverso la piazza buia quando sua moglie dormiva. Signora sapeva di non doverlo mai aspettare in una notte di luna. Troppi occhi avrebbero potuto vedere una figura attraversare la piazza; avrebbero saputo che Mario stava abbandonando la moglie per raggiungere la donna straniera, la strana donna dai lunghi capelli rossi.

Ogni tanto Signora si chiedeva se non fosse davvero pazza, che poi era quanto pensava la sua famiglia a casa ed era quasi sicuramente il punto di vista dei cittadini di Annunziata.

Altre donne l'avrebbero lasciato, avrebbero pianto per la perdita dell'amore e si sarebbero rifatte una vita. Lei, nel 1969, aveva solo ventiquattro anni ed entrò nella trentina cucendo e sorridendo e parlando in italiano. In tutto il tempo trascorso a Londra, quando Mario l'aveva pregata di imparare la sua lingua, spiegandole quanto fosse bella, lei ne sapeva pronunciare a stento qualche parola, dicendogli che era lui piuttosto che doveva imparare l'inglese perché potessero aprire un albergo di dodici stanze in Irlanda e fare la loro fortuna. E in tutto quel tempo Mario aveva riso e ripetuto che lei era la sua principessa dai capelli rossi, la più bella ragazza del mondo.

Signora però aveva anche ricordi che non voleva rivivere.

Non voleva pensare alla violenta rabbia di Mario quando quel fatidico giorno era scesa dall'autobus ad Annunziata, proprio davanti al piccolo albergo di suo padre. La sua faccia si era indurita in un modo che l'atterriva tuttora, ripensandoci. Aveva indicato un furgone parcheggiato fuori e le aveva fatto cenno di salirvi. Poi aveva guidato all'impazzata, imboccando le curve in maniera spericolata e svoltando quindi all'improvviso in un uliveto isolato dove nessuno poteva vederli. Lei aveva teso le braccia, ma lui l'aveva respinta e aveva indicato la valle sottostante.

«Vedi quelle viti? Quelle appartengono al padre di Gabriella. Vedi quelle laggiù? Quelle appartengono a mio padre. Abbiamo sempre saputo che ci saremmo sposati. Non hai il diritto di venire qui in questo modo a ingarbugliarmi le cose.»

«Ho tutti i diritti. Ti amo e tu ami me.» Era semplicissimo.

Il viso di lui manifestava emozione e sgomento. «Non puoi rinfacciarmi di non essere stato onesto, te l'avevo detto, l'ho raccontato anche ai tuoi genitori. Non ho mai finto di non essere impegnato e promesso sposo a Gabriella.»

«A letto non fingevi, non parlavi di Gabriella allora», aveva replicato lei.

«Nessuno parla di un'altra donna a letto, Nora. Sii ragionevole, torna a casa, torna in Irlanda.»

«Non posso tornare a casa», aveva dichiarato Nora. «Devo stare dove stai tu. È così che vanno le cose. Resterò qui per sempre.»

E così andò.

Gli anni passarono e, grazie alla sua risolutezza, Signora divenne parte della vita di Annunziata. Mai realmente accettata, perché nessuno sapeva con esattezza perché fosse lì; la spiegazione di provare un grande amore per l'Italia non fu considerata sufficiente. Viveva in due stanze che davano sulla piazza. L'affitto era basso perché si occupava dell'anziana coppia proprietaria della casa, a cui portava fumanti tazze di caffellatte e faceva la spesa. Ma non dava scandalo. Non dormiva con uomini, né beveva nei bar. Insegnava inglese nella piccola scuola ogni venerdì mattina. Eseguiva lavori di ricamo e li portava ogni due o tre mesi in una grande città per venderli.

* * *

Imparò l'italiano da un piccolo libro che presto si ridusse a brandelli per lo zelo con il quale leggeva e rileggeva le frasi e rispondeva alle domande.

Rimase seduta nella sua stanza ad assistere al matrimonio di Mario e Gabriella, continuando a cucire e senza versare una lacrima sul lenzuolo che stava ricamando. Il fatto che lui avesse alzato lo sguardo verso di lei mentre suonavano le campane del piccolo campanile della chiesa nella piazza fu sufficiente. Camminava, secondo l'usanza, tra i suoi fratelli e quelli di Gabriella per andare a sposarsi. Era una tradizione che impegnava le famiglie a sposarsi tra di loro per non dividere la terra. Non aveva niente a che fare con l'amore.

E guardò da quella finestra mentre i figli di Mario venivano portati in chiesa per essere battezzati. Le famiglie avevano bisogno di figli maschi in quella parte del mondo. La cosa non la feriva. Sapeva che, se avesse potuto, avrebbe mostrato a tutti la sua principessa irlandese.

Signora si rendeva conto che molti degli uomini di Annunziata sapevano che tra lei e Mario c'era qualcosa. Ma la cosa non dava loro fastidio, anzi, lo rendeva più uomo ai loro occhi. Pensò invece sempre che le donne non sapessero niente del loro amore. Non trovò mai strano che non la invitassero a unirsi a loro quando andavano al mercato, o a raccogliere l'uva che non veniva usata per il vino, o i fiori selvatici per la festività. Erano contente quando ricamava e cuciva gli addobbi per la statua della Madonna.

Con gli anni presero a sorriderle e smisero di chiederle quando sarebbe tornata a casa, nella sua isola. Era come se, con il passare del tempo, l'avessero osservata e lei avesse superato la prova. Non sconvolgeva la vita di nessuno, quindi poteva restare.

Dopo dodici anni cominciò a ricevere notizie dalle sorelle Rita e Helen. Lettere insignificanti, non c'era mai nessun riferimento a quello che lei aveva scritto. Le parlavano invece dei loro matrimoni, dei loro figli, di come fossero duri i tempi e tutto estremamente costoso.

Dapprima Signora fu lieta di avere notizie. Aveva desiderato a lungo qualcosa che unisse i loro due mondi. Le lettere di Brenda le erano utili, ma non la ricollegavano al suo passato, alla sua vita famigliare. Rispondeva con entusiasmo, rivolgendo domande sulla famiglia e su come stessero i genitori, e se si fossero riconciliati con lei e la sua scelta. Visto che non otteneva risposta a quel proposito, Signora ricorse a un altro genere di domande, chiedendo la loro opinione su argomenti come lo sciopero della fame nell'IRA, l'elezione di Ronald Reagan a presidente degli Stati Uniti e il fidanzamento di Carlo d'Inghilterra con Lady Diana. Non risposero mai a nessuna di esse e, per quanto raccontasse loro di Annunziata, non fecero mai commenti al riguardo.

Nelle sue lettere Brenda commentava che non era affatto sorpresa che Rita e Helen le scrivessero e, in una, aggiunse:

> Quanto prima riceverai notizie anche dai tuoi fratelli. La verità è che tuo padre è molto malato. Può darsi che debba essere ricoverato in una casa di riposo, e allora che ne sarà di vostra madre? Nora, te lo dico in maniera poco simpatica, perché è una notizia triste e spiacevole. Sai che penso che tu sia stata sciocca ad andare in quel paese dimenticato da Dio a vedere l'uomo che affermava di amarti ostentare la sua famiglia davanti a te... ma, accidenti, non credo che tu debba tornare a casa per occuparti di tua madre che non si è neanche mai curata di rispondere alle tue lettere.

Signora lesse mestamente la lettera. Brenda doveva essersi sbagliata e aver interpretato male la situazione. Rita e Helen le scrivevano perché volevano mantenersi in contatto. Poi arrivò la lettera in cui dicevano che papà sarebbe stato ricoverato, e si chiedevano se Nora non sarebbe stata disposta a tornare per occuparsi dell'andamento della casa.

Era primavera e Annunziata non era mai apparsa così bella, ma Signora appariva pallida e triste. Perfino la gente che non si fidava di lei era preoccupata. La signora Leone venne a trovarla e le portò una minestra nutriente a base di brodo, limone e uova sbattute.

Anche Mario e Gabriella, dall'altra parte della piazza, appresero che Signora non stava bene. Forse qualcuno avrebbe dovuto mandare a chiamare il medico.

I fratelli di Gabriella corrugarono la fronte. Quando una donna mostrava una debolezza misteriosa ad Annunziata, significava spesso un'unica cosa. Che era incinta.

Lo stesso pensiero attraversò la mente di Mario. Ma sostenne tranquillamente i loro sguardi. «Non può essere, ha quasi quarant'anni», disse.

Aspettarono tuttavia il dottore, sperando che si lasciasse sfuggire qualche informazione riservata sopra un bicchierino di sambuca.

«È tutto nella testa», dichiarò il medico in tono confidenziale. «Strana donna, non ha nessun disturbo. È solo molto triste.»

«Perché non torna da dove è venuta?» chiese il fratello maggiore di Gabriella, divenuto capofamiglia da quando era morto il padre. Era al corrente delle inquietanti chiacchiere sul cognato e quella donna. Ma sapeva che non poteva essere vero. Un uomo non poteva essere così stupido da combinare qualcosa del genere proprio sulla soglia di casa.

La gente del paese vide Signora diventare sempre più triste. Neanche la famiglia Leone riusciva a rallegrarla un po'. Povera Signora, sedeva semplicemente lì, lo sguardo perduto nel vuoto.

Una notte, mentre la famiglia dormiva, Mario salì furtivamente le scale della casa.

«Che cosa è successo? Mormorano tutti che sei malata, che stai diventando pazza», dichiarò, cingendola con le braccia e sollevando la trapunta che Nora aveva ricamato con i nomi di molte città italiane, tutte con colori diversi e circondate da piccoli fiori. Era un lavoro fatto con amore, aveva spiegato a Mario. Mentre la ricamava, pensava a quanto era stata fortunata a essere venuta a vivere vicino all'uomo che amava, non a tutti era capitata una simile fortuna.

Quella notte, tuttavia, non sembrava una delle donne più fortunate del mondo. Sospirava spesso e se ne stava lì sdraiata invece di girarsi ad accogliere gioiosamente Mario. Non pronunciò una sola parola.

«Signora.» Anche lui adesso la chiamava così. «Mia cara, ti ho ripetuto molte volte di andartene da qui, questa non è vita per te. Ma tu insisti a voler rimanere. La gente ha incominciato a conoscerti e ad apprezzarti. Ho saputo che è venuto il dottore. Non voglio che tu sia triste, raccontami che cosa è successo.»

«Tu sai che cosa è successo.» La sua voce era spenta.

«No, che cosa è accaduto?»

«L'hai chiesto al dottore. L'ho visto entrare nell'albergo dopo che mi ha lasciata. Vi ha detto che sono malata di mente, tutto qui.»

«Ma perché? Perché proprio ora? Sei qui da tanto tempo, da quando non sapevi una parola di italiano e non conoscevi nessuno. Allora avresti potuto ammalarti, non adesso che fai parte di questo luogo da dieci anni.»

«Più di undici, Mario. Quasi dodici.»

«Sì, hai ragione.»

«Sono triste perché pensavo che la mia famiglia sentisse la mia mancanza, che mi amasse, mentre adesso mi rendo conto che i miei fratelli e le mie sorelle vogliono semplicemente che faccia da infermiera a mia madre.» Non si girò a guardarlo. Rimase lì fredda e immobile senza rispondere alle sue carezze.

«Non vuoi stare con me, nonostante ti sia sempre piaciuto tanto?» Era sorpreso.

«No, Mario, non ora. Grazie, ma non stanotte.»

Lui scivolò fuori dal letto e vi girò intorno per osservarla. Accese la candela nel portacandele di ceramica. Giaceva lì pallidissima, i lunghi capelli rossi sparpagliati sul cuscino, coperta con quell'assurdo copriletto con i nomi delle città. Non sapeva che cosa dire. «Tra poco dovrai ricamare anche i nomi di tutte le città siciliane.»

Lei fece un altro sospiro.

Mario se ne andò preoccupato; ma le colline intorno ad Annunziata, con il loro manto multicolore di fiori, avevano poteri lenitivi. Signora vi passeggiò finché il suo viso non riacquistò colore.

La famiglia Leone le preparava a volte un piccolo cestino con pane, formaggio e olive, e Gabriella le offriva una bottiglia di Marsala, dicendo che molti lo usavano come tonico. I Leone la invitarono a pranzo una domenica e cucinarono spaghetti «alla Norma», con melanzane e pomodori.

«Sa perché si chiama così, Signora?»

«No, temo di no.»

«Perché è così buona che raggiunge la stessa forma di perfezione dell'opera di Bellini, la *Norma* appunto.»

«E Bellini, naturalmente, era siciliano», concluse Signora.

Le accarezzarono la mano. Conosceva tante cose di quell'isola, del loro paese. Chi mai poteva non apprezzare la sua compagnia?

Paolo e Gianna, i proprietari del negozio di ceramiche, le prepararono una brocca con la scritta SIGNORA D'IRLANDA. E vi posarono sopra un pezzetto di garza bordata di perline, in questo modo la brocca avrebbe mantenuto l'acqua fresca durante la notte e non vi sarebbero entrate né mosche né polvere.

Alcune persone vennero a sbrigare i piccoli lavori per l'anziana coppia proprietaria della casa in cui abitava, quelli che di solito faceva lei, così non dovette preoccuparsi di guadagnare per pagare l'affitto. E, attorniata da tanta amicizia e tanto amore, ritrovò presto le forze. Sapeva che tutti lì le volevano bene, anche se non gliene volevano a Dublino, da dove ora le scrivevano più frequentemente perché desideravano conoscere i suoi progetti.

Lei rispondeva scrivendo di come fosse amata e richiesta lì dall'anziana coppia che faceva tanto affidamento sul suo aiuto. Dai coniugi Leone, che litigavano così spesso che doveva andare a colazione da loro ogni domenica per accertarsi che non si ammazzassero. Tutti in paese si davano da fare per attirare visitatori. Il suo compito era quello di portare in giro i turisti, per fargli ammirare le bellezze del luogo e il belvedere che si affacciava sulla vallata e verso la montagna.

Aveva suggerito lei al fratello minore di Mario di aprire un piccolo caffè in quel luogo, lo avevano chiamato *Vista del Monte*.

Avevano fatto bene a vendere la fattoria e a trasferirsi a Dublino. Esprimeva il suo rammarico per il padre, che trascorreva buona parte del suo tempo in ospedale, e per sua madre che aveva difficoltà, le dicevano, a vivere in un appartamento in città. Le avevano ripetuto spesso che l'appartamento disponeva di una stanza in più, ma lei ignorava l'informazione, limitandosi a chiedere della salute dei genitori, dicendo che aveva scritto regolarmente per più di dieci anni, eppure i genitori non avevano mai risposto a una sua lettera. L'unica spiegazione era che tutte le lettere dovevano essere andate perdute.

Brenda scrisse esprimendo la sua totale approvazione:

> Brava! Li hai messi in difficoltà. Vedrai che riceverai una lettera da tua madre entro il mese. Ma tieni duro. Non tornare a casa per lei. Non ti scriverebbe se non ci fosse costretta.

Infatti, la lettera giunse e il cuore di Signora sussultò nel vedere la calligrafia familiare di sua madre. Sì, familiare anche dopo tutti quegli anni. Sapeva che ogni parola era stata dettata da Helen e Rita.

Scivolava sui dodici anni di silenzio, di ostinato rifiuto a rispondere alle suppliche della sua malinconica figlia lontana.

Nell'ultimo paragrafo la lettera diceva:

> Ti prego, Nora, torna a casa, torna a vivere con noi. Non ci intrometteremo nella tua vita, ma abbiamo bisogno di te, altrimenti non lo chiederemmo.

E non avrebbero nemmeno scritto, pensò Signora. Era sorpresa di non sentirsi più così amareggiata e che, ormai, tutto fosse superato. Lì, nella sua tranquillità, poteva permettersi di sentirsi dispiaciuta per loro. A confronto di quello che aveva lei nella vita, la sua famiglia non aveva assolutamente niente. Scrisse una lettera gentile in cui disse che non poteva tornare. Se avessero letto le sue lettere, si sarebbero resi conto di come lei era utile lì dove era. E, se in passato le avessero fatto sapere che desideravano che facesse parte della loro vita, allora avrebbe cercato di non lasciarsi coinvolgere troppo da quel magnifico posto dove viveva ora. Ma come poteva sapere che avrebbero chiesto il suo aiuto? Non erano mai rimasti in contatto ed era sicura che avrebbero capito.

E così passarono gli anni.

I capelli di Signora mostravano striature grigiastre nel rosso che, contrariamente alle donne di incarnato scuro che la circondavano, non sembravano invecchiarla. I suoi capelli parevano schiariti dal sole. Mentre Gabriella aveva un aspetto matronale; sedeva al banco dell'albergo, la faccia più rotonda, gli occhi molto più piccoli e luccicanti di quando avevano brillato per la gelosia attraverso la piazza. I suoi figli erano alti e difficili, non più angioletti dagli occhi scuri che facevano tutto quello che si chiedeva loro.

Probabilmente anche Mario era invecchiato, ma Signora non se ne accorgeva. Veniva da lei... meno frequentemente adesso, e a volte solo per sdraiarsi lì e cingerla con un braccio.

La coperta non aveva più spazi liberi per altre città. Signora vi aveva inserito anche località più piccole che l'affascinavano molto.

«Non avresti dovuto mettere i Giardini Naxos tra le grandi città», commentò Mario una volta. «È un piccolo centro.»

«No, non sono d'accordo», ribatté lei. «Quando mi sono recata a Taormina, ci sono andata con l'autobus. È un luogo delizioso... visitato da molti turisti, con un'atmosfera particolare. No, no, anche lei merita un posto.» E, talvolta, Mario traeva profondi sospiri come se avesse troppi problemi. Le parlava delle sue preoccupazioni: il suo secondogenito, appena ventenne, non si lasciava guidare, voleva andare a New York. Era troppo giovane, disse, avrebbe fatto amicizia con gente sbagliata.

«Anche qui frequenta gente sbagliata», ribatté calma Signora. «Probabilmente a New York sarà più timido e meno sicuro di sé. Lascialo andare con la tua benedizione, altrimenti ci andrà lo stesso.»

«Sei molto saggia», commentò lui e rimase sdraiato con la testa comodamente appoggiata alla sua spalla.

Lei non chiuse gli occhi, fissò invece il soffitto scuro e pensò a tutte le volte che in quella stanza le aveva ripetuto che era stata sciocca, la donna più sciocca del mondo, ad averlo seguito fin lì. Lì dove non c'era nessun futuro per lei. E gli anni avevano tramutato quella scelta in saggezza. Com'era strano il mondo.

E poi la figlia rimase incinta. Il ragazzo non era il genere di marito che avrebbero desiderato per lei, faceva il lavapiatti nella cucina dell'albergo. Mario andò a piangere nella sua stanza per sua figlia che era ancora quasi una bambina. Che disgrazia, che vergogna!

Era il 1994, gli disse Signora. Anche in Irlanda non era più una disgrazia e una vergogna, era la vita che andava così. La si doveva affrontare. Il ragazzo avrebbe potuto andare a lavorare al *Vista del Monte*, ampliarlo un po', poi forse sarebbe riuscito ad aprire un locale suo.

Era il suo cinquantesimo compleanno, ma Signora non lo disse a nessuno. Si era ricamata un piccolo cuscino con sopra scritto «Buon compleanno». Lo accarezzò quando Mario se ne fu andato, gli occhi senza più lacrime ora. «Chissà se sono veramente pazza come temevo di essere tanti anni fa?» si domandò ad alta voce.

Guardò dalla finestra la giovane Maria mentre andava a sposarsi con il ragazzo che lavorava in cucina, come aveva guardato Mario e Gabriella tanti anni prima. Le campane erano ancora le stesse, e risuonarono tra le montagne.

Figuriamoci, cinquant'anni. Non si sentiva più vecchia di un solo giorno di quando era arrivata lì. Non aveva un solo rimpianto. C'era altra gente in quel luogo o in un altro che poteva affermare la stessa cosa?

E, naturalmente, le sue previsioni si rivelarono esatte. Maria si era sposata con un uomo che non era degno di lei e della sua famiglia, ma lo svantaggio era compensato dal fatto che il ragazzo sgobbava giorno e notte. E le chiacchiere della gente furono di breve durata.

Il loro secondogenito, il ragazzo ribelle, andò a New York e le voci dicevano che se la stava cavando molto bene. Lavorava nella trattoria del cugino e risparmiava denaro per il giorno in cui avrebbe aperto il suo locale in Sicilia.

Signora dormiva sempre con la finestra leggermente aperta, così fu tra i primi ad apprendere la notizia. Quando i fratelli di Gabriella, uomini tozzi e di mezza età adesso, scesero correndo dalle loro automobili per andare a svegliare il medico, seppe che c'era stato un incidente.

Sbirciò più da vicino per capire che cos'era successo. Ti prego Dio, fa' che non si tratti di uno dei loro figli. Avevano già avuto molti problemi in famiglia.

E poi scorse la figura massiccia di Gabriella sulla soglia, in camicia da notte, con uno scialle intorno alle spalle. Si coprì il viso con le mani e il cielo fu squarciato dalle sue grida.

«Mario, Mario…»

Il suono si propagò su tra le montagne intorno ad Annunziata e giù tra le valli.

Penetrò nella camera da letto di Signora e le raggelò il cuore osservare gli uomini estrarre il corpo dalla macchina.

Non seppe mai per quanto tempo rimase lì immobile, come se si fosse tramutata in pietra. Ma ben presto, mentre la piazza andava riempiendosi di familiari, vicini e amici, si trovò in mezzo a loro, le lacrime che sgorgavano incontrollate. Vide il volto di Mario contuso e macchiato di sangue. Stava tornando a casa in macchina da un paese vicino, aveva preso male una curva e la macchina si era capottata più volte.

Sapeva che doveva toccare il suo viso, baciarlo come le sue sorelle, i suoi figli e sua moglie stavano facendo. Andò verso di lui, ignara di chi la guardava, immemore degli anni di riserbo e solitudine.

Quando gli fu vicina, sentì delle mani afferrarla e tirarla indietro. La signora Leone, Paolo e Gianna e, per quanto sembrasse strano a ripensarci, due dei fratelli di Gabriella la condussero via, lontano da dove gli occhi di Annunziata avrebbero visto il suo dolore e ricordato per sempre la notte in cui la Signora irlandese aveva ammesso pubblicamente il suo amore per l'uomo che dirigeva l'albergo sulla piazza.

Quella sera andò in case dove non era mai stata, alcune persone le diedero da bere del brandy e qualcuno le accarezzò la mano. Fuori dalle mura di quelle case udiva i gemiti e le preghiere, e a volte si alzava per andare accanto a Mario, ma mani gentili la trattenevano sempre.

Il giorno del funerale sedette pallida e calma alla sua finestra, la testa china, mentre trasportavano la bara fuori dall'albergo e attraverso la piazza fino alla chiesa. La campana suonava mestamente. Nessuno alzò lo sguardo verso la sua finestra. Nessuno vide le lacrime scorrerle sul viso e cadere sul ricamo che aveva in grembo.

Tutti diedero per scontato che se ne sarebbe andata, che era ora che tornasse a casa sua.

A poco a poco se ne rese conto. La signora Leone cominciò a dirle: «Prima che se ne vada, deve venire una volta con me alla grande processione che si tiene a casa mia a Trapani... così potrà raccontarlo alla sua gente in Irlanda».

Paolo e Gianna le regalarono un grande piatto che avevano fatto apposta per il suo ritorno. «Potrà posarvi tutti i frutti che crescono in Irlanda e il piatto le ricorderà i giorni di Annunziata.» Sembravano convinti che era questo che avrebbe fatto.

Ma Signora non aveva una casa dove andare, non voleva trasferirsi. Aveva cinquant'anni, viveva lì da quando non ne aveva ancora trenta. Era lì che sarebbe morta. Un giorno la campana della chiesa avrebbe suonato anche per il suo funerale, aveva già riposto il denaro necessario in una piccola scatola di legno scolpito.

Così non badava alle insinuazioni che si facevano sempre più frequenti e al consiglio che vedeva sostare incerto su tante labbra.

Non si decise finché Gabriella non andò a parlarle.

Gabriella attraversò la piazza con i suoi neri abiti a lutto. Il suo volto era segnato da profonde rughe di rimpianto e di dolore. Non era mai andata a casa sua. Bussò alla porta come se fosse attesa. Signora cercò di accoglierla cordialmente, offrendole un succo di frutta e un biscottino. Poi sedette e attese.

Gabriella si aggirò per le due piccole stanze. Accarezzò il copriletto con ricamati sopra i nomi delle città.

«È bellissimo, Signora», osservò.

«Molto gentile, signora Gabriella.»

Poi ci fu un lungo silenzio.

«Ha intenzione di tornare presto nel suo paese?» chiese infine la donna.

«Non ho nessuno da cui tornare», rispose semplicemente Signora.

«Ma neanche qui ha nessuno, nessuno per cui rimanere. Non più.» Gabriella fu altrettanto esplicita.

Signora annuì come se ne convenisse. «Ma in Irlanda non c'è veramente nessuno. Sono venuta qui da giovane, adesso sono una donna di mezza età, prossima alla vecchiaia, pensavo di rimanere.»

I loro sguardi si incontrarono.

«Non ha amici qui, non una vera vita, Signora.»

«Ne ho più che in Irlanda.»

«Potrebbe rifarsi una vita in Irlanda. I suoi amici, la sua famiglia, sarebbero felici di vederla tornare.»

«Vuole che me ne vada da qui?» La domanda era molto franca. Voleva sapere.

«Lui ha sempre affermato che se ne sarebbe andata, se fosse morto, che sarebbe tornata dalla sua gente e mi avrebbe lasciata con la mia a piangere mio marito.»

Signora la guardò, stupita. Mario aveva fatto quella promessa, a nome suo? «Ha detto che ero d'accordo?»

«Ha detto che è quanto sarebbe accaduto. E che se io, Gabriella, fossi morta prima, ha aggiunto, non l'avrebbe sposata perché sarebbe stato uno scandalo, e il mio nome ne sarebbe stato sminuito. Avrebbero pensato che aveva sempre avuto l'intenzione di sposarla.»

«E questo la soddisfaceva?»

«No, queste cose non mi davano soddisfazione. Non volevo pensare a Mario morto, o a me stessa morta. Ma immagino che mi conferissero quella dignità di cui avevo bisogno. Non dovevo aver paura di lei. Non sarebbe rimasta qui, sfidando la tradizione del luogo e dividendo il cordoglio per l'uomo che se n'era andato.»

Mario le aveva parlato della tradizione e della dignità, e di come fossero importanti per lui e la sua famiglia.

Era come se ora le stesse parlando dalla tomba. Le inviava un messaggio, chiedendole di tornare a casa.

Parlò molto lentamente. «Me ne andrò alla fine del mese, signora Gabriella. Credo che tornerò in Irlanda.»

Gli occhi dell'altra donna erano pieni di gratitudine e sollievo. Tese entrambe le mani e strinse quelle di Signora. «Sono sicura che sarà molto più felice, molto più in pace», replicò.

«Sì, sì», rispose lentamente Signora, lasciando le parole sospese nella calda aria pomeridiana.

«Lo credo veramente.»

Aveva a malapena il denaro per il viaggio. Ma, chissà come, i suoi amici sembravano saperlo.

Venne la signora Leone e le infilò in mano un rotolo di banconote. «La prego, Signora. È per ringraziarla di quello che ha fatto per me. La prego, le prenda.»

La stessa cosa avvenne con Paolo e Gianna. Non avrebbero mai venduto ceramiche se non fosse stato per lei, dissero. «La consideri come una piccola percentuale.»

E anche l'anziana coppia proprietaria dell'appartamento in cui aveva vissuto a lungo si comportò nello stesso modo. Entrambi dissero che Signora aveva apportato delle migliorie alla proprietà e che meritava un compenso.

Il giorno in cui arrivò l'autobus per condurla all'aeroporto della città più vicina, Gabriella uscì sulla soglia. Non parlò e neanche Signora lo fece, ma s'inchinarono l'una verso l'altra. Le loro facce erano grevi e rispettose. Alcuni di coloro che assistettero alla scena, capirono quello che si stavano dicendo. Sapevano che una donna ringraziava l'altra con tutto il cuore, come mai avrebbe potuto fare a parole, e le augurava buona fortuna per il suo ritorno nella terra che l'avrebbe accolta.

* * *

La città in cui l'autobus l'aveva condotta era rumorosa e affollata, e l'aeroporto brulicava di gente. Sarebbe stato così anche a Dublino, ma Signora decise di non pensarci.

Non aveva programmi, avrebbe fatto quel che le sembrava più giusto al momento. Non aveva detto a nessuno che sarebbe tornata. Non aveva avvertito la sua famiglia e neanche Brenda. Avrebbe trovato una stanza e badato a se stessa come aveva sempre fatto, e poi avrebbe deciso il da farsi.

In aereo si mise a parlare con un ragazzino di circa dieci anni, come Enrico, il figlio minore di Mario e Gabriella. Automaticamente parlò in italiano, ma lui distolse lo sguardo confuso.

Signora guardò fuori dal finestrino. Non avrebbe mai saputo che cosa ne sarebbe stato di Enrico, o del fratello andato a New York, o della sorella sposata con il lavapiatti. Non avrebbe mai saputo chi sarebbe andato a vivere nelle sue stanze. E, chiunque fosse stato, forse non avrebbe mai saputo dei lunghi anni che lei aveva trascorso lì né del motivo che l'aveva spinta lì.

Era come nuotare nel mare senza sapere che cosa sarebbe successo nel posto che aveva lasciato o in quello in cui sarebbe arrivata.

A Londra cambiò aereo. Non desiderava fermarsi, né rivedere i luoghi dove aveva vissuto con Mario. Sarebbe andata direttamente a Dublino.

Tutto le sembrava diverso; l'aeroporto stesso era molto più grande di come lo ricordava. C'erano voli in arrivo da tutto il mondo.

Un'americana, sull'autobus che la portava in città, le chiese dove avrebbe alloggiato.

«Non lo so», rispose Signora. «Troverò un posto.»

«È del luogo o in visita?»

«Sono partita da qui molto tempo fa», rispose lei.

«Anch'io... Sono qui per fare delle ricerche sui miei antenati.» La donna americana era soddisfatta. Si concedeva una settimana per ritrovare le sue radici, pensava che fosse sufficiente.

«Oh, certo», rispose Signora, realizzando solo in quel momento come le fosse difficile trovare subito la risposta giusta in inglese.

Scese dall'autobus e percorse la banchina del fiume Liffey fino a O'Connell Bridge. Tutt'attorno a lei c'erano giovani alti, sicuri, sorridenti che si muovevano in gruppi. Ricordò di aver letto da qualche parte che quella popolazione era molto giovane, metà addirittura sotto i ventiquattro anni.

Non si era aspettata di vederne tanti. E molti erano vestiti con colori vivaci. Prima che si fosse recata in Inghilterra a lavorare, Dublino era un posto scialbo e grigio. Adesso molti edifici erano stati rinfrescati, c'erano belle macchine nelle vie dal traffico intenso. Ricordava più biciclette e automobili di seconda mano. I negozi erano grandi e luminosi.

Per qualche strana ragione continuò a camminare lungo la banchina anche dopo O'Connell Bridge. Era come se stesse seguendo la folla. Poi trovò il *Temple Bar*. La zona assomigliava alla Rive gauche di Parigi; c'era stata una volta con Mario tanti anni addietro per un lungo weekend. Strade selciate, caffè all'aperto gremiti di giovani che si chiamavano l'un l'altro e si salutavano.

Nessuno le aveva detto che Dublino era così. Ma chissà se Brenda, sposata con Pillow Case e lavorando in un posto molto più tranquillo, si era mai spinta in quelle strade?

Neanche le sue sorelle e i loro mariti sempre un po' brilli, o i suoi fratelli e le loro mogli passive... erano tipi da scoprire luoghi come il *Temple Bar*. Se ne fossero stati a conoscenza, si sarebbero limitati a scuotere la testa.

Signora lo trovava davvero magnifico. Era un mondo nuovo, e le pareva di non averne mai abbastanza. Alla fine sedette per prendere un caffè.

Una ragazza sui diciott'anni, con lunghi capelli rossi, simili a quelli che aveva avuto lei tanti anni prima, le servì la bevanda. Pensava che Signora fosse straniera.

«Da dove viene?» chiese lentamente.

«Sicilia, Italia», rispose Signora.

«Un bel paese, ma non ho intenzione di andarci finché non avrò imparato un po' la lingua.»

«E perché mai?»

«Be', vorrei capire quello che dice la gente. Se non si capisce quello che dicono le persone, non si capisce neppure in quali guai ci si sta cacciando.»

«Io non parlavo una parola di italiano quando ci sono andata, e certamente non sapevo in che guaio mi stavo cacciando», rispose Signora. «Ma è andata bene… anzi, benissimo.»

«Quanto tempo è rimasta?»

«Molto. Ventisei anni.» La sua voce sembrava meravigliata.

La ragazza, che non era ancora nata quando aveva iniziato quell'avventura, la guardò stupita. «Se è rimasta tanto tempo, deve esserle piaciuto molto.»

«Oh sì, sì.»

«E quando è tornata?»

«Oggi», rispose Signora.

Trasse un profondo sospiro e si chiese se stesse solo immaginando che la ragazza sembrava guardarla in maniera lievemente diversa, come se la considerasse un po' strana. Sapeva che non doveva permettere alla gente di pensarlo. Non usare frasi italiane, non lasciarsi sfuggire sospiri, non dire cose sconclusionate.

La ragazza stava per andarsene.

«Mi scusi, questa mi sembra una parte molto bella di Dublino. Crede che riuscirei a trovare una stanza?» Adesso la ragazza doveva considerarla davvero strana. Forse la gente non diceva più 'stanze'. Avrebbe dovuto dire 'appartamento'? Un posto dove stare? «Qualcosa di semplice», specificò Signora.

Apprese mestamente che quella era una delle parti più «in» della città e che tutti avrebbero voluto abitare lì. C'erano bellissimi attici, le pop star avevano comperato alberghi, gli uomini d'affari avevano investito in villette. Il luogo straripava di ristoranti. Era l'ultima moda.

«Capisco.» Era vero. Signora capiva che doveva imparare molte cose sulla città dalla quale mancava da tanto tempo. «E allora saprebbe dirmi, per favore, qual è la zona dove potrei stare, una zona che non sia all'ultima moda?»

La ragazza scosse i lunghi capelli rossi. Era difficile saperlo. Sembrava che stesse chiedendosi se Signora avesse mezzi suoi o dovesse lavorare per vivere.

Alla fine Signora decise di aiutarla. «Ho abbastanza denaro per pagarmi un *bed and breakfast* per una settimana. Poi dovrò trovare qualche lavoretto… come baby sitter, magari.»

La ragazza appariva dubbiosa. «Di solito vogliono gente giovane per lavori del genere», dichiarò.

«Oppure potrei lavorare in un ristorante.»

«No, non nutrirei troppo speranze in questo senso, francamente… tutti quanti desideriamo questo genere di posti. Ma è molto difficile trovarne.»

Era carina, la ragazza. La sua faccia aveva un'espressione compassionevole, ma Signora avrebbe dovuto farci l'abitudine, visto quello che l'aspettava. Decise di cambiare tattica per nascondere l'imbarazzo.

«È il suo nome quello che ha sul grembiule? Suzi?»

«Sì. Temo che mia madre fosse una fan di Suzi Quatro.» Notò la sua espressione vacua. «La cantante, la conosce? Era famosa anni fa, forse non in Italia.»

«Sono sicura che lo fosse, solo che io non l'ascoltavo allora. Ebbene, Suzi, non posso farle perdere la giornata con i miei problemi ma, se potesse concedermi solo mezzo minuto, vorrei che mi dicesse da quale zona potrei cominciare a cercare.»

Suzi sciorinò i nomi di luoghi che un tempo erano stati piccoli quartieri, sobborghi, se non esattamente villaggi, appena fuori città e che adesso sembrava che fossero estesi quartieri di abitazioni popolari. Metà delle persone che vi abitavano sarebbe stata disposta ad affittarle una stanza se i loro figli avessero magari già lasciato la casa. Non sarebbe comunque stato saggio dirle che anche lei se n'era andata. Meglio essere riservati su certe cose.

«Mi è stata molto utile, Suzi. Come fa a sapere tanto alla sua età?»

«Be', conosco la zona, è lì che sono cresciuta.»

Signora sapeva che non doveva approfittare della sua pazienza. Infilò la mano nella borsetta per pagare il caffè.

«Grazie mille per l'aiuto… le sono molto grata. E, se mi sistemerò, verrò a portarle un regalino.»

Vide Suzi riflettere e mordersi il labbro come se stesse per prendere una decisione.

«Come si chiama?» chiese Suzi.

«So che può sembrarle buffo, ma il mio nome è Signora. Non voglio essere formale, ma mi chiamavano così e desidero essere chiamata in questo modo.»

«Lo pensava veramente quando ha detto che non le importava molto del posto?»

«Certo.» La sua faccia era onesta, ingenua. Chiaro che Signora non potesse capire come a molta altra gente importasse ciò che l'attorniava.

«Senta. Non vado neanch'io molto d'accordo con la mia famiglia, così non vivo più a casa. E proprio un paio di settimane fa li ho sentiti discutere riguardo la possibilità di affittare la mia stanza a qualcuno. È libera, e a loro tornerebbe utile guadagnare qualche sterlina alla settimana... in contanti, naturalmente. Inoltre dovrebbe dire che è un'amica di famiglia, nel caso qualcuno lo chiedesse... per via dell'imposta sui redditi.»

«Crede che potrei?» A Signora brillavano gli occhi.

«Mi ascolti ora.» Suzi era ansiosa di non creare malintesi. «Sto parlando di una casa molto comune, situata in un rione di abitazioni che si assomigliano un po' tutte... niente di lussuoso. Tengono la televisione accesa tutto il giorno, continuano a gridare e, naturalmente, c'è mio fratello Jerry. Ha quattordici anni ed è una peste.»

«Ho solo bisogno di un posto dove stare. Sono sicura che andrà benissimo.»

Suzi annotò l'indirizzo e le disse quale autobus prendere. «Perché prima non percorre quella strada e non domanda un po' in giro se hanno posto? Poi finge di arrivare a casa mia per caso. Parli innanzi tutto del denaro e dica che non starà per molto. A loro piacerà perché ha un'aria rispettabile e non più giovanissima. La prenderanno, ma non riveli che l'ho mandata io.»

Signora le lanciò un'occhiata. «Non erano d'accordo sul tuo boyfriend?»

«I miei boyfriend», la corresse Suzi. «Mio padre dice che sono una sgualdrina, ma non cerchi di negarlo, per favore, quando glielo dirà, o capirà che mi conosce.» La faccia di Suzi era dura.

Signora si chiese se la sua faccia fosse stata altrettanto dura tanti anni addietro quando era partita per la Sicilia.

* * *

Prese l'autobus, meravigliandosi di come si fosse estesa la città in cui aveva abitato un tempo. Alla luce della sera i ragazzi giocavano per le strade tra il traffico, giravano in bicicletta per i giardini, si appoggiavano ai cancelli a chiacchierare.

Signora si recò nelle case che Suzi le aveva suggerito. Uomini e donne le dissero che le loro abitazioni erano già abbastanza affollate e loro avevano bisogno di tutto lo spazio di cui disponevano.

«Potreste suggerirmi qualcuno che voglia affittare?»

«Provi dai Sullivan», le consigliarono.

Adesso aveva un motivo per andarci. Bussò alla porta. Che questa stesse per diventare la sua nuova casa? Non doveva prenderla male, se le avessero detto di no.

Jerry aprì la porta con la bocca piena. Aveva i capelli rossi, le lentiggini e un sandwich in mano.

«Sì?» fece.

«Potrei parlare con tua madre o tuo padre, per favore?»

«Di che cosa?» chiese Jerry.

Probabilmente in passato il ragazzo aveva fatto entrare della gente a cui non avrebbe dovuto aprire.

«Mi stavo chiedendo se non ci fosse una stanza da affittare», cominciò Signora. Capì che nell'interno avevano abbassato la televisione per sentire che cosa stava succedendo sulla soglia.

«Una stanza qui?» Jerry sembrò molto stupito e Signora pensò che forse aveva ragione, forse era una sciocchezza. Ma perché arrendersi proprio allora?

«Potrei parlare con loro?»

Arrivò alla porta il padre del ragazzo. Un uomo grosso con ciuffi di capelli ai lati della testa. Aveva più o meno l'età di Signora, ma il viso era congestionato, e pareva che gli anni gli avessero fatto pagare lo scotto. Si stava asciugando le mani nei pantaloni, come se avesse intenzione di stringere la sua.

«Posso esserle d'aiuto?» chiese insospettito.

Signora spiegò che stava cercando una camera in affitto in quella zona, e che i Quinn del numero 22 l'avevano mandata lì, nel caso che avessero una stanza in più.

«Peggy, per favore vuoi venire qui?» gridò. E una donna con le occhiaie e i capelli lisci tirati indietro uscì fumando e tossendo contemporaneamente.

«Che cosa c'è?» chiese in tono poco cordiale.

Non era molto promettente, ma Signora rifece il suo racconto.

«E perché cerca una stanza proprio in questa zona?»

«Manco dall'Irlanda da tanto tempo, e non conosco molti posti adesso, ma devo pur vivere da qualche parte. Non avevo idea che fosse diventato tutto così caro e... be'... sono venuta da questa parte perché si vedono le montagne da qui», spiegò.

Per qualche ragione questo piacque ai due. Forse perché non c'era scaltrezza in quelle parole.

«Non abbiamo mai avuto dei pensionanti», osservò la donna.

«Non vi procurerei alcun fastidio, resterei in camera mia.»

«Non vorrebbe mangiare con noi?» L'uomo indicò un tavolo con un piatto di panini assai poco appetitosi, il burro ancora nella carta e il latte nella bottiglia.

«No, no, grazie. Mangio per lo più insalate, e immagino che potrei avere un bollitore e un fornello, giusto per scaldarmi una zuppa.»

«Non ha neanche visto la stanza», replicò la donna.

«Può mostrarmela?» La sua voce era gentile, ma autoritaria. Salirono insieme le scale, osservati da Jerry che rimase al piano inferiore.

Era una piccola stanza con un armadio vuoto, una libreria anch'essa vuota, niente quadri alle pareti e un catino. Non molto che ricordasse gli anni che la bella e vibrante Suzi dai lunghi capelli rossi e gli occhi fiammeggianti aveva trascorso in quella camera.

Fuori si stava facendo buio. La stanza era sul retro della casa, dava su una distesa di terra incolta dove presto sarebbero sorte altre case, ma in quel momento non c'era niente tra lei e la montagna.

«È piacevole avere una così bella vista», osservò Signora. «Ho vissuto in Italia, la chiamerebbero *Vista del Monte*, in inglese 'Mountain view'.»

«È il nome della scuola che frequenta mio figlio, Mountainview», commentò l'uomo corpulento.

Signora fece un sorriso. «Ammesso che vogliate prendermi, Mrs Sullivan, Mr Sullivan... ho la sensazione di essere approdata in un gran bel posticino.»

I due si scambiarono un'occhiata, chiedendosi se fosse pazza e se fosse bene prenderla in casa.

Le mostrarono la stanza da bagno. Le assicurarono che l'avrebbero pulita un po' e che le avrebbero procurato un portasalviette.

Sedettero a parlare al pianterreno, e fu come se la sua gentilezza imponesse loro modi più civili. L'uomo sparecchiò la tavola, la donna spense la sigaretta e la televisione. Il ragazzo sedette in un angolo ad ascoltare con interesse.

Spiegarono che c'era una coppia dall'altra parte della strada che si guadagnava da vivere informando l'ufficio delle tasse sugli affari della gente così, se fosse venuta a stare da loro, avrebbe dovuto dire che era una parente, perché quei ficcanaso non andassero a riferire che era un'ospite pagante.

«Una cugina, magari.» Signora sembrava eccitata al pensiero del sotterfugio.

Raccontò loro che aveva vissuto tanti anni in Italia e che aveva visto diverse immagini del Papa e del Sacro cuore. Aggiunse che il marito italiano era morto di recente e che era tornata in Irlanda per rifarsi una vita.

«E non ha una famiglia qui?»

«Ho dei parenti. Li andrò a trovare tra qualche giorno», spiegò Signora, ma non rivelò che aveva una madre, un padre, due sorelle e due fratelli che vivevano in quella città.

I tempi erano duri, Jimmy faceva l'autista… di automobili a noleggio, camion e quello che capitava… e Peggy lavorava al supermercato come cassiera.

Poi la conversazione ritornò sulla stanza da affittare.

«Quella stanza apparteneva a qualche altro membro della famiglia?» chiese educatamente Signora.

Le parlarono di una figlia che preferiva abitare più vicino al centro. Poi discussero di denaro e lei mostrò loro il portafoglio. Aveva l'affitto per cinque settimane. Chiese se volevano un mese d'anticipo.

Si guardarono l'un l'altro, i Sullivan, le facce preoccupate. Erano sospettosi di gente così ingenua da mostrare il portafoglio.

«È tutto ciò che ha?»

«È tutto ciò che ho adesso, ma ne avrò dell'altro quando troverò lavoro.» Signora non sembrava preoccupata, ma i Sullivan parevano perplessi. «Forse farei meglio a uscire mentre discutete», propose, e uscì nel giardino retrostante da dove guardò le montagne lontane che alcuni chiamavano colline. Non erano aspre, irregolari e azzurrognole come le sue montagne in Sicilia.

La gente si stava probabilmente occupando delle proprie faccende laggiù, ad Annunziata. Chissà se qualcuno di loro si chiedeva di Signora e di dove avrebbe posato la testa quella notte?

I Sullivan vennero alla porta, la decisione era presa.

«Pensiamo che dato che è un po' a corto di denaro e via dicendo, gradisca magari trattenersi subito, se decide di restare», propose Jimmy Sullivan.

«Oh, stasera stessa, sarebbe magnifico», rispose Signora.

«Be', può cominciare con una settimana e se poi andremo d'accordo, potremo fare di più», spiegò Peggy.

Gli occhi di Signora si illuminarono. «Grazie, grazie», disse in italiano prima di rendersene conto. «Ho vissuto così a lungo laggiù, capite», aggiunse scusandosi.

Non ci fecero caso, era chiaramente una persona eccentrica, ma innocua.

«Salga e mi aiuti a fare il letto», propose Peggy.

Il giovane Jerry le seguì con lo sguardo.

«Non ti sarò d'impiccio, Jerry», lo rassicurò Signora.

«Come fa a sapere che mi chiamo Jerry?» chiese.

I suoi genitori dovevano avergli sicuramente parlato. Quello era stato un passo falso, ma Signora era abituata a rimediare velocemente. «Perché è così che ti chiami», rispose semplicemente.

E la risposta sembrò soddisfarlo.

Peggy tirò fuori lenzuola e coperte. «Suzi aveva una bella trapunta, ma l'ha portata con sé quando se n'è andata», spiegò.

«Le manca?»

«Viene una volta alla settimana, ma quando non c'è suo padre, di solito. Non vanno d'accordo, più o meno da quando lei aveva dieci anni… È un peccato, ma la situazione è questa. Meglio che viva per conto suo piuttosto che continuino a litigare.»

Signora disfece la trapunta con i ricami dei nomi delle città italiane. L'aveva avvolta nella carta velina e vi aveva infilato dentro la brocca. Aveva portato poche cose con sé e fu lieta di tirarle fuori davanti a Peggy Sullivan perché vedesse com'era irreprensibile e innocente il suo stile di vita.

Gli occhi di Peggy erano sbarrati per lo stupore.

«Dove diamine l'ha presa? È bellissima!» ansimò.

«L'ho fatta io nel corso degli anni, aggiungendo dei nomi qua e là. Guardi, c'è Roma e anche Annunziata, il posto dove abitavo.»

Peggy aveva le lacrime agli occhi. «E voi due avete dormito sotto di essa… com'è triste che sia morto.»

«Sì, sì, lo è.»

«È stato malato a lungo?»

«No, è rimasto vittima di un incidente.»

«Ha una sua fotografia? Da posare qui magari.» Peggy accarezzò il ripiano del cassettone.

«No, non ho fotografie di Mario, lui è solo nel mio cuore e nella mia mente.»

Le parole rimasero sospese tra di loro.

Peggy Sullivan decise di parlare di qualcos'altro. «Se sa cucire così bene, non ci impiegherà molto a trovare lavoro. Chiunque la prenderebbe.»

«Non ho mai pensato di guadagnarmi da vivere cucendo.» L'espressione di Signora era remota.

«Che cosa intende fare allora?»

«Insegnare, magari, fare la guida. In Sicilia vendevo ai turisti piccoli lavori di ricamo con soggetti locali. Ma non credo che qui li vorrebbero.»

«Potrebbe ricamare trifogli e arpe, immagino», osservò Peggy. Ma nessuna delle due sembrò entusiasta del suggerimento. Finirono la stanza. Signora appese alcuni indumenti e apparve perfettamente soddisfatta.

«Vi ringrazio per avermi dato una nuova casa così in fretta. Stavo giusto dicendo a suo figlio che non vi arrecherò alcun fastidio.»

«Non gli badi, è già una bella seccatura per tutti noi, maledettamente pigro com'è. Ci ha spezzato il cuore. Perlomeno Suzi è intelligente, quel ragazzo finirà male.»

«Sono sicura che è soltanto una fase.» Signora aveva parlato così a Mario dei suoi figli. Era quello che i genitori volevano sentire.

«È una fase piuttosto lunga, allora. Senta, vuole scendere a bere qualcosa con noi prima di coricarsi?»

«No, grazie. Sono molto stanca. Andrò subito a letto.»

«Ma non ha neanche un bollitore per prepararsi una tazza di tè.»

«Grazie, sto bene così.»

Peggy la lasciò e scese al pianterreno. Jimmy guardava un programma sportivo alla televisione. «Abbassa un po', Jimmy. Quella donna è stanca, ha viaggiato tutto il giorno.»

«Mio Dio, non ricomincerai a fare come quando quei due erano piccoli, zitto qui, zitto là?»

«No, non è così, e tu sei ansioso di intascare i suoi soldi quanto me.»

«È un tipo molto strano. Sei riuscita a carpirle qualcosa?»

«Sostiene di essere stata sposata e che suo marito è rimasto ucciso in un incidente. Almeno è quello che dice.»

«E tu non le credi, ovviamente?»

«Be', non ha neanche una sua fotografia. Non sembra sposata. E ha quella cosa sul letto. È come la stola di un prete, una trapunta. Non avrebbe avuto il tempo di farla, se fosse stata sposata.»

«Leggi troppi libri e vedi troppi film, ecco il tuo guaio.»

«È un po' matta però, Jimmy.»

«Non ha l'aria dell'assassina, no?»

«No, ma potrebbe essere stata una suora. Ha quei modi così tranquilli. Dev'essere proprio stata una suora. Lo sarà ancora. Non si sa mai oggigiorno.»

«Può darsi.» Jimmy era pensieroso. «Be', nel caso fosse una suora, non raccontarle troppi particolari su come vive Suzi. Se ne andrebbe da qui in un baleno se sapesse come si comporta quella sciagurata che abbiamo allevato.»

* * *

Signora era alla finestra e guardava le montagne al di là della distesa di terra incolta.

Che quel posto potesse diventare casa sua?

Si sarebbe arresa nel vedere suo padre e sua madre più fragili e dipendenti di quando li aveva lasciati? Avrebbe perdonato i loro affronti e la loro freddezza quando avevano saputo che non sarebbe tornata a casa ad accudirli come una brava figlia?

O sarebbe rimasta in quella squallida casa con gente chiassosa al pianterreno, un ragazzo imbronciato e una figlia ribelle? Signora sapeva che sarebbe stata gentile con quella famiglia che non aveva mai conosciuto prima d'allora.

Avrebbe cercato di far riconciliare Suzi con suo padre. Avrebbe trovato il modo di indurre il ragazzo a interessarsi al suo lavoro. Con il tempo avrebbe fatto l'orlo alle tendine, riparato i cuscini sfilacciati del soggiorno e applicato dei nastri alle salviette del bagno. Ma l'avrebbe fatto un po' per volta. Gli anni trascorsi ad Annunziata le avevano insegnato ad avere pazienza.

Non si sarebbe recata subito a casa di sua madre, né dove viveva suo padre, almeno non l'indomani.

Sarebbe però andata a trovare Brenda e Pillow Case, e si sarebbe ricordata di chiamarlo Patrick. Sarebbero stati ancor più felici di vederla, quando avessero saputo che si era trovata una sistemazione, e che stava cercando lavoro. Avrebbero magari potuto darle perfino qualcosa da fare nel loro ristorante. Poteva lavare e preparare le verdure in cucina come il ragazzo che aveva sposato la figlia di Mario.

Signora si lavò e si spogliò. Indossò la camicia da notte bianca con i boccioli di rosa ricamati intorno al collo. Mario le aveva detto che gli piaceva; ricordava le sue mani che toccavano le roselline prima di accarezzare lei.

Mario, addormentato nel cimitero che si affacciava sulle valli e le montagne. Mario che la conosceva bene, che sapeva che avrebbe seguito il suo consiglio dopo la sua morte, anche se non l'aveva fatto quand'era in vita. Probabilmente era stato contento che fosse rimasta, contento che fosse andata a vivere nel suo paese per ventisei anni, e sarebbe stato lieto di sapere che se n'era andata così come aveva desiderato lui, per concedere alla sua vedova dignità e rispetto.

L'aveva reso spesso felice sotto quella trapunta e proprio indossando quella camicia da notte. L'aveva reso felice ascoltando i suoi problemi, accarezzandogli la testa e offrendogli i suoi saggi consigli. Ascoltò i cani abbaiare.

Presto si sarebbe addormentata e domani sarebbe iniziata la sua nuova vita.

Brenda attraversava sempre la sala da pranzo del *Quentin* a mezzogiorno. Era una routine. Di solito indossava un semplice abito colorato con un candido colletto bianco. Ben pettinata e truccata controllava accuratamente ogni tavolo. I camerieri sapevano che avrebbero fatto bene a filare diritti perché Brenda pretendeva molto. Mr Quentin, che viveva all'estero, ripeteva spesso che se il suo nome era apprezzato a Dublino, lo doveva esclusivamente a Brenda e a Patrick. E Brenda voleva che le cose continuassero in quel modo.

La maggior parte del personale era lì da tempo; molti si conoscevano ed erano affiatati. C'erano clienti regolari che volevano essere chiamati per nome, e Brenda aveva spesso sottolineato quanto fosse importante ricordare i particolari che li riguardavano. Avevano fatto una bella vacanza? Stavano scrivendo un nuovo libro? Che gioia vedere la loro fotografia sul quotidiano *Irish Times*, sapere che il loro cavallo aveva vinto al Curragh.

Benché suo marito Patrick sostenesse che venissero per l'ottima cucina, lei sapeva che i suoi clienti frequentavano il locale anche per la calorosa accoglienza. Aveva trascorso molti anni a essere gentile con persone che non erano nessuno, osservandole diventare personaggi importanti e ricordando sempre la speciale accoglienza che avevano ricevuto al *Quentin*. Saper ricevere i clienti, lusingarli, era alla base del loro mestiere e lo rendeva redditizio anche nei momenti economicamente difficili.

Brenda sistemò i fiori su un tavolino accanto alla finestra e sentì la porta aprirsi. Nessuno veniva a mangiare a quell'ora. I dublinesi pranzavano tardi e al *Quentin* non si vedeva mai nessuno fin dopo le dodici e mezza.

La donna entrò esitante. Aveva passato la cinquantina, con lunghi capelli rossi striati di grigio, legati mollemente all'indietro con un fazzoletto colorato. Indossava una lunga gonna marrone che le arrivava quasi alle caviglie e una giacca fuori moda, come si usava negli anni Settanta. Non era trasandata, né elegante, era solo completamente diversa dalle sue clienti abituali. Stava per avvicinarsi a Nell Dunne, già seduta al suo posto alla cassa, quando Brenda si rese conto di chi fosse.

«Nora O'Donoghue!» esclamò eccitata. Era una vita che non vedeva l'amica. I giovani camerieri e Mrs Dunne alla cassa apparvero sorpresi di vedere Brenda, l'impeccabile Brenda Brennan, attraversare di corsa la sala per abbracciare quella strana donna. «Mio Dio, hai lasciato quel posto, hai finalmente preso un aereo e sei tornata a casa!»

«Sono tornata, sì», disse Signora.

D'un tratto Brenda apparve preoccupata. «Non è... che tuo padre, voglio dire, non è morto o altro?»

«No, che io sappia.»

«Non sei andata da loro?»

«Oh, no, affatto.»

«Bene, so che non ti saresti arresa. E raccontami, come sta l'amore della tua vita?»

L'espressione sul volto di Signora cambiò. Tutto il colore e la vita sembrarono sparire. «È morto, Brenda, Mario è morto. È rimasto ucciso in un incidente stradale. È al cimitero di Annunziata adesso.»

Era impallidita all'improvviso, sembrava sul punto di svenire. Di lì a quaranta minuti il ristorante sarebbe stato gremito di gente e Brenda Brennan avrebbe dovuto essere nel pieno delle sue energie, non a piangere con un'amica su un amore perduto.

Pensò in fretta. C'era un séparé riservato solitamente agli innamorati, o a clienti che desideravano pranzare lontano dagli sguardi degli altri. Ci avrebbe condotto Nora. Precedette l'amica verso il tavolino, ordinò un brandy e un bicchiere d'acqua ghiacciata. Uno dei due l'avrebbe sicuramente aiutata.

Con occhio e mano esperti cambiò la lista dei posti riservati e chiese a Nell Dunne di fotocopiare la nuova disposizione.

«C'è niente che possa fare ancora per aiutare... la signora, Mrs Brennan?» chiese Nell tutta presa dagli avvenimenti.

«Sì, grazie, Nell. Si accerti che i camerieri abbiano la nuova disposizione dei posti e che ce ne sia una copia in cucina. Grazie.» Era brusca e a malapena cortese. A volte Nell la irritava, anche se non sapeva bene perché.

E poi Brenda, che era considerata una donna di ghiaccio, sia dal personale sia dai clienti, andò dietro al separé e pianse con l'amica sulla morte di quell'uomo, Mario, la cui moglie aveva attraversato la piazza per andare a dire a Nora di tornare nel suo paese d'origine.

Era un incubo, ma anche una storia d'amore. Brenda si chiese pensierosa che cosa si dovesse provare ad amare così intensamente, senza curarsi delle conseguenze, senza fare piani per il futuro.

Gli ospiti non avrebbero visto Signora dietro al separé più di quanto non avessero mai visto il capo del governo che pranzava spesso lì con la sua amica. Poteva lasciarla sola.

Brenda si asciugò gli occhi, si rinfrescò il trucco, sistemò il colletto e andò a lavorare. Sbirciando fuori di tanto in tanto, Signora osservava stupita la sua amica accompagnare facoltosi clienti ai tavolini, chiedendo delle loro famiglie, dei loro affari... E i prezzi sul menu! Ci avrebbe vissuto un'intera famiglia di Annunziata per una settimana. Dove trovava tanti soldi quella gente?

«C'è del rombo fresco oggi, che lo chef consiglia vivamente, e un misto di funghi... ma ve lo lascio, e quando sarete pronti Charles verrà a prendere l'ordinazione.»

Come aveva imparato Brenda a parlare a quel modo, a riferirsi a Pillow Case come allo chef in una sorta di riverente soggezione, a tenersi così eretta? A essere così sicura di sé? Mentre lei aveva vissuto cercando di essere deferente, di trovare un angolino in cui vivere, altra gente si era fatta avanti. Ecco che cosa avrebbe imparato nella sua nuova vita. Se fosse sopravvissuta.

Signora si soffiò il naso e si raddrizzò. Non si chinò più sul tavolo, guardando spaventata il menù. Ordinò invece un'insalata di pomodori e un piatto di carne. Era tanto tempo che non mangiava carne. Le sue finanze non gliel'avevano permesso, e probabilmente non gliel'avrebbero più permesso neanche in futuro. Chiuse gli occhi sentendosi quasi svenire davanti ai prezzi, ma Brenda aveva insistito. Prendi quello che vuoi, offre la casa. Senza che lei l'avesse ordinata, arrivò anche una bottiglia di Chianti.

Quando incominciò a mangiare si rese conto di come fosse affamata. In aereo non aveva quasi toccato cibo, era troppo eccitata, troppo nervosa. Anche la sera prima a casa dei Sullivan non aveva mangiato. L'insalata di pomodori era deliziosa, con foglioline di basilico sopra. Quando mai aveva mangiato piatti simili in Irlanda?

Finito il pranzo, si sentì molto più forte.

«Sto meglio, non piangerò più», asserì quando i clienti se ne furono andati, e Brenda scivolò di fronte a lei.

«Non tornare da tua madre, Nora. Non voglio mettermi in mezzo, ma non si è mai comportata come una madre quando ne avevi bisogno. Perché tu adesso dovresti comportarti come una figlia?»

«No, no, non provo nessun senso del dovere.»

«Grazie a Dio», commentò Brenda, sollevata.

«Ma avrò bisogno di lavorare, di guadagnarmi da vivere. Non avete bisogno di qualcuno qui per pelare patate, riordinare o qualsiasi altra cosa?»

Gentilmente Brenda le disse che non avrebbe funzionato, che avevano ragazzi giovani, apprendisti. Anche loro avevano fatto gli apprendisti per tanti anni. Prima... Be', prima che tutto cambiasse.

«Comunque, Nora, sei troppo vecchia per questo, sei troppo istruita, puoi fare qualunque altra cosa, lavorare in un ufficio, magari insegnare l'italiano.»

«No, sono troppo vecchia, questo è il problema. Non ho mai usato una macchina per scrivere, non parliamo del computer. Non ho alcuna qualifica per insegnare.»

«Dovresti comunque chiedere un sussidio.» Brenda era sempre stata pratica.

«Chiedere un sussidio?»

«Sì, un sussidio di disoccupazione.»

«Non posso farlo, non ne ho il diritto.»

«Sì, che ce l'hai. Sei irlandese, no?»

«Ma ho vissuto all'estero per tanto tempo, non ho contribuito in niente al benessere del paese», dichiarò con fermezza.

Brenda sembrò preoccupata. «Non puoi metterti a fare Madre Teresa, sai questo è il mondo reale, devi badare a te stessa e accettare quello che ti viene offerto.»

«Brenda, non preoccuparti per me. Guarda a che cosa sono sopravvissuta per quasi un quarto di secolo. La maggior parte della gente non l'avrebbe fatto. Ho trovato un posto dove stare dopo poche ore dal mio arrivo a Dublino. Troverò anche un lavoro.»

Signora fu condotta in cucina a salutare Pillow Case, che si sforzò di chiamare Patrick. L'uomo l'accolse con cortesia e le fece le sue condoglianze per la morte del marito. Pensava che Mario fosse realmente suo marito o lo diceva solo perché aveva davanti quei giovani che lo guardavano con deferenza?

Signora li ringraziò per il pranzo delizioso e disse che sarebbe tornata a mangiare, ma come cliente.

«Avremo presto una serie di piatti italiani. Potresti magari tradurci i menù?» suggerì Patrick.

«Oh, ne sarei felice.» La faccia di Signora si illuminò. Sarebbe stato un modo per restituire loro la cortesia dell'ottimo pranzo che doveva essere costato più di quanto poteva sperare di guadagnare in due settimane.

«Sarà fatto tutto regolarmente, compenso e altro», insistette Patrick. Come avevano fatto i Brennan a diventare così disinvolti e sofisticati? A offrirle del denaro senza dare l'impressione di farle la carità?

«Be', ne discuteremo quando sarà il momento», ribatté orgogliosa Signora. «Non vi tratterrò oltre, vi telefonerò la settimana prossima per dirvi che cosa ho combinato.» Se ne andò velocemente senza protrarre i saluti. Era una cosa che aveva imparato negli anni. La gente ti amava di più se non ti trattenevi all'infinito.

Comperò bustine di tè e biscotti, e si concesse il lusso di una saponetta di buona qualità.

Si offrì a diversi ristoranti come aiutante in cucina, ma ovunque fu respinta educatamente. Tentò con un supermercato, ma niente da fare. Sentiva che a volte la guardavano stupiti. Non si arrese. Cercò lavoro fino alle cinque del pomeriggio, poi prese un autobus e si recò a casa di sua madre.

Era un quartiere costruito appositamente per le persone anziane, con grandi alberi e cespugli tutt'attorno, ed edifici in mattoni rossi che avevano un'aria sicura e solida che piaceva alle persone che avevano venduto la propria casa per concludere i loro giorni in quel posto.

Signora sedette tranquillamente su una panchina, nascosta da un grande albero. Teneva in grembo il sacchetto con i suoi acquisti e osservava la soglia del numero 23. Era così abituata a stare ferma che non si accorgeva mai del passare delle ore. Non aveva un orologio e il tempo non era importante per lei. Sarebbe rimasta a guardare finché non avesse visto sua madre, se non quello, un altro giorno, e solo allora avrebbe saputo che cosa fare. Non poteva prendere una decisione finché non avesse visto la faccia di sua madre. Forse la pietà avrebbe sopraffatto il suo cuore, o l'amore di un tempo, o forse la misericordia. Forse avrebbe visto sua madre soltanto come un'estranea che aveva sdegnato amore e amicizia in passato.

Signora confidava nei sentimenti, sapeva che l'avrebbero illuminata.

Quella sera nessuno entrò o uscì dalla casa al numero 23. Alle dieci si alzò dalla sua postazione e prese l'autobus per tornare dai Sullivan. Entrò piano piano e salì al piano di sopra, augurando la buona notte al gruppetto davanti alla televisione. Jerry sedeva con loro. Era naturale che a scuola fosse distratto se rimaneva alzato fino a tardi a vedere film western.

Le avevano trovato un fornello elettrico e un bollitore. Si preparò il tè e, mentre lo sorseggiava, guardò le montagne.

Erano passate solo trentasei ore dal suo arrivo e nella sua mente un velo già ricopriva il ricordo di Annunziata e della passeggiata al belvedere. Si chiese se Gabriella sarebbe stata dispiaciuta di averla spinta ad andarsene. Chissà se Paolo e Gianna sentivano la sua mancanza? E se la signora Leone si domandava come se la stesse cavando la sua amica irlandese al di là del mare. Poi si lavò con la saponetta che profumava di sandalo e si addormentò. Dormì a lungo e profondamente.

Quando si alzò, la casa era deserta. Peggy era andata al suo supermercato, Jimmy al lavoro e Jerry a scuola. Uscì. Ma quella volta si recò direttamente verso la casa di sua madre. Avrebbe cercato lavoro più tardi. Sedette di nuovo dietro all'albero così familiare, e questa volta non dovette aspettare a lungo. Una piccola automobile si fermò davanti al numero 23 e una donna tozza con i capelli ricci e rossi scese. Sussultando, Signora realizzò che era Rita, la sua sorella minore. Doveva avere soltanto quarantasei anni, ma sembrava molto più anziana. Era una ragazza quando Signora se n'era andata, e naturalmente non aveva ricevuto fotografie sue, più di quanto ci fossero state affettuose lettere.

Doveva ricordarsene. Scrivevano solo quando avevano bisogno.

Rita appariva rigida e tesa.

Le ricordava la madre di Gabriella, una piccola donna sempre arrabbiata che roteava gli occhi intorno, vedendo dappertutto sbagli e cose mal fatte, senza però riuscire a porvi rimedio. Soffriva di nervi, dicevano. Che fosse realmente la sua sorellina Rita quella donna con le spalle curve, i piedi infilati in scarpe troppo strette, che compiva una dozzina di passettini incerti, quando gliene sarebbero bastati quattro più decisi? Signora osservava sgomenta da dietro il suo albero. La portiera della macchina era aperta. La sorella doveva essere venuta a prendere la madre e l'aspettava. Cercò di calmarsi. Se Rita appariva vecchia, come doveva essere sua madre?

Pensò alle persone anziane di Annunziata. Piccole figure curve sui bastoni, sedute in piazza a veder passare la gente, sempre sorridenti.

Sua madre non era così. Era una donna di settantotto anni ben conservata. La vide da lontano, indossava un vestito marrone e, sopra, un cardigan anch'esso marrone. I capelli erano pettinati all'indietro come sempre, in una crocchia fuori moda che Mario aveva criticato tanti anni prima. «Tua madre sarebbe bella, se si sciogliesse i capelli.»

Figuriamoci, sua madre allora doveva essere poco più vecchia di quello che era lei ora. Così dura, così ostinata, così falsamente religiosa. Se sua madre avesse preso le sue parti, le cose sarebbero state diverse. E lei sarebbe tornata a casa e si sarebbe presa cura di loro anche in campagna, nella piccola fattoria che avevano lasciato tanto a malincuore.

Ma ora? Erano solo a pochi metri di distanza... avrebbe potuto chiamarle e loro l'avrebbero sentita.

Vide il corpo di Rita irrigidirsi ancora di più per l'irritazione e il risentimento, mentre la madre diceva: «Va bene, va bene, sto salendo, non c'è bisogno di farmi fretta. Diventerai vecchia anche tu, un giorno, sai». Non sembravano contente di vedersi. L'una non mostrava gratitudine per il passaggio all'ospedale, e l'altra non rivelava certo né simpatia né senso di solidarietà per il vecchio papà che non poteva più vivere a casa e che stavano andando a trovare.

Quello doveva essere il turno di Rita, il giorno dopo quello di Helen, e poi sarebbe toccato alle cognate. Era ovvio che volessero far tornare quella pazza dall'Italia. La macchina si allontanò con due figure rigidamente erette nell'interno che non si parlavano. Dove aveva imparato ad amare tanto, si chiese Signora, provenendo da una famiglia così incapace di amore? Quella vista era servita a farla decidere. Signora uscì dai giardini ben tenuti, a testa alta. Ora tutto le era chiaro. Non avrebbe avuto né rimpianti né sensi di colpa.

Quel pomeriggio fu scoraggiante quanto il precedente riguardo al lavoro, ma Signora si rifiutò di lasciarsi demoralizzare. Quando il suo girovagare la riportò verso il fiume Liffey, trovò il caffè dove lavorava Suzi. La ragazza alzò lo sguardo, contenta di vederla.

«Ci è andata davvero! Mia madre mi ha raccontato che le è piovuta una pensionante dal cielo!»

«È un posto molto carino, volevo ringraziarti.»

«No, non è molto carino, ma l'aiuterà a superare questo momento difficile.»

«Vedo le montagne dalla tua camera da letto.»

«Sì, e una ventina di tonnellate di terra incolta dove verranno costruite altre case a scatola.»

«Era ciò di cui avevo bisogno, grazie.»

«Credono che lei sia una suora. Lo è?»

«No, no. Tutt'altro che una suora, temo.»

«Ha detto alla mamma che suo marito è morto.»

«In un certo senso è vero.»

«È come se fosse morto… è questo che intende?»

Signora appariva molto calma; era facile capire perché la gente la prendesse per una suora. «No, volevo dire che in un certo senso era mio marito, ma non ho visto la necessità di spiegare tutto questo a tua madre e tuo padre.»

«Giusto, meglio non averlo fatto», ammise Suzi, e le versò una tazza di caffè. «Offre la casa», sussurrò.

Signora le sorrise, pensando che se avesse giocato bene le sue carte avrebbe forse potuto mangiare gratis a Dublino. «Mi hanno offerto il pranzo al *Quentin*; me la sto cavando bene», confidò a Suzi.

«È lì che mi piacerebbe lavorare», confessò la ragazza. «Indosserei pantaloni neri come i camerieri. Sarei l'unica donna fatta eccezione per Mrs Brennan.»

«Conosci Mrs Brennan?»

«È una leggenda», rispose Suzi. «Vorrei lavorare con lei per tre anni, imparare tutto quello che c'è da imparare, e poi aprire un ristorante tutto mio.»

Signora emise un sospiro di invidia. «Dimmi, perché non riesco a trovare un lavoro, un lavoro qualsiasi? Che cosa c'è che non va in me? Sono troppo vecchia?»

Suzi si morse il labbro. «Credo sia perché ha un aspetto troppo sofisticato per i lavori che cerca. E ha anche un portamento elegante per stare a casa dei miei genitori, mette la gente a disagio. Lo giudicano un po' strano. E hanno paura della gente strana.»

«Allora che cosa dovrei fare?»

«Forse dovrebbe trovare qualcosa di più adatto a lei, come receptionist o magari... Mia madre mi ha detto che ha una magnifica trapunta ricamata. Dovrebbe mostrarla in qualche negozio, il genere di negozio giusto, capisce.»

«Non ne avrei il coraggio.»

«Se alla sua età viveva con un tale in Italia, un tale che non era suo marito, direi che il coraggio ce l'ha», osservò Suzi.

E fecero una lista di negozi di lusso dove trattavano ricami di qualità. Mentre osservava Suzi mordicchiare la matita, cercando di ricordare altri posti da annotare, una fantasia si impadronì di Signora. Forse un giorno avrebbe condotto con sé quella graziosa ragazza ad Annunziata, presentandola come sua nipote; avevano gli stessi capelli rossi. Ma era soltanto un sogno e Suzi aveva ripreso a parlare.

«Ho un'amica che lavora in un negozio di parrucchiere molto chic dove, alla sera, fanno pratica. Perché non ci va? Le faranno uno splendido taglio per sole due sterline. Di solito ce ne vogliono venti o trenta volte tanto.»

Possibile che un taglio di capelli costasse sessanta sterline? Il mondo era veramente impazzito. A Mario erano sempre piaciuti i suoi capelli lunghi. Ma lui era morto. Le aveva fatto sapere di tornarsene in Irlanda, adesso si sarebbe aspettato che si tagliasse i capelli se era necessario. «Dov'è questo posto?» chiese Signora, e annotò l'indirizzo.

* * *

«Jimmy, si è tagliata i capelli», sussurrò Peggy Sullivan.

Jimmy stava ascoltando un'intervista a un allenatore di calcio. «Sì, magnifico», commentò.

«No, sul serio, non è quello che finge di essere, l'ho vista entrare. Non la riconosceresti, sembra che abbia vent'anni di meno.»

«Bene, bene.» Jimmy alzò il volume, ma Peggy lo riabbassò.

«Abbi un po' di rispetto. Ci paga, non dobbiamo assordarla.»

«Va bene, ma smettila di chiacchierare.»

Peggy sedette pensierosa. Quella Signora, così come si faceva chiamare, era davvero molto strana. Nessuno poteva essere tanto semplice e sopravvivere. Nessuno con così poco denaro poteva farsi fare un taglio di capelli che doveva essere costato una fortuna. Peggy odiava i misteri e quello lo era di certo.

«Vogliate scusarmi se oggi porto via la mia trapunta. Non vorrei pensaste che porto via anche i mobili o altro», spiegò loro Signora a colazione il mattino dopo. «Vedete, credo che la gente sia un po' confusa nei miei riguardi. Devo dimostrare che sono in grado di fare qualcosa. Mi sono fatta tagliare i capelli in un posto dove avevano bisogno di clienti su cui fare pratica. Pensate che mi conferisca un aspetto più normale?»

«Le sta molto bene, Signora», osservò Jimmy Sullivan.

«Ha l'aria costosa, direi», approvò Peggy.

«Sono tinti?» chiese Jerry con interesse.

«No, è solo henné, ma hanno detto che avevano già un colore strano, come quello di un animale selvatico», rispose Signora, per nulla offesa dalla domanda di Jerry o dal commento della giovane parrucchiera.

Era gratificante che tutti ammirassero tanto il suo lavoro e la fantasiosa combinazione di nomi e fiori. Ma non trovò nessun impiego. Le assicuravano che avrebbero tenuto presente il suo nome e rimanevano sorpresi dell'indirizzo, come se pensassero che dovesse abitare in un rione più elegante.

Pensò che forse avrebbe dovuto tentare di offrirsi come guida o insegnante; ruoli che aveva già svolto per parte della sua vita in un paesino della Sicilia.

Prese l'abitudine di parlare con Jerry alla sera.

Il ragazzo veniva a bussare alla sua porta. «È occupata, Mrs Signora?»

«No, entra, Jerry. È bello avere compagnia.»

«Potrebbe sempre scendere lei, sa. Non ci farebbero caso.»

«No, no. Ho affittato solo una stanza dai tuoi genitori. Desidero che siano contenti di avermi qui.»

«Che cosa sta facendo, Mrs Signora?»

«Sto preparando dei vestitini da bambini per un negozio. Mi hanno promesso di comprarne quattro. Devono riuscire bene, perché ho speso parte dei miei risparmi per il tessuto e non posso rischiare che non me li comperino.»

«È povera, Mrs Signora?»

«Non esattamente, ma non ho molto denaro.» Era una risposta del tutto naturale e ragionevole che soddisfò totalmente Jerry. «Perché non porti su i compiti, Jerry?» gli propose. «Mi faresti compagnia e io ti darei una mano se tu ne avessi bisogno.»

Sedettero insieme per tutto il mese di maggio, chiacchierando affabilmente. Jerry le consigliò di preparare cinque vestitini e fingere che gliene avessero ordinati cinque. Si rivelò un ottimo consiglio, glieli comperarono tutti e ne vollero altri.

Signora mostrava un grande interesse per i compiti a casa di Jerry. «Rileggimi quella poesia e vediamo che cosa significa.»

«È solo una vecchia poesia, Mrs Signora.»

«Lo so, ma deve significare qualcosa. Vediamo.»

La recitarono insieme più e più volte e alla fine ne scoprirono il profondo messaggio. Era una bella poesia di Yeats.

* * *

A poco a poco riuscì a suscitare il suo interesse per molte cose.

Signora fingeva di avere una cattiva memoria. Mentre cuciva, gli chiedeva di ripeterle quello che studiava. Così Jerry Sullivan imparò le sue poesie, scrisse i suoi temi e si sforzò di capire la matematica. L'unica cosa che lo appassionava era la geografia. Aveva a che fare con un insegnante, Mr O'Brien, un uomo eccezionale, a quanto sembrava. Mr O' Brien parlava di letti di fiumi, stratificazioni del suolo, erosione e un mucchio di altre cose, aspettandosi che tutti ne fossero già a conoscenza. Gli altri insegnanti non si aspettavano affatto quelle cose, ecco la differenza.

«Diventerà preside, sa, l'anno prossimo», spiegò Jerry.

«Oh. E a Mountainview sono contenti?»

«Sì, credo di sì. Il vecchio Mr Walsh era terribilmente palloso.»

Signora lo guardò con espressione vacua, come se non capisse la parola. Funzionava ogni volta.

«Mr Walsh, il vecchio preside che c'è adesso, non è affatto bravo.»

«Ah, capisco.»

Il linguaggio di Jerry era molto migliorato, riferì Suzi a Signora. E soprattutto un insegnante a scuola aveva osservato che anche il suo profitto era molto migliorato. «Dovrebbero pagarla», commentò Suzi. «È come una maestra privata. È un peccato che non abbia trovato un posto in cui insegnare.»

«Tua madre mi ha invitata giovedì per il tè perché possa conoscerti», annunciò Signora. «Credo che venga anche l'insegnante di Jerry. Forse voleva un po' di sostegno.»

«È un vero cascamorto, quel Tony O'Brien. Ho sentito un paio di storie su di lui. Stia in guardia, Signora. Con la sua nuova pettinatura e tutto il resto, potrebbe indurlo a farle delle avance.»

«Gli uomini non mi interessano più», replicò Signora.

«Oh, l'ho dichiarato anch'io dopo il mio penultimo ragazzo, ma d'un tratto l'interesse è ritornato.»

Il tè ebbe inizio in modo maldestro.

Peggy Sullivan non era un'ospite nata, così Signora subentrò nella conversazione, gentilmente, parlando con espressione quasi sognante dei cambiamenti che aveva notato in Irlanda, molti dei quali in meglio. «Le scuole sono così allegre e luminose oggigiorno, e Jerry mi ha raccontato delle splendide ricerche che fate durante le ore di geografia. Non c'era niente del genere quando andavo a scuola io.»

E poi l'atmosfera si fece più sciolta. Peggy Sullivan aveva pensato alla visita dell'insegnante con timore, credendo che l'uomo avrebbe presentato una lista di lamentele nei confronti del figlio. Non aveva sperato che la figlia e Signora si intendessero così bene. O che Jerry parlasse della ricerca che stava facendo sui nomi delle strade. Jimmy tornò a casa nel mezzo della riunione e Signora disse che Jerry era fortunato ad avere un padre che conosceva così bene la città: era meglio di una mappa stradale.

Chiacchierarono come una famiglia normale. Più educata di molte di quelle che aveva visitato Tony O'Brien. Aveva sempre pensato che Jerry Sullivan facesse parte del gruppo di coloro per i quali non c'era speranza. Ma quella donna inquietante e strana che sembrava occuparsi della famiglia, aveva ovviamente un effetto positivo sul ragazzo.

«Deve aver amato molto l'Italia per esserci rimasta così a lungo.»

«Sì, molto, direi moltissimo.»

«Non ci sono mai stato personalmente, ma un mio collega a scuola, Aidan Dunne, ne è entusiasta. Non fa che parlarne.»

«Mr Dunne insegna latino», interferì Jerry in tono cupo.

«Latino? Potresti imparare il latino, Jerry.» Gli occhi di Signora si illuminarono.

«Oh, è solo per persone intelligenti, quelle che poi andranno all'università per diventare avvocati, medici e altre cose.»

«No, non è vero.» Signora e Tony O'Brien parlarono all'unisono.

«La prego...» L'uomo le fece cenno di continuare.

«Be', vorrei aver studiato il latino perché è alla base di tutte le altre lingue, come il francese, l'italiano, lo spagnolo.»

Era così entusiasta che Tony O'Brien disse: «Cielo, dovrebbe conoscere Aidan Dunne, è ciò che va ripetendo da anni, ormai. Io desidero che i ragazzi lo imparino perché è alla base della logica. Il latino insegna a pensare.»

Quando l'insegnante se ne andò, continuarono a chiacchierare piacevolmente insieme. Signora sapeva che Suzi adesso sarebbe tornata a casa più regolarmente, e non avrebbe dovuto evitare il padre. In un certo senso le cose stavano ritrovando un loro equilibrio.

Signora si incontrò con Brenda per una passeggiata nel parco di St. Stephen. Brenda portò pane raffermo da offrire agli anatroccoli e le due donne diedero da mangiare insieme agli animali godendosi il sole in tranquillità.

«Vado a trovare tua madre ogni mese, devo farle sapere che sei tornata?» chiese Brenda.

«Che cosa ne pensi?»

«Penso di no, ma solo perché ho ancora paura che tu possa andare a vivere con lei.»

«Non mi conosci proprio. Sono una dura. Ti piace come persona?»

«No, non molto. All'inizio ci andavo per farti piacere e poi ne sono stata in un certo senso assorbita perché mi sembrava così infelice. Si lamentava sempre di Rita e di Helen e delle terribili nuore, così come le definisce lei.»

«Andrò a trovarla. Non voglio che tu mi debba coprire.»

«Non andarci, cederai.»

«Credimi, non accadrà.»

Si recò da sua madre quel pomeriggio stesso. Andò e suonò il campanello del numero 23.

Sua madre la guardò, confusa. «Sì?» disse.

«Sono Nora, mamma. Sono venuta a trovarti.»

Niente sorrisi, niente braccia tese, niente parole di benvenuto. Solo ostilità nei piccoli occhi marroni che la guardavano. Rimasero quasi raggelate sulla soglia. Sua madre non si era fatta indietro per lasciarla entrare e Nora non domandò se poteva farlo.

Ma parlò invece. «Sono venuta a vedere come stai e a chiederti se a papà farebbe piacere se andassi a trovarlo. Farò come vorrete.»

Sua madre storse la bocca. «Quando mai hai fatto quello che volevamo noi?» Signora rimase calma sulla soglia. Poi sua madre si fece indietro. «Entra, già che sei qui», proseguì bruscamente.

Signora riconobbe alcuni mobili della vecchia casa, ma non molti. Rivide la vetrinetta in cui venivano tenute le porcellane buone e qualche piccolo oggetto d'argento. Non c'erano quadri alle pareti, né libri nella libreria. Un grosso apparecchio televisivo dominava la stanza, una bottiglia di spremuta d'arancia era posata sopra un piccolo vassoio sul tavolo da pranzo. Non c'erano fiori né alcun segno di oggetti che potessero rendere piacevole la vita. Sua madre non la invitò a sedersi in poltrona, così Signora sedette al tavolo da pranzo.

«Immagino che tu voglia fumare.»

«No, mamma. Non ho mai fumato.»

«E come faccio a sapere quello che fai e non fai?»

«Certo, mamma, come faresti a saperlo?» La sua voce era calma, non aggressiva.

«Sei venuta a casa per una vacanza o che cosa?»

Con quella voce controllata che faceva impazzire sua madre, Signora spiegò che era tornata a casa per viverci, che aveva trovato una stanza dove abitare e si manteneva con lavori di cucito. Anzi, sperava di trovarne altri. Ignorò lo sbuffo sprezzante della madre nell'udire il nome della zona in cui abitava, ma s'interruppe e attese educatamente la sua reazione.

«Dunque Mario, o come diavolo si chiama, ti ha buttata fuori alla fine?»

«Sai che si chiamava Mario, mamma. L'hai conosciuto. No, non mi ha buttata fuori. Se fosse vivo sarei ancora là. È morto tragicamente in un incidente, mamma. Così ho deciso di tornare a vivere in Irlanda.» Attese di nuovo.

«Immagino che non ti abbiano voluta in quel posto quando lui non è più stato lì a proteggerti, è questo che è accaduto?»

«No, ti sbagli. Hanno voluto quello che era meglio per me, tutti quanti.»

Sua madre sbuffò ancora. Seguì un breve silenzio.

Poi la donna, che non riusciva a capire, continuò. «Allora, te ne andrai ad abitare con quella gente in quel brutto quartiere, pieno di disoccupati e criminali, invece di restare qui con la tua famiglia. È questo che dobbiamo aspettarci?»

«È molto gentile da parte tua offrirmi una casa, mamma, ma siamo estranei da troppo tempo. Ho le mie piccole abitudini ormai e immagino che tu abbia le tue. Non hai mai voluto sapere niente della mia vita e ti annoierei con i miei racconti, me l'hai fatto capire chiaramente. Ma potrei venire a trovarti qualche volta. Intanto dimmi se a papà farebbe piacere che andassi oppure no.»

«Oh, fai pure a meno di venire a farci visita. Nessuno di noi ha voglia di rivederti, questo è certo.»

«Mi dispiacerebbe molto pensarlo. Ho cercato di mantenermi in contatto con tutti. Ho scritto una lettera dopo l'altra. Non so niente delle mie sei nipoti femmine e dei miei cinque nipoti maschi. Mi farebbe piacere conoscerli adesso che sono ritornata a casa.»

«Be', nessuno vuole avere niente a che fare con te, te l'assicuro. Sei stata folle a pensare di poter tornare qui e ricominciare come se nulla fosse accaduto. Avresti potuto diventare qualcuno. Guarda la tua amica Brenda, una persona istruita, sposata e con un buon lavoro. È il genere di ragazza che qualsiasi mamma vorrebbe come figlia.»

«Hai Helen e Rita», aggiunse Signora. Ci fu un mezzo sbuffo questa volta, a dimostrazione che anche loro erano tutt'altro che figlie ideali. «In ogni modo, mamma, adesso che sono tornata, potrei portarti fuori qualche volta a pranzo, o forse potremmo andare in città a prendere un tè. E mi rivolgerò alla Casa di riposo per sapere se papà gradirà o meno una mia visita.»

Cadde di nuovo il silenzio. Era troppo per sua madre che faceva fatica ad assimilare la novità. Signora non le aveva dato l'indirizzo, aveva parlato soltanto della zona. Le sue sorelle non avrebbero potuto rintracciarla. Non provava rimorsi. Quella non era una donna che l'aveva amata o aveva pensato alla sua felicità.

Si alzò per andarsene.

«Oh, sei molto altezzosa, ma pur sempre di mezza età. Non illuderti che qualche uomo di Dublino possa interessarsi a te, dopo la vita che hai condotto.»

«No, naturalmente, mamma, ed è un bene che non mi aspetti niente del genere. Ti scriverò un bigliettino e verrò a trovarti tra qualche settimana.»

«Settimana?» fece sua madre.

«Sì, certo e magari porterò una torta e potremo prendere il tè. Ma vedremo. Salutami tanto Helen e Rita, di' che scriverò anche a loro.»

Sparì prima che sua madre potesse rendersene conto. Sapeva che si sarebbe precipitata al telefono con una delle figlie. Erano anni che non le accadeva niente di così interessante.

Non provava rammarico. Era un sentimento superato da tempo. Non provava sensi di colpa. La sua unica responsabilità adesso era di mantenersi sana di mente, in salute e occupata. Non doveva diventare dipendente dalla famiglia Sullivan, per quanta simpatia provasse per la figlia e per quanto si sentisse protettiva nei confronti del figlio. Non doveva essere un peso per Brenda e Patrick, che a Dublino simboleggiavano una coppia di successo, come non poteva fare affidamento sui negozi che non le offrivano sufficienti garanzie di vendita dei suoi bei ricami.

Doveva trovare da insegnare. Poco importava se non aveva qualifiche, perlomeno sapeva come insegnare l'italiano ai principianti. Forse quell'uomo alla scuola di Jerry, quello che Tony O'Brien diceva che amava tanto l'Italia... Magari conosceva qualche gruppo, qualche organizzazione a cui poteva interessare ricevere lezioni d'italiano. Anche se non fossero state ben pagate, le avrebbe fatto piacere parlare di nuovo quella bella lingua.

Come si chiamava? Mr Dunne? Sì, Mr Aidan Dunne. Che male c'era ad andare a chiederglielo? Se quell'uomo amava davvero l'italiano gli avrebbe fatto piacere.

Prese l'autobus per dirigersi alla scuola. Che posto diverso da *Vista del Monte*, dove i fiori estivi dovevano aver già ammantato le colline. Lì edificio aveva bisogno di essere ridipinto, il cortile era di cemento, un capannone rigurgitava di biciclette e c'era sporcizia dappertutto. Perché non avevano fatto crescere qualche pianta rampicante sui muri?

Signora sapeva che di solito le scuole non disponevano di fondi o donazioni per effettuare migliorie. Però non c'era da meravigliarsi che ragazzi come Jerry Sullivan non ne fossero orgogliosi.

«Dev'essere in sala professori», le risposero alcuni ragazzi quando chiese di Mr Dunne, l'insegnante di latino.

Bussò alla porta e le aprì un uomo. Aveva radi capelli castani e occhi ansiosi. Era in maniche di camicia, ma scorse la giacca appesa su una sedia dietro di lui. Era l'ora di pranzo e tutti gli insegnanti erano ovviamente usciti, ma Mr Dunne sembrava restare a guardia del forte. Chissà perché aveva pensato che fosse vecchio. Invece doveva avere la sua età, o forse meno.

«Sono venuta a parlarle dell'italiano, Mr Dunne», esordì.

«Vede, sapevo che un giorno qualcuno avrebbe bussato alla porta e mi avrebbe detto questo», rispose Aidan Dunne.

Si sorrisero e fu chiaro che sarebbero diventati amici. Sedettero nella grande, spoglia sala professori che dava sulle montagne e chiacchierarono come se si conoscessero da sempre. Aidan Dunne le parlò dei corsi serali che aveva a cuore. Ma proprio quella mattina aveva ricevuto brutte notizie. La richiesta di fondi non era stata approvata dalle autorità. Non sarebbero mai stati in grado di assumere un insegnante qualificato. Il futuro preside aveva promesso una piccola parte dei suoi fondi personali che sarebbe servita a sistemare i locali e a procurare il materiale. Ma adesso intravedeva un barlume di speranza.

Signora gli raccontò che aveva vissuto a lungo tra le colline siciliane e che poteva insegnare non soltanto la lingua, ma anche un po' di cultura generale. Si potevano tenere lezioni sui grandi artisti italiani, sulla pittura, sugli affreschi. Si potevano ascoltare brani di opere e di musica religiosa. E parlare di cucina, fare conversazione, imparare le frasi che di solito si usano in vacanza, tante altre cose oltre alla semplice grammatica.

I suoi occhi brillavano, sembrava più giovane della persona alta con gli occhi ansiosi che aveva indugiato sulla porta. Aidan sentì il vociare dei ragazzi in corridoio. Significava che la pausa per il pranzo era quasi finita. Gli altri insegnanti sarebbero tornati presto, l'incantesimo si sarebbe rotto.

Lei sembrò capirlo senza che lui glielo dicesse. «Mi sono trattenuta troppo, ha da lavorare. Ma pensa che potremmo riparlarne?»

«Usciamo alle quattro. Be', un po' come i ragazzi», fece Aidan.

Lei gli sorrise. «Ecco il bello di lavorare in una scuola, si rimane sempre giovani e si pensa come i ragazzi.»

«Vorrei che fosse sempre così», osservò Aidan.

«Quando insegnavo inglese ad Annunziata, ero solita guardarli in faccia e pensare che non sapevano quasi niente, ma alla fine qualcosa avrebbero saputo. Era una bella sensazione.»

Lo sguardo dell'uomo che si stava infilando a fatica la giacca era di aperta ammirazione. Era da tanto tempo che Signora non si sentiva ammirata. Ad Annunziata la rispettavano, nel loro strano modo. E naturalmente Mario l'aveva amata, nessun dubbio al riguardo. L'aveva amata con tutto il cuore, ma non l'aveva mai ammirata. Veniva da lei al buio, la stringeva a sé e le parlava delle sue preoccupazioni, ma non c'era mai stato uno sguardo di ammirazione nei suoi occhi.

Signora si accorse che le piaceva essere ammirata, come le piaceva quell'uomo che cercava di dividere il suo amore per un'altra terra con la gente di lì. La sua paura era che non avessero abbastanza soldi per finanziare i corsi.

«Devo aspettarla fuori dalla scuola?» chiese. «Potremmo parlarne ancora un po' dopo le quattro.»

«Non vorrei trattenerla», cominciò lui.

«Non ho niente da fare», rispose semplicemente Signora.

«Le farebbe piacere accomodarsi nella nostra biblioteca?» chiese Aidan.

«Moltissimo.»

L'accompagnò lungo il corridoio mentre gruppi di ragazzi andavano e venivano spingendosi. C'erano sempre estranei in scuole così grandi e una faccia nuova non era abbastanza interessante da farli voltare. A eccezione naturalmente del giovane Jerry Sullivan, che si girò su se stesso.

«Signora...» esclamò stupito.

«Ciao, Jerry», disse lei compiaciuta, come se fosse sempre stata lì in quella scuola.

Sedette in biblioteca a leggere quello che avevano nella sezione di italianistica, soprattutto libri di seconda mano comperati per lo più da Aidan Dunne con i suoi soldi. Era un uomo così gentile, un entusiasta, forse avrebbe potuto aiutarla e lei avrebbe potuto aiutare lui. Per la prima volta da quando era tornata in Irlanda, Signora si sentì rilassata. Si stiracchiò e sbadigliò nel sole estivo.

Forse in futuro avrebbe insegnato italiano, anzi, ne era sicura, ma in quel momento non pensava all'Italia. Pensava a Dublino e si chiedeva dove avrebbero trovato la gente per il corso. Lei e Mr Dunne. Lei e Aidan. Si ricompose. Non doveva lasciarsi trasportare dalla fantasia. La gente diceva che la fantasia era stata la sua rovina. Aveva tante idee strane e non vedeva la realtà.

Erano passate due ore e Aidan Dunne era sulla soglia della grande sala. Sorrideva. «Non ho un'automobile», ammise. «Immagino che non ce l'abbia neanche lei?»

«Ho a malapena i soldi per l'autobus», rispose Signora.

Bill

La vita sarebbe stata molto più facile, pensò Bill Burke, se fosse stato innamorato di Grania Dunne.

Lei aveva circa ventitré anni, la sua età. Veniva da una famiglia normale, suo padre insegnava al Mountainview College, sua madre lavorava come cassiera al ristorante *Quentin*. Era bella e con lei si poteva parlare di tutto.

A volte solevano lamentarsi insieme della banca e chiedersi come facessero persone avide ed egoiste a cavarsela sempre bene. Grania gli domandava spesso di sua sorella e gli dava dei libri per lei. E magari avrebbe potuto amarlo, se solo le cose fossero state diverse.

Era facile parlare d'amore con un amico che capiva. Bill capiva quando Grania gli parlava di quell'uomo maturo che non riusciva a togliersi dalla mente anche se ci aveva provato e riprovato più volte. Aveva l'età di suo padre, fumava e respirava affannosamente e sarebbe probabilmente morto entro un paio d'anni se continuava con quella vita, ma non aveva mai incontrato nessuno che l'avesse affascinata tanto.

Probabilmente non si sarebbe rimessa con lui perché le aveva mentito e non le aveva detto che sarebbe diventato preside della scuola mentre lo sapeva già. E al padre di Grania sarebbe venuto un colpo, ci sarebbe rimasto secco se avesse saputo che frequentava questo Tony O'Brien e che c'era perfino stata a letto. Una volta.

Grania aveva cercato di uscire con altre persone, ma non aveva funzionato. Continuava a pensare a lui e al modo in cui gli si formavano le rughe intorno agli occhi quando sorrideva. Era così ingiusto. Quale parte della mente e del corpo era così incapace da spingerla ad amare qualcuno così paurosamente inadatto?

Bill si mostrò completamente d'accordo. Anche lui era vittima di quella follia. Amava Lizzie Duffy, la persona più impossibile del mondo. Lizzie aveva con la banca dei debiti inquietanti e aveva infranto ogni regola, ma era riuscita ugualmente a ottenere più credito di quello che sarebbe stato concesso a qualunque altro cliente.

Anche Lizzie amava Bill. Diceva di amarlo o credeva di amarlo. Dichiarava che non aveva mai conosciuto un ragazzo così serio, onesto e sciocco in vita sua, una specie di gufo. E naturalmente, paragonato agli altri amici di Lizzie, Bill era un po' tutte quelle cose. La maggior parte di loro rideva per nulla e nutriva assai poco interesse a trovare e mantenere un lavoro, ne aveva invece molto per viaggiare e divertirsi. Era da idioti amare Lizzie.

Ma Bill e Grania riconobbero con espressione seria che se nella vita bisognava amare solo le persone adatte, sarebbe stato troppo facile e forse molto noioso.

Lizzie non chiedeva mai della sorella maggiore di Bill, Olive. L'aveva conosciuta, naturalmente, quando era andata in visita a casa sua. Olive era un po' ritardata, tutto lì. Non aveva nessuna malattia specifica. Aveva venticinque anni e si comportava come se ne avesse otto.

Se lo si sapeva, non c'erano problemi con Olive. Raccontava storie come una bambina di otto anni, si entusiasmava per quello che vedeva alla televisione. A volte era rumorosa e goffa e poiché era grassa, spesso rovesciava oggetti e soprammobili. Ma non c'erano mai scenate o malumori con Olive, si interessava a tutto e a tutti e pensava che sulla terra non ci fosse nessuno come la sua famiglia. «Mia madre fa i dolci più buoni del mondo», diceva alla gente e la madre di Bill che non aveva mai fatto niente di più che comprare e farcire pan di Spagna sorrideva orgogliosa. «Mio padre dirige il più grande supermercato», esclamava Olive e suo padre, che lavorava al banco dei salumi, sorrideva indulgente.

«Mio fratello Bill è un direttore di banca», era la frase che faceva spuntare un sorrisetto ironico sulle labbra di Bill, e anche su quelle di Grania, quando glielo disse. «Verrà il giorno», commentava lui.

«Non è quello che realmente vuoi, dimostrerebbe soltanto che hai ceduto, che sei sceso a compromessi», osservava incoraggiante Grania. Lizzie condivideva il punto di vista di Olive. «Devi farti strada in banca», ripeteva spesso a Bill. «Posso sposare solo un uomo di successo. Quando avremo venticinque anni e ci sposeremo, dovrai essere già sulla buona strada.»

Benché quelle parole fossero pronunciate con una meravigliosa, scintillante risata che mostrava tutti i suoi piccoli, bianchissimi denti e una scrollata dei suoi favolosi capelli biondi, Bill sapeva che la ragazza parlava sul serio. Sosteneva che non avrebbe mai potuto sposare un fallito; sarebbe stato così crudele, perché avrebbe trascinato giù tutti e due. Ma avrebbe preso seriamente in considerazione la possibilità di sposare Bill di lì a due anni, quando avessero avuto entrambi un quarto di secolo, perché sarebbe stato il momento giusto per lei di accasarsi.

A Lizzie ultimamente era stato rifiutato un prestito, perché non aveva rimborsato il precedente. Le avevano anche ritirato la carta di credito e Bill aveva visto spedirle lettere che dicevano: «A meno che non saldi il debito entro domani alle cinque, la banca non avrà alternativa...» Ma la banca aveva sempre trovato un'alternativa. In tali occasioni Lizzie arrivava in lacrime, accennando a un nuovo lavoro. Non andava mai sotto. Ma era assolutamente incorreggibile.

«Oh, per carità, Bill, le banche non hanno un cuore, né un'anima. Vogliono soltanto fare soldi e non rischiare di perderne. Sono il nemico.»

«Non sono miei nemici», diceva Bill. «Sono i miei datori di lavoro.»

«Lizzie, non farlo», la pregava disperato quando lei ordinava un'altra bottiglia di vino, perché sapeva che se non aveva i soldi per pagare; avrebbe dovuto pagare lui e anche per lui stava diventando sempre più difficile. Voleva contribuire all'andamento della casa, il suo stipendio era superiore a quello di suo padre e i suoi genitori si erano sacrificati molto per concedergli il genere di inizio che aveva avuto. Ma con Lizzie era impossibile risparmiare. Bill desiderava una giacca nuova, ma era fuori discussione. Desiderava anche che Lizzie smettesse di parlare di vacanze, perché non c'erano letteralmente i soldi. E come avrebbe fatto a risparmiare per diventare ricco all'età di venticinque anni in modo che lui e Lizzie potessero sposarsi?

Bill sperava che fosse un'estate calda. Lizzie avrebbe forse tollerato di restare in Irlanda, se ci fosse stato un bel sole. Ma se fosse stato nuvoloso e tutti i suoi amici avessero parlato di quell'isola greca o di come costasse poco vivere in Turchia per un mese, allora si sarebbe fatta molto irrequieta. Bill non poteva ottenere un prestito dalla banca in cui lavorava. Era una regola ferrea. Ma naturalmente era sempre possibile ottenerlo da un'altra parte. Possibile e altamente indesiderabile. Si chiedeva se fosse un uomo meschino. Non lo pensava, ma chi poteva affermare di conoscersi realmente?

«Forse noi siamo solo quello che la gente pensa che siamo», disse a Grania.

«Non credo, altrimenti significherebbe che recitiamo continuamente», osservò.

«Assomiglio a un gufo?» chiese.

«No, naturalmente», sospirò Grania. Ne avevano già parlato.

«E non porto neanche gli occhiali», si lamentò Bill. «E la mia faccia è piuttosto tonda e i capelli sono dritti.»

«I gufi non hanno affatto capelli, hanno piume», ribatté Grania.

Questo servì solo a confondere ulteriormente Bill. «Allora perché pensa che gli assomigli?» chiese.

Quella sera c'era una conferenza in banca sulle nuove opportunità offerte ai dipendenti. Grania e Bill sedettero vicini. Sentirono parlare di corsi e programmi e di come la banca voleva che il personale si specializzasse in differenti settori e di come il mondo fosse aperto a brillanti giovani uomini e donne con padronanza delle lingue e specializzazioni. Lo stipendio per chi sceglieva di lavorare all'estero sarebbe stato superiore, dato che includeva l'indennità di trasferta. Tali possibilità si sarebbero presentate da lì a un anno e il personale interessato avrebbe fatto bene a prepararsi in anticipo, poiché ci sarebbe stata una notevole concorrenza.

«Hai intenzione di iscriverti a qualche corso e poi andare all'estero?» chiese Bill a Grania.

Lei apparve inquieta. «In un certo senso vorrei, perché sarebbe un modo per allontanarmi da qui e dalla possibilità di rivedere Tony O' Brien. Ma nello stesso tempo non desidero pensare a lui in qualche altra parte del mondo. A che scopo? Meglio essere infelice qui dove so quello che sta facendo, invece che in qualche posto lontano dove non lo posso sapere.»

«E lui ti rivuole?» Bill aveva sentito quella storia molte volte.

«Sì, mi manda una cartolina in banca ogni settimana. Guarda, questa è l'ultima che ho ricevuto.» Grania tirò fuori una cartolina con una piantagione di caffè. Dietro c'erano tre parole: «Sempre in attesa, Tony».

«Non dice molto», osservò Bill.

«No, ma fa parte di una serie», spiegò Grania. «Ce n'era una che diceva: 'Sempre in fermento' e un'altra 'Sempre sperando'. Sono una specie di messaggi. Vuole che sia io a prendere l'iniziativa.»

«Un codice?» Bill era stupito.

«È un riferimento al fatto che ho detto che non sarei tornata da lui, a meno che non avesse comprato una caffettiera decente.»

«E l'ha fatto?»

«Sì, certo che l'ha fatto, Bill. Ma non era questo il punto.»

«Le donne sono complicate», sospirò Bill.

«No, non lo sono. Sono del tutto normali e lineari. Non necessariamente come la signorina che frequenti tu.»

Grania pensava che Lizzie fosse un caso disperato. Bill pensava che Grania dovesse tornare dal suo uomo maturo, bere caffè e andare a letto con lui o fare qualunque cosa per cui mandava messaggi, perché non si stava certamente godendo la vita senza di lui.

La conferenza aveva indotto Bill a riflettere. E se l'avessero mandato all'estero? Se fosse riuscito a farsi scegliere e mandare in qualche capitale europea? Avrebbe fatto una bella differenza. Avrebbe guadagnato dei bei soldoni per la prima volta in vita sua. Avrebbe avuto la libertà. Non sarebbe più stato costretto a trascorrere le sere in casa a giocare con Olive e a raccontare ai genitori piccoli episodi delle sue giornate che lo facessero apparire un uomo di successo.

Lizzie avrebbe potuto andare a vivere con lui a Parigi, a Roma o a Madrid, avrebbero potuto avere un piccolo appartamento e dormire insieme ogni notte invece che andare lui a casa sua e venire via dopo...

Un'abitudine che Lizzie trovava tremendamente buffa e molto comoda, visto che non si alzava prima di mezzogiorno.

Cominciò a guardare le pubblicità dei corsi intensivi di lingue. Erano molto costosi. I laboratori di lingue erano fuori discussione. Non aveva né il tempo né l'energia necessari per frequentarli. La giornata in banca lo esauriva, alla sera si sentiva stanco e incapace di concentrarsi. E dato che lo scopo era quello di guadagnare abbastanza denaro per costruirsi una vita con Lizzie, non doveva rischiare di perderla, allontanandosi da lei e dalla sua folla di amici.

Non era la prima volta che desiderava amare una persona diversa. Ma l'amore era come il morbillo, no? O ti curi, o aspetti che passi da solo.

Come sempre consultò la sua amica Grania e per una volta lei ebbe qualcosa di concreto da proporre.

«Mio padre inizia un corso serale di italiano alla sua scuola», disse. «Comincia a settembre e stanno cercando degli allievi.»

«È fatto bene?»

«Non lo so. Io sono incaricata di promuovere un po' gli affari.»

Grania era sempre così onesta. Era una delle molte cose che gli piacevano di lei, non fingeva. «Se non altro, costa poco», commentò. «Vi hanno investito un bel po' di soldi ma se non troveranno almeno trenta allievi finirà tutto in una bolla di sapone. Non lo sopporterei per mio padre.»

«Ti iscrivi anche tu?»

«No, ha detto che sarebbe umiliante per lui. Se si iscrivesse tutta la famiglia apparirebbe patetico.»

«Penso di sì. Ma potrebbe essere utile per il lavoro in banca. Pensi che includa anche i termini tecnici?»

«Ne dubito, ma insegneranno i termini e le frasi di uso più comune. E penso che se andrai in Italia, dovrai essere in grado di dirli alla gente proprio come fai qui.»

«Sì.» Ma Bill era ancora dubbioso.

«Gesù, Bill, quali termini tecnici usiamo tu e io ogni giorno, a eccezione di debito e credito? Immagino che questi te li potrebbe dire l'insegnante.»

«Chi?»

«Quella persona che ha assunto. Una vera italiana, si chiama Signora. Dice che è molto in gamba.»

«E quando inizia il corso?»

«Il 5 settembre, se raggiungono il numero di allievi.»

«E bisogna pagare l'intero anno in anticipo?»

«Solo il trimestre. Ti faccio avere il depliant con tutte le informazioni. Se hai intenzione di farlo, tanto vale farlo lì, Bill. Gioverebbe al mio povero, vecchio papà.»

«E vedrò anche Tony, quello che scrive quelle lunghe lettere appassionate?» chiese Bill.

«Dio, non nominare Tony. Te ne ho parlato in gran segreto.» Grania sembrava preoccupata.

Bill le accarezzò la mano. «Mi sto solo divertendo un po' con te, naturalmente so che è un segreto. Ma gli darò un'occhiata se lo vedo e ti riferirò quello che penso.»

«Spero che ti piaccia.» Grania apparve d'improvviso molto giovane e vulnerabile.

«Lo troverò favoloso! Al punto che ti manderò io stesso delle cartoline su di lui», ribatté Bill con quel sorriso d'incoraggiamento che rassicurava Grania in un mondo che non sapeva niente di Tony O'Brien.

Quella sera Bill annunciò ai suoi genitori che avrebbe seguito un corso d'italiano.

Olive si mostrò molto eccitata. «Bill va in Italia. Bill va in Italia a dirigere una banca», disse ai vicini.

Erano abituati a Olive. «Magnifico», asserirono indulgenti. «Ti mancherà?»

«Quando partirà, ci condurrà tutti con sé in Italia», rispose fiduciosa Olive.

Dalla sua camera da letto Bill la sentì e provò una fitta al cuore. Sua madre aveva pensato che studiare l'italiano fosse una magnifica idea. Era una lingua molto piacevole. Suo padre aveva detto che era bello vedere un ragazzo migliorarsi di continuo e che aveva sempre saputo che farlo studiare era stato un buon investimento. Sua madre chiese se anche Lizzie avrebbe frequentato i corsi d'italiano.

Bill non aveva mai pensato che Lizzie fosse abbastanza disciplinata e organizzata per seguire dei corsi di due ore, due volte la settimana, allo scopo di imparare qualcosa. Avrebbe sicuramente preferito uscire con i suoi amici a ridere e a bere costosi cocktail. «Non ha ancora deciso», rispose con fermezza. Sapeva come i suoi genitori disapprovavano Lizzie. La sua unica visita non era stata un successo. La sua gonna era troppo corta, la scollatura troppo profonda, la risata troppo sguaiata e l'interesse per la loro vita minimo.

Ma lui si era mostrato deciso. Lizzie era la ragazza che amava. Era la donna che avrebbe sposato da lì a due anni, quando ne avrebbe avuti venticinque. Non voleva sentire parole denigratorie su di lei in casa sua e la sua volontà veniva rispettata. A volte Bill fantasticava sul giorno del suo matrimonio. I suoi genitori sarebbero stati così eccitati. Sua madre avrebbe parlato per secoli del cappello o dei cappelli che avrebbe comprato prima di decidere quello giusto. Ci sarebbero state molte discussioni anche sull'abbigliamento per Olive, qualcosa di discreto ma elegante. Suo padre avrebbe invece detto la sua sull'ora della cerimonia, sperando che andasse bene anche per il supermercato. Lavorava in quel negozio da quando era ragazzo, osservandolo diventare sempre più moderno. Ma non si era mai reso conto del proprio valore e anzi temeva che ogni cambiamento di direttore potesse significare la fine per lui. A volte Bill avrebbe voluto scuoterlo e dirgli che valeva più del resto dei dipendenti messi insieme, e che se ne rendevano conto tutti. Ma suo padre, a cinquant'anni, senza le qualifiche e l'abilità di uomini più giovani, non gli avrebbe mai creduto.

Nel sogno di Bill, la famiglia di Lizzie, seduta dall'altra parte della chiesa, era piuttosto indistinta. Lei parlava di sua madre che viveva a West Cork e di suo padre che viveva a Galway perché era lì che c'erano i suoi amici. Aveva una sorella negli Stati Uniti e un fratello che lavorava in una stazione sciistica e non veniva a casa da parecchio tempo. Bill non riusciva a immaginare come potessero riunirsi.

Parlò a Lizzie del corso. «Vuoi imparare l'italiano anche tu?» chiese speranzoso.

«A che scopo?» La risata contagiosa di Lizzie fece ridere anche lui, sebbene non sapesse perché.

«Be', perché saresti in grado di parlarlo se andassimo in Italia.»

«Ma non parlano inglese?»

«Alcuni sì, ma non sarebbe bello parlar loro nella loro lingua?»

«E impareremmo a farlo in una vecchia scuola cadente come Mountainview?»

«È una buona scuola, dicono.» Si sentiva in dovere di essere leale verso Grania e suo padre.

«Può darsi, ma guarda in che posto si trova! Avrai bisogno di un giubbotto antiproiettile per andare in un rione simile.»

«È sicuramente una zona depressa», ammise Bill. «Ma sono soltanto poveri.»

«Poveri?» proruppe Lizzie. «Tutti siamo poveri, per l'amor del cielo, ma non ci comportiamo come quelli che abitano lì.»

Bill si interrogò, come spesso faceva, sul sistema di valori di Lizzie. Come poteva paragonarsi alle famiglie che vivevano di assistenza sociale? Tuttavia quello faceva parte della sua innocenza. Non si amano le persone per cambiarle. Lo sapeva da molto tempo.

«Be', io ci andrò comunque», concluse. «C'è una fermata dell'autobus proprio fuori dalla scuola e le lezioni si svolgono al martedì e al giovedì.»

Lizzie girò il depliant con le informazioni. «Lo farei per sostenerti, Bill, ma francamente non ho i quattrini.» I suoi occhi erano enormi. Sarebbe stato bello averla accanto a farfugliare parole incomprensibili e a imparare una lingua.

«Pagherò io, naturalmente», si offrì Bill Burke. Adesso avrebbe dovuto per forza andare in un'altra banca a chiedere un prestito.

Furono gentili e comprensivi nell'altra banca. Anche loro dovevano fare la stessa cosa, dovevano tutti chiedere prestiti altrove. Non ci furono problemi riguardo alle modalità di rimborso.

«Può avere anche di più», disse l'efficiente impiegato, proprio come avrebbe fatto lo stesso Bill.

«Lo so, ma poi bisogna restituirli... ho tanti impegni ogni mese.»

«Non lo dica a me», osservò il ragazzo. «E il prezzo degli abiti è maledettamente elevato.»

Bill pensò alla giacca e ai suoi genitori e a Olive. Avrebbe voluto invitarli per festeggiare la fine dell'estate. Si fece fare un prestito esattamente doppio rispetto a quello che aveva pensato di chiedere.

* * *

Grania disse a Bill che suo padre era felicissimo che lei avesse reclutato due nuovi iscritti al corso. Ce n'erano già ventidue. Le cose si erano messe bene e mancava ancora una settimana. Avevano deciso che anche se non avessero raggiunto il numero di trenta come stabilito, avrebbero tenuto comunque le lezioni del primo trimestre per non deludere quelli che si erano già iscritti, e per evitare imbarazzo a se stessi proprio all'inizio.

«Una volta che il corso sarà iniziato, si spargerà la voce», asserì Bill.

«Dicono che di solito si verifica un calo dei presenti dopo le prime tre lezioni», ribatté Grania. «Ma non scoraggiamoci. Cercherò di lavorarmi la mia amica Fiona stasera.»

«Quella che lavora all'ospedale?» Bill aveva la sensazione che Grania stesse cercando di organizzare un incontro. Gli parlava sempre molto bene di Fiona, soprattutto dopo che Lizzie aveva combinato qualcosa di particolarmente sciocco.

«Sì, sai di Fiona, ti parlo sempre di lei. Una mia grande amica e di Brigid. Quando stiamo fuori, possiamo sempre dire che dormiamo da lei, anche se non è vero. Capisci quello che intendo?»

«Sì. Ma anche i tuoi genitori capiscono?» chiese Bill.

«Preferiscono non pensarci, ecco che cosa fanno di solito i genitori. Respingono queste cose in fondo alla mente.»

«E chiedi spesso a Fiona di coprirti?»

«Non da quella... be', da quella storia con Tony secoli fa. È stato proprio il giorno dopo che ho scoperto che era un tale verme e aveva soffiato il posto a mio padre. Non te l'ho già raccontato?»

L'aveva fatto molte volte, ma Bill era buono. «Hai detto che era il momento sbagliato, o così mi sembra.»

«Non avrebbe potuto essere peggiore.» Grania era ancora furente al ricordo. «Se l'avessi saputo prima, non gli avrei dedicato neanche un minuto e se fosse successo dopo, allora forse sarei stata così coinvolta che non avrei potuto tornare indietro.»

«Se decidessi di tornare da lui, pensi che sarebbe una grossa mazzata per tuo padre?»

Grania lo fissò. Bill doveva avere poteri paranormali per sapere che si era girata e rigirata tutta la notte chiedendosi se doveva riavvicinarsi a Tony O'Brien. Lui aveva lasciato la palla a lei e inviato incoraggianti messaggi sotto forma di cartoline. In un certo senso era scortese non rispondere. Ma aveva pensato al dolore che avrebbe arrecato a suo padre. Era stato così sicuro che il posto di preside sarebbe stato suo; doveva averne sofferto più di quanto avesse mostrato. «Sai che ci stavo proprio pensando», disse lentamente Grania. «E ho deciso che posso aspettare ancora un po', finché le cose non andranno meglio per mio padre. Allora, forse, potrebbe essere in grado di affrontare una simile rivelazione.»

«Lui parla dei suoi problemi con tua madre?»

Grania scosse la testa. «Parlano di rado. A mia madre interessano solo il ristorante e le sue sorelle. Papà trascorre buona parte del suo tempo ad arredarsi una specie di studio. È molto solo in questo periodo, non mi sento di dargli altri dispiaceri. Ma forse se i corsi serali avranno successo, e verrà apprezzato per quest'iniziativa, allora magari potrei affrontarlo. Ammesso che la storia riprenda, naturalmente.»

Bill guardava Grania pieno di ammirazione. Come lui sentiva un grande affetto per i genitori e come lui non voleva sconvolgerli. «Abbiamo tanto in comune», osservò all'improvviso. «Non è un peccato che non ci sentiamo attratti l'uno dall'altro?»

«Un peccato, Bill.» Il sospiro di Grania era sincero. «E tu sei un gran bel ragazzo, soprattutto con questa giacca nuova. E hai luminosi capelli castani e sei giovane, non sarai morto quando io avrò quarant'anni. È davvero un peccato che tra noi non sia scattata la scintilla.»

«Lo so», ammise Bill. «Non è una maledetta sfortuna?»

Per finire l'estate allegramente, decise di andare a colazione al mare con la famiglia. Presero il treno chiamato *The dart*, la freccia.

«Stiamo per sfrecciare al mare», disse Olive a diverse persone sul treno e loro le sorrisero. Tutti sorridevano a Olive, era così entusiasta.

Fecero una passeggiata al porto a vedere i pescherecci. C'erano ancora in giro numerosi turisti che scattavano fotografie. Percorsero la strada principale della cittadina e guardarono le vetrine. La madre di Bill osservò che doveva essere bello vivere in un posto simile.

«Quando eravamo giovani, chiunque avrebbe potuto permettersi una casa qui», spiegò il padre di Bill. «Ma questo posto sembrava lontanissimo a quell'epoca e gli impieghi migliori erano più vicini alla città, così abbiamo deciso di non vivere qui.»

«Forse Bill abiterà in una cittadina come questa un giorno, quando avrà una promozione», osservò sua madre, quasi timorosa di sperarlo

Bill cercò di immaginarsi a vivere lì in uno dei nuovi appartamenti o in una vecchia casa ristrutturata insieme a Lizzie. Che cosa avrebbe fatto Lizzie tutto il giorno, mentre lui andava avanti e indietro da Dublino? Avrebbe avuto degli amici lì come ovunque? Avrebbero avuto dei figli? Aveva detto un maschio e una femmina e poi basta. Ma quello era stato molto tempo fa. Ogni volta che lui tirava in ballo l'argomento, lei adesso era molto più vaga. «Pensa se tu rimanessi incinta», aveva detto una sera Bill. «Dovremmo anticipare un po' i nostri piani.»

E, per la prima volta, Bill vide un'ombra di durezza dietro il suo sorriso. Ma naturalmente accantonò quel pensiero. Bill sapeva che Lizzie non era dura; come ogni altra donna aveva paura di quello che sarebbe potuto accadere al suo corpo. Le donne non riuscivano mai a essere completamente rilassate nel fare l'amore.

Poiché Olive non era una buona camminatrice e sua madre voleva visitare la chiesa vicina, si separarono e Bill e suo padre percorsero Vico Road, un'elegante strada ricurva che si estendeva lungo la baia, spesso paragonata a quella di Napoli.

Ammirarono i giardini e le case, senza provare neanche un briciolo d'invidia. Se ci fosse stata Lizzie, avrebbe detto che era ingiusto che certa gente avesse case simili, con due automobili parcheggiate fuori.

Splendeva il sole e il mare brillava. C'erano alcuni yacht al largo. Sedettero sulla diga e il padre di Bill si mise a fumare la pipa.

«È andato tutto come desideravi andasse quando eri giovane, papà?» chiese Bill.

«Non tutto naturalmente, ma buona parte.» Suo padre tirava lente boccate.

«Per esempio?»

«Be', aver trovato un così buon lavoro e averlo conservato, nonostante tutto. Questo è qualcosa su cui non avrei mai scommesso. E poi tua madre, che è stata una moglie così meravigliosa e ci ha dato una casa così accogliente. E poi ci siete stati tu e Olive e questa è stata una grande ricompensa per noi.»

Bill provò una strana sensazione di soffocamento. Suo padre viveva in un mondo irreale. Erano davvero cose di cui rallegrarsi? Una figlia subnormale. Una moglie che sapeva a malapena friggere un uovo, una casa squallida che lui definiva accogliente. Per non parlare del lavoro...

«Papà, perché faccio parte anch'io del quadro felice?» chiese Bill.

«Be', adesso sei in cerca di lodi.» Suo padre gli sorrise, come se il ragazzo lo stesse prendendo in giro.

«No, davvero, perché sei contento di me?»

«Chi potrebbe desiderare un figlio migliore? Guarda, per esempio, ci hai portati in gita oggi con i tuoi sudati risparmi, contribuisci in casa e sei così buono con tua sorella.»

«Tutti vogliono bene a Olive.»

«Sì, è vero, ma tu sei particolarmente buono con lei. Tua madre e io non abbiamo timori o preoccupazioni. Sappiamo che quando verrà il nostro momento e finiremo nel cimitero di Glasnevin, tu ti prenderai cura di Olive.»

Bill sentì la propria voce dire con un tono che non riconobbe: «Ah, ma lo sai che Olive verrà sempre accudita. Non dovresti preoccuparti per questo, non credi?».

«So che ci sono molti ricoveri e istituzioni, ma sappiamo che non manderai mai Olive in un posto simile.»

E mentre sedevano al sole, con il mare che brillava sotto di loro, si levò una leggera brezza che andò dritta al cuore di Bill Burke. Capì allora quello che non aveva mai capito in ventitré anni di vita. Seppe in quel momento che Olive era un problema anche suo, non soltanto loro. Che la sua grassa, semplice sorella, era sua per la vita. Quando lui e Lizzie si fossero sposati, quando lui fosse andato a vivere all'estero con Lizzie, quando fossero nati i loro figli, Olive avrebbe sempre fatto parte della loro famiglia.

Suo padre e sua madre avrebbero potuto vivere per altri vent'anni. Olive ne avrebbe avuti solo quarantacinque allora, con la mente di una bambina. Provò un brivido freddo.

«Su, papà. Mamma avrà già recitato tre rosari in chiesa e ci staranno aspettando al pub.»

E infatti li stavano aspettando; la faccia tonda di Olive si illuminò nel veder entrare suo fratello.

«Ecco Bill, il direttore di banca», disse.

E tutti nel pub sorrisero. E avrebbero sempre sorriso a Olive, non dovendosene occupare loro per la vita.

Bill si recò al Mountainview College per iscriversi al corso di italiano e si rese conto di com'era stato fortunato. Suo padre aveva infatti risparmiato a sufficienza per mandarlo in una scuola più piccola e molto migliore.

Osservò i muri scrostati e il malandato capannone per le biciclette. Pochi dei ragazzi che andavano a scuola lì avrebbero potuto entrare facilmente in una banca come aveva fatto lui. Che peccasse di presunzione? Forse le cose erano cambiate. Ne avrebbe parlato con Grania. Suo padre insegnava lì, dopotutto.

Era qualcosa di cui invece non avrebbe potuto parlare con Lizzie.

Lizzie si era mostrata eccitata al pensiero delle lezioni. «Sto raccontando a tutti che tra poco parleremo italiano», rise felice. Per un istante gli ricordò Olive. Aveva la stessa innocente convinzione che bastasse nominare qualcosa perché si avverasse. Ma chi poteva paragonare la bella Lizzie dagli occhi intensi alla povera Olive?

Da un lato Bill sperava che Lizzie cambiasse idea riguardo alle lezioni. Avrebbe risparmiato un po' di sterline. Cominciava a sentirsi in preda al panico riguardo all'ammontare dei suoi debiti. La nuova giacca gli faceva piacere, ma non poi così tanto. Forse era stata una spesa sciocca che avrebbe rimpianto.

«Che bella giacca, è di pura lana?» chiese la donna seduta alla cattedra. Era anziana, naturalmente, più di cinquant'anni. Ma aveva un bel sorriso e gli toccò la manica proprio sopra il polso.

«Sì, certo», rispose Bill. «Lana leggera, ma evidentemente si paga il taglio. È quanto mi hanno detto.»

«Certo. È italiana, vero?» La sua voce era irlandese ma con un lieve accento, come se avesse vissuto all'estero a lungo. Sembrava realmente interessata. Che fosse l'insegnante? A Bill avevano riferito che avrebbero avuto un'italiana. Che questo fosse il primo disguido? Non aveva ancora sborsato i soldi. Forse questa non era la settimana per tirarli fuori e buttarli scioccamente.

«È lei l'insegnante?» chiese.

«Sì, certo. Sono Signora. Ho vissuto ventisei anni in Italia e precisamente in Sicilia. Penso e sogno ancora in italiano. Spero di poter dividere tutto questo con lei e con gli altri allievi.»

Adesso sarebbe stato difficile tirarsi indietro. C'era gente in banca che avrebbe saputo perfettamente come districarsi da quella situazione. I pescecani, così li chiamavano lui e Grania.

Pensando a Grania, si ricordò di suo padre. «Avete abbastanza iscritti per formare una classe?» chiese. Forse sarebbe riuscito a svignarsela. Forse non avrebbero mai formato una classe.

Ma il viso di Signora brillava d'entusiasmo. «Sì, siamo stati molto fortunati. L'hanno saputo in tanti, gente vicina e lontana. Lei come l'ha saputo, Mr Burke?»

«In banca», rispose.

«In banca.» Il piacere della donna era tale che non volle rovinarlo. «Sanno di noi anche in banca!»

«Crede che sarà possibile imparare termini bancari?» Si chinò attraverso il tavolo, gli occhi che cercavano rassicurazione sul suo viso.

«Che genere esattamente?»

«Be', le parole che usiamo in banca...» Ma Bill era vago, non conosceva i termini che avrebbe potuto usare un giorno in una banca italiana.

«Se me li scrive io glieli cercherò», spiegò Signora. «Ma francamente il corso non sarà incentrato sul linguaggio tecnico. Sarà piuttosto un corso di lingua e cultura italiana. Voglio farvi amare e conoscere un po' l'Italia, perché quando ci andrete possa apparirvi come un'amica come lo è stata per me.»

«Sarà fantastico», convenne Bill e le porse il denaro per sé e Lizzie.

«Martedì», ribatté Signora in italiano.

«Scusi?»

«Martedì», ripeté in inglese. «Così adesso sa come si dice.»

Bill si avviò verso la fermata dell'autobus ripetendo il vocabolo. Sentiva che era valsa la pena di spendere quei soldi, più di quanto ne fosse valsa per comprare la giacca.

* * *

«Che cosa devo indossare per il corso?» gli domandò Lizzie lunedì sera. Solo lei poteva rivolgere una domanda simile.

«Qualcosa che non distragga nessuno dai propri studi», suggerì Bill.

Era una vana speranza e un suggerimento sciocco. Il guardaroba di Lizzie non includeva abiti che non distraessero. Anche adesso, alla fine dell'estate, indossava una minigonna che metteva in bella mostra le sue lunghe gambe abbronzate, un top attillato e una giacca buttata mollemente sulle spalle.

«Ma che cosa, esattamente?»

Sapeva che non era una questione di foggia. Di colore piuttosto. «Mi piace il rosso», rispose.

Gli occhi di lei si illuminarono. Era molto facile accontentare Lizzie. «Ti faccio vedere», disse e prese la gonna rossa e la camicetta bianca e rossa. Era meravigliosa, fresca e giovane; con i suoi capelli d'oro sembrava un annuncio pubblicitario per uno shampoo.

«Potrei mettermi un nastro rosso tra i capelli?» Pareva incerta.

Bill provò uno slancio protettivo nei suoi confronti. Lizzie aveva realmente bisogno di lui. Sarebbe stata perduta, altrimenti.

«Il corso inizia stasera», disse a Grania il giorno dopo in banca.

«Mi dirai sinceramente com'è?» Grania sembrava molto seria. Si stava chiedendo come sarebbe andata per suo padre.

Bill le assicurò che le avrebbe detto la verità, ma in un certo senso sapeva che gli sarebbe stato impossibile. Anche se la prima lezione fosse stata un disastro, Bill non sarebbe riuscito a dirglielo. Avrebbe probabilmente asserito che era stata molto buona.

Bill non riconobbe il polveroso edificio annesso alla scuola quando arrivarono. Il luogo era stato trasformato: grandi poster ornavano le pareti, immagini della fontana di Trevi e del Colosseo, riproduzioni della *Monna Lisa* di Leonardo e del *David* di Michelangelo, fotografie di dolci vigneti e appetitosi piatti della cucina italiana. In un angolo c'era una tavola coperta di carta crespata bianca, rossa e verde sulla quale erano posati piatti protetti da pellicola trasparente. Sembrava che dentro ci fosse veramente del cibo, fettine di salame e assaggi di vari tipi di formaggi. C'erano anche dei fiori di carta, ognuno con un cartellino con il nome di un allievo.

Bill sperava che andasse tutto bene. Per quella strana donna con i capelli rossi striati di grigio, chiamata semplicemente Signora, per l'uomo gentile che veleggiava sullo sfondo e che doveva essere il padre di Grania, per tutta la gente che sedeva goffamente e nervosamente intorno al tavolo in attesa dell'inizio della lezione. Tutti con qualche speranza o sogno come il suo.

Signora batté le mani e si presentò. «Mi chiamo Signora. Come si chiama lei?» chiese in italiano all'uomo che doveva essere il padre di Grania.

«Mi chiamo Aidan», rispose lui sempre in italiano. Quindi la donna si aggirò per la classe, rivolgendo la stessa domanda a tutti.

Lizzie era entusiasta. «Mi chiamo Lizzie», si presentò e tutti sorrisero con ammirazione come se avesse detto chissà che cosa.

«Cerchiamo di italianizzare un po' i nostri nomi, adesso. Potresti dire: 'Mi chiamo Elisabetta'.»

A Lizzie piacque molto e riuscì a frenarsi a stento dal ripeterlo all'infinito. Poi impararono a chiedere come stavano, che ora era, quale giorno e dove abitavano.

«Chi è lui?» chiese Signora, indicando Bill.

«Guglielmo», rispose la classe.

Dopo un po' ognuno sapeva il nome di tutti gli altri in italiano.

A un certo punto Signora disse: «Ci restano ancora dieci minuti», e tutti rimasero a bocca aperta. Impossibile che le due ore fossero già finite. «Avete lavorato così sodo che adesso ci aspetta un piccolo intrattenimento. Ma prima di assaggiare queste specialità, dobbiamo imparare il loro nome in italiano: salame e formaggio.»

«A giovedì», annunciò infine Signora in italiano.

«A giovedì», ripeterono tutti in coro. Bill cominciò a disporre ordinatamente le sedie contro la parete. Poi anche gli altri diedero una mano a riordinare e dopo qualche minuto la classe era a posto.

Bill e Lizzie si recarono alla fermata dell'autobus.

«Ti amo», gli disse lei in italiano.

«Che cosa significa?» chiese Bill.

«Oh, via, sei tu che hai il cervello», rispose Lizzie. Gli sorrideva in maniera così seducente che lui si sentì sciogliere. «Su, un po' di immaginazione.»

Quando infine lei gli spiegò il significato della frase, Bill rimase sbalordito.

«Come fai a saperlo?»

«L'ho chiesto a Signora prima di uscire. Ha detto che erano le due parole più belle del mondo.»

«Lo sono, lo sono», ammise lui.

Forse le lezioni di italiano avrebbero funzionato, dopotutto.

«È stato davvero molto interessante», disse Bill a Grania il giorno dopo.

«Quando è tornato a casa, mio padre era al settimo cielo, grazie a Dio», fece Grania.

«L'insegnante è realmente brava, sai, riesce a farti parlare la lingua in cinque minuti.»

«Così, tra poco potrai fare le lezioni anche tu», lo canzonò Grania.

«Anche a Lizzie è piaciuto, era veramente interessata. Continuava a ripetere le frasi anche sull'autobus e tutti si univano a lei.»

«Ne sono sicura.»

«No, smettila di fare così. Si è mostrata più interessata di quanto avessi sperato. Si fa chiamare Elisabetta adesso», disse Bill, inorgoglito.

«Lo immagino», commentò acida Grania. «E immagino anche che alla terza lezione ci rinuncerà.»

Da come andarono le cose, Grania non si era sbagliata. Non perché Lizzie fosse meno interessata, ma perché venne a Dublino sua madre.

«Non la vedo da secoli e devo andare a prenderla alla stazione», si scusò con Bill.

«Ma non puoi lasciarla sola un paio d'ore e tornare per le nove e mezzo?» chiese lui supplichevole. Era sicuro che se Lizzie avesse saltato una lezione non ci sarebbe più andata. Avrebbe addotto come giustificazione il fatto che era rimasta troppo indietro per rimettersi in pari.

«No, Bill. Non viene a Dublino molto spesso. Devo esserci.» Lui rimase zitto. «Tu tieni abbastanza a tua madre da vivere con lei, perché io non dovrei andare a prendere la mia alla Heuston Station? Non è chiedere molto.»

Bill era un tipo ragionevole. «No», ammise.

«Bill, mi potresti prestare i soldi per il taxi? Mia madre detesta andare in autobus.»

«Non pagherà lei il taxi?»

«Oh, non essere così meschino! Sei meschino, taccagno e spilorcio.»

«Questo non è vero, Lizzie. Non è vero e non è giusto.»

«Okay.» Lei si strinse nelle spalle.

«Che cosa vuoi dire con 'Okay'?»

«Solo questo. Divertiti alla lezione, salutami Signora.»

«Prendi i soldi per il taxi.»

«No, non così in malo modo.»

«Sì, mi fa piacere che prendiate un taxi. Prendili, Lizzie, te ne prego.»

«Be', se insisti.»

La baciò in fronte. «Conoscerò tua madre questa volta?»

«Lo spero, Bill. Sai che l'ultima volta voleva conoscerti, ma aveva così tante amiche da vedere. Le hanno portato via tutto il tempo. Conosce tanta gente, capisci.»

Bill pensò tra sé che la madre di Lizzie poteva anche conoscere tanta gente, ma non aveva nessuno che andasse a prenderla alla stazione con una macchina o in taxi. Ma non lo disse.

«Dov'è la bella Elisabetta?» gli chiese Signora in italiano.

«La bella Elisabetta è andata alla stazione», si sentì Bill che rispondeva nella stessa lingua. «Sua madre arriva stasera.»

«Benissimo, Guglielmo, bravo!» esclamò entusiasta Signora.

«Ti sei preparato», gli disse un ragazzo tarchiato dalla faccia arrabbiata con scritto Luigi sul cartellino del nome. Il suo vero nome era Lou.

«Sono tutte parole che avevamo già studiato. Non mi sono affatto preparato.»

Mentre la lezione proseguiva, Bill si chiedeva dove fossero andate Lizzie e sua madre. Sperava che la ragazza non avesse condotto la madre in un ristorante e cambiato un assegno. Altrimenti, quella volta, avrebbe passato un bel guaio in banca.

Uno dei fiori di carta era finito sul pavimento.

«Posso prenderlo, Signora?» chiese Bill.

«Certo, è per Elisabetta?»

«No, è per mia sorella.»

«Sei un bravo ragazzo, Bill», osservò Signora.

«Sì, ma a che cosa serve?» si chiese lui mentre si avviava verso la fermata dell'autobus.

Olive lo stava aspettando sulla porta. «Parlami in italiano», gridò.

«Ciao, sorella», la salutò lui in quella lingua. «Ecco un garofano. L'ho portato per te.»

L'espressione compiaciuta sul volto di lei lo fece sentire anche peggio di quanto già si sentisse.

Bill si sarebbe portato dei tramezzini al lavoro quella settimana. Non poteva permettersi nemmeno la mensa.

«Tutto bene?» gli chiese Grania preoccupata. «Mi sembri stanco.»

«Oh, noi persone internazionali dobbiamo imparare a sopportare la fatica», rispose con un debole sorriso.

Sembrava che Grania stesse per chiedergli di Lizzie, ma cambiò idea. Lizzie? Dov'era quel giorno? Con gli amici di sua madre magari, a bere cocktail in uno dei grandi alberghi. O in giro a scoprire qualche nuovo posto di cui poi gli avrebbe parlato con occhi splendenti. Sperava che gli telefonasse e gli chiedesse della sera prima a scuola. Le avrebbe detto che avevano sentito la sua mancanza e l'avevano chiamata «bella Elisabetta». Lei gli avrebbe raccontato quello che aveva fatto. Perché non si faceva sentire?

Il pomeriggio sembrò lungo e tedioso. Dopo il lavoro cominciò a preoccuparsi. Non avevano mai trascorso un'intera giornata senza parlarsi. Avrebbe dovuto andare a casa sua? Ma c'era sua madre, sarebbe sembrata un'intrusione. Aveva detto che sperava che si conoscessero. Non doveva forzare le cose.

Anche Grania lavorò fino a tardi. «Stai aspettando Lizzie?» chiese.

«No, sua madre è in città, sarà probabilmente occupata. Mi stavo chiedendo che cosa fare.»

«Anch'io me lo stavo chiedendo. Ci si diverte in banca, vero? Alla fine della giornata siamo come degli zombie e non ci resta più la forza di pensare a che cosa fare», osservò Grania, ridendo.

«Tu corri sempre di qua e di là, Grania.» Sembrava invidioso.

«Be', non stasera. Non ho intenzione di tornare a casa. Mia madre starà andando al ristorante, mio padre sarà sparito nel suo studio e Brigid sarà assolutamente insopportabile perché ha rimesso su qualche chilo. Non fa che parlare di diete.»

«È davvero tanto preoccupata?» Bill era sempre così gentile e interessato ai problemi della gente.

«Sì, ma senza motivo. A me sembra sempre uguale, un po' piazzata, ma carina. Quando è ben pettinata e sorride è veramente una bella ragazza. Ma se attacca con quella storia del chilo in più e della lampo che non si chiude o del collant che si strappa, Gesù, ti fa venire il latte alle ginocchia. Non ho intenzione di tornare a casa a sorbirmi quella solfa, te l'assicuro.»

Ci fu una pausa. Bill stava per invitarla a bere un drink, quando si ricordò delle sue finanze. Sarebbe stata una bella scusa per tornarsene a casa con l'abbonamento e non spendere neanche un centesimo.

In quel momento Grania disse: «Perché non andiamo al cinema e poi a mangiare patatine fritte? Offro io».

«Non posso accettare, Grania.»

«Sì, che puoi. Sono in debito con te per averti fatto iscrivere a quel corso d'italiano; mi hai fatto un grande favore.»

Passarono in rassegna i film sul giornale della sera e discussero pacatamente di quale potesse essere bello e quale no. Sarebbe stato così facile stare con qualcuno come lei, pensò di nuovo Bill. Ed era sicuro che Grania stava pensando la stessa cosa. Ma se l'amore non c'era? Lei avrebbe continuato ad amare quello strano uomo maturo e a preoccuparsi dei problemi che avrebbe affrontato quando suo padre l'avesse scoperto. E lui sarebbe rimasto con Lizzie che gli spezzava regolarmente il cuore.

Quando tornò a casa, sua madre aveva un'espressione ansiosa. «È stata qui Lizzie», esordì. «Ha detto di andare a casa sua a qualsiasi ora tu fossi tornato.»

«Qualcosa non va?» Era allarmato. Non era da Lizzie andare a casa sua, non dopo l'incerta accoglienza ricevuta in occasione della sua unica visita ufficiale.

«Oh, direi che molte cose non andavano, sembrava molto turbata», asserì sua madre.

«Ma stava male, o le è successo qualcosa?»

«Era preoccupata per qualcosa», rispose sua madre.

Capì che non avrebbe ottenuto altro da lei, se non disapprovazione, rifece la strada e prese l'autobus in direzione opposta.

Lizzie sedeva nella calda serata di settembre fuori dall'edificio dove aveva un appartamentino. C'erano grossi gradini di pietra che conducevano alla porta e Lizzie vi era seduta stringendosi le ginocchia e dondolandosi avanti e indietro. Con suo sollievo non stava piangendo e non sembrava sconvolta.

«Dove sei stato?» chiese in tono accusatore.

«Dove sei stata tu!» rispose Bill. «Sei stata tu a dire di non chiamare, di non venire.»

«Ero qui.»

«Be', io ero fuori.»

«Dove sei andato?»

«Al cinema», rispose.

«Credevo che non avessimo soldi, che non avremmo potuto fare niente di normale come andare al cinema.»

«Non ho pagato io. Ha offerto Grania Dunne.»

«Oh, sì?»

«Sì. Che cosa c'è che non va, Lizzie?»

«Tutto.»

«Perché sei venuta a casa mia?»

«Volevo vederti, chiarire le cose.»

«Be', sei riuscita a spaventare a morte mia madre e me. Perché non mi hai telefonato al lavoro?»

«Ero confusa.»

«Tua madre è arrivata?»

«Sì, è arrivata.»

«E sei andata a prenderla?»
«Sì.» La sua voce era piatta.
«E hai preso il taxi?»
«Sì.»
«Allora, che cosa c'è che non va?»
«Ha riso del mio appartamento.»
«Oh, Lizzie. Non mi avrai trascinato fin qui, ventiquattr'ore dopo, per raccontarmi questo, no?»
«Naturalmente», rise lei.
«È il suo modo di fare, il tuo modo di fare... gente come te e tua madre ride sempre, ecco che cosa fate.»
«No, non quel genere di risata.»
«Be', che genere?»
«Ha semplicemente commentato che era buffo e ha chiesto se poteva andarsene adesso che l'aveva visto. Ha detto che non avrei dovuto lasciar andare il taxi e trascinarla in questo posto.»
Bill era rattristato. Lizzie era chiaramente sconvolta. Che maledetta donna insensibile! Non vedeva quasi mai sua figlia, non avrebbe potuto essere gentile nelle poche ore di permanenza a Dublino?
«Capisco, capisco», cercava di calmarla lui. «Ma la gente dice spesso cose sbagliate, si sa. Su non preoccuparti, saliamo. Ehi, vieni.»
«No, non possiamo.»
Aveva bisogno di essere persuasa.
«Lizzie, in banca c'è gente che dice tutto il giorno cose sbagliate, non sono persone cattive, ma riescono a sconvolgerti. Il trucco sta nel non permettere loro di farlo. E poi, quando torno a casa, mia madre si lamenta che è stanca per aver versato una lattina di salsa sul pollo surgelato e mio padre parla di tutte le possibilità che non ha mai avuto da ragazzo e Olive ripete a chiunque l'ascolti che io sono il direttore della banca. A volte è un po' dura da digerire, ma bisogna sopportare, è così.»
«Per te sì, ma non per me.» La sua voce era di nuovo spenta.
«Avete litigato, dunque? Passerà, le liti in famiglia passano sempre. Davvero, Lizzie.»
«No, non abbiamo esattamente litigato.»
«Ebbene?»

«Le avevo preparato la cena. Fegatini di pollo allo sherry con contorno di riso. Ma lei è scoppiata a ridere di nuovo.»

«Sì be', come ho detto...»

«Non aveva affatto intenzione di restare, Bill, non per cena. Ha affermato che era venuta solo per tenermi tranquilla. Doveva andare in una galleria d'arte, all'inaugurazione di una mostra. Sarebbe arrivata in ritardo. Ha cercato di scavalcarmi.»

«Uhm... sì?» A Bill la cosa cominciava a non piacere affatto.

«Allora non ho più resistito.»

«Che cosa hai fatto, Lizzie?» Era stupito di come riuscisse a mantenersi così calmo.

«Ho chiuso la porta e ho gettato la chiave dalla finestra.»

«Che cosa hai fatto?»

«Le ho detto: 'Adesso devi restare, devi sederti e parlare con me: non puoi sempre scappare via, per tutta la vita, da papà e anche da noi'.»

«E lei che cosa ha fatto?»

«Oh, si è arrabbiata moltissimo e ha cominciato a gridare, a picchiare alla porta e a urlare che ero pazza come mio padre, le solite cose.»

«No, non lo so. E poi, che cosa è successo?»

«Be', alla fine si è stancata e ha cenato.»

«E ha urlato ancora?»

«No, temeva solo che la casa andasse a fuoco e di morire carbonizzata. È questo che continuava a ripetere, morte carbonizzate.»

La mente di Bill lavorava lentamente ma incessantemente. «L'hai lasciata uscire, alla fine?»

«No, affatto.»

«Ma non sarà ancora qui?»

«Sì, invece.»

«Non puoi dire sul serio, Lizzie.»

Annuì diverse volte. «Temo di sì.»

«E tu come sei uscita?»

«Dalla finestra, quando lei era in bagno.»

«Ha dormito qui?»

«Per forza. Io ho dormito su una sedia. Le ho lasciato il letto.» Lizzie sembrava sulla difensiva.

«Lasciami capire. È venuta ieri, martedì, alle sette e adesso sono le undici di sera di mercoledì ed è ancora lì, rinchiusa contro la sua volontà?»

«Sì.»

«Ma, Dio onnipotente, perché?»

«Perché potessi parlarle. Non trova mai il tempo per parlare con me. Mai.»

«E ti ha parlato? Adesso che l'hai rinchiusa, voglio dire?»

«Non realmente, non in maniera soddisfacente, non fa che ripetere che sono irragionevole, instabile, non so che cos'altro.»

«Non ci credo, Lizzie, non ci credo. È rimasta lì non solo tutta la notte, ma anche tutto il giorno e stasera?» Gli girava la testa.

«Che cos'altro potevo fare? Non ha mai un momento per me, è sempre di fretta... deve sempre andare in qualche altro posto, incontrare altra gente.»

«Ma non puoi fare una cosa simile, Non puoi rinchiudere la gente e poi aspettarti che parli con te.»

«So che non era la cosa giusta da fare. Senti, mi stavo chiedendo se non potessi salire a parlarle tu... Non mi sembra molto equilibrata.»

«Io, parlarle? Io?»

«Be', avevi detto che volevi conoscerla, Bill. L'hai chiesto diverse volte.»

Fissò il bel viso turbato della donna che amava. Logico che avesse voluto conoscere la sua futura suocera. Ma non reclusa in un monolocale. Non quando era stata rapita per più di trenta ore e stava per chiamare la polizia.

Salirono le scale fino all'appartamentino di Lizzie; dall'interno non proveniva nessun rumore.

«Potrebbe essere uscita?» sussurrò Bill.

«No. C'è una specie di spranga sotto la finestra. Non le è possibile aprirla.»

«Avrebbe potuto spaccare il vetro.»

«No, non conosci mia madre.»

Vero, pensò Bill, ma l'avrebbe conosciuta molto presto in circostanze quanto meno insolite. «Pensi che sarà violenta, mi si avventerà addosso o altro?»

«No, naturalmente, no.» Lizzie considerava con sdegno i suoi timori.

«Be', parlale tu prima, spiegale chi sono.»

«No, è arrabbiata con me, con un estraneo si comporterà meglio.» Gli occhi di Lizzie erano sbarrati per il terrore.

Bill alzò le spalle. «Uhm, Mrs Duffy, mi chiamo Bill Burke e lavoro in banca», cominciò. Non ottenne risposta. «Mrs Duffy, sta bene? Può assicurarmi che è calma e in buona salute?»

«Perché dovrei essere calma e in buona salute? La mia folle figlia mi ha imprigionata qui dentro ed è qualcosa che rimpiangerà ogni giorno, ogni ora della sua vita.» La sua voce sembrava molto adirata, ma era chiara.

«Bene, Mrs Duffy, se si sposta dalla porta entrerò e le spiegherò tutto.»

«Sei un amico di Elizabeth?»

«Sì, un ottimo amico. Anzi, le voglio molto bene.»

«Allora devi essere pazzo anche tu», ribatté la voce.

Lizzie alzò gli occhi. «Hai capito che cosa intendo?» sussurrò.

«Mrs Duffy, credo che potremmo discuterne molto meglio faccia a faccia. Ora vengo dentro, si tenga lontana per favore.»

«Non entrerà affatto. Ho infilato una sedia sotto la maniglia della porta nel caso mia figlia fosse tornata con dei drogati o dei criminali come lei. Rimarrò qui finché non arriverà qualcuno a liberarmi.»

«Io sono venuto a liberarla», la rassicurò disperato Bill.

«Può girare la chiave, ma non entrerà.»

Era vero, scoprì Bill. Si era barricata dentro.

«La finestra?» chiese a Lizzie.

«È un po' dura salire, ma ti faccio vedere.»

Bill si allarmò. «Pensavo che ci passassi tu dalla finestra.»

«Non posso, Bill, l'hai sentita. È come un toro inferocito. Mi ucciderebbe.»

«Be', e a me che cosa farebbe, qualora entrassi? Pensa che sia un drogato.»

Il labbro di Lizzie tremò. «Hai giurato che mi avresti aiutata», mormorò con un filo di voce.

«Fammi vedere la finestra», ordinò Bill. Non fu facile salire e quando fu lì vide la spranga che Lizzie aveva infilato sotto la parte superiore della finestra. La tolse, aprì la finestra e tirò indietro la tenda. Una donna bionda sulla quarantina, con la faccia imbrattata di mascara, lo scorse proprio mentre stava entrando e corse verso di lui brandendo una sedia.

«Sta' lontano da me, vattene, criminale», strillò.

«Mamma, mamma», gridò Lizzie da dietro la porta.

«Mrs Duffy, la prego.» Billy alzò il coperchio del portapane per difendersi. «Mrs Duffy, sono venuto per farla uscire. Guardi, qui c'è la chiave. La prego, metta giù quella sedia.»

Sembrava che lui volesse effettivamente porgerle la chiave. Gli occhi della donna parvero tranquillizzarsi un po'. Posò la sedia e lo guardò cauta.

«Mi lasci aprire la porta, perché Lizzie possa entrare e se ne possa discutere tutti con calma», disse Bill, dirigendosi verso la porta.

Ma la madre di Lizzie aveva alzato di nuovo la sedia. «Allontanati da quella porta. Chi sa che razza di banda c'è lì dietro. Ho assicurato a Lizzie che non ho soldi, non ho carte di credito... è inutile rapirmi. Nessuno pagherà il riscatto. Avete scelto la donna sbagliata.» Le tremava il labbro adesso; assomigliava così tanto a sua figlia che Bill si sentì pervadere da un istinto di protezione.

«C'è solo Lizzie lì fuori, non c'è nessuna banda. È tutto un malinteso.» La sua voce era tranquillizzante.

«Niente da fare. Sono chiusa qui dentro con quella folle ragazza da ieri sera, che poi se ne va e mi pianta qui, da sola, a chiedermi chi altri entrerà da quella porta. E poi entri tu dalla finestra e mi vieni incontro con quel coperchio.»

«No, no, l'ho preso solo quando lei ha alzato la sedia. Senta, lo rimetto giù adesso.» La sua voce aveva un grande effetto sulla donna, che adesso sembrava disposta a parlare sensatamente. Posò la sedia della cucina e vi sedette sopra, sfinita, spaventata e insicura di quello che sarebbe successo dopo.

Bill cominciò a respirare normalmente. Si fissarono.

Poi dall'esterno giunse un grido. «Mamma? Bill? Che cosa sta succedendo? Perché non parlate, non gridate?»

«Ci stiamo riposando», rispose Bill. Si chiese se la spiegazione fosse adeguata.

Lizzie sembrò giudicarla tale. «Okay», disse dall'esterno.

«Fa uso di droga?» chiese sua madre.

«No. Cielo, no, affatto.»

«Bene, perché tutto questo? Questo rinchiudermi, dire che voleva parlare e poi altre cose folli.»

«Credo che lei le manchi», asserì lentamente Bill.

«Le mancherò ancora di più d'ora in poi», ribatté Mrs Duffy.

Bill la guardò, cercando di inquadrarla. Era giovane e snella, pareva appartenere a una generazione diversa da quella di sua madre. Indossava una specie di fluente caffettano, con perline attorno alla scollatura. Era il genere di abbigliamento che vedevi nelle fotografie degli amanti della *New age*, ma non aveva sandali aperti né lunghi capelli sciolti. I suoi riccioli erano come quelli di Lizzie, ma con striature di grigio. Se non fosse stato per il viso rigato di lacrime, avrebbe potuto andare a un party. Che era appunto quello che aveva avuto intenzione di fare prima di essere sequestrata.

«Credo che le dispiaccia che lei se ne sia andata», continuò Bill. La figura avvolta nel caffettano sbuffò. «Be', vede, lei abita così lontano da Lizzie e tutto il resto.»

«Non abbastanza lontano, te lo assicuro io. Le ho solo chiesto di vederci per un drink e lei ha insistito per venirmi a prendere alla stazione con il taxi, e condurmi qui. 'Bene, solo per un po'', le ho detto, perché dovevamo andare all'inaugurazione della mostra di Chester... Chissà Chester dove penserà che io sia finita.»

«Chi è Chester?»

«È un amico, per carità, un amico, una delle persone che vive vicino a dove abito io, un artista. Siamo venuti tutti, ma nessuno può sapere che cosa mi è accaduto.»

«Non potrebbero pensare di venire a cercarla qui... a casa di sua figlia?»

«No, no, naturalmente, perché mai?»

«Sanno che ha una figlia a Dublino?»

«Sì, forse sì. Sanno che ho tre figli, ma non piagnucolo in giro su di loro. Non sanno comunque certo dove abita Elizabeth o altro.»

«Ma gli altri suoi amici, i suoi veri amici?»

«Questi sono i miei veri amici», scattò.

«Tutto bene lì dentro?» chiese Lizzie.

«Lasciaci tranquilli, Lizzie», disse Bill.

«Perdio, pagherai per questo, Elizabeth», gridò sua madre.

«Dove alloggiano… i suoi amici?»

«Non lo so, questo è il problema. Avevamo deciso che avremmo visto come andava l'inaugurazione e che se ci fosse stato Harry, allora avremmo forse potuto andare da lui. Abita in un grande capannone, stavamo tutti lì una volta. Se invece fosse andato tutto storto, Chester conosceva un grazioso alberghetto che non costava quasi nulla.»

«E pensa che Chester si sia rivolto alla polizia?»

«Perché diamine avrebbe dovuto farlo?»

«Per sapere che cosa le è accaduto.»

«Alla polizia?»

«Be', se la stava aspettando e lei è sparita…»

«Penserà che me la sia filata con qualcuno che ho incontrato alla mostra. O potrebbe anche pensare che non ci sono andata affatto. Ecco, è questo che mi fa infuriare di più.»

Bill trasse un sospiro di sollievo. La madre di Lizzie era una mezza vagabonda. Nessuno l'avrebbe cercata veramente. Lizzie non avrebbe passato il resto della notte in una cella della stazione di polizia.

«La lasciamo entrare adesso?» Cercò di farla apparire come una decisione di entrambi.

«Tirerà ancora in ballo quella storia che non riesce mai a parlarmi, mi rinfaccerà di essere fuggita?»

«No, farò in modo che non lo faccia, mi creda.»

«Benissimo, ma non aspettarti che sia tutta zucchero e miele con lei, dopo il tiro che mi ha giocato.»

«No, ha tutti i diritti di essere arrabbiata.» Le passò accanto per dirigersi alla porta. E lì, nel corridoio buio, c'era Lizzie, rannicchiata contro una parete.

«Ah, Lizzie», riprese Bill come se si trattasse di un delizioso ospite inatteso. «Entra pure, se desideri. E forse potresti prepararci una tazza di tè.»

Lizzie sgattaiolò in cucina, evitando lo sguardo di sua madre.

«Aspetta che tuo padre venga a sapere di questa trovata», tuonò la donna.

«Mrs Duffy, prende il tè con il latte e lo zucchero?» la interruppe Bill.

«Liscio, grazie.»

«Liscio per Mrs Duffy», gridò Bill come se stesse dando un ordine a un cameriere. Si aggirò per il piccolo appartamento, rimettendo a posto le cose, raddrizzando la trapunta sul letto, raccogliendo oggetti da terra, come a voler ristabilire normalità in un posto che l'aveva temporaneamente perduta. Dopo un po' se ne stavano tutti e tre seduti a bere tazze di tè.

«Ho comprato una scatola di biscotti di pasta frolla», annunciò orgogliosa Lizzie, tirando fuori una scatola bordata di nastro scozzese.

«Costano una fortuna», osservò Bill, sgomento.

«Volevo avere qualcosa di speciale per la visita di mia madre.»

«Non ho mai affermato che sarei venuta in visita, quella era una tua idea. Davvero una bella idea!»

«Sono comunque in una scatola di latta», osservò Bill. «Possono durare a lungo.»

«Ma sei stupido?» chiese d'improvviso la madre di Lizzie a Bill.

«Non credo. Perché me lo chiede?»

«Parlare di biscotti in un momento come questo? Credevo fossi tu ad avere in mano la situazione.»

«Be', non è meglio che gridare e parlare di cose di cui ha detto di non voler parlare?»

«No, non lo è ed è pazzesco se lo chiedi a me. Sei matto quanto lei. Sono capitata in un manicomio.»

I suoi occhi lampeggiarono verso la porta e lui scorse la borsa vicino. Che la donna scattasse per prenderla? Che fosse meglio così? O si erano spinti così oltre che sarebbe stato meglio andare fino in fondo? Che Lizzie dicesse a sua madre quello che aveva da dire e che sua madre accettasse o negasse tutto. Suo padre aveva sempre ripetuto che bisognava stare a vedere quello che succedeva. A Bill non sembrava tuttavia una gran filosofia.

Lizzie sbocconcellò un biscotto. «Sono buoni, pieni di burro.» Era così tenera, come una bambina. Possibile che non lo vedesse anche sua madre?

Bill spostò lo sguardo dall'una all'altra. Sperava di non aver soltanto immaginato che la faccia della madre si fosse vagamente intenerita.

«È piuttosto dura, sai Lizzie, per una donna sola», cominciò.

«Ma non avevi bisogno di restare sola, mamma, avresti potuto avere tutti noi con te, papà, me, John e Kate.»

«Non potevo più vivere in una casa a quel modo, intrappolata tutto il giorno in attesa di un uomo che tornasse a casa con lo stipendio. E poi tuo padre spesso non tornava a casa con lo stipendio, andava a giocarlo. Come fa tuttora a Galway.»

«Non era necessario che te ne andassi.»

«Ho dovuto farlo o avrei finito con l'uccidere qualcuno, lui, te, me stessa. A volte è meglio andarsene e respirare un po' d'aria fresca.»

«Quando se n'è andata?» chiese loquacemente Bill, come se stesse chiedendo l'orario dei treni.

«Non lo sai? Non conosci ogni dettaglio della perfida strega che è scappata via abbandonando tutti?»

«No, no, in realtà. Fino a questo momento non sapevo nemmeno che se ne fosse andata di casa. Pensavo che lei e Mr Duffy vi foste separati amichevolmente e che i vostri figli vivessero un po' qua e un po' là. Mi sembrava una cosa sensata, quello che dovrebbero fare tutte le famiglie.»

«Che cosa vuoi dire con 'quello che dovrebbero fare tutte le famiglie'?» La madre di Lizzie lo guardò insospettita.

«Be', sa, vivo a casa con mia madre, mio padre e ho una sorella handicappata, e, francamente, non riesco a concepire un modo di *non esserci*, o di essere comunque vicino, così ho trovato molto libera la famiglia di Lizzie... e, in un certo senso, la invidiavo.» Era così onesto. Nessuno poteva inscenare una cosa simile.

«Potresti semplicemente andartene», suggerì la madre di Lizzie.

«Immagino di sì, ma non mi sentirei in pace con me stesso.»

«Hai solo una vita.» Stavano entrambi ignorando Lizzie.

«Sì, appunto. Immagino che se ne avessimo più di una, allora non mi sentirei così in colpa.»

Lizzie cercò di rientrare nella conversazione. «Non scrivi mai, non mantieni mai i contatti.»

«Che cosa ti dovrei scrivere, Lizzie? Non conosci i miei amici. Io non conosco i tuoi. Non conosco quelli di John e Kate. Ma ti voglio sempre bene e desidero il meglio per te anche se non ci vediamo molto spesso.» S'interruppe, quasi sorpresa di aver detto tanto.

Lizzie non era convinta. «Non puoi volerci bene, altrimenti saresti venuta a trovarci. Non avresti riso di me e del posto in cui abito, o dell'idea di restare con me.»

«Credo di capire quello che Mrs Duffy vuole dire...» cominciò Bill.

«Oh, per carità, chiamami Bernie.» Bill fu colto così alla sprovvista che dimenticò la frase. «Continua, stavi raccontando che quello che volevo dire era... Che cosa voglio dire?»

«Credo voglia dire che Lizzie è molto importante per lei, ma che lei si è un po' estraniata dalla sua vita, dato che West Cork è così lontana da qui... e che ieri sera era un momento sbagliato per restare perché il suo amico Chester inaugurava una mostra e lei desiderava andarci in tempo per offrirgli il suo sostegno morale. Era più o meno questo che voleva dire?» Guardò dall'una all'altra con il suo viso tondo increspato per l'ansia.

«Più o meno», ammise Bernie.

Era già qualcosa, pensò Bill. «E quello che voleva dire Lizzie quando ha buttato via la chiave, era che temeva che la vita passasse troppo in fretta e che desiderava avere una possibilità per conoscerla e parlarle con calma, rifarsi del tempo perduto, non è così?»

«È così», annuì Lizzie con vigore.

«Ma, mio Dio, qualunque sia il tuo nome...»

«Bill», la rimbeccò lui prontamente.

«Sì, be', Bill, non è l'azione di una persona sana di mente quella di allettarmi a venire qui e poi rinchiudermi.»

«Non ti ho allettata a venire qui, mi sono fatta imprestare i soldi da Bill per offrirti il taxi. Ti ho invitata qui, ho comperato biscotti di pasta frolla e bacon e fegatini di pollo allo sherry. Ti ho preparato il mio letto. Volevo che restassi. Non ti chiedevo molto, non ti pare?»

«Ma non potevo.» La voce di Bernie Duffy era più gentile adesso.

«Avresti potuto dire che saresti tornata il giorno dopo. Ti sei limitata a scoppiare a ridere. Non l'ho sopportato e poi ti sei arrabbiata ancora di più e hai detto delle cose orribili.»

«Non parlavo normalmente, perché non stavo parlando con una persona normale. Ero veramente scossa, Lizzie. Sembrava che tu stessi impazzendo. Davvero. Le tue parole non avevano senso. Continuavi a ripetere che negli ultimi sei anni eri stata un'anima persa...»

«Ed è vero.»

«Avevi diciassette anni quando me ne sono andata. Tuo padre voleva che tu andassi a Galway con lui, ma tu non hai voluto... Ripetevi che eri abbastanza grande da poter vivere a Dublino da sola, e ti sei trovata un posto in una tintoria. Avevi i tuoi soldi. Era quello che desideravi. O almeno è quello che dicevi di desiderare.»

«Sono rimasta perché pensavo che ritornassi.»

«Ritornassi dove? Qui?»

«No, a casa. Papà l'ha venduta solo dopo un anno, ricordi?»

«Ricordo, e poi ha investito ogni centesimo ricavato dalla vendita in cavalli che stanno ancora correndo a ritroso da qualche parte sulle piste inglesi.»

«Perché non sei tornata, mamma?»

«Che cosa poteva indurmi a tornare? A tuo padre interessavano solo i cavalli. John era andato in Svizzera, Kate era andata a New York, tu te ne stavi con i tuoi amici.»

«Stavo aspettando te, mamma.»

«No, questo non è vero, Lizzie. Non puoi riscrivere il copione. Perché non me l'hai detto se era questo quello che provavi?»

Seguì un silenzio.

«Volevi mie notizie solo se erano buone, così ti facevo sapere che mi divertivo. Cartoline, lettere. Ti ho raccontato che ero andata in Grecia, ma non ti ho detto che desideravo che tornassi per paura che ti arrabbiassi con me.»

«Mi sarebbe piaciuto molto di più che essere sequestrata...»

«Ed è bello dove abita a West Cork?» Bill era di nuovo loquace. «Mi è sembrato un bel posticino... dalle fotografie.»

«È molto speciale. Ci sono molti spiriti liberi lì, gente che è ritornata a un tipo di vita più semplice, che dipinge, crea ceramiche, si dedica all'arte.»

«E lei si è specializzata in qualcuna di queste attività... eh... Bernie?»

«No, non personalmente, ma mi sono sempre interessata agli artisti, e ai luoghi. Mi sento soffocare se sto rinchiusa da qualche parte. Ecco perché tutta questa faccenda...»

Bill era ansioso di cambiare argomento. «E ha una casa sua o vive con Chester?»

«No, cielo no.» Rise esattamente come rideva sua figlia, una risata argentina. «No, Chester è gay, abita con Vinnie. No, no. Sono i miei più cari amici. Abitano a circa quattro miglia di distanza. No, ho una stanza, una specie di studio in un palazzo.»

«Sembra carino. È vicino al mare?»

«Sì, certo. Tutto è vicino al mare. È molto bello. Mi piace. Abito lì da sei anni, ormai la considero casa mia.»

«E come si guadagna di vivere, Bernie. Ha un lavoro?»

La madre di Lizzie lo guardò come se avesse fatto un rumore molto volgare. «Scusa?»

«Se il padre di Lizzie non le passa il denaro, deve guadagnarsi da vivere. Tutto qui.» Era inflessibile.

«È perché lavora in una banca, mamma.» Si scusò Lizzie. «È ossessionato dal fatto di guadagnarsi da vivere.»

D'un tratto fu troppo per Bill. Sedeva in quella casa nel pieno della notte cercando di mettere pace tra due donne pazze, mentre loro pensavano che il pazzo fosse lui perché aveva un lavoro, pagava i conti e viveva secondo le regole. Ebbene, ne aveva abbastanza. Che si arrangiassero. Lui sarebbe tornato a casa, alla sua casa noiosa, alla sua triste famiglia.

Non sarebbe mai stato trasferito in una banca internazionale malgrado si impegnasse a imparare una nuova lingua. Non avrebbe più cercato di indurre persone egoiste a vedere qualcosa di buono l'una nell'altra. Provò un pizzicore insolito al naso e agli occhi, come se stesse per piangere.

C'era qualcosa sul suo viso che le due donne notarono contemporaneamente. Era come se ci avesse rinunciato, abbandonandole.

«Non volevo ridere della tua domanda», si scusò la madre di Lizzie. «Certo che mi guadagno da vivere. Do una mano nella casa in cui ho lo studio, faccio le pulizie, piccole faccende domestiche, e quando danno delle feste aiuto... be', aiuto a ripulire. Mi piace stirare, stiro tutta la loro roba e così non devo pagare l'affitto. E naturalmente mi danno anche una piccola somma di denaro.»

Lizzie guardò sua madre incredula. Quello era il genere di vita che conduceva. Più che un'artista, sua madre era una cameriera.

Bill aveva ripreso il controllo della situazione. «Dev'essere piuttosto soddisfacente», osservò. «Significa che può avere il meglio di entrambi i mondi, un posto carino in cui abitare, indipendenza e nessuna reale preoccupazione su come mettere il cibo sulla tavola.»

Cercò sul viso della donna qualche segno di sarcasmo, ma non ne trovò. «Esatto», confermò infine Bernie Duffy. «È proprio così.»

Bill pensò di dover parlare prima che Lizzie uscisse con qualche frase che le avrebbe fatte nuovamente litigare. «Forse quando il tempo migliorerà, Lizzie e io potremmo venire a trovarla. Sarebbe davvero una festa per me. Potremmo venire in autobus e cambiare a Cork City.»

«E, voi due... voglio dire, tu sei il fidanzato di Lizzie?»

«Sì, ci sposeremo quando avremo venticinque anni, fra due anni. Speriamo di trovare un lavoro in Italia, e così, alla sera, frequentiamo tutti e due un corso d'italiano.»

«Sì, me l'ha detto, tra le altre farneticazioni», ammise Bernie.

«Che abbiamo intenzione di sposarci?» chiese Bill.

«No, che stava imparando l'italiano. Credevo fosse un'altra follia.»

Non sembrava esserci più molto da dire. Bill si alzò come se fosse un normale ospite che si congedava da una normale serata. «Bernie, come avrà probabilmente notato, è molto tardi. Non ci saranno più autobus, quindi le sarebbe difficile trovare i suoi amici anche se ce ne fossero. Così le consiglio di restare qui stasera, a suo piacimento naturalmente, con la chiave infilata nella porta. E poi domattina, quando vi sarete entrambe riposate, lei e Lizzie vi saluterete in tutta tranquillità e io probabilmente non la rivedrò fino all'estate prossima, quando potremo venire a trovarla a West Cork.»

«Non andartene», lo implorò Bernie. «Non andartene. È calma e tranquilla mentre tu sei qui, ma quando uscirai da quella porta ricomincerà a farneticare e a dire che è stata abbandonata.»

«No, no. Non accadrà più.» Parlava con convinzione. «Lizzie, puoi dare la chiave a tua madre? La tenga lei, Bernie, così saprà che può andare e venire come vuole.»

«Come torni a casa, Bill?» chiese Lizzie.

Lui la guardò, sorpreso. Lizzie non chiedeva mai, né sembrava importarle che percorresse tre miglia a piedi quando se ne andava di notte.

«Camminerò, è una notte stellata», rispose.

Provò il bisogno di aggiungere qualcosa, di far durare un po' di più quel momento di pace. «Alla lezione d'italiano, ieri sera, Signora ci ha insegnato qualcosa sul tempo, a dire 'È stata una magnifica estate' in italiano.»

«Carino», osservò Lizzie, ripetendo perfettamente: «È stata una magnifica estate».

«Ehi, l'hai detto benissimo, noi abbiamo dovuto ripeterlo diverse volte.»

«Ha sempre avuto un'ottima memoria, anche da bambina. Bastava dirle qualcosa una volta e lei la ricordava.» Bernie guardò sua figlia con orgoglio.

Tornando a casa, Bill si sentiva allegro. Molti ostacoli che erano sembrati insormontabili, non lo erano più... Non doveva temere una madre sofisticata che avrebbe considerato un impiegato di banca troppo umile per sua figlia. Non doveva più preoccuparsi di apparire noioso a Lizzie. Lei voleva sicurezza, amore, fiducia e lui poteva darle tutte quelle cose. Ci sarebbero stati dei problemi, naturalmente. Lizzie non avrebbe trovato facile vivere con un budget limitato. Non avrebbe mai abbandonato le sue abitudini spenderecce. Quello che doveva fare era cercare di farla ragionare e indirizzarla verso un lavoro. Se la sua disorientata madre si guadagnava da vivere stirando e pulendo le case altrui, allora forse anche i parametri di Lizzie avrebbero potuto spostarsi.

Le abitudini possono cambiare.

Avrebbero perfino potuto andare a Galway a trovare suo padre. Che si rendesse conto che faceva già parte di una famiglia, che non si limitasse a desiderarlo. E presto avrebbe fatto parte anche della sua famiglia.

Bill Burke camminò a piedi nella notte, mentre altri viaggiavano in macchina o fermavano un taxi. Non provava nessuna invidia per loro. Era un uomo fortunato. D'accordo, c'erano persone che avevano bisogno di lui e che facevano affidamento su di lui. Ma gli andava bene. Significava che era quel genere di persona, e magari negli anni a venire suo figlio sarebbe stato dispiaciuto per lui e ne avrebbe avuto compassione, come lui provava compassione per suo padre. Ma non avrebbe avuto importanza. Avrebbe soltanto significato che il ragazzo non capiva. Non ancora.

Kathy

Kathy Clarke era una delle ragazze più studiose del Mountainview College. In classe corrugava la fronte per la concentrazione, si sforzava di capire e se non ci riusciva rivolgeva spesso delle domande agli insegnanti. In sala professori ridevano spesso benevolmente di lei.

Era una ragazza alta, piuttosto goffa, la gonna blu della divisa della scuola un po' troppo lunga, niente orecchini o bigiotteria come le compagne di classe. Non era propriamente brillante, ma determinata a fare bene; troppo determinata. Ogni anno avevano luogo incontri tra gli insegnanti e i genitori. Nessuno riusciva a ricordare chi venisse per sapere come andava Kathy.

«Suo padre fa l'idraulico», dichiarò Aidan Dunne una volta. «È venuto a sistemarci il bagno, ha fatto uno splendido lavoro, ma naturalmente ha voluto essere pagato in contanti.»

«Ricordo che sua madre non si è mai tolta la sigaretta di bocca per tutta la durata del colloquio», intervenne Helen, l'insegnante di letteratura. «Continuava a domandare quali vantaggi avrebbe procurato alla figlia tutto quello studio e se le avrebbero permesso di guadagnarsi da vivere.»

«È quello che chiedono tutti.» Tony O'Brien era rassegnato. «Non vi aspetterete che vi parlino della bellezza dello studio o di quanto fa bene stimolare il cervello.»

«Ha una sorella maggiore, viene spesso anche lei», ricordò qualcun altro. «È la direttrice del supermercato, credo sia l'unica che capisca la povera Kathy.»

«Cielo, non sarebbe una splendida vita se le nostre uniche preoccupazioni riguardassero gli studenti che lavorano troppo e aggrottano spesso la fronte per la concentrazione?» osservò Tony O'Brien che, come futuro preside, aveva ogni giorno problemi molto più importanti sulla scrivania. E non soltanto sulla scrivania.

Era passato da una donna all'altra, tuttavia ne aveva trovate poche con le quali avrebbe voluto trascorrere tutta la vita e adesso che l'aveva finalmente incontrata, era sorta quella maledetta complicazione. Era la figlia del povero Aidan Dunne che aveva creduto di diventare preside. I malintesi e i dispiaceri che ne erano derivati avrebbero potuto fare da sfondo a un melodramma vittoriano.

Adesso la giovane Grania Dunne si rifiutava di vederlo perché lo accusava di aver umiliato suo padre. Era un'idea assurda, sbagliata, ma la ragazza ci credeva. Tony aveva lasciato la decisione a lei, dicendo che per la prima volta in vita sua sarebbe rimasto ad aspettare. Le mandava scherzose cartoline per farle sapere che era ancora lì, ma non otteneva risposta. Forse era stupido continuare a sperare. Sapeva che nel mare c'era del bel pesce e lui non ne era mai rimasto a corto in vita sua.

Ma in un certo senso nessuna delle donne che aveva conosciuto aveva il fascino di quella brillante, ardente ragazza dagli occhi vivaci, l'energia e la risposta pronta, che lo faceva sentire di nuovo giovane. Non aveva pensato che fosse troppo vecchio per lei, non la sera in cui era rimasta con lui. La sera prima di sapere chi era e che suo padre si aspettava l'incarico che non avrebbe mai avuto.

L'ultima cosa che Tony O'Brien avrebbe immaginato come preside di Mountainview era di vivere una vita quasi monastica. Non gli stava facendo male, tutto sommato: a letto presto, meno tempo al club, meno alcol. Stava anche cercando di ridurre il fumo, nel caso Grania avesse deciso di ritornare. Perlomeno non fumava più al mattino. Non allungava la mano con gli occhi chiusi, alla ricerca del pacchetto di sigarette, si sforzava di aspettare fino all'intervallo e tirare la sua prima boccata nella privacy del suo studio dopo il caffè. Quello era già un passo avanti. Si chiedeva se non dovesse mandarle una cartolina con una sigaretta e sopra scritto «Basta con il fumo», ma Grania avrebbe potuto pensare che avesse smesso totalmente, e quello era tutt'altro che vero. Era assurdo come la ragazza fosse sempre al centro dei suoi pensieri.

Non aveva mai realizzato che lavoro estenuante fosse dirigere una scuola come Mountainview, le riunioni insegnanti-genitori e le *Open nights* erano solo due delle cose che richiedevano la sua presenza.

Gli restava poco tempo per preoccuparsi delle Kathy Clarke di questo mondo. Avrebbe lasciato la scuola, si sarebbe trovata un lavoro e forse sua sorella l'avrebbe fatta assumere al supermercato. Non sarebbe mai andata all'università. Non c'erano i presupposti famigliari, non c'era il cervello. Sarebbe diventata anche lei una sopravvissuta.

Nessuno di loro sapeva com'era la vita famigliare di Kathy Clarke. Se ci avessero pensato, avrebbero probabilmente supposto che fosse una casa con troppa televisione e cibo scadente, poca tranquillità, troppi bambini e mai denaro a sufficienza. Quello sarebbe stato il quadro normale. Non potevano sapere che nella camera da letto di Kathy c'erano una scrivania e una piccola libreria. Sua sorella maggiore, Fran, sedeva con lei ogni sera finché non aveva finito i compiti.

I genitori di Kathy ridevano di quella bizzarria. Tutti gli altri figli avevano fatto i compiti al tavolo della cucina e non era andato bene? Ma Fran diceva che no, non era andato bene. Aveva lasciato la scuola a quindici anni senza qualifiche, le ci era voluto parecchio tempo per farsi strada e nella sua educazione c'erano ancora grosse lacune. I ragazzi se l'erano a malapena cavata, due lavoravano in Inghilterra e uno faceva l'operaio al seguito di un gruppo pop. Era come se Fran avesse una missione: fare in modo che Kathy riuscisse nella vita meglio degli altri componenti della famiglia.

A volte Kathy temeva di deludere sua sorella. «Vedi, Fran, non sono così intelligente. Non imparo le cose come certe ragazze nella mia classe. Non hai idea di come impari in fretta Harriet.»

«Be', suo padre è insegnante, perché non dovrebbe imparare in fretta?» sbuffava Fran.

«È appunto questo che intendevo, Fran. Sei così buona con me. Invece di andare a ballare, passi il tuo tempo a sentirmi ripetere le lezioni e io ho paura di non farcela agli esami e di deluderti dopo tanta fatica.»

«Non ho voglia di andare a ballare», sospirava Fran.

«Ma sei ancora abbastanza giovane da poter frequentare le discoteche.» Kathy aveva sedici anni, era la minore della famiglia, Fran ne aveva trentadue ed era la maggiore. Avrebbe già dovuto essere sposata, avere una casa sua come tutte le sue amiche, anche se Kathy non avrebbe mai voluto che Fran se ne andasse. La casa sarebbe stata invivibile senza di lei. La madre era spesso in città a sbrigare delle faccende, a suo dire. In realtà giocava alle slot machine.

Ci sarebbero stati davvero poco calore e poche comodità in quella casa se Fran non vi avesse provveduto. Succo d'arancia a colazione, un pasto caldo alla sera, la scrivania nella sua camera. Era Fran a comprare la divisa della scuola a Kathy, a insegnarle a lucidarsi le scarpe e a lavarsi la camicetta e la biancheria ogni sera. Non avrebbe imparato niente di tutto questo da sua madre.

Fran le spiegò i fatti della vita e le comperò il primo pacchetto di Tampax. Fran le consigliò anche che era meglio aspettare finché non avesse trovato qualcuno che le piacesse molto per fare del sesso, invece di farlo con il primo che capitava.

«Hai trovato qualcuno che ti piace molto per farlo?» le aveva chiesto la quattordicenne Kathy con interesse.

Ma Fran aveva avuto la risposta anche per quella domanda. «Ho sempre pensato che sia meglio non parlarne, vedi, la magia sparisce una volta che si comincia a parlarne», rispose e fu tutto.

Fran la conduceva a teatro, l'accompagnava in Grafton Street e nei negozi più eleganti. «Bisogna imparare a fare tutto con disinvoltura», diceva. «Il trucco sta tutto qui, non bisogna apparire umili o dispiaciuti come se non avessimo il diritto di esserci.»

Non c'era mai una parola di critica da parte di Fran sui loro genitori. A volte Kathy si lamentava: «Mamma ti dà per scontata, Fran, le hai regalato quella bella pentola e non la usa mai».

«Ah, non importa», diceva Fran.

«Papà non ti ringrazia mai quando gli porti la birra del supermercato, non ti fa mai un regalo.»

«Non è il peggiore dei padri», ribatteva la ragazza. «Infilare continuamente la testa tra i tubi non è una gran vita.»

«Ti sposerai, vero?» le chiese una volta Kathy, preoccupata.

«Aspetterò che tu sia cresciuta, poi deciderò.» Fran rise dicendolo.

«Ma non sarai troppo vecchia?»

«No, affatto. Quando tu avrai vent'anni, io ne avrò solo trentasei», la rassicurò sua sorella.

«Credevo che avresti sposato Ken», osservò Kathy.

«Sì, be', non l'ho fatto. È andato in America, così è uscito di scena», ribatté brusca Fran.

Anche Ken lavorava al supermercato ed era un tipo ambizioso. Mamma e papà dicevano che lui e Fran avrebbero fatto strada. Kathy si era sentita molto sollevata quando Ken era uscito di scena.

Alla riunione estiva insegnanti-genitori il padre di Kathy non poté andare. Disse che quella sera doveva lavorare fino a tardi.

«Ti prego, papà, ti prego. Gli insegnanti vogliono che ci sia un genitore. Mamma non andrà, non ci va mai; dovrai solo ascoltare e dir loro che va bene.»

«Dio, Kathy, detesto andare in quella scuola, mi sento fuori posto.»

«Ma, papà, non ho fatto niente e non parleranno male di me, desidero solo che pensino che vi interessa.»

«E ci interessa, bambina... ma tua madre non è se stessa in questi giorni e la sua presenza sarebbe inutile, inoltre sai come la pensano lì riguardo al fumo... forse potrà andarci di nuovo Fran. Ne sa più di noi, comunque.»

Così Fran andò a parlare della sua sorellina con gli stremati professori che avevano parecchi genitori da incontrare.

«È troppo seria», le dissero. «Si sforza molto, apprenderebbe di più se fosse più rilassata.»

«Le interessa molto quello che fa», protestò Fran. «Siedo con lei quando fa i compiti a casa, non trascura mai niente.»

«E non pensa mai a divertirsi?» L'uomo che stava per diventare preside era gentile. Sembrava avere solo una vaga idea di come fossero i ragazzi e parlava in generale. Fran si chiedeva se ricordasse tutti i loro nomi o tirasse a indovinare.

«No, non vuole sottrarre tempo allo studio.»

«Forse dovrebbe», ribatté brusco ma bonario.

«Non credo che dovrebbe continuare con il latino», asserì il simpatico Mr Dunne.

A Fran si strinse il cuore. «Ma Mr Dunne, si impegna tanto. Non l'ho mai studiato personalmente e sto cercando di impararlo con lei; Kathy vi dedica molte ore.»

«Ma fa anche molta fatica a capire.» Il povero Mr Dunne stava cercando di non offenderla.

«Potrei farle dare qualche lezione privata. Sarebbe importante che facesse latino. Pensi a quante porte le si aprirebbero se sapesse quella materia.»

«Può darsi che non raggiunga il punteggio per andare all'università.» Era come se la stesse scaricando a poco a poco.

«Ma deve andarci. Nessuno di noi ha concluso molto nella vita. Kathy deve avere una possibilità.»

«Lei ha un buon lavoro, Miss Clarke. La vedo quando vengo al supermercato. Non potrebbe far assumere Kathy?»

«Kathy non lavorerà mai al supermercato.» Gli occhi di Fran fiammeggiavano.

«Mi dispiace», disse lui calmo.

«No, è a me che dispiace, è stato gentile da parte sua mostrare tanto interesse. La prego, mi perdoni per essermi scaldata così. Mi consigli che cosa sarebbe meglio per lei.»

«Dovrebbe fare qualcosa che le piace, qualcosa che non la stressi troppo», rispose Mr Dunne. «Uno strumento musicale, per esempio. Ha mostrato qualche interesse?»

«No.» Fran scosse il capo. «Niente del genere. Siamo tutti stonati, anche il fratello che lavora con il gruppo pop.»

«E la pittura?»

«Non credo che le sia congeniale.» Era facile parlare con Mr Dunne. Doveva essere duro per lui dire ai genitori e alle famiglie che un ragazzo non era abbastanza brillante per frequentare l'università. Forse i suoi figli la frequentavano e desiderava che altri avessero quella possibilità. Ed era gentile da parte sua preoccuparsi che la povera Kathy fosse più felice e rilassata. Detestava reagire in modo così negativo ai suoi suggerimenti. Quell'uomo parlava a fin di bene.

Aidan guardò il bel viso scarno della ragazza che mostrava per sua sorella più interesse dei genitori. Detestava dover dire che un ragazzo faceva fatica, perché si sentiva in colpa. Era convinto che se la scuola fosse stata più piccola e ci fossero state più possibilità di seguirli, il numero dei ragazzi con difficoltà sarebbe probabilmente diminuito. Ne aveva discusso con Signora quando avevano pianificato il corso d'italiano. Lei aveva osservato che aveva molto a che fare con le aspettative della gente. Era necessario che si smettesse di credere che ci fossero barriere e ostacoli nell'apprendimento.

In Italia aveva riscontrato lo stesso problema. Molte persone erano convinte che i ragazzi non dovessero fare più dei loro padri o delle loro madri. Così, li avevano mandati a imparare l'inglese solo perché potessero accogliere i turisti e diventare cameriere o camerieri. Lei aveva desiderato molto di più per loro. Capiva perfettamente quello che Aidan voleva per gli allievi di Mountainview.

Era così facile parlare con Signora. Aidan e lei bevvero parecchi caffè insieme mentre organizzavano il corso serale. Era una compagnia poco esigente, Signora, non rivolgeva mai domande sulla sua famiglia e gli parlava assai poco della sua vita in casa Sullivan. Lui le aveva perfino raccontato dello studio che stava arredando.

«Non mi interessano molto i beni personali», disse Signora. «Ma avere una bella stanza tranquilla con la luce che entra da una finestra, una scrivania, libri e quadri alle pareti e tutti i propri ricordi... questo mi piacerebbe molto.» Parlava come se fosse una zingara o una poveretta che non poteva aspirare a qualcosa del genere, ma che era felice se lo potevano avere gli altri.

Le avrebbe parlato di questa Kathy Clarke, la ragazza con il viso ansioso che si sforzava tanto perché sua sorella si aspettava molto da lei e la considerava intelligente. Forse Signora avrebbe avuto qualche idea in proposito.

Ma distolse la mente dalle piacevoli chiacchierate che faceva con lei e ritornò al presente. L'aspettava una lunga serata. «Sono sicuro che escogiterò qualcosa, Miss Clarke.» Mr Dunne guardò oltre la sua spalla verso la fila di genitori con i quali doveva ancora parlare.

«Sono molto grata a tutti.» Sembrava che Fran lo pensasse davvero. «Dedicate realmente il vostro tempo e il vostro interesse ai ragazzi. Anni fa, quando andavo a scuola io, non era così, o forse sto solo cercando delle scuse.» Era seria e pallida. La giovane Kathy Clarke era fortunata ad avere una sorella così sollecita.

Fran si recò alla fermata dell'autobus con le mani in tasca e la testa bassa. Per uscire dovette passare davanti a un edificio collegato a quello principale e notò un avviso che informava dell'inizio del corso d'italiano a settembre. Un corso che non solo avrebbe introdotto a quella lingua, ma che avrebbe parlato anche di musica, pittura e cucina italiana. Prometteva di essere divertente oltre che istruttivo. Fran si chiese se qualcosa del genere non avrebbe potuto essere una buona idea. Ma era troppo caro. Aveva già tante spese. Sarebbe stato oneroso pagare un trimestre in anticipo. E se Kathy avesse deciso di prendere troppo seriamente la cosa come di solito prendeva tutto il resto? Allora la cura si sarebbe rivelata più grave della malattia. No, doveva pensare a qualcosa d'altro. Sospirò e si avviò alla fermata.

Lì incontrò Peggy Sullivan, una delle cassiere del supermercato. «Queste riunioni durano anni», osservò Mrs Sullivan.

«C'è da aspettare, sì, ma è meglio di quando eravamo giovani noi e nessuno sapeva dov'eravamo. Come sta suo figlio?» Quale direttrice del supermercato, Fran si era fatta scrupolo di conoscere personalmente tutti i membri del personale. Sapeva che Peggy aveva due figli, entrambi piuttosto difficili: una figlia che non andava d'accordo con il padre e un figlio che non apriva un libro.

«Be', sembra incredibile, ma Jerry è molto migliorato. Lo dicono tutti.»

«Una gran bella notizia.»

«Tutto merito di quella mezza pazza che abita con noi. Non lo dica a nessuno, Miss Clarke, ma abbiamo un'inquilina, mezza italiana e mezza irlandese. Sostiene di essere stata sposata con un italiano e che è morto, ma non è vero; io credo che sia una suora. Comunque si interessa molto a Jerry e, a quanto pare, l'ha trasformato. Gli ha fatto capire che quello che dovrebbe studiare ha un significato.» Forse Signora avrebbe potuto aiutare anche sua sorella, pensò Fran. «Come si guadagna da vivere la sua inquilina?» chiese.

«Oh, ci vorrebbe un gruppo di detective per scoprirlo. Un po' di cucito qui, un po' di assistenza in ospedale là, credo, ma insegnerà italiano qui alla scuola il prossimo trimestre ed è felicissima. Ha passato tutta l'estate a prepararsi. È una donna molto simpatica, ma un po' matta.»

Fran decise su due piedi: si sarebbe iscritta al corso, insieme a Kathy ogni martedì e giovedì, avrebbero imparato l'italiano e si sarebbero divertite un mondo. Sarebbe servito a far rilassare un po' Kathy e avrebbe aiutato lei a dimenticare Ken che se n'era andato in America.

«Hanno detto che Kathy è molto brava», annunciò orgogliosa Fran.

Sua madre, scoraggiata per aver perso alle slot machine, cercò di mostrare entusiasmo. «Be' e perché non avrebbero dovuto dirlo? È una gran brava figliola.»

«Non hanno detto niente di negativo su di me?» chiese Kathy.

«No, niente. Hanno detto che sei molto diligente nei compiti a casa e che è un piacere insegnarti.»

«Avrei voluto andarci io, bambina, è solo che non pensavo di fare in tempo.» Non aveva importanza ormai.

«Ho una notizia piacevole per te, Kathy. Impareremo l'italiano. Tu e io insieme.»

Se avesse proposto di andare sulla luna forse la notizia avrebbe sorpreso meno la famiglia Clarke.

Kathy arrossì per il piacere. «Noi due?»

«Perché no? Ho sempre desiderato andare in Italia, quindi se parlassi la lingua mi sarebbe più facile trovare un fidanzato italiano!»

«Pensi che sarò all'altezza?»

«Ma naturale, è anche per ignoranti come me. Tu probabilmente diventerai la prima della classe, ma dovrebbe essere divertente. C'è un'insegnante che ci farà ascoltare delle opere, ci mostrerà delle fotografie e ci farà assaggiare le specialità italiane. Sarà fantastico, vedrai.»

«Non è troppo caro Fran?»

«No, affatto, e guarda i benefici che ne trarremo», rispose Fran.

Durante l'estate Ken si stabilì in una cittadina dello stato di New York. Scrisse di nuovo a Fran. «Ti amo, ti amerò sempre. So di Kathy, ma non potresti venire qui? Potremmo invitarla per le vacanze e tu potresti continuare a insegnarle. Ti prego dimmi di sì prima che mi sistemi in un appartamentino da scapolo; troveremo una casetta. Ormai ha sedici anni, non posso aspettare per altri quattro anni.»

Fran pianse sulla lettera, ma non poteva lasciare Kathy. Quello era stato il suo sogno, vedere uno dei Clarke andare all'università. Lei aveva investito troppo in Kathy. La ragazza non era certo un'intellettuale, ma non era stupida. Se fosse nata da genitori ricchi, avrebbe goduto dei relativi vantaggi: avrebbe avuto il suo posto all'università, soprattutto perché ci sarebbe stato abbastanza tempo per lei, ci sarebbero stati dei libri in casa, le persone avrebbero avuto delle aspettative. Fran aveva acceso le speranze di Kathy. Non poteva andarsene proprio allora e affidarla a sua madre che avrebbe solo alzato di tanto in tanto lo sguardo dalle slot machine e a suo padre che, per quanto in buona fede, non guardava che al lavoro contingente e ai soldi in contanti per i pochi, semplici comfort, che pretendeva dalla vita.

Kathy sarebbe affogata senza di lei.

Era un'estate calda, i turisti venivano in Irlanda in gruppi sempre più numerosi. Il supermercato ideò degli speciali cestini da picnic con cibi pronti che la gente poteva portarsi al parco. Era stata un'idea di Fran ed ebbe un grosso successo.

Mr Burke al banco dei salumi dapprima era apparso dubbioso. «Non voglio fare il saccentone, Miss Clarke, ma non credo sia una buona idea affettare bacon, friggerlo e servirlo freddo in un sandwich. Perché non dovrebbe andar bene il prosciutto, come sempre?»

«C'è una nuova moda ora, Mr Burke, alla gente piace il bacon croccante e se riusciamo a mantenerlo caldo e a infilarlo nei panini all'ultimo momento, le assicuro che non ne avranno mai abbastanza.»

«Ma supponiamo che lo tagli, lo frigga e nessuno lo voglia, che cosa succederebbe allora, Miss Clarke?» Era un uomo gentile, ansioso e molto disponibile, ma timoroso di qualsiasi cambiamento.

«Proviamo per tre settimane, Mr Burke, poi vediamo», rispose Fran.

E aveva avuto ragione. La gente faceva la coda per i sandwich. Non ci guadagnavano molto, naturalmente, ma non importava; una volta al supermercato la gente comprava altre cose andando verso la cassa.

Condusse Kathy al Museo d'arte moderna e, nel suo giorno libero, le fece fare un giro di tre ore per Dublino in pullman. Tanto per sapere dove abitiamo, aveva detto Fran.

«Pensa, siamo le uniche irlandesi sul pullman», aveva sussurrato Kathy, «è tutto nostro, gli altri sono turisti.»

E senza essere troppo tirannica, Fran convinse la ragazzina sedicenne a comprarsi un bel vestito di cotone giallo e a farsi tagliare i capelli. Alla fine dell'estate Kathy era abbronzata e attraente, i suoi occhi avevano perduto l'espressione triste.

Kathy aveva delle amiche, notò Fran, ma non intime. Alcune di loro al sabato andavano in una discoteca, un locale che Fran conosceva per averne sentito parlare da alcuni giovani al lavoro.

Ne sapeva abbastanza però per capire che non era molto raccomandabile e che circolava droga. Faceva sempre in modo di passare all'una a prendere la sorella. Per parecchi sabati chiese a Barry, uno dei giovani camionisti del supermercato, di darle un passaggio e di accompagnarla alla discoteca. Lui aveva detto che non era un posto per ragazzine.

«Che cosa posso fare?» chiese Fran scrollando le spalle. «Se le proibisco di andare si sente una vittima. Credo di essere fortunata ad avere te come scusa per ricondurla a casa.» Barry era un gran bravo ragazzo, sempre pronto a fare gli straordinari per potersi comprare la motocicletta.

«Perché la desideri tanto, Barry?» gli chiese Fran.

«Per essere libero, Miss Clarke», rispose lui. «Vede, la libertà e tutta quell'aria fresca sul viso.»

Fran si sentì molto vecchia. «Mia sorella e io andremo a scuola d'italiano», gli disse una sera mentre aspettavano fuori dalla discoteca.

«Oh, magnifico, Miss Clarke. Piacerebbe anche a me. Sono andato in Italia per la Coppa del mondo di calcio e mi sono fatto degli splendidi amici, gente molto simpatica.»

«Allora potresti imparare anche tu l'italiano», asserì lei in tono assente. Stava osservando dei mezzi teppisti che uscivano dalla discoteca. Perché Kathy e le sue amiche volevano sempre andarci?

«Può darsi, quando avrò pagato la moto, perché uno dei primi posti dove voglio andare è proprio l'Italia», dichiarò Barry.

«Bene, il corso si terrà al Mountainview e inizierà in settembre.» Parlava in tono distratto perché aveva appena visto Kathy, Harriet e le loro amiche uscire. Si chinò e suonò il clacson; le ragazze alzarono immediatamente lo sguardo. Il passaggio del sabato sera stava diventando un'abitudine. Chissà che cosa pensavano i genitori di quelle ragazze, si chiese. Che non se ne curassero? Che fosse solo lei a fare tante storie? Cielo che sollievo sarebbe stato quando fosse iniziato il trimestre e tutte quelle uscite sarebbero finite!

Il corso d'italiano iniziò un martedì alle sette. Quella mattina Fran aveva ricevuto una lettera da Ken. Si era sistemato nel suo piccolo appartamento. Le persone erano molto cordiali in quel posto e spesso lo invitavano a casa loro. Presto ci sarebbe stato il Labour Day e avrebbero fatto un picnic per festeggiare la fine dell'estate. Gli mancava e si domandava se fosse lo stesso anche per lei.

In classe c'erano una trentina di persone. Tutti avevano in mano un cartoncino per scriverci il proprio nome, ma quella donna meravigliosa disse che avrebbero dovuto chiamarsi con la loro versione italiana. Così Fran divenne Francesca e Kathy Caterina. Ci fu un gran stringersi di mano e chiedersi l'un l'altro come si chiamavano. Kathy sembrava divertirsi immensamente.

«Ehi, Fran, quel ragazzo che dice 'Mi chiamo Bartolomeo' non è quel Barry del supermercato?» Era proprio lui. Fran se ne rallegrò, doveva aver fatto straordinari a sufficienza da essersi comprato la moto. Si salutarono da un capo all'altro della stanza.

Che insolito assortimento di persone. C'era quella donna elegante, quella che offriva quelle meravigliose colazioni a casa sua. Che diamine ci faceva in un posto simile? E quella bella ragazza con i capelli biondi. Elisabetta e il suo ragazzo. E Luigi dalla carnagione scura e l'aspetto truce e quell'altro di nome Lorenzo. Che straordinario miscuglio.

Signora era contenta. «Conosco la sua affittacamere», le disse Fran quando fecero un piccolo spuntino a base di salame e formaggio.

«Sì, ma Mrs Sullivan è una parente, io sono una parente», precisò nervosamente Signora.

«Ma certo. Che stupida, sì, so che è una sua parente», la rassicurò Fran. «Ha detto che ha aiutato molto suo figlio.»

La faccia di Signora si aprì in un ampio sorriso. Era molto bella quando sorrideva. Fran non credeva che fosse una suora. Peggy Sullivan non doveva aver capito niente.

* * *

Le lezioni piacevano molto a Fran e a Kathy. Ci andavano insieme con l'autobus, ridendo come ragazzine per la loro cattiva pronuncia e le storie che raccontava loro Signora. Kathy le ripeteva a scuola alle compagne e loro stentavano a crederci.

Si era creato uno straordinario legame tra gli allievi del corso. Signora li pregava di usare parole italiane per tutto, anche se non riuscivano a formare ancora l'intera frase.

E Signora osservava e ascoltava sempre, compiaciuta ma non sorpresa. Con lei c'era Mr Dunne, l'ideatore del corso. Sembravano molto affiatati.

«Forse erano già amici in passato», osservò Fran.

«No, lui ha moglie e due figlie grandi», spiegò Kathy.

«Può ugualmente avere una moglie ed essere un buon amico», ribatté Fran.

«Sì, ma credo che potrebbe anche essere innamorato di lei, si scambiano sempre dei sorrisetti. Harriet sostiene che questo li tradisce.» Harriet era l'amica di scuola di Kathy che mostrava grande interesse per il sesso.

Aidan Dunne osservava con piacere i progressi del corso d'italiano. Settimana dopo settimana arrivavano a scuola, in bicicletta, motocicletta, autobus, camion, anche quella donna straordinaria con la BMW. E gli piaceva preparare per loro varie sorprese, come le bandierine di carta. Signora le distribuiva in classe e poi diceva con quali colori dovevano dipingerle. E quindi ripetevano i colori. Al termine della lezione quel tipo dall'aspetto pericoloso chiamato Lou o Luigi o chissà come, aiutava sempre a riordinare, riporre le scatole e accatastare le sedie.

Ma il merito era di Signora. Si aspettava sempre il meglio dalla gente e l'otteneva.

Aidan le chiese se poteva fargli le fodere dei cuscini.

«Venga a vedere la mia stanza, così mi darà un consiglio», le suggerì all'improvviso.

«È una buona idea. Quando devo venire?»

«Sabato mattina. Io non ho lezione. È libera lei?»

«Sono sempre libera», rispose Signora.

Aidan trascorse il venerdì sera a rassettare la stanza. Tirò fuori il vassoio con due piccoli bicchieri di vetro rosso di Murano. Comprò una bottiglia di Marsala, così avrebbero brindato al successo del corso e al suo nuovo studio.

Lei arrivò a mezzogiorno e portò alcuni campioni di tessuto. «Ho pensato che il giallo dovrebbe andar bene, ricordando le sue descrizioni», disse, mostrando un campione di un colore brillante. «Costa un po' di più degli altri al metro, ma è una stanza per la vita, no?»

«Una stanza per la vita», ripeté Aidan.

«Vuole mostrarlo a sua moglie prima che incominci?» chiese.

«No, no. Per Nell andrà bene. Questa è la mia stanza.»

«Sì, certo.» Signora non rivolgeva mai domande.

Nell non era a casa quella mattina e neanche le sue figlie, Aidan non le aveva informate della visita ed era contento che non ci fossero. Insieme brindarono al successo del corso d'italiano e della Stanza per la vita.

«Vorrei che potesse insegnare in una scuola vera, sa suscitare un tale entusiasmo», osservò.

«Oh, è solo perché loro hanno voglia di imparare.»

«Ma quella ragazza, Kathy Clarke, dicono che sia eccezionalmente brillante in questo periodo e tutto per merito del corso d'italiano.»

«Caterina... una cara ragazza.»

«Be', sono venuto a sapere che ha intrattenuto l'intera classe con racconti sulle sue lezioni di cultura italiana e ora vogliono venirci tutti.»

«Non è magnifico?» disse Signora.

Quello che Aidan non riferì, perché non lo sapeva, era che la descrizione di Kathy Clarke della lezione d'italiano includeva anche un resoconto del suo corteggiamento alla matura insegnante d'italiano e del modo in cui la guardava, con gli occhi adoranti di un cucciolo.

Miss Quinn insegnava storia ed era ansiosa di raccontare gli eventi accaduti secoli addietro servendosi di termini moderni, affinché i ragazzi potessero capire. Non definiva per esempio i Medici mecenati delle arti, ma li chiamava molto più semplicemente sponsor.

«Riuscite a ricordare gli artisti che hanno sponsorizzato?» chiese.

I ragazzi si guardarono l'un l'altro con sguardo inespressivo.

«Sponsorizzato?» chiese Harriet. «Come una fabbrica di bibite o una compagnia di assicurazioni?»

«Sì. Dovreste conoscere il nome di alcuni famosi artisti italiani, non vi pare?» L'insegnante di storia era giovane, non si era ancora fatta un'idea di quanto i ragazzi avessero dimenticato o non avessero mai saputo.

Kathy Clarke si alzò tranquillamente in piedi. «Uno dei più importanti era Michelangelo. Quando uno dei Medici divenne Papa Sisto V chiese a Michelangelo di dipingere la volta della Cappella Sistina.» Con voce calma e sicura Kathy raccontò alla classe del ponteggio che era stato eretto, delle liti e dei dissidi che ne erano seguiti. Dei problemi che c'erano già allora per mantenere vivi i colori. Nella classe l'entusiasmo e l'interesse erano al massimo.

Quando infine Miss Quinn la interruppe e chiese alla classe di fare il nome di un altro artista del periodo, fu di nuovo la mano di Kathy ad alzarsi. E la classe osservò strabiliata Kathy Clarke parlare di Leonardo da Vinci.

Si esprimeva come se stesse raccontando una favola.

«Gesù, Giuseppe e Maria, quelle lezioni di cultura italiana devono essere fantastiche», osservò Josie Quinn in sala professori.

«Che cosa intende dire?» chiesero i presenti in coro.

«Ho in classe Kathy Clarke che mi ha fatto uno straordinario resoconto del Rinascimento.»

Dall'altra parte della sala Aidan Dunne, organizzatore del corso, mescolò il caffè sorridendo soddisfatto.

Le ore che trascorrevano insieme al corso d'italiano servirono ad avvicinare maggiormente Kathy e Fran. Matt Clarke ritornò dall'Inghilterra in autunno per comunicare alla famiglia che si sarebbe sposato con una certa Tracey di Liverpool, ma che non avrebbero fatto nessuna festa. Sarebbero invece andati alle Canarie. E loro si sentirono tutti sollevati al pensiero di non dover andare in Inghilterra per il matrimonio. Risero un po' nell'apprendere che la luna di miele avrebbe preceduto e non seguito il matrimonio.

Matt pensava che fosse una cosa intelligente. «Lei vuole essere abbronzata per le fotografie e naturalmente se scoprissimo che non andiamo d'accordo, potremmo sempre rinunciarci», disse allegramente.

Matt diede a sua madre un po' di soldi per le slot machine e condusse suo padre a bere qualche pinta di birra. «Che cos'è questa storia che stanno imparando l'italiano?» chiese.

«Non ne ho idea», rispose il padre. «Non ci capisco niente. Fran è sfinita andando al supermercato presto la mattina e facendo tardi la sera. Il ragazzo con il quale usciva è andato negli Stati Uniti. Non ho idea del perché voglia fare tanto, soprattutto quando dicono che a scuola Kathy lavora già fin troppo. Ma ne vanno pazze. Stanno progettando di andarci anche l'anno prossimo. Che facciano come vogliono.»

«Kathy sta diventando una splendida ragazza.» osservò Matt.

«Credo di sì. Vedendola tutti i giorni, non ci faccio molto caso», disse suo padre con aria sorpresa.

Kathy stava diventando veramente molto carina. A scuola la sua amica Harriet commentò: «Hai un ragazzo o qualcosa del genere a questo corso d'italiano? Sembri diversa».

«No, ma ci sono molti ragazzi più vecchi», rise Kathy. «Alcuni molto anziani. A volte dobbiamo formare delle coppie per rivolgerci le domande a vicenda. È fantastico. Mi è capitato un tale, si chiama Lorenzo. Be', credo sia Laddy il suo vero nome. Comunque questo Lorenzo o Laddy mi ha chiesto in italiano: 'È libera questa sera?', roteando gli occhi e torcendosi un baffo immaginario. Tutti sono scoppiati a ridere!»

«E non vi insegna niente di realmente utile tipo 'Che cosa dici'? o 'Che cosa stai facendo'?»

«Più o meno.» Kathy frugò nella memoria per trovare la frase giusta.

«L'insegnante è quella donna un po' avanti negli anni con quegli strani capelli rossi e grigi che vediamo qualche volta in biblioteca?»

«Sì, si chiama Signora.»

«Figuriamoci», osservò Harriet. Le cose si stavano facendo ancor più sensazionali.

«Frequenta ancora quei corsi a Mountainview, Miss Clarke?» Peggy Sullivan le stava consegnando l'incasso.

«Sono favolosi, Mrs Sullivan. Lo dica a Signora, d'accordo? Ne sono tutti entusiasti. Sa che non si è ritirato nessuno dal corso? Non è mai successo!»

«Be', mi sembra molto contenta, devo ammetterlo. È una persona molto riservata. Dice di essere stata sposata con un italiano per ventisei anni e di aver vissuto laggiù in un piccolo paese... ma non è mai giunta una lettera dall'Italia... né ho visto una fotografia di lui. E poi salta fuori che ha una famiglia a Dublino, una madre in uno di quei costosi condomini vicino al mare, un padre in una Casa di riposo e fratelli e sorelle dappertutto.»

«Sì, be'...» Fran non voleva ascoltare nessun genere di pettegolezzo su Signora.

«Sembra tutto un po' strano, non le pare? Che abiti in una stanza a casa nostra se ha questa famiglia numerosa sparpagliata in tutta la città.»

«Forse non va d'accordo con loro. Potrebbe essere questa la ragione.»

«Va a trovare sua madre ogni lunedì e suo padre due volte alla settimana in quella Casa di riposo. Lo porta fuori sulla sedia a rotelle, ha detto una delle infermiere a Suzi. Siede sotto un albero e legge mentre lui se ne sta lì a guardare davanti a sé, anche se fa lo sforzo di parlare con gli altri quando vanno a trovarlo.»

«Povera Signora», osservò all'improvviso Fran. «Merita assai più di questo.»

«Ha ragione, Miss Clarke», ammise Peggy Sullivan.

Aveva buoni motivi per essere grata a quella strana donna, suora o non suora che fosse. Aveva esercitato una grande influenza sulle loro vite. Suzi s'intendeva a meraviglia con lei e tornava a casa più regolarmente. Jerry la considerava come la sua insegnante privata. Per loro aveva cucito tende e fodere per i cuscini del salotto. Aveva dipinto la credenza della cucina e sistemato cassette di fiori sul davanzale della finestra.

La sua stanza era immacolata. A volte Peggy vi entrava per curiosare. Ma sembrava che Signora non avesse altre cose oltre a quelle con cui era arrivata. Era una persona straordinaria. Era un bene che tutti l'amassero a scuola.

* * *

Kathy Clarke era la più giovane dei suoi studenti. La ragazza era ansiosa di imparare e rivolgeva domande sulla grammatica che gli altri non si preoccupavano di conoscere. Era anche carina con quegli occhi azzurri e i capelli neri.

Si chiedeva che cos'avrebbe fatto Kathy quando avesse lasciato la scuola. A volte vedeva la ragazza studiare in biblioteca. Probabilmente sperava di andare all'università.

«Che cosa pensa tua madre del tuo futuro? Che cosa potresti fare una volta lasciata la scuola?» chiese a Kathy una sera mentre stavano rimettendo a posto le scdie dopo la lezione. La gente si tratteneva a chiacchierare, nessuno pareva ansioso di scappar via, il che era un bene. Sapeva che alcuni andavano poi in gruppo a bere qualcosa nel pub sulla collina o a prendere un caffè. Era quanto aveva sperato.

«Mia madre?» Kathy sembrò sorpresa.

«Sì, sembra così ansiosa ed entusiasta di tutto», osservò Signora.

«No, non sa molto della scuola o di quello che faccio. Non esce neanche tanto, non ha idea di quello che si può fare se si ha studiato.»

«Ma viene qui a scuola con te, non è vero, e lavora al supermercato? Mrs Sullivan, la signora da cui abito, ha detto che è la direttrice.»

«Oh, quella è Fran, mia sorella», asserì Kathy. «Non si faccia sentire da lei, si arrabbierebbe.»

Signora apparve perplessa. «Mi dispiace, ho frainteso.»

«No, è un errore che si commette facilmente.» Kathy non voleva che l'altra donna si sentisse in imbarazzo. «Fran è la maggiore in famiglia, io la minore. Naturale che l'abbia pensato.»

Di questo non parlò con Fran. Signora era un po' distratta e si sbagliava su parecchie cose. Ma come insegnante era meravigliosa. Tutti in classe, compreso Bartolomeo, quello della motocicletta, l'adoravano.

A Kathy piaceva Bartolomeo, aveva un bel sorriso e le parlava sempre di calcio. Le chiese dove andava a ballare e quando gli disse della discoteca che frequentava in estate, lui le fissò un appuntamento per metà trimestre.

Kathy lo riferì a Harriet. «Sapevo che frequentavi quel corso unicamente per il sesso», osservò l'amica. E risero entrambe a crepapelle.

* * *

In ottobre ci fu un brutto temporale, e si formò una falla nel tetto dell'edificio dove si teneva il corso serale. Si diedero tutti da fare a tappare il buco con dei giornali, spostarono tavoli e recuperarono un secchio in uno dei bagni. «Che tempaccio», ripetevano continuamente in italiano. Barry disse che avrebbe atteso fuori alla fermata dell'autobus e ne avrebbe segnalato l'arrivo con i fari perché i compagni non si inzuppassero troppo di pioggia.

Connie, la donna carica di gioielli che sarebbero bastati a comprare un intero isolato, come diceva Luigi, si offrì di dare un passaggio a quattro di loro. Salirono sulla BMW... Guglielmo, il simpatico impiegato di banca, la sua frivola ragazza Elisabetta, Francesca e la giovane Caterina. Passarono prima dalla casa di Elisabetta e la salutarono con un coro di «Ciao» e «Arrivederci».

Poi fu il turno delle due sorelle Clarke. Fran, seduta davanti, indicava la strada. Non era una zona che Connie frequentava spesso. Quando arrivarono, Fran vide sua madre mettere fuori la pattumiera, la sigaretta in bocca nonostante la pioggia, le stesse pantofole sfondate e il trasandato abito da casa che portava sempre. Si vergognò di essere in imbarazzo per sua madre. Solo perché aveva avuto un passaggio su una macchina elegante, non significava che dovesse cambiare tutti i suoi valori. Sua madre aveva avuto una vita dura ed era stata generosa e comprensiva nei momenti di necessità.

«C'è lì mamma che si sta bagnando tutta. Ma non poteva metter fuori la pattumiera domattina?» si domandò Fran.

«Che tempaccio», ripeté drammaticamente Kathy in italiano.

«Va', Caterina, tua nonna ti sta tenendo la porta aperta», osservò Connie.

«Quella è mia madre», ribatté Kathy.

C'era così tanta pioggia, così tanta confusione tra portiere che sbattevano e bidoni della spazzatura che venivano richiusi con tonfi sordi che nessuno sembrò farci caso.

In casa Mrs Clarke stava fissando con sorpresa e disgusto la sua sigaretta bagnata. «Mi sono inzuppata tutta per aspettare che scendeste da quella limousine.»

«Beviamoci una tazza di tè», disse Fran, correndo a mettere il bollitore sui fornelli.

Kathy sedette bruscamente al tavolo della cucina.

«Due tazze di tè», disse Fran nel suo migliore italiano. «Con zucchero? Con latte?» continuò Kathy nella stessa lingua.

«Sai che non prendo né latte né zucchero.» La voce di Kathy sembrava lontana. Era pallidissima. Mrs Clarke se ne andò a letto, tossendo e facendo scricchiolare le scale.

«Che cosa c'è Kathy?»

Kathy la guardò. «Sei mia madre, Fran?» chiese.

Ci fu silenzio nella cucina. Sentirono l'acqua scorrere al piano superiore e la pioggia cadere sull'asfalto.

«Perché me lo chiedi proprio ora?»

«Voglio sapere. Lo sei o non lo sei?»

«Sai che lo sono, Kathy.» Un altro lungo silenzio.

«No, non lo sapevo. Non fino a oggi.» Fran si avvicinò, tendendole le braccia. «No, vattene. Non voglio che mi tocchi.»

«Kathy lo sapevi, lo sentivi. Non era necessario che venisse detto, pensavo lo sapessi.»

«Lo sanno anche tutti gli altri?»

«Che cosa intendi con 'anche tutti gli altri'? Le persone che devono sapere, sanno. E tu sai che ti amo e che sono disposta a fare qualsiasi cosa al mondo per te, perché tu riesca a ottenere sempre il meglio dalla vita.»

«All'infuori di un padre, una casa e un nome.»

«Tu hai un nome, hai una casa, hai un altro padre e un'altra madre in mamma e papà.»

«No, non è vero. Sono una bastarda e non me l'hai mai detto.»

«Come ben sai, non esiste più la parola bastardo. Non esiste più una cosa come figlio illegittimo. E hai fatto legalmente parte di questa famiglia fin dal giorno della tua nascita. Questa è casa tua.»

«Come hai potuto...» cominciò Kathy.

«Kathy, che cosa stai dicendo... che avrei dovuto darti in adozione a degli estranei, che avrei dovuto aspettare che avessi diciott'anni prima di venire a conoscerti e solo se mi avessi cercata?»

«E in tutti questi anni mi hai permesso di pensare che mamma fosse mia madre. Non riesco a crederci.» Kathy scosse la testa come a volersi schiarire le idee.

«Mamma è stata una madre per me e per te. Ti ha accolto con gioia quando ha saputo del tuo arrivo. Ha detto: 'Non sarà una meraviglia avere d'attorno un altro bambino?' È questo che ha detto ed è stato così. E poi, Kathy, credevo sapessi.»

«Come avrei potuto sapere? Li chiamavamo entrambe mamma e papà. La gente diceva che eri mia sorella e che Matt, Joe e Sean erano i miei fratelli. Come potevo sapere?»

«Be', non era un dramma. Stavamo tutti nella stessa casa, tu avevi solo sette anni meno di Joe, era un modo naturale per affrontare le cose.»

«Tutti i nostri vicini sanno?»

«Alcuni forse, ma credo che abbiano dimenticato.»

«E chi è mio padre? Chi è il mio vero padre?»

«Papà è il tuo vero padre, in quanto ti ha allevata e si è occupato di tutte e due.»

«Sai che cosa intendo dire.»

«Era un ragazzo che frequentava una scuola per ricchi e i cui genitori non hanno voluto che mi sposasse.»

«Perché dici era? È morto?»

«No, non è morto, ma non fa parte della nostra vita.»

«Non fa parte della tua vita, ma potrebbe far parte della mia.»

«Non credo sia una buona idea.»

«Poco importa quello che credi. Ovunque sia, è tuttora mio padre. Ho il diritto di conoscerlo, di incontrarlo, di dirgli che sono Kathy e che esisto grazie a lui.»

«Ti prego, bevi un po' di tè. O lasciamene bere un po'.»

«Non te lo sto certo impedendo.» I suoi occhi erano freddi.

Fran sapeva che aveva bisogno di più tatto e diplomazia di quanto le fosse mai stato necessario sul lavoro.

«Ti dirò ogni singola cosa che vorrai sapere. Tutto», dichiarò con la voce più calma che poté. «E se nel frattempo arriverà papà, sarà meglio che saliamo in camera tua.»

La camera di Kathy era molto più grande di quella di Fran. Aveva la scrivania, la libreria, il lavandino che era stato amorevolmente sistemato dal padre idraulico anni addietro.

«Hai fatto tutto questo per un senso di colpa, non è vero? Una bella stanza, la divisa della scuola, il denaro per le piccole spese e perfino le lezioni d'italiano. Hai sempre pagato tutto perché ti sentivi in colpa verso di me.»

«Non mi sono mai sentita in colpa verso di te», rispose calma Fran. «No, mi sono sentita rattristata per te, a volte, perché ti applichi tanto e speravo di riuscire a darti un buon inizio. Ho lavorato sodo per poterti offrire una vita decente. Ho risparmiato un po' ogni singola settimana, non molto, ma a sufficienza per darti l'indipendenza. Ti ho amata ogni giorno della mia vita e francamente il fatto che tu sia mia sorella o mia figlia non ha più molta importanza. Sei semplicemente Kathy per me e desidero soltanto il meglio per te. Così, ti posso assicurare che qualunque cosa io provi nei tuoi confronti, non è senso di colpa.»

Delle lacrime affiorarono negli occhi di Kathy. Fran le accarezzò esitante la mano che stringeva la tazza di tè.

«Lo so, non avrei dovuto dirlo», fece Kathy. «Ma sono rimasta scioccata, capisci.»

«Sì, sì, va bene. Chiedimi quello che vuoi.»

«Come si chiama?»

«Paul. Paul Malone.»

«Kathy Malone», disse sorpresa.

«No, Kathy Clarke.»

«E quanti anni aveva allora?»

«Sedici. Io quindici e mezzo.»

«Quando ripenso a tutti i consigli che mi hai dato sul sesso e a come ti ascoltavo...»

«Ripensa a quello che ti ho detto e scoprirai che non ho predicato quanto poi non ho messo in pratica.»

«Lo amavi dunque, questo Paul Malone?» La voce di Kathy era sprezzante.

«Sì, moltissimo. Ero giovane, ma credevo di sapere che cosa fosse l'amore e anche lui, così non dirò che è stata una sciocchezza. Non lo è stata.»

«E dove l'avevi conosciuto?»

«A un concerto pop. Ci intendevamo così bene allora che a volte sgattaiolavo fuori di nascosto per andare a prenderlo a scuola e andavamo al cinema e lui diceva di avere delle lezioni extra per potersela svignare. Ed è stato un periodo meraviglioso.»

«E poi?»

«E poi mi sono accorta di essere incinta. Paul l'ha detto a sua madre e a suo padre e io l'ho detto a mamma e papà... apriti cielo.»

«Nessuno ha parlato di matrimonio?»

«No, nessuno. Io ci ho pensato molto nella camera che adesso è la tua. Sognavo che un giorno Paul si sarebbe presentato alla porta con un mazzo di fiori e avrebbe detto che appena avessi compiuto sedici anni ci saremmo sposati.»

«Ma non è accaduto, ovviamente?»

«No, non è accaduto.»

«E perché non si è offerto di pensare a te, anche se non eravate sposati?»

«Questo rientrava nell'accordo.»

«Accordo?»

«Sì. I suoi genitori dissero che dato che il nostro rapporto era privo di ogni possibile futuro, sarebbe stato meglio per entrambi recidere ogni legame. È questo che dissero. Rompere ogni legame.»

«Erano persone odiose?»

«Non lo so, non li avevo mai incontrati prima d'allora, come Paul non aveva mai incontrato mamma e papà.»

«Dunque l'accordo era che lui la passasse liscia, generasse una figlia e non la rivedesse mai più.»

«Ci diedero anche quattromila sterline, Kathy, una bella cifra allora.»

«Ti hanno comprata!»

«No, non l'abbiamo vista così! Ho investito duemila sterline per te in una società di costruzioni. Sono aumentate molto, per non parlare di quello che ho aggiunto io negli anni. Le altre duemila le ho date a mamma e a papà perché ti allevassero.»

«E Paul Malone pensava che fosse giusto? Dare quattromila sterline per liberarsi di me?»

«Non ti ha mai vista. Ascoltava i genitori, gli dicevano che a sedici anni era troppo giovane per diventare padre, che doveva pensare alla carriera, che era un errore, ma che doveva comunque onorare l'impegno preso con me. È così che la vedevano.»

«E ha fatto carriera?»

«Sì, è un importante consulente finanziario.»

«Mio padre, un consulente finanziario», disse Kathy.

«Si è sposato e ha dei figli, la sua famiglia.»

«Vuoi dire che ha altri figli?»

«Sì, appunto. Due, credo.»

«Come fai a saperlo?»

«C'era un articolo su di lui su una rivista non molto tempo fa. Sai, su come vivono le persone ricche e famose.»

«Ma non è famoso.»

«Sua moglie lo è, ha sposato Marianne Hayes.» Fran attese di vedere l'effetto che quella rivelazione avrebbe provocato.

«Mio padre è sposato con una delle donne più ricche d'Irlanda?»

«Sì.»

«E ha dato quattromila misere sterline per liberarsi di me.»

«Non è questo il punto. Allora non era sposato con lei.»

«È il punto, invece. È ricco adesso, dovrebbe dare dell'altro.»

«Hai a sufficienza, Kathy, abbiamo tutto quello che desideriamo.»

«No, non ho tutto quello che desidero e neanche tu», disse Kathy e d'un tratto le salirono le lacrime agli occhi, lacrime represse. E pianse, mentre Fran, la donna che per sedici anni aveva pensato fosse sua sorella, le accarezzava la testa, le gote bagnate e il collo con tutto l'amore che solo una madre può dare.

Il mattino dopo, a colazione, Joe Clarke risentiva ancora dei postumi di una sbornia.

«Tira fuori una Coca Cola fresca dal frigorifero e passamela, Kathy. Mi aspetta un maledetto lavoro oggi a Killiney e arriverà il furgone da un momento all'altro.»

«Sei più vicino tu al frigorifero», rispose Kathy.

«Vuoi fare l'insolente?» chiese lui.

«No, sto solo sottolineando un dato di fatto.»

«Be', nessun figlio mio ha il diritto di sottolineare un dato di fatto con quel tono, ci siamo intesi?»

«Io non sono tua figlia», disse freddamente Kathy.

Non alzò nemmeno gli occhi e non mostrò alcuno stupore. La donna continuò a leggere la rivista e a fumare, l'uomo a brontolare. Questa fu la reazione di quei due vecchi che fino a ieri sera aveva creduto suo padre e sua madre. «Sono il miglior padre che tu abbia mai avuto o avrai mai. Su, bambina, passami quella Coca Cola e non farmi alzare.»

Kathy si rese conto che non stavano cercando di tenere le cose nascoste o di fingere. Come Fran, anche loro avevano pensato che lo sapesse. Osservò Fran in piedi dall'altra parte della stanza con la schiena rigida mentre guardava fuori dalla finestra.

«D'accordo, papà», disse e gli porse la lattina e un bicchiere.

«Tu sì che sei una brava figliola», disse l'uomo sorridendole come sempre. Per lui non era cambiato niente.

«Che cosa faresti se scoprissi che non sei figlia dei tuoi genitori?» domandò Kathy a Harriet a scuola.

«Ne sarei felice, te l'assicuro.»

«Perché?»

«Perché, crescendo, non mi verrebbe quell'orribile mento come a mia madre e mia nonna e non dovrei ascoltare papà che continua a ripetermi di cercare di avere un buon punteggio quando mi diplomo.» Il padre di Harriet, un insegnante, nutriva la speranza che sua figlia diventasse medico. Harriet, invece, voleva diventare proprietaria di un night club.

Lasciarono cadere l'argomento.

«Che cosa sai di Marianne Hayes?» chiese Kathy più tardi.

«È la donna più ricca d'Europa, pare, o forse solo di Dublino. Ed è molto bella. Si è probabilmente comprata tutte quelle cose come bei denti, abbronzatura e capelli luminosi.»

«Sì, puoi scommetterci.»

«Perché ti interessa tanto?»

«L'ho sognata ieri notte», rispose sinceramente Kathy.

«Io ho sognato di fare del sesso con uno splendido ragazzo. Credo che dovremmo incominciare, abbiamo sedici anni.»

«Sei tu che hai detto che dovremmo concentrarci sullo studio», si lagnò Kathy.

«Sì, prima di questo sogno. Sei pallidissima e hai un'aria stanca, non sognare più di Marianne Hayes, non ti fa per niente bene.»

«No, infatti», ammise Kathy, pensando d'improvviso a Fran con il suo viso pallido, gli occhi segnati, niente abbronzatura o vacanze all'estero. Pensò a Fran che risparmiava denaro ogni settimana per lei da sedici anni. Ricordò il boyfriend di Fran, Ken, che era andato in America. Chissà se aveva trovato anche lui una donna ricca? Una che non era figlia di un idraulico e che si era fatta strada nel supermercato, una che non doveva lottare per mantenere una figlia illegittima. Ken doveva sapere di lei. Non sembrava che Fran avesse cercato di tenerlo segreto.

Come aveva detto la sera prima c'erano molte, molte famiglie a Dublino dove il figlio minore era in realtà il nipote. E Fran aveva aggiunto che in molti casi la vera madre non era rimasta a casa, ma se n'era andata per iniziare una nuova vita. Non era giusto.

Non era giusto che Paul Malone se la fosse cavata allegramente senza nessuna responsabilità. Quel giorno in classe fu rimproverata tre volte perché non prestava attenzione. Ma quel giorno Kathy Clarke non provava alcun interesse per lo studio. Stava progettando di andare a fare visita a Paul Malone.

«Parlami», disse Fran quella sera.

«Di che cosa? Hai detto che non c'era niente altro da aggiungere.»

«Non è dunque cambiato niente?» chiese Fran. I suoi occhi erano ansiosi. Non aveva creme costose da applicare al viso per cancellare le rughe. Non aveva mai avuto nessuno che l'aiutasse ad allevare un bambino. Marianne Hayes, adesso Marianne Malone, doveva avere aiuti dappertutto. Bambinaie, governanti, autisti, maestri di tennis. Kathy guardò sua madre. Anche se il suo mondo si era capovolto non avrebbe aggiunto quel problema ai guai di Fran.

«No, Fran», mentì. «Non è cambiato niente.»

Non fu difficile scoprire dove abitavano Paul e Marianne Malone. Quasi ogni settimana c'era qualcosa che li riguardava, in un giornale o in un altro. Tutti sapevano della loro casa. Ma non voleva andare a parlare a suo padre a casa. Doveva andare nel suo ufficio. Parlargli in modo risoluto. Non c'era bisogno di coinvolgere sua moglie in quello che voleva dirgli.

Armata di tessera telefonica, si mise a contattare le società di consulenza finanziaria. Ma già alla seconda telefonata apprese dove lavorava. Si occupavano di gente di teatro e stelle cinematografiche. Non solo aveva tanto denaro, ma anche un lavoro divertente.

Per due volte arrivò davanti al suo ufficio e per due volte le venne meno il coraggio. L'edificio era enorme. Sapeva che la società occupava solo il quinto e il sesto piano, ma comunque le mancava la baldanza necessaria. Una volta entrata avrebbe potuto parlargli, dirgli chi era, come aveva lavorato e risparmiato sua madre. Non avrebbe chiesto niente. Avrebbe sottolineato l'ingiustizia di quello stato di cose e basta. Ma il luogo la intimidiva, le incuteva soggezione. Il portiere nell'atrio, le ragazze al banco informazioni del pianterreno che telefonavano alle varie segretarie per sapere se dovevano lasciarti salire ai piani superiori.

Avrebbe dovuto avere un aspetto diverso per passare davanti a quei draghi dietro al banco, se voleva incontrare Paul Malone. Non avrebbero lasciato salire una scolaretta in gonna blu per parlare con un importante consulente finanziario, soprattutto se sposato con una miliardaria.

Telefonò a Harriet.

«Potresti portare a scuola qualche abito elegante di tua madre domani?»

«Solo se mi dici perché.»

«Avrò un'avventura.»

«Sesso?»

«Può darsi.»

«Vuoi camicie da notte e mutandine allora?» Harriet era un tipo pratico.

«No, una giacca. E dei guanti.»

«Mio Dio», esclamò Harriet. «Deve trattarsi di qualcosa di molto particolare.»

Il giorno dopo arrivarono gli abiti un po' sgualciti in una sacca da ginnastica. Kathy se li provò in bagno. La giacca andava bene ma la gonna sembrava sbagliata.

«Teatro dell'avventura?» chiese Harriet ansimando per l'eccitazione.

«In un ufficio, un ufficio elegante.»

«Potresti tirarti un po' su la gonna della scuola. Sarebbe okay se fosse un po' più corta. Ti spoglierà lui o lo farai tu?»

«Che cosa? Uh, sì, lo farò io.»

«Va bene allora.» Insieme lavorarono al suo aspetto. Sarebbe riuscita a passare ovunque. Aveva già sottratto ombretto e rossetto a Fran.

«Non mettertelo adesso», sibilò Harriet.

«Perché no?»

«Prima devi andare in classe. Tutti capirebbero che hai in mente qualcosa se ci vai truccata a quel modo.»

«Non vado in classe. Dirai che mi sono sentita poco bene.»

«Oh Dio, Kathy...»

«Via, Harriet. Io l'ho fatto per te quando volevi andare a vedere le pop star.»

«Ma dove vai alle nove della mattina?»

«In un ufficio dove vivrò la mia avventura», rispose Kathy.

«Sei un'altra», osservò Harriet, la bocca semiaperta per l'ammirazione.

Quella volta entrò con sicurezza.

«Buon giorno, Mr Paul Malone, per favore.»

«Il suo nome?»

«Il mio nome non significa nulla per lui ma, se vuole, dica che c'è Katherine Clarke, venuta per la questione di Frances Clarke, una cliente di tanto tempo fa.»

«Chiamo la sua segretaria, Mr Malone non riceve nessuno senza appuntamento.»

«Può dirle che aspetterò finché non sarà libero.»

La fantastica receptionist parve stringersi lievemente nelle spalle rivolgendosi all'altra, telefonò e poi si rivolse a Kathy a voce bassa.

«Miss Clarke, vuole parlare con la segretaria di Mr Malone?» le chiese.

«Certamente.»

Kathy mosse un passo in avanti, sperando che la gonna della scuola non le cadesse all'improvviso.

«Sono Penny. In che cosa posso esserle utile?»

«Le hanno riferito i nomi pertinenti?» chiese Kathy. Fantastico che ricordasse l'aggettivo pertinente. Era una parola magnifica, poteva coprire qualunque cosa.

«Be', sì..., ma in realtà questo non è il punto.»

«Ah, ma io credo di sì. La prego, faccia questi nomi a Mr Malone e gli dica che non ci vorrà molto. Solo dieci minuti del suo prezioso tempo, ma aspetterò qui finché non potrà ricevermi.»

«Non siamo soliti prendere appuntamenti in questo modo.»

«La prego, gli faccia i nomi.» Kathy era quasi stordita per l'eccitazione.

Attese educatamente per altri tre minuti, poi ci fu un ronzio.

«La segretaria di Mr Malone l'aspetta al sesto piano», disse una delle dee al banco.

«Grazie per l'aiuto», fece Kathy Clarke, tirandosi su la gonna ed entrando nell'ascensore che l'avrebbe condotta a conoscere suo padre.

«Miss Clarke?» chiese Penny. Penny assomigliava a una reginetta di bellezza. Indossava un tailleur color crema e scarpe nere con tacchi a spillo. Attorno al collo aveva una collana di perle nere.

«Esatto.» Kathy avrebbe voluto avere un aspetto migliore, essere più vecchia e vestita bene.

«Venga da questa parte, per favore. Mr Malone la riceverà nella sala riunioni. Caffè?»

«Molto gentile, grazie.»

Fu fatta entrare in una sala con un tavolo in legno chiaro, con attorno otto sedie. C'erano dei quadri alle pareti e dei fiori sul davanzale, fiori freschi, sistemati quella mattina. Sedette e attese.

Entrò, giovane, bello, più giovane di quanto apparisse Fran benché avesse un anno di più.

«Salve», disse con un gran sorriso.

«Salve», rispose lei. Poi ci fu un silenzio.

In quel momento Penny arrivò con il caffè. «Vi servite da soli?» chiese, morendo dalla voglia di restare.

«Grazie, Pen», disse.

«Sai chi sono?» chiese Kathy quando Penny se ne fu andata.

«Sì», rispose.

«Mi aspettavi?»

«Non per altri due o tre anni, a essere onesto.» Il suo sorriso era affascinante.

«E cosa avresti fatto allora?»

«Quello che farò adesso... ascolterò.»

Era una cosa intelligente da dire, lasciava ogni iniziativa a lei.

«Be', volevo semplicemente venire a vederti», disse un po' incerta.

«Naturale», fece lui.

«Sapere com'eri.»

«E adesso lo sai.» Lo disse in maniera affettuosa, molto cordiale. «Che cosa ne pensi?»

«Sei bello», asserì riluttante.

«Anche tu sei molto bella.»

«L'ho appena scoperto, capisci», spiegò.

«Capisco.»

«Ecco perché dovevo venire a parlarti.»

«Certo, certo.» Aveva versato per entrambi del caffè e lasciò che aggiungesse zucchero e latte a suo piacimento.

«Vedi, fino a questa settimana pensavo di essere figlia dei miei... nonni. È stato uno choc.»

«Fran non ti aveva detto che era tua madre?»

«No, non me l'aveva detto.»

«Be', fin quando sei stata piccola, posso capirlo, ma quando sei cresciuta, francamente...»

«No, lei pensava che avessi in un certo senso capito, ma non era così. Credevo fosse una meravigliosa sorella maggiore. Non ero troppo sveglia, capisci.»

«Mi sembri bella e sveglissima.» Sembrava ammirarla veramente.

«Non lo sono, in realtà. Sgobbo molto e alla fine ci arrivo, ma non afferro le cose con facilità, come la mia amica Harriet, per esempio.»

«Anch'io sono così, a dire il vero. Assomigli a tuo padre allora.»

Era un momento straordinario. Lui stava ammettendo di essere suo padre. Kathy si sentì quasi stordita. Ma non aveva idea di che cosa fare adesso. Lui le aveva sottratto tutti gli argomenti. Aveva pensato che si sarebbe infuriato, che avrebbe negato la cosa e poi si sarebbe scusato. Ma non aveva fatto niente di tutto questo.

«Non svolgeresti un lavoro come questo se fossi soltanto uno sgobbone.»

«Mia moglie è molto ricca, io sono uno sgobbone affascinante, ci so fare con la gente. In un certo senso è per questo che sono qui.»

«Ma sei diventato consulente finanziario per conto tuo prima di conoscerla, non è vero?»

«Sì, lo sono diventato in precedenza. E spero che un giorno conoscerai mia moglie, Katherine. Ti piacerà, è una donna molto gentile.»

«Mi chiamano Kathy e non credo che mi piacerà. Sono sicura che è molto gentile, ma non vorrà conoscermi.»

«Sì, se le dicessi che mi farebbe contento. Cerchiamo di assecondarci l'un l'altra; io sarei disposto a conoscere qualcuno per farle piacere.»

«Ma non sa che esisto.»

«Sì, invece. Gliel'ho detto, molto tempo fa. Non sapevo il tuo nome, ma le ho detto che avevo una figlia che non vedevo mai, ma che probabilmente avrei conosciuto quando fosse cresciuta.»

«Non sapevi il mio nome?»

«No. Quando è successa tutta la faccenda, Fran ha detto che mi avrebbe fatto sapere solo se era maschio o femmina.»

«Questo era il patto?» chiese Kathy.

«Dici bene. Questo era il patto.»

«Ha una buona opinione di te, pensa che tu ti sia comportato benissimo.»

«E che messaggio mi manda?» Era molto rilassato, gentile, non guardingo o altro.

«Non ha idea che sono qui.»

«Dove pensa che tu sia, adesso?»

«A scuola, al Mountainview College.»

«Al Mountainview? È lì che vai?»

«Non resta molto delle quattromila sterline di sedici anni fa, per mandarmi in una scuola elegante», rispose con spirito Kathy.

«Dunque sai dell'accordo?»

«Ho saputo tutto in una volta, pochissimo tempo fa. Ho realizzato solo allora che Fran non era mia sorella e che tu mi avevi venduta.»

«È così che l'ha messa?»

«No. È così che è. Lei l'ha messa in maniera diversa.»

«Mi dispiace molto. Dev'essere stata una brutta, squallida cosa da sapere.»

Kathy lo guardò. Era esattamente quello che era stato. Squallido. Aveva pensato all'ingiustizia del patto. Sua madre era povera, quindi poteva essere comprata. Suo padre era figlio di gente privilegiata e non doveva pagare per il suo piacere. L'aveva indotta a pensare che il sistema fosse sempre a svantaggio delle persone come lei e lo sarebbe sempre stato. Strano che comprendesse esattamente il problema.

«Sì, lo è stata. Lo è.»

«Bene, dimmi che cosa desideri da me. Dimmelo e potremo parlarne.»

Avrebbe chiesto tutto quello che c'era sotto il sole per Fran e per sé. Gli avrebbe fatto capire che nel ventesimo secolo i ricchi non potevano passarla sempre liscia. Ma in un certo senso non era facile dire tutto questo a un uomo che sedeva lì, tranquillamente, dando l'impressione di essere contento di vederla anziché esserne inorridito.

«Non sono ancora sicura di quello che voglio. È un po' troppo presto.»

«Capisco. Non hai avuto il tempo di capire quello che provi.»

«È comunque ancora molto dura per me abituarmi all'idea.»

«Anche per me conoscerti. È difficile abituarmici.»

Si stava mettendo sulla sua stessa barca.

«Non sei irritato che sia venuta?»

«No, affatto. Sono contento che tu sia venuta. Mi dispiace soltanto che la tua vita sia stata difficile finora. E ancora di più con lo choc che hai provato.»

A Kathy si formò un groppo in gola. Non avrebbe potuto essere più diverso di come se lo era immaginato. Possibile che quell'uomo fosse suo padre? Che se le cose fossero state diverse lui e Fran sarebbero stati sposati e lei sarebbe stata la loro figlia maggiore?

Lui tirò fuori un biglietto da visita e vi annotò un numero. «Questa è la mia linea diretta. Chiama questo numero e non dovrai sottostare a tutta la trafila», disse.

«Non hai paura che possa chiamarti a casa?» chiese lei, dispiaciuta di interrompere quell'atmosfera che si era creata tra loro.

Lui aveva ancora la penna in mano. «Stavo per annotare anche il mio numero di casa. Puoi chiamarmi quando vuoi.»

«E tua moglie?»

«Anche Marianne sarà felice di parlarti, naturalmente. Le dirò stasera stessa che sei venuta da me.»

«Sei sempre molto calmo, non è vero?» disse Kathy con un misto di ammirazione e risentimento.

«Sono calmo, direi, esteriormente, ma internamente sono molto eccitato. Chi non lo sarebbe? Incontrare per la prima volta una figlia adulta, una bella ragazza e rendersi conto che è venuta al mondo grazie a me.»

«E pensi mai a mia madre?»

«L'ho pensata per un certo periodo, come tutti pensiamo al nostro primo amore e anche più a lungo per quello che era successo e per il fatto che eri nata tu. Ma poi, siccome non avrebbe portato a nulla, sono andato avanti e ho pensato ad altre cose e ad altra gente.»

Era la verità, Kathy non poteva negarlo.

«Come dovrò chiamarti?» chiese all'improvviso.

«Tu chiami tua madre Fran. Puoi chiamarmi Paul.»

«Verrò di nuovo a trovarti, Paul», disse, alzandosi in piedi per andarsene.

«Quando vorrai vedermi sarò qui. Kathy», dichiarò suo padre.

Tesero entrambi la mano, ma quando si toccarono lui l'attirò a sé e l'abbracciò. «Sarà diverso d'ora in poi, Kathy», disse. «Diverso e meglio.»

Mentre tornava a scuola con l'autobus, Kathy si tolse il rossetto e l'ombretto. Infilò la giacca della madre di Harriet nella sacca di tela e raggiunse la classe.

«Ebbene?» sibilò Harriet.

«Niente.»

«Che cosa vuoi dire con niente?»

«Non è successo niente.»

«Vuoi dire che ti sei data tanto da fare e lui non ti ha nemmeno toccata?»

«Mi ha abbracciata», disse Kathy.

«Immagino che sia impotente», osservò con aria saputa Harriet.

«Sui giornali non si fa che leggere di queste cose, sembra un fatto molto comune.»

«Potrebbe esserlo, immagino», asserì Kathy e tirò fuori il libro di geografia.

Mr O'Brien che insegnava ancora geografia anche se era preside, la guardò da sopra i suoi mezzi occhiali. «Il suo malessere è migliorato, Kathy?» chiese insospettito.

«Sì, grazie a Dio, Mr O'Brien», rispose Kathy, non in maniera scortese ma da pari a pari.

Quella ragazza era molto migliorata dall'inizio del trimestre, pensò tra sé. Si chiese se non avesse qualcosa a che fare con le lezioni d'italiano che, grazie a un qualche miracolo, non si erano rivelate un disastro totale, ma un grosso successo.

La mamma era andata a giocare a tombola, papà era al pub. Fran era in cucina.

«Sei un po' in ritardo, Kathy. Tutto bene?»

«Sì, ho fatto una passeggiata. Ho imparato le parti del corpo per la lezione di stasera, ci metterà in coppia e ci farà chiedere 'Dov'è il gomito' in italiano e dovrai toccare quello del tuo compagno.»

Fran era contenta di vederla felice. «Che cosa ne dici di un toast per prepararci a tutto questo?»

«Magnifico. Sono andata da lui oggi», aggiunse Kathy.

«Da chi?»

«Paul Malone.»

Fran sedette. «Non dirai sul serio?»

«È stato molto, molto gentile. Mi ha dato il suo biglietto da visita. Guarda, mi ha dato la linea diretta e il suo numero di casa.»

«Non credo sia stata un'iniziativa saggia», mormorò Fran.

«Be', sembrava contento. Ha infatti detto che era lieto che fossi andata.»

«Veramente?»

«Sì. E ha aggiunto che posso andare quando voglio, anche a casa sua a conoscere sua moglie, se lo desidero.» Il viso di Fran perse d'un tratto ogni espressione. Come se la vita l'avesse abbandonata. Kathy era sbalordita. «Be', non sei contenta? Non c'è stata nessuna scenata, tutto normale e naturale come hai detto tu. Ha capito che era stato uno choc per me e ha detto che d'ora in poi sarebbe stato diverso. Diverso e meglio, sono state queste le sue parole.»

Fran fece cenno di sì scuotendo la testa, come se non fosse più in grado di parlare. Annuì di nuovo e pronunciò a fatica le parole. «Sì, bene.»

«Perché non sei contenta? Credevo ti facesse piacere.»

«Hai tutti i diritti di metterti in contatto con lui e di far parte di ciò che ha. Non ho mai pensato di negartelo.»

«Non si tratta di questo.»

«Sì, che si tratta di questo. Hai ragione a sentirti inferiore quando vedi un uomo come quello che ha tutto, campi da tennis, piscina, autisti probabilmente.»

«Non è quello che cercavo», cominciò Kathy.

«E poi torni in una casa come questa, vai in una scuola come Mountainview e dovresti anche pensare che frequentare un maledetto corso serale per il quale lesino e risparmio sia un gran lusso. Chiaro che speri che le cose diventino... come ha detto?... diverse e migliori!»

Kathy la guardò sbalordita. Fran pensava che volesse Paul Malone invece di lei.

«È meglio solo perché adesso so tutto. Non cambierà niente altro», cercò di spiegare.

«Naturalmente.» Fran parlava in maniera ermetica ora. Stava spalmando del formaggio sul pane dove aveva già messo due fette di pomodoro e poi mise tutto sulla griglia come se fosse un robot.

«Fran, smettila. Non lo voglio. Senti, non capisci? Dovevo vederlo. Avevi ragione, non è un mostro, è simpatico.»

«Sono lieta di averlo detto.»

«Ma hai capito male. Guarda, telefonagli tu stessa, chiediglielo. Non è che voglia stare con lui invece che con te. Lo vedrò solo qualche volta. Tutto qui. Parlagli al telefono, così capirai.»

«No.»

«Perché no? Adesso ti ho in un certo senso spianato la strada.»

«Sedici anni fa ho fatto un patto. C'era l'accordo che non li avrei mai più contattati e in tutti questi anni non l'ho mai fatto.»

«Ma io non ho preso quell'accordo.»

«No. Ti sto forse criticando? Ho detto che avevi ogni diritto. Non è questo che ho detto?» Fran servì i toast al formaggio e versò un bicchiere di latte a ciascuna.

Kathy si sentiva profondamente triste. Questa donna gentile aveva sfacchinato per lei, assicurandosi che ci fosse sempre il necessario. Non ci sarebbero stati litri di latte freddo, né zuppe calde se non fosse stato per Fran. Adesso si era anche lasciata sfuggire che aveva lesinato e risparmiato per i corsi d'italiano. Chiaro che fosse ferita e sconvolta al pensiero che Kathy potesse, dopo tutti quei sacrifici, essere disposta a dimenticare gli anni di amore e dedizione.

«Dovremmo andare a prendere l'autobus», disse Kathy.

«Sì, se vuoi.»

«Certo che voglio.»

«Bene allora.» Fran infilò una giacca che aveva visto giorni migliori. Mise le cosiddette scarpe belle, che non erano affatto belle. Kathy ricordò la morbida pelle italiana di quelle che indossava suo padre. Sapeva che erano molto, molto care.

«Andiamo», disse in italiano. E corsero alla fermata dell'autobus.

Alla lezione Fran fece coppia con Luigi. Il suo cipiglio minaccioso sembrava in un certo senso perfino più sinistro quella sera.

«Dov'è il cuore?» chiese il ragazzo in italiano.

Fran lo guardò con espressione assente. «Non lo so», rispose nella stessa lingua.

«Ma certo che sai dov'è il tuo cuore.» Il tono di Luigi era estremamente sgradevole.

Signora intervenne prontamente. «Calma, per favore.» Alzò la mano di Fran e gliela posò sul cuore. «Ecco il cuore.» Le parole italiane avevano un suono dolce, musicale.

«Ti ci è voluto parecchio a trovarlo», borbottò Luigi.

Signora guardò Fran. Era diversa dal solito quella sera. Normalmente prendeva parte a tutto con entusiasmo e incoraggiava Kathy a partecipare.

Signora si era di nuovo rivolta a Peggy Sullivan. «Non mi aveva detto che Miss Clarke era la madre di Kathy?»

«Sì, l'ha avuta quando aveva sedici anni. L'ha allevata la madre, ma

Kathy è figlia di Miss Clarke, lo sanno tutti.»

Signora si rese conto che Kathy invece non lo sapeva. Ma erano entrambe diverse quella settimana. Forse adesso il problema era stato chiarito. Sentendosi in colpa, sperò di non aver avuto una parte in tutto ciò.

Kathy attese una settimana prima di chiamare Paul Malone sulla sua linea privata.

«È un momento giusto per parlare?» domandò.

«Ho qualcuno qui con me al momento, ma voglio parlarti, aspetta un attimo per favore.» Lo sentì congedare la persona. Una persona importante, magari.

«Kathy?» La sua voce era calda e cordiale.

«Avevi detto che avremmo potuto incontrarci da qualche parte una volta, non in un posto così poco adatto come un ufficio.»

«Certo. Vuoi fare colazione con me?»

«Grazie, quando?»

«Domani. Sai dov'è il *Quentin*?»

«Sì, so dov'è.»

«Bene. Diciamo all'una? Va bene con gli orari della scuola?»

«Lo farò andar bene.» Stava sorridendo e sentì che anche lui sorrideva.

«Sì, ma cerca di non cacciarti nei pasticci.»

«No, sarà tutto okay.»

«Sono contento che tu abbia telefonato», disse.

Si lavò i capelli quella sera e si vestì con cura, la sua miglior camicetta della scuola e il blazer.

«Ti vedi con lui oggi», disse Fran, osservando Kathy pulirsi le scarpe.

«Ho sempre detto che avresti dovuto lavorare all'Interpol», replicò Kathy.

«No, non l'hai mai detto.»

«Solo per colazione.»

«Te lo ripeto, è un tuo diritto se lo desideri. Dove andate?»

«Al *Quentin*.» Doveva dire la verità. Fran l'avrebbe saputo prima o poi. Sarebbe stato meglio che non avesse scelto un posto così elegante, così inaccessibile per loro.

Fran cercò di trovare le parole d'incoraggiamento. «Be', sarà piacevole, divertiti.»

Kathy si era resa conto adesso del ruolo di secondo piano che parevano avere mamma e papà nella loro vita. Era sempre stato così e non l'aveva mai notato? A scuola disse che aveva un appuntamento dal dentista.

«Devi avere la giustificazione scritta», ribatté l'insegnante.

«Lo so, ma ero così spaventata al pensiero di doverci andare che ho dimenticato il bigliettino. Posso portarglielo domani?»

«Va bene, va bene.»

Naturalmente a Harriet disse che bigiava.

«Dove vai questa volta? Devi vestirti da infermiera?» volle sapere Harriet.

«No, vado solo a colazione al *Quentin*», rispose orgogliosa.

Harriet rimase a bocca aperta. «Stai scherzando?»

«Niente affatto. Ti porto il menu nel pomeriggio.»

«Hai la vita sessuale più eccitante di chiunque abbia mai conosciuto», commentò invidiosa Harriet.

Era buio, freddo e molto elegante.

Le venne incontro una bella donna, con un elegante abito scuro.

«Buon giorno, sono Brenda Brennan, benvenuta. Deve incontrarsi con qualcuno?»

Kathy avrebbe voluto essere come lei, avrebbe voluto che anche Fran lo fosse. Calma e sicura di sé. Forse la moglie di suo padre era così. Qualcosa con cui si nasce, non qualcosa che si acquisisce. Eppure, si poteva imparare ad apparire sicuri.

«Devo incontrarmi con Mr Paul Malone. Ha detto che aveva prenotato un tavolo per l'una, ma sono un po' in anticipo.»

«Le mostro dov'è il suo tavolo. Gradisce da bere mentre aspetta?»

Kathy ordinò una Coca Cola dietetica. Le fu servita in un bicchiere di cristallo con cubetti di ghiaccio e una fetta di limone. Doveva ricordare ogni istante per Harriet.

Lui entrò accennando un saluto a ogni tavolo e sorridendo. Un uomo si alzò per stringergli la mano. Quando infine la raggiunse, aveva salutato mezzo ristorante.

«Sei diversa, più carina», osservò.

«Be', se non altro non indosso la giacca della madre della mia amica e una tonnellata di trucco per poter passare dalla reception», disse ridendo.

«Dobbiamo ordinare in fretta? Devi precipitarti a scuola?»

«No, sono dal dentista, possono volerci secoli. Tu, devi precipitarti in ufficio?»

«No, affatto.»

Gli portarono il menu e Mrs Brennan venne a illustrare i piatti del giorno. «Abbiamo una bella insalata di mare», cominciò in italiano.

«Gamberi, calamari?» chiese Kathy nella stessa lingua, prima di riuscire a controllarsi.

Avevano imparato il nome dei pesci commestibili proprio la sera prima.

Sia Paul sia Brenda la guardarono sorpresi.

«Mi sto dando delle arie. Frequento un corso d'italiano.»

«Anch'io mi darei delle arie, se sapessi esprimermi così bene», osservò Mrs Brennan. «Questi nomi me li ha insegnati la mia amica Nora, che ci aiuta a scrivere i menu quando abbiamo piatti italiani.»

Da bere Paul ordinò il solito, vale a dire un bicchiere di vino con acqua minerale.

«Non dovevi portarmi in un posto così elegante», osservò lei.

«Sono orgoglioso di te. Volevo pavoneggiarmi.»

«Be', è solo che Fran pensa... credo sia gelosa che possa andare in posti come questo insieme a te. Con lei non sono mai andata che da *Colonel Sanders* o da *McDonalds*.»

«Capirà. Ho voluto condurti in un posto elegante per festeggiare.»

«Dice che è mio diritto e di divertirmi pure. Almeno è quanto ha detto stamattina, ma credo che in cuor suo sia un po' sconvolta.»

«Ha qualcuno, un boyfriend o altro?» chiese lui. Kathy alzò lo sguardo, sorpresa. «Quello che sto cercando di dire... è che non sono affari miei, ma spero sia così. Mi auguravo che si fosse sposata e ti avesse dato sorelle e fratelli. Ma se non vuoi parlarmene non farlo, perché come ho detto non ho alcun diritto di chiedere.»

«C'era Ken.»

«Ed era una cosa seria?»

«Non si capisce. O almeno io non capivo, perché non vedevo, non mi rendevo conto di niente. Ma sono usciti parecchio insieme e lei era felice e rideva quando lui veniva a prenderla in macchina.»

«E dov'è adesso?»

«È andato in America», spiegò Kathy.

«Credi che le sia dispiaciuto?»

«Non lo so. Scrive di tanto in tanto. Non molto ultimamente, ma un bel po' quest'estate.»

«Avrebbe potuto andarci?»

«Buffo che tu dica questo… una volta mi ha chiesto se mi sarebbe piaciuto andare a vivere in una sperduta cittadina americana. 'Non è New York o qualcosa del genere', ha detto. E io ho risposto: 'Cielo no, voglio restare a Dublino, perlomeno è una capitale'.»

«Credi che non sia andata con Ken per causa tua?»

«Non ci ho mai pensato. Ma l'ho sempre vista come una sorella. Ma forse questo fatto ha influito sulle sue decisioni.» Apparve inquieta adesso e colpevole.

«Smettila di preoccuparti. Se qualcuno è in colpa, quel qualcuno sono io.» Le aveva letto nei pensieri.

«Le ho chiesto di telefonarti, ma non vuole farlo.»

«Perché? Ti ha dato una spiegazione?»

«Ha detto che è per via dell'accordo. Osserverà i patti esattamente come tu hai osservato i tuoi.»

«È sempre stata molto corretta», dichiarò lui.

«Allora voi due non vi parlerete più.»

«Non ci rimetteremo più insieme, questo è sicuro, perché siamo due persone diverse adesso. Io amo Marianne e lei può amare o non amare Ken, oppure amerà qualcun altro. Ma parleremo, farò in modo che avvenga. Ma adesso tu e io faremo colazione, oltre che risolvere i problemi del mondo.»

Aveva ragione, non c'era più molto da dire. Parlarono della scuola e del suo lavoro, del meraviglioso corso d'italiano e dei suoi due figli che avevano sette e sei anni.

Mentre pagava il conto, la donna alla cassa alzò lo sguardo su di lei con interesse. «Scusa, ma quella non è la divisa del Mountainview?» Kathy assunse un'aria colpevole. «È solo che mio marito insegna lì, ecco perché l'ho riconosciuta», continuò.

«Oh, davvero, come si chiama?»

«Aidan Dunne.»

«Oh, Mr Dunne è molto simpatico, insegna latino e ha organizzato i corsi d'italiano», spiegò a Paul.

«E tu come ti chiami…?» chiese la donna dietro il banco.

«Resterà per sempre un mistero. Le ragazze che bigiano la scuola per uscire a colazione non desiderano che la cosa venga riportata ai loro insegnanti.» Il sorriso di Paul Malone era affascinante, ma la sua voce gelida. Nell Dunne, alla cassa, sapeva che sarebbe stata criticata per aver mostrato troppo interesse. Sperava solo che Mrs Brennan non avesse sentito.

«Non dirmi», disse Harriet con una smorfia. «Hai mangiato ostriche e caviale.»

«No, carciofi e agnello», rispose Kathy in italiano. E aggiunse: «La moglie di Mr Dunne era alla cassa e ha riconosciuto il blazer della scuola.»

«Adesso sei fritta», sentenziò Harriet con un sorriso compiaciuto.

«Affatto, non le ho detto chi ero.»

«Lo verrà a sapere. Ti individueranno.»

«Smettila di ripeterlo, non vuoi che accada veramente, tu vuoi che continui ad avere queste avventure.»

«Kathy Clarke, anche se mi avessero bruciato sul rogo, avrei detto che eri l'ultima persona al mondo ad avere delle avventure.»

«È così che va la vita», osservò allegramente Kathy.

«Chiamata personale per Miss Clarke sulla linea tre», ripeteva l'altoparlante. Fran alzò lo sguardo, sorpresa. Entrò nella guardiola da dove il personale poteva vedere i clienti senza essere visto.

Premette il bottone e ottenne la linea tre. «Miss Clarke», disse.

«Paul Malone», disse la voce.

«Sì?»

«Mi fa piacere parlarti. Ma immagino che tu non voglia incontrarmi.»

«Hai ragione, Paul. Nessun rancore, ma neanche nessun motivo per rivederci.»

«Fran, posso parlarti un istante al telefono?»

«È un brutto momento.»

«È sempre un brutto momento per la gente indaffarata.»

«Be', l'hai detto.»

«Ma che cosa c'è di più importante di Kathy?»

«Per me, niente.»

«Ed è estremamente importante anche per me, ma...»

«Ma non vuoi rimanerne troppo coinvolto.»

«Ti sbagli. Vorrei esattamente il contrario, ma l'hai allevata tu, l'hai fatta com'è adesso, sei la persona che le vuole più bene al mondo. Non desidero intromettermi all'improvviso. Voglio che mi dica tu come meglio comportarmi.»

«Credi che lo sappia? Come potrei? Voglio per lei tutto quello che c'è di meglio al mondo, ma non posso averlo. Se tu puoi fare di più, fallo, daglielo.»

«Lei pensa un gran bene di te, Fran.»

«Anche di te.»

«Mi conosce solo da un paio di settimane. Sei tu che conosce da tutta la vita.»

«Non spezzarle il cuore, Paul. È una splendida ragazza, ha subìto un grosso choc. Credevo che in un certo senso sapesse, immaginasse, l'avesse intuito dentro di sé o qualcosa del genere. Non è una situazione così insolita da queste parti. Ma evidentemente no.»

«No, ma l'ha affrontato. Ha i tuoi geni. Sa affrontare le cose, belle o brutte che siano.»

«E anche i tuoi, ha molto coraggio.»

«Che cosa facciamo allora, Fran?»

«Dobbiamo lasciar decidere a lei.»

«Può avermi quanto vuole, ma ti prometto che non cercherò di portartela via.»

«Lo so.» Ci fu un silenzio.

«E come ti vanno le cose... bene?»

«Sì, vanno bene.»

«Mi ha detto che state entrambe imparando l'italiano, ha parlato italiano oggi al ristorante.»

«Bene.» Fran sembrava contenta.

«Non siamo stati bravi, Fran?»

«Certamente», rispose e riagganciò prima di scoppiare in lacrime.

«Le piacciono i carciofi, Signora?» domandò Kathy in italiano alla lezione successiva.

«Perché me lo chiedi?»

«Sono andata al *Quentin*, c'erano sul menu e li ho ordinati.»

«Ho scritto io quel menu per la mia amica Brenda Brennan», disse orgogliosa Signora. «Sei davvero andata al *Quentin*?»

«Sì, ma non lo dica a Mr Dunne. Sua moglie lavora lì. È un po' sciocca, credo.»

«Probabile», disse Signora.

«Oh, a proposito, Signora, ricorda quando ha detto che pensava che Fran fosse mia madre e io le ho risposto che era mia sorella?»

«Sì, sì...» Signora era pronta a scusarsi.

«Aveva ragione, io non avevo capito», dichiarò Kathy, come se fosse l'errore più naturale del mondo scambiare una madre per una sorella.

«Be', è un bene che l'abbiate chiarito.»

«Lo penso anch'io», disse Kathy.

«Lo è sicuramente.» Signora era seria. «È tanto giovane e tanto cara; l'avrai vicina per anni e anni, molto più a lungo che se fosse una mamma anziana.»

«Sì, vorrei che si sposasse, allora non mi sentirei così responsabile.»

«Con il tempo potrebbe farlo.»

«Ma credo che si sia lasciata sfuggire la possibilità. Lui è andato in America. Credo che lei sia rimasta qui per causa mia.»

«Potresti scrivergli», suggerì Signora.

* * *

L'amica di Signora, Brenda Brennan, fu lieta di sentire come andava bene il corso. «L'altro giorno è venuta da me una delle tue piccole allieve, be' indossava il blazer del Mountainview e ha detto che stava imparando l'italiano.»

«Ha ordinato dei carciofi?»

«Come fai a saperlo? Devi avere poteri paranormali!»

«È Kathy Clarke... È l'unica ragazzina, gli altri sono tutti adulti. Ha detto che la moglie di Aidan Dunne lavora qui. È giusto?»

«Oh, questo è l'Aidan di cui parli tanto. Sì, Nell è la cassiera. Una strana donna, non so esattamente che cosa stia combinando, a essere sincera.»

«Che cosa vuoi dire?»

«Be', molto efficiente, onesta, svelta. Un bel sorriso meccanico con i clienti, ricorda i loro nomi. Ma è lontana mille miglia.»

«Lontana mille miglia?»

«Credo che abbia una relazione», disse infine Brenda.

«E con chi?»

«Non lo so, è molto discreta, ma incontra spesso qualcuno dopo il lavoro.»

«Bene, bene.»

Brenda si strinse nelle spalle. «Così, se intendi fare il filo a suo marito, fa' pure, sua moglie non potrà certo prenderti a sassate.»

«Cielo, Brenda, che idea. Alla mia età. Ma dimmi, con chi faceva colazione Kathy Clarke nel tuo elegante ristorante?»

«È strano... ma con Paul Malone, sai, o magari non sai. Un consulente finanziario molto noto e sposato con la ricchissima Hayes. Una con un grandissimo charme.»

«E Kathy era con lui?»

«Sì. Avrebbe potuto essere sua figlia», disse Brenda. «Ma francamente, niente più mi sorprende da quando lavoro in questo settore.»

«Paul?»

«Kathy, sono secoli che non ti sento.»

«Vuoi venire a colazione con me? Ti invito io. Non al *Quentin*.»

«Naturale. Dove proponi?»

«Ho vinto un buono al corso d'italiano per un ristorante, colazione per due vino compreso.»
«Non posso permetterti di bigiare la scuola a questo modo.»
«Be', volevo proporti un sabato, a meno che non sia un problema.»
«Non è mai un problema, te l'ho detto.»

Gli mostrò il premio che aveva vinto a scuola. Paul Malone disse che era molto contento di essere stato scelto come suo ospite.
«Voglio dirti una cosa. Ha in parte a che fare con i soldi, ma non ti sto chiedendo niente.»
«Dimmi.»
Gli parlò del volo a New York per Natale. Ken ne avrebbe pagato buona parte, ma non aveva l'intera somma e non poteva farsi fare un prestito; non era come a Dublino dove la gente viveva in un certo senso a credito.
«Dimmi di più», la spronò.
«Era così contento quando gli ho scritto dicendogli che sapevo tutto adesso che mi dispiaceva di essere stata d'intralcio. Lui mi ha riscritto e ha detto che amava Fran e che aveva pensato di venire in Irlanda a prenderla, ma sentiva che avrebbe combinato un guaio. Onestamente, Paul, non ho potuto farti vedere la lettera perché è personale, ma ti avrebbe fatto piacere, saresti stato contento per lei.»
«Lo so.»
«Così ti dirò esattamente quanto viene a costare. All'incirca trecento sterline. So che è una cifra enorme. E so quello che c'è su questo conto bancario che Fran mi ha intestato, per cui ti renderai conto che si tratta soltanto di un prestito. Quando li avremo fatti rincontrare, potrò ridarteli.»
«Ma come si può fare perché le cose non sembrino quelle che sono?»
«Questo tocca a te», disse lei.
«Ti darei qualunque cosa, Kathy e anche a tua madre. Ma non puoi privare la gente del proprio orgoglio.»
«Potresti mandarli a Ken?»
«Significherebbe privarlo del suo orgoglio.»

Ci fu un silenzio. Il cameriere venne a chiedere se avevano gradito il pranzo.

«Sì, moltissimo», rispose Kathy in italiano.

«La mia giovane amica mi ha condotto qui grazie a un buono che ha vinto al corso d'italiano», spiegò Paul Malone.

«Devi essere in gamba», disse il cameriere.

«No, sono solo brava a vincere premi», ribatté Kathy.

Sembrava che a Paul fosse appena venuta un'idea. «Ci sono, potresti far finta di aver vinto un paio di biglietti aerei», propose.

«E come?»

«Be', hai pur vinto questo buono per la colazione.»

«Perché Signora ha organizzato le cose in modo che qualcuno in classe ottenesse un premio.»

«Bene, forse io potrei organizzare le cose in modo che qualcuno possa vincere due biglietti aerei.»

«Sarebbe un imbroglio.»

«Sempre meglio che ferire qualcuno nel suo orgoglio.»

«Posso rifletterci?»

«Non impiegarci troppo, dobbiamo organizzare questa gara immaginaria.»

«E lo diremo a Ken?»

«Non credo», rispose Paul. «Che cosa ne dici?»

«Non credo sia necessario che conosca tutti i retroscena», rispose Kathy. Era una frase che usava spesso Harriet.

Lou

Quando Lou aveva quindici anni, tre uomini armati di bastoni entrarono nel negozio dei suoi genitori e portarono via tutte le sigarette e il contenuto della cassa. Mentre la famiglia si nascondeva dietro il banco, si udì il rumore di una macchina della polizia.

Con rapidità fulminea Lou disse al più corpulento degli uomini: «Uscite dal retro, saltate il muro».

«Che cosa ci guadagni?» sibilò l'uomo.

«Prendete le sigarette, lasciate il denaro. Andate.»

E questo fu esattamente quello che fecero.

I poliziotti erano furiosi. «Come facevano a sapere che c'era un'uscita posteriore?»

«Probabilmente conoscevano la zona», rispose Lou, stringendosi nelle spalle.

Suo padre era molto arrabbiato. «Li hai lasciati fuggire, la polizia avrebbe potuto sbatterli in galera se non fosse stato per te.»

«Sii realista, papà.» Lou parlava sempre come un gangster. «A che scopo? Le prigioni sono piene, avrebbero ottenuto la libertà condizionata, sarebbero tornati e ti avrebbero fracassato il negozio. In questo modo ci sono debitori. È come pagare per la protezione.»

«Viviamo in una maledetta giungla», disse suo padre. Ma Lou era certo di aver fatto la cosa giusta e dentro di sé sua madre era d'accordo.

«Non vale la pena di provocare guai», era il suo motto.

Sei settimane dopo un uomo entrò per comprare delle sigarette. Era sulla trentina, tarchiato e con la testa quasi completamente rasata; poiché era pomeriggio e la scuola era terminata, stava servendo Lou.

«Come ti chiami?» chiese l'uomo.

Lou riconobbe la voce di quello che gli aveva chiesto che cosa ci guadagnava. «Lou», rispose.

«Mi conosci, Lou?»

Lou lo guardò dritto negli occhi. «Direi proprio di no», asserì.

«Bravo, Lou, avrai nostre notizie.» E l'uomo che aveva rubato più di cinquanta pacchetti di sigarette sei settimane prima agitando un bastone, pagò senza batter ciglio il suo pacchetto. Non molto tempo dopo, l'uomo ritornò con un sacchetto di plastica. «Una coscia d'agnello per tua madre, Lou», disse e se ne andò.

«Non diremo niente a tuo padre», commentò la donna e cucinò l'agnello per il pranzo della domenica.

Suo padre avrebbe detto che non poteva apprezzare qualcuno che distribuiva il contenuto del loro negozio in giro per il vicinato come un moderno Robin Hood e probabilmente anche il macellaio che era stato derubato la pensava allo stesso modo.

Lou e sua madre ritenevano che fosse più semplice non fare troppe congetture. Lou pensava all'uomo corpulento come a Robin Hood e quando lo vedeva in giro accennava un saluto. «Come va?»

E l'uomo rideva e diceva: «Come stai tu, Lou?»

In un certo senso, Lou sperava che Robin si mettesse in contatto con lui. Sapeva che il debito era stato pagato con il dono della coscia d'agnello. Ma si sentiva eccitato al pensiero di essere così intimo con la malavita. Desiderava che Robin gli affidasse una sorta di incarico. Avrebbe voluto essere coinvolto in qualcosa di emozionante e rischioso.

La chiamata non venne mentre frequentava la scuola. Lou non valeva molto come studente, così a sedici anni aveva abbandonato gli studi e si era rivolto all'ufficio di collocamento senza molte speranze neanche lì. Una delle prime persone che vide in quel luogo fu Robin intento a studiare gli annunci sul tabellone.

«Come va, Robin?» disse Lou, dimenticando che quello era un

nome inventato. «Che cosa vuoi dire con Robin?» chiese l'uomo.

«Devo pur chiamarla in qualche modo. Non conosco il suo nome, e allora la chiamo così.»

«È uno stupido scherzo?» L'uomo sembrava molto infastidito.

«No, è come Robin Hood, sa quel tale...» la sua voce si spense.

«Purché non ci siano riferimenti a chi ruba...»

«Oh, Dio no, no», rispose Lou, come se tale idea fosse assolutamente ripugnante.

«Bene allora.» Robin sembrava rabbonito.

«Qual è il suo vero nome?»

«Robin andrà benissimo, adesso che sappiamo che non c'è nessun sottinteso.»

«Nessuno, nessuno.»

«Bene, come vanno le cose, Lou?»

«Non benissimo, avevo un lavoro in un magazzino ma c'erano stupide regole sul fumo.»

«Lo so, sono tutti uguali.» Robin era comprensivo. Sapeva come il primo lavoro di un ragazzo potesse finire dopo una sola settimana. Forse c'era passato anche lui.

«Guarda, c'è un lavoro qui.» Indicò un annuncio in cui offrivano di fare le pulizie in un cinema.

«È per ragazze, no?»

«Non specifica, non si può dire oggigiorno.»

«Ma sarebbe un lavoro da disperati.» Lou era deluso che Robin avesse una così scarsa opinione di lui.

«Potrebbe esserci un rovescio della medaglia», asserì Robin, guardando in lontananza.

«E quale?»

«Potrebbe essere questione di lasciar aperte le porte.»

«Ogni sera? Non sgraffignerebbero?»

«No, se il chiavistello fosse leggermente spinto indietro.»

«E allora?»

«E allora se altra gente, diciamo, volesse entrare e uscire, avrebbe una settimana per farlo.»

«E poi?»

«Be', chiunque ottenesse quel lavoro di pulizie potrebbe spostarlo un po', non troppo in fretta, ma un po' alla volta. E scoprirebbe che della gente gli sarebbe molto grata.»

Lou era così eccitato che non riusciva quasi a respirare. Stava accadendo. Robin lo stava inserendo nella sua banda. Senza aggiungere altro, si diresse al banco e riempì i moduli per il posto.

«Che cosa ti ha spinto ad accettare un lavoro come questo?» chiese suo padre.

«Qualcuno deve pur farlo», rispose Lou con una scrollata di spalle.

Pulì i posti e raccolse i rifiuti. Pulì i bagni e fregò via le parolacce dai muri. Ogni sera tirava leggermente il chiavistello della grande porta del retro.

Il direttore era un uomo nervoso e meticoloso. Diceva a Lou che il mondo era diventato un brutto posto, completamente diverso da quello in cui era cresciuto lui. «Abbastanza vero», rispondeva Lou. Non faceva molta conversazione. Non voleva essere ricordato in alcun modo dopo il fatto.

Il fatto ebbe luogo quattro giorni dopo. Erano venuti i ladri, avevano forzato la piccola cassa e portato via gli incassi della serata. Avevano segato un chiavistello, sembrava. Dovevano essere riusciti a introdursi attraverso una fessura nella porta. La polizia domandò se non c'era alcuna possibilità che la porta fosse stata lasciata aperta ma il nervoso, meticoloso direttore, che a quel punto era quasi isterico, rispose che era semplicemente ridicolo. Controllava ogni sera e poi perché avrebbero dovuto usare la sega se avessero trovato la porta aperta? Lou si rese conto che avevano inscenato quella cosa per proteggerlo. Nessuno avrebbe potuto additare il nuovo ragazzo delle pulizie come il contatto interno.

Rimase al cinema, chiudendo con cura il nuovo chiavistello per due settimane e dimostrando così che non era in nessun modo collegato con i ladri. Poi disse al direttore che aveva trovato un lavoro migliore.

«Non sei stato il peggiore di quelli che hanno lavorato qui», disse l'uomo e Lou si vergognò un po' perché sapeva di essere stato il peggiore in assoluto. I suoi predecessori non avevano aperto le porte per far entrare i ladri. Ma non c'era ragione di sentirsi in colpa. Quello che era fatto, era fatto. Si trattava adesso di aspettare per vedere che cosa sarebbe successo in seguito.

Quello che successe in seguito fu che Robin venne a comprare un pacchetto di sigarette e gli porse una busta. Suo padre era in negozio, così Lou la prese senza commenti. L'aprì soltanto quando fu solo. Dentro c'erano dieci banconote da dieci sterline. Cento sterline per aver tirato indietro un chiavistello quattro notti di fila. Come aveva promesso Robin, della gente gli era riconoscente.

Lou non chiese mai un lavoro a Robin. Faceva quel che doveva fare. Era sicuro che se avessero avuto bisogno l'avrebbero chiamato. Ma aspirava a imbattersi di nuovo nell'uomo corpulento. Non rivide più Robin all'ufficio di collocamento.

Era sicuro che Robin fosse coinvolto nell'affare del supermercato quando, con un furgone, avevano portato via quasi l'intera provvista di alcolici a un'ora dalla chiusura. Quelli della sicurezza non riuscivano a crederci. Non c'era prova di un collegamento interno.

Lou si domandava come Robin ci fosse riuscito e dove tenesse nascosta la refurtiva. Doveva avere dei magazzini da qualche parte. Aveva fatto strada da quando era piombato nel loro negozio anni addietro. Lou aveva solo quindici anni allora. Adesso ne aveva quasi diciannove. E in tutto quel tempo aveva svolto un unico lavoro per il grande Robin.

Lo incontrò di nuovo inaspettatamente in una discoteca. Era un posto rumoroso e Lou non aveva incontrato delle ragazze che gli piacessero. O meglio non aveva conosciuto nessuna ragazza a cui piacesse lui. Non riusciva a capire, era un bel ragazzo, sorridente, sempre pronto a offrire da bere, ma sembrava che loro preferissero quelli con la faccia da duri. Fu allora che vide Robin ballare con una ragazza fantastica. Più lei sorrideva e più minaccioso appariva Robin. Forse era quello il segreto. Mentre sedeva al bar, Lou cominciò a esercitarsi, ad aggrottare la fronte. A un certo punto lo raggiunse Robin.

«Stai bene, Lou?»

«Mi fa piacere rivederla, Robin!»

«Mi piaci, Lou, non sei una persona invadente.»

«Non ne vale la pena. Prendi le cose con calma, dico sempre.»

«Ho saputo che l'altro giorno ci sono stati dei guai nel negozio dei tuoi genitori.»

Come aveva fatto a saperlo Robin? «Ragazzi, monelli.»

«Sono stati sistemati a dovere, non toccheranno mai più il negozio. Una telefonatina ai nostri amici poliziotti per dire dove può essere rinvenuta la refurtiva, dovrebbe essere fatta domani.»

«Molto gentile, Robin, lo apprezzo.»

«Figurati, è un piacere», disse. Lou attese. «Lavori al momento?»

«Niente che non possa essere cambiato, se necessario», rispose Lou.

«Un posto affollato qui, non è vero?» Robin indicò il bar dove erano seduti. Biglietti da dieci e venti sterline balenavano avanti e indietro. Gli incassi della serata sarebbero stati considerevoli.

«Sì, credo che abbiano due tizi e un pastore tedesco per trasferire il denaro in un luogo sicuro.»

«In realtà non li hanno», asserì Robin. Lou attese di nuovo. «Possiedono questo furgone che accompagna a casa il personale verso le tre del mattino e l'ultimo a essere accompagnato è il direttore con una sacca da viaggio per le sue cose. Ma dentro c'è l'incasso.»

«E lo ripone in cassaforte?»

«No, lo porta a casa e qualcuno passa da lui a ritirarlo un po' più tardi per riporlo in una cassaforte.»

«Un po' complicato, non le pare?»

«Sì, ma questa è una zona a rischio.» Robin scosse la testa in segno di disapprovazione. «Nessuno vuole guidare un furgone blindato qui attorno, troppo pericoloso.» L'uomo corrugò la fronte, come se quella fosse un'ombra minacciosa sopra le loro teste.

«E la maggior parte della gente non sa di questa organizzazione, del direttore con la sacca da viaggio?»

«Non credo che lo sappia nessuno.»

«Neanche l'autista del furgone?»

«No, non sa niente.»

«E di che cosa pensa che avrebbero bisogno?»

«Di qualcuno che innesti accidentalmente la marcia indietro davanti al furgone e gli impedisca di lasciare il vicolo per circa cinque minuti.» Lou annuì. «Qualcuno che abbia una macchina e una patente pulita e la fama di venire qui regolarmente.»

«Sarebbe una buona idea.»

«Hai una macchina?»

«Purtroppo no, Robin. Ho la patente, la fama di venire qui, ma non la macchina.»

«Pensavi di comprarne una?»

«Sì, in effetti, una macchina di seconda mano... ci ho pensato molte volte, ma non è stato possibile.»

«Finora.» Robin alzò il bicchiere verso di lui.

«Finora», ripeté Lou. Sapeva di non dover muovere un dito finché non avesse avuto notizie di Robin. Era molto contento che Robin avesse detto che gli piaceva. Aggrottò lievemente la fronte alla ragazza vicino e lei gli chiese di ballare. Lou non si sentiva così bene da molto tempo.

Il giorno dopo suo padre disse che non ci avrebbe mai creduto, ma la polizia aveva ritrovato tutto quello che i ragazzi avevano rubato dal negozio. Non era un miracolo? Tre giorni dopo arrivarono da un garage una lettera e un modulo per un acquisto rateale. Mr Lou Lynch aveva pagato un deposito di duemila sterline e acconsentito a pagare una somma mensile. La macchina poteva essere ritirata e l'accordo firmato entro i prossimi tre giorni.

«Sto pensando di comprare un'automobile», disse Lou ai suoi genitori.

«Magnifico», commentò sua madre.

«Fantastico quello che la gente riesce a fare col sussidio di disoccupazione», asserì suo padre.

«Non vivo con il sussidio di disoccupazione», ribatté Lou, ferito.

Lavorava in un negozio di elettrodomestici, trasportando frigoriferi e forni a microonde sulle macchine dei clienti. Aveva sempre sperato che fosse il genere di posto dove Robin sarebbe venuto a cercarlo. Come avrebbe potuto immaginare che l'avrebbe invece trovato in una discoteca?

Girava orgoglioso in macchina. Condusse sua madre a Glendalough una domenica mattina e lei gli disse che quando era ragazza sognava di poter incontrare un giovane con una macchina, ma non era mai successo.

«Be', adesso è successo, mamma», rispose conciliante.

«Tuo padre pensa che c'entri con la rapina, Lou, dice che non avresti mai potuto comprarti una macchina così con quello che guadagni.»

«E tu cosa pensi, mamma?»

«Non penso niente, figliolo.»

«Neanch'io, mamma.»

Sei settimane dopo si imbatté di nuovo in Robin. Era andato al negozio e aveva comperato un televisore. Lou glielo trasportò in macchina.

«Sei andato regolarmente in quella discoteca?»

«Due o tre volte alla settimana. Mi conoscono di nome adesso.»

«Un po' un immondezzaio, però.»

«Si deve pur andare a ballare da qualche parte.» Lou sapeva che a Robin piaceva che la gente fosse rilassata.

«Proprio così. Mi stavo chiedendo se ci saresti stato stasera?»

«Certamente.»

«E sarà bene che tu non tocchi alcool per via dei controlli...»

«Penso che una sera ad acqua minerale faccia bene a chiunque, di tanto in tanto.»

«Forse ti mostrerò un buon posto dove parcheggiare la macchina, stasera.»

«Fantastico.» Non chiese altri dettagli, quella era la sua forza. Sembrava che Robin apprezzasse il fatto che chiedesse il minimo di informazioni possibile.

Verso le dieci di quella sera parcheggiò la macchina dove Robin gli aveva indicato. Vide subito come avrebbe potuto ostruire l'uscita dal vicolo nella strada principale. Si rendeva anche conto che sarebbe stato perfettamente visibile da tutti coloro che fossero stati sul furgone. La macchina avrebbe dovuto andare in panne. Non partire nonostante i suoi sforzi. Ma mancavano ancora cinque ore prima che ciò accadesse.

Così entrò nella discoteca e dopo quindici minuti incontrò la prima ragazza che pensò di poter amare e con cui vivere per il resto della sua vita. Si chiamava Suzi ed era una rossa alta, fantastica. Era la prima volta che andava in una discoteca, gli disse. Ma incominciava a vegetare a casa e aveva deciso di uscire e scoprire che cosa le avrebbe portato la notte.

E la notte le portò Lou. Ballarono e chiacchierarono; lei disse che le piaceva l'idea che bevesse acqua minerale, tanti ragazzi invece puzzavano di birra. E Lou disse che anche lui a volte beveva birra, ma non in grandi quantità.

Lavorava in un caffè, il *Temple Bar*, gli riferì. Amavano lo stesso genere di film, la stessa musica e il curry; anche le nuotate nel freddo mare intorno all'Irlanda. Speravano entrambi di andare in America un giorno. Si può apprendere molto in quattro ore e mezzo se si è sobri. E tutto ciò che Lou apprese di Suzi gli piacque. In circostanze normali l'avrebbe accompagnata a casa.

Ma quelle non erano circostanze normali. E la sola ragione per cui disponeva di una macchina, era perché le circostanze erano tutt'altro che normali.

«Ti offrirei un passaggio a casa, ma devo incontrare un tale un po' più tardi.» Faceva bene a dirlo o avrebbe suscitato dei sospetti in seguito, quando fosse stato interrogato? Perché sarebbe stato interrogato. Poteva accompagnarla a casa a piedi e poi tornare lì? Sarebbe stato possibile, ma Robin voleva che restasse sulla scena per tutta la notte.

«Mi farebbe molto piacere rivederti, Suzi», disse.

«Be', anche a me.»

«Facciamo domani sera, allora? Qui, o in un posto più tranquillo?»

«La serata è già finita?» chiese Suzi.

«Per me sì, ma senti, domani la serata può andare avanti all'infinito.»

«Sei sposato?» domandò Suzi.

«No, naturalmente no. Ehi, ho solo vent'anni. Perché dovrei essere sposato?»

«Alcuni lo sono.»

«Io no. Ci vediamo domani?»

«Dove vai adesso?»

«Alla toilette.»

«Fai uso di droga, Lou?»

«Gesù, no! Che cos'è? Un interrogatorio?»

«No, figurati, ma è tutta la sera che vai al bagno.» Era vero, l'aveva fatto per farsi notare, vedere, ricordare.

«No, non ne faccio uso. Senti, cara, tu e io domani trascorreremo una splendida serata, andremo dove vorrai.»

«Sì», rispose lei.

«No, non sì… Sì, dico sul serio.»

«Buona notte, Lou», rispose Suzi, ferita e irritata. Prese la giacca e uscì nella notte.

Lui avrebbe voluto correrle dietro. C'era mai stato un momento più inopportuno? Era maledettamente ingiusto.

I minuti trascorsero lenti finché non fu l'ora di entrare in azione. Si diresse alla macchina, l'ultimo a lasciare il club. Attese finché tutti salirono sul furgone e non si accesero le luci. In quell'istante schizzò a marcia indietro per il vicolo. Poi imballò più volte il motore, assicurandosi che la macchina non partisse.

L'operazione funzionò a meraviglia. Lou non si guardò attorno, per tutto il tempo recitò la parte dell'uomo disperato perché la sua macchina non partiva. Quando infine vide delle figure scure saltare il muro e allontanarsi, alzò gli occhi stupito e scorse il direttore dalla faccia scarlatta avvicinarsi correndo e chiedendo aiuto, invocando la polizia e lasciandosi travolgere dal panico.

Lou era ancora seduto nell'automobile: «Non riesco a muoverla da qui, ci sto provando!»

«È uno di loro», gridò qualcuno e delle forti mani l'afferrarono, quelle dei buttafuori e dei barman, finché non realizzarono chi fosse.

«Ehi, ma quello è Lou Lynch», dissero lasciandolo andare.

«Che cos'è tutta questa storia? Prima la macchina che non parte e poi voi che mi saltate addosso. Che cosa sta succedendo?»

«Hanno portato via l'incasso, ecco che cos'è successo!» Il direttore sapeva che la sua carriera era finita. Sapeva che ci sarebbero state ore e ore di interrogatori. E ci furono, per tutti.

Uno dei poliziotti riconobbe l'indirizzo di Lou. «Sono stato lì non molto tempo fa. Un gruppo di ragazzi aveva rubato tutto quello che si era trovato davanti.»

«Lo so, i miei genitori vi sono molto grati per avere ritrovato la refurtiva.»

Il poliziotto fu lieto di essere pubblicamente apprezzato per quello che era stato fatto. Lou non venne minimamente sospettato. Il personale della discoteca riferì alla polizia che era un bravissimo ragazzo, non poteva essere coinvolto in qualcosa del genere.

Ma lui non passò il giorno seguente a pensare a Robin e a chiedersi quando sarebbe arrivata la solita busta e quanto avrebbe contenuto. Pensò invece alla bella Suzi. Avrebbe dovuto mentirle e riferirle la versione ufficiale di quello che era successo. Sperava che non fosse troppo arrabbiata con lui.

Andò al ristorante dove lavorava durante la pausa del mezzogiorno con una rosa rossa. «Grazie per ieri sera.»

«Non mi sembra sia accaduto molto ieri sera», ribatté Suzi. «Ti sei comportato come una specie di Cenerentola costringendoci a rientrare presto.»

«Non stasera», disse lui. «Sempre che tu voglia venire, naturale.»

«Vedremo», rispose lei, dubbiosa.

Da allora si incontrarono quasi ogni sera.

Lou voleva che ritornassero alla discoteca dove si erano conosciuti. Diceva che era per ragioni sentimentali. In realtà era perché non voleva che il personale pensasse che non volesse più tornare dopo l'incidente.

Gli fu raccontato come si erano svolti i fatti. Quattro uomini con le pistole erano saliti sul furgone e avevano detto al personale di sdraiarsi a terra. Avevano portato via la sacca da viaggio e se n'erano andati in pochi minuti. Pistole? Lou si sentì stringere lo stomaco. Aveva pensato che Robin e i suoi amici usassero ancora i bastoni. Ma naturalmente quello era accaduto cinque anni prima; il mondo era cambiato. Il direttore perse l'impiego, il sistema di incasso cambiò e un grosso furgone con a bordo cani feroci passava a prendere il personale. Ci sarebbe voluto un esercito per farlo.

Fu tre settimane dopo, mentre stava lasciando il lavoro, che vide Robin nel parcheggio. Di nuovo gli venne data una busta. Di nuovo Lou se la infilò in tasca senza guardare.

«Grazie mille», disse.

«Non guardi che cosa c'è dentro?» Robin pareva deluso.

«Non ce n'è bisogno. Mi ha trattato bene in passato.»

«Sono un migliaio di sterline», disse fiero Robin.

Era davvero qualcosa di cui essere eccitati. Lou aprì la busta e vide le banconote. «È fantastico», commentò.

«Sei un bravo ragazzo, Lou. Mi piaci», asserì Robin e si allontanò. Un migliaio di sterline in tasca e la più bella ragazza del mondo che lo stava aspettando. Lou era l'uomo più fortunato della terra.

Il suo idillio con Suzi stava andando a gonfie vele. Era in grado di comprarle delle belle cose e condurla in bei locali con il denaro che aveva da parte. Ma la ragazza sembrava allarmarsi quando tirava fuori banconote da venti sterline.

«Ehi, Lou, dove prendi tutti quei soldi?»

«Lavoro, non ti sembra?»

«Sì, e so quanto ti pagano in quel posto. Questo è il terzo biglietto da venti sterline che scuci questa settimana.»

«Mi stai controllando?»

«Mi piaci e così ti controllo», rispose.

«Che cosa cerchi?»

«Spero di non scoprire che sei una specie di criminale», rispose con molta franchezza.

«Ti sembro il tipo?»

«Sì e no.»

«E ci sono delle domande a cui non si può rispondere né con un sì, né con un no», asserì Lou.

«Okay, permettimi di chiederti questo, almeno. Sei coinvolto in qualcosa al momento?»

«No.» Parlava con il cuore.

«E hai intenzione di lasciarti coinvolgere in futuro?» Ci fu una pausa. «Non ce n'è bisogno, Lou, tu hai un lavoro, io ho un lavoro. Non facciamoci sorprendere con le mani nel sacco.» Aveva una bella pelle morbida e immensi occhi verde scuro.

«D'accordo, non mi farò più coinvolgere in niente», disse.

E Suzi lasciò le cose come stavano. Non rivolse più domande sul passato. Le settimane si susseguirono e Suzi e Lou continuarono a vedersi. Lei lo portò a conoscere i suoi genitori una domenica a colazione.

Lui restò sorpreso del quartiere in cui vivevano.

«Credevo fosse un posto migliore», disse mentre scendevano dall'autobus.

«Io ho dovuto migliorarmi per ottenere quel lavoro al ristorante.»

Ma il padre di Suzi non era affatto terribile come l'aveva descritto, faceva il tifo per la squadra di calcio giusta e aveva lattine di birra in frigorifero.

La madre lavorava nel supermercato che Robin e i suoi amici avevano rapinato un po' di tempo prima. Gli raccontò la storia, e come Miss Clarke, la direttrice, avesse sempre pensato che doveva esserci qualcuno all'interno del negozio che aveva lasciato aperta la porta ai rapinatori, ma nessuno sapeva chi fosse.

Lou ascoltò, scuotendo la testa. Robin doveva avere gente in tutta la città che tirava indietro i chiavistelli e parcheggiava le macchine nei punti strategici. Guardò Suzi, sorridendole. Per la prima volta si augurò che Robin non lo contattasse più.

«Sei piaciuto ai miei genitori», disse più tardi Suzi, sorpresa.

«Be', perché no? Sono un bravo ragazzo», asserì Lou.

«Mio fratello ha detto che hai un'espressione terribilmente corrucciata, ma io gli ho spiegato che soffri di un tic nervoso e che doveva stare zitto.»

«Non soffro di un tic nervoso, è un tentativo voluto di apparire importante», ribatté Lou contrariato.

«Be', di qualunque cosa si tratti, è l'unico neo che hanno trovato. E io quando conoscerò i tuoi genitori?»

«La settimana prossima», rispose.

Sua madre e suo padre erano preoccupati che Lou portasse a casa una ragazza per pranzo. «Immagino che sia incinta», disse suo padre.

«Non lo è affatto e non voglio sentire questo genere di discorsi quando sarà qui.»

«Che cosa mangia?» Sua madre era in dubbio.

Lui cercò di ricordare quello che aveva mangiato dai Sullivan. «Pollo», disse. «Le piace il pollo.» Nemmeno sua madre sarebbe riuscita a distruggere un pollo.

«Sei piaciuta ai miei genitori», le disse dopo, con l'identica nota di sorpresa che aveva avuto lei.

«Bene.» Suzi fingeva indifferenza, ma Lou sapeva che era contenta.

«Sei la prima, sai», spiegò.
«Ah, sì?»
«No, voglio dire la prima che ho portato a casa.»
Gli accarezzò la mano. Era stato molto fortunato ad aver incontrato una ragazza come Suzi Sullivan.
All'inizio di settembre incontrò per caso Robin. Ma naturalmente non era per caso. Robin aveva parcheggiato la sua macchina vicino al negozio dei suoi genitori e quando lo vide scese.
«Mezza pinta di birra per chiudere la giornata?» propose, indicando col capo il pub vicino.
«Magnifico», disse Lou con finto entusiasmo. A volte temeva che Robin sapesse leggere nella mente, sperava che non rilevasse il tono poco sincero.
«Come vanno le cose?»
«Benissimo, ho una ragazza fantastica!»
«Sì, lo so, è una vera bellezza!»
«Esatto. Facciamo sul serio.»
Robin gli diede un pugno sul braccio. Avrebbe dovuto essere un pugno di complicità, ma gli fece male. Lou cercò di non sfregarsi. «Avrai dunque bisogno presto del deposito per una casa?» chiese Robin come per caso.
«Non abbiamo premura per questo, lei ha un bel monolocale.»
«Ma prima o poi ne avrete bisogno.» Robin non accettava ragione.
«Oh, sì, un po' più in là.» Ci fu silenzio. Che Robin avesse capito che Lou voleva sganciarsi?
Robin parlò. «Lou, sai che ho sempre detto che mi piacevi...»
«Sì e anche lei mi è sempre piaciuto. È reciproco.»
«Considerando come ci siamo conosciuti.»
«Sai come vanno le cose, dimentichi come hai conosciuto la gente.»
«Bene, bene», assentì Robin. «Quello che sto cercando, Lou, è un posto.»
«Un posto. Per viverci?»
«No, no. Ho un posto per vivere. Un posto che quelli della polizia rivoltano con grande regolarità. Lo considerano come parte della loro routine settimanale, vengono e frugano dappertutto.»
«È molestia questa.»

«Lo so e lo sanno anche loro. Non trovano mai niente, ma provano piacere nel dare fastidio.»

«E se non trovano niente...?» Lou non aveva idea di dove stesse portando quel discorso.

«Significa che le cose devono essere da qualche altra parte, ma sta diventando sempre più difficile», disse Robin. In passato Lou aveva sempre aspettato. Con il tempo Robin avrebbe detto quello che voleva dire. «Il genere di posto che voglio è un posto dove ci sia una certa attività due o tre volte alla settimana, dove non si noti la gente che va e viene.»

«Come il magazzino dove lavoro?» chiese nervosamente Lou.

«No, ci sono quelli della sicurezza in quel posto.»

«Che caratteristiche dovrebbe avere questo posto?»

«Non molto spazio, a sufficienza per... Cinque o sei casse di vino, diciamo... o pacchi di quella grandezza.»

«Non dovrebbe essere difficile, Robin.»

«Sono guardato a vista. Passo le settimane andando in giro a parlare con tutti quelli che conosco, gente incensurata, tanto per confonderli. Ma presto arriverà qualcosa e ho veramente bisogno di un posto.»

Lou guardò ansioso fuori dalla porta del pub in direzione del negozio dei genitori.

«Non credo che sarebbe possibile dai miei genitori.»

«No, no, non è quanto desidero, deve trattarsi di un posto con un certo andirivieni, con porte da cui si entra e si esce, molto movimento.»

«Ci penserò», disse Lou.

«Bene, Lou. Pensaci questa settimana, d'accordo, poi ti darò le istruzioni. È molto semplice, niente macchine da parcheggiare o altro.»

«Be' in realtà, Robin, c'è qualcosa che volevo dire. Stavo pensando... uhm... be', non vorrei essere più coinvolto.»

Il cipiglio di Robin era terribile da vedersi. «Una volta coinvolti, lo si è per sempre», dichiarò. Lou rimase silenzioso. «È così che funziona», aggiunse Robin.

«Capisco», disse Lou e aggrottò a sua volta la fronte per mostrare come l'aveva presa seriamente.

* * *

Quella sera Suzi disse che non era libera, aveva promesso di aiutare la signora italiana che abitava a casa loro a mettere a posto il piccolo edificio annesso a Mountainview per dei corsi serali.

«Perché devi aiutare proprio tu?» borbottò Lou. Voleva andare al cinema, a mangiare patatine e poi a letto con Suzi nel suo monolocale. Non voleva restare solo a pensare al fatto che una volta che si era coinvolti non si poteva mai più venirne fuori.

«Vieni con me», suggerì Suzi, «faremo prima.»

Lou accettò e raggiunsero l'edificio annesso alla scuola che era tuttavia lievemente separato da essa. Aveva un ingresso, una sala spaziosa, due bagni e una piccola cucina. Nell'ingresso c'era un ripostiglio con alcuni scatoloni vuoti.

«Che cosa sono?» chiese Lou.

«Stiamo cercando di ripulire un po' questo posto per farlo apparire più allegro quando inizieranno le lezioni», rispose la strana donna che chiamavano Signora.

«Dobbiamo buttarle via queste scatole?» chiese Suzi.

«Perché non accatastarle in un mucchio ordinato?» propose lentamente Lou. «Potreste averne bisogno.»

«Per le lezioni d'italiano?» chiese incredula Suzi.

Ma in quel momento Signora li interruppe. «Sì, ha ragione. Potremmo usarle come tavoli quando impareremo a fare le ordinazioni in un ristorante italiano, potrebbero fare anche da bancone nei negozi, o da macchine nel garage.»

Lou la guardò stupito. Era chiaramente un po' tocca, ma in quel momento sentì di amarla. «Brava, Signora», disse e aiutò ad accatastare le scatole.

Non poteva contattare Robin, ma non rimase sorpreso di ricevere una telefonata sul lavoro.

«Non posso venire da te, i soldatini sono sovreccitati in questi giorni. Non posso muovere un passo senza essere seguito da almeno cinque di loro.»

«Ho trovato qualcosa», disse Lou.

«Lo sapevo.»

Lou gli disse dov'era e gli parlò dell'attività che c'era ogni martedì e giovedì, una trentina di persone che andavano e venivano.

«Fantastico», asserì Robin. «Ti sei iscritto?»

«A che cosa?»

«Al corso, naturalmente.»

«Oh, Gesù, Robin, parlo a malapena l'inglese, perché dovrei imparare l'italiano?»

«Faccio affidamento su di te», disse Robin e riagganciò.

C'era una busta che lo aspettava a casa quella sera. Conteneva cinquecento sterline e un biglietto: «Spese impreviste per il corso di lingua». Aveva detto sul serio.

«Che cosa farai?»

«Be', sei tu che hai detto che dovevo migliorarmi, Suzi. Perché no?»

«Quando ho detto che dovevi migliorarti, intendevo diventare più elegante, trovarti un lavoro pagato meglio. Non alludevo all'imparare una lingua straniera.» Suzi era stupefatta. «Lou, devi essere ammattito. Ti costerà una fortuna. La povera Signora pensa che sia troppo caro e tu, all'improvviso, decidi di andarci. Non riesco a capire.»

Lou aggrottò volutamente la fronte. «La vita sarebbe noiosa se tutti capissero tutti», osservò.

E Suzi disse che sarebbe stato molto più facile intendersi.

Lou andò alla prima lezione d'italiano come un condannato a morte. Il suo curriculum scolastico non era stato glorioso. Adesso avrebbe affrontato ulteriori umiliazioni. Ma il corso invece si rivelò sorprendentemente divertente. Per prima cosa Signora chiese a tutti i presenti il proprio nome e distribuì ridicoli pezzi di cartone colorato per scrivercelo sopra, nella versione italiana, però.

Lou divenne Luigi. In un certo senso gli piaceva. Era importante.

«Mi chiamo Luigi», diceva in italiano e guardava con cipiglio i suoi compagni che sembravano colpiti.

Era uno strano gruppo. C'era una donna carica di gioielli che nessuno con un po' di cervello avrebbe portato in una scuola come Mountainview alla guida di una BMW. Lou sperava che gli amici di Robin non la rubassero. La donna, infatti, era simpatica e aveva occhi molto tristi.

C'erano anche un simpatico vecchio, un facchino d'albergo di nome Laddy, benché avesse scritto Lorenzo sul cartellino, una madre con sua figlia, una straordinaria bionda chiamata Elisabetta che aveva un boyfriend molto serio con camicia e cravatta e una dozzina d'altri che non ti saresti mai aspettato di trovare in una classe come quella. Forse nessuno si sarebbe meravigliato che fosse lì, o si sarebbe chiesto il perché.

Per due settimane se lo chiese anche lui, poi ebbe notizie di Robin. Alcune scatole sarebbero arrivate martedì verso le sette e trenta, quando gli allievi sarebbero entrati. Forse avrebbe potuto fare in modo che venissero nascoste nell'armadio a muro del ripostiglio dell'ingresso.

Non conosceva l'uomo con la giacca a vento. Aspettava semplicemente il furgone. Stava arrivando parecchia gente, una bicicletta, una motocicletta, la signora con la BMW, due donne con una Toyota starlet... il furgone non provocò sensazione.

Quattro scatole furono messe dentro in un lampo; il furgone e l'uomo con la giacca a vento sparirono.

Giovedì c'erano le quattro scatole pronte per essere ritirate in fretta. L'intera operazione avvenne in pochi secondi. Lou si era conquistato le simpatie dell'insegnante aiutando con gli scatoloni. A volte li coprivano con carta crespata rossa e vi posavano sopra delle posate.

«Quanto costa il piatto del giorno?» chiedeva Signora in italiano, e loro lo ripetevano più e più volte finché non erano in grado di chiedere ogni singola cosa, poi alzavano coltelli e forchette e dicevano in italiano: «Ecco il coltello, ecco la forchetta».

Per quanto infantile fosse, a Lou piaceva.

Una volta Signora alzò un pesante scatolone, uno di quelli da consegnare.

Lou sentì il cuore balzargli in gola, ma si affrettò a parlare.

«Senta, Signora, lasci sollevare a me, sono quelle vuote che vogliamo.»

«Ma che cosa c'è dentro, per essere così pesante?»

«Lasci fare a me. Su, ecco fatto. Di che cosa parleremo oggi?»

«Parleremo di alberghi. Di prima categoria, di seconda...»

Lou era contento di riuscire a seguire le lezioni. «Forse non ero poi così uno zuccone a scuola», disse a Suzi. «Forse mi insegnavano male.»

«Può darsi.» Suzi era preoccupata. C'erano stati dei guai con Jerry;

sua madre e suo padre erano stati chiamati dal preside. Dicevano che era una cosa seria. E proprio quando andava così bene, faceva i compiti e tutto il resto. Non poteva trattarsi di un furto, o altro. Erano stati molto misteriosi a scuola.

Uno dei lati positivi di lavorare in un locale era quello di ascoltare le conversazioni della gente. Suzi diceva che avrebbe potuto scrivere un libro su Dublino dai frammenti di conversazioni uditi.

La gente parlava di segreti weekend, piani per ulteriori amoreggiamenti, inganni sulla dichiarazione dei redditi. Raccontava di incredibili scandali su politici, giornalisti e personalità televisive... forse non c'era niente di vero, ma erano cose da far rizzare i capelli in testa. Le più affascinanti erano comunque le conversazioni comuni. Lou si augurava che Robin e i suoi amici non si recassero mai in quel locale per discutere dei loro affari.

Suzi ci impiegava molto tempo a sparecchiare un tavolo quando le gente seduta a quello vicino diceva delle cose interessanti: vennero un uomo di mezza età e sua figlia, una bella ragazza bionda con la divisa della banca. L'uomo aveva delle rughe e i capelli piuttosto lunghi. Era difficile capire chi fosse, forse un giornalista o un poeta. Sembrava che avessero litigato. Suzi vi ronzò intorno.

«Ho acconsentito a venire solo perché è a mezz'ora da dove lavoro e mi fa piacere una buona tazza di caffè invece di quel beverone che ci passano alla mensa», disse la ragazza.

«C'è una bella macchina del caffè, nuova e quattro diverse miscele che ti aspettano, quando vuoi venire...» disse lui. Non si esprimeva come un padre, piuttosto come un amante. Ma sembrava piuttosto vecchio.

«Vuoi dire che l'hai usata?»

«L'ho provata, in attesa del giorno in cui verrai e potrò offrirti un buon caffè.»

«Dovrai aspettare un pezzo, allora.»

«Ti prego, non possiamo parlare?» la stava implorando. Era davvero un bell'uomo anche se maturo, ammise Suzi.

«Stiamo parlando, Tony.»

«Credo di amarti», disse lui.

«No, non è vero, ami soltanto il ricordo di me e non sopporti che non torni da te come tutte le altre.»

«Non c'è nessun'altra adesso.» Ci fu una pausa di silenzio. «Non ho mai detto di aver amato qualcuno prima.»

«Non hai detto che mi ami, hai soltanto detto che credi di amarmi. È diverso.»

«Permettimi di scoprirlo. Ne sono quasi certo», sorrise alla ragazza.

«Quello che vuoi dire è 'infiliamoci a letto finché non lo scopriamo?'» Era molto amara.

«No, non è così. Andiamo a mangiare da qualche parte e parliamo come parlavamo un tempo.»

«Fino all'ora di andare a letto e poi andiamoci come facevamo un tempo.»

«L'abbiamo fatto soltanto una volta, Grania. Non si tratta solo di questo.» Suzi era inchiodata, adesso. Era un bell'uomo, la ragazza doveva concedergli una chance, almeno per il pranzo. Moriva dalla voglia di suggerirglielo, ma sapeva che non doveva dire niente.

«Solo a pranzo, allora», disse Grania; si sorrisero e si presero per mano.

Non era sempre lo stesso uomo, lo stesso furgone o la stessa giacca a vento. Ma il contatto era sempre minimo e la rapidità eccezionale.

Il tempo si fece brutto e umido e Lou portò a scuola un grande attaccapanni per le giacche e i cappotti bagnati che avrebbero altrimenti riempito l'armadio dell'ingresso. «Non voglio che sgocciolino sulle scatole di Signora», disse.

Settimane di scatole in arrivo al martedì e in uscita al giovedì. Lou non voleva pensare a che cosa ci fosse dentro. Non erano bottiglie, quello era certo. Se Robin fosse stato coinvolto in un affare di liquori, si sarebbe trattato di un unico carico come quella volta al supermercato. Lou non poteva più negarlo. Sapeva che doveva essere droga. Perché altrimenti Robin era così preoccupato? Quale genere di affari obbligava un persona a consegnare e un'altra a ritirare? Ma mio Dio, droga a scuola. Robin doveva essere pazzo.

E poi ci fu quella faccenda del fratello di Suzi, un ragazzo dalla testa rossa e l'espressione strafottente. Era stato scoperto con un gruppo di ragazzi più grandi nel capannone delle biciclette. Jerry aveva giurato che aveva fatto solo da fattorino. Gli avevano chiesto di ritirare qualcosa presso il cancello della scuola perché erano sorvegliati dal preside. Ma Mr O'Brien fu più terrorizzante che mai e staccò quasi la testa all'intera famiglia di Suzi per quella storia.

Solo le suppliche di Signora erano riuscite a trattenerlo dall'espellere Jerry. Era così giovane, tutta la famiglia si sarebbe accertata che non ciondolasse in giro dopo la scuola, ma andasse diritto a casa.

I ragazzi più grandi furono espulsi quello stesso giorno. Tony O' Brien disse che non gli importava un accidenti di quello che sarebbe stato del loro futuro. Lou si chiese che cosa sarebbe accaduto se si fosse scoperto che l'edificio annesso alla scuola fungeva da deposito per la droga dal martedì al giovedì. Forse in alcune di quelle consegne c'era stato anche lo zampino del giovane Jerry Sullivan, il suo futuro cognato.

Suzi e Lou decisero che si sarebbero sposati l'anno successivo.

«Nessuno mi piacerà mai di più», disse Suzi.

«Si direbbe che tu sia stufa della tua vita, come se io fossi il migliore dei ragazzacci che hai conosciuto», osservò Lou.

«No, questo non è vero.» Gli si era ancora più affezionata da quando stava imparando l'italiano. Signora ripeteva sempre com'era gentile e servizievole in classe. «È certamente un ragazzo pieno di sorprese», aveva commentato Suzi. Ed era vero. Era solita sentirgli ripetere le lezioni, le parti del corpo, i giorni della settimana. Sembrava un ragazzino.

Fu quando stava pensando di comprarle un anello che ebbe notizie di Robin.

«Magari un bel gioiello per la tua ragazza dai capelli rossi, Lou», disse.

«Sì, be', Robin, stavo pensando di comprarglielo io, vede. Volevo condurla in un negozio per discuterne...» Lou non sapeva se ci sarebbero stati ulteriori pagamenti per il lavoro svolto a scuola. Sotto un certo profilo era così semplice che non pensava di meritare di più. Sotto un altro, stava facendo qualcosa di molto pericoloso per il quale doveva essere pagato bene.

«Stavo appunto per dire che se la condurrai in quel grande negozio vicino a Grafton Street e le sceglierai un anello, non avrai che da lasciare un deposito, il resto verrà pagato.»

«Capirebbe, Robin. Non le ho mai detto niente.»

Robin gli sorrise. «So che non glielo hai detto, Lou, non capirebbe. C'è questo tale che vi mostrerebbe un vassoio di anelli molto belli senza dire i prezzi, così almeno avrebbe sempre qualcosa di carino al dito. E pagato in modo legittimo. Pareggeremmo il conto.»

«Non credo. Senta, so che è molto allettante, ma penso...»

«Pensa a quando avrai un paio di bambini e le cose non saranno facili. Allora sarai lieto di aver conosciuto un tipo chiamato Robin e di avere un deposito per la casa e una moglie con una pietra al dito che costa dieci testoni.»

Che Robin volesse realmente dire diecimila sterline? Lou si sentì stordito.

Andarono dal gioielliere. Chiese di George.

George mostrò loro degli anelli. «Questi rientrano tutti nel prezzo stabilito», disse a Lou.

«Ma sono enormi», sibilò Suzi. «Lou, non puoi permetterteli.»

«Ti prego, non annullare il piacere di regalarti un bell'anello», rispose lui, gli occhi grandi e tristi.

«No, ma Lou, ascoltami. Risparmiamo venticinque sterline alla settimana tra tutti e due e non è facile tirare avanti. Questi devono costare almeno duecentocinquanta sterline, ossia dieci settimane di risparmio. Scegliamo qualcosa di meno caro.» Era così buona, non la meritava. E non aveva idea di avere davanti dei gioielli importanti.

«Quale preferisci?»

«Questo non è un vero smeraldo, no, Lou?»

«È una pietra tipo smeraldo», rispose lui solennemente.

Suzi mosse la mano avanti e indietro: sotto la luce brillava. Rise di piacere. «Dio, giurerei che sembra vera», disse a George.

Lou andò in un angolo con George, pagò 250 sterline e vide che più di novemilacinquecento erano già state versate per l'anello che sarebbe stato comprato quel giorno da Mr Lou Lynch.

«Le auguro ogni felicità, signore», disse George senza cambiare espressione.

Che cosa sapeva o non sapeva George? Che fosse stato anche lui coinvolto un tempo e adesso non potesse più tirarsene fuori? Chissà se Robin era stato davvero in un posto così rispettabile e aveva sborsato tutti quei soldi in contanti? Lou si sentiva venir meno.

Signora ammirò l'anello di Suzi. «È molto, molto bello», disse.

«È solo vetro, Signora, ma non si direbbe uno smeraldo?»

Signora, che aveva sempre amato i gioielli, ma non ne aveva mai posseduti, capì che era uno smeraldo. Con una bella montatura. Cominciò a preoccuparsi per Luigi.

Suzi vide entrare nel locale la bella ragazza bionda di nome Grania. Si chiese come fosse andato il pranzo con l'uomo maturo. Come al solito avrebbe voluto chiedere, ma non poteva.

«Un tavolo per due?» domandò educatamente.

«Sì, aspetto un'amica.»

Suzi rimase delusa che non fosse quell'uomo. Era una ragazza, una ragazza piccolina con enormi occhiali. Erano ovviamente vecchie amiche.

«Devo spiegarti, Fiona, che non è ancora deciso niente. Ma può darsi che tra qualche settimana debba rivolgermi a te per dire che sto a casa tua. Penso che tu abbia capito.»

«Ho capito perfettamente. Sono secoli che mi chiedete entrambe di fornirvi un alibi», osservò Fiona.

«Be', è solo che questo tale… be', è una lunga storia. Mi piace davvero molto, ma ci sono dei problemi.»

«Come il fatto di avere quasi cent'anni, non è così?» domandò Fiona.

«Oh, Fiona, se solo sapessi… questo è il minore dei problemi. Che abbia quasi cent'anni non è affatto un problema.»

«Vivete vite molto misteriose, voi Dunne», osservò meravigliata Fiona. «Esci con un pensionato e non noti che età ha. Brigid è ossessionata dalla grossezza delle sue cosce che a me sembrano perfettamente normali.»

«Tutto a causa di quella vacanza che ha fatto su una spiaggia di nudisti», spiegò Grania. «Le hanno creato un sacco di complessi.» Mentre Suzi offriva loro dell'altro caffè, Grania osservò: «Ehi, che bell'anello».

«Mi sono appena fidanzata», rispose orgogliosa Suzi.

Si congratularono con lei e se lo provarono tutte e due.

«È uno smeraldo, vero?» chiese Fiona.

«Difficile. Il povero Lou fa il fattorino in un negozio di elettrodomestici. No, ma è un'imitazione meravigliosa, non vi sembra?»

«È fantastico! Dove l'hai preso?»

Suzi le disse il nome del negozio.

Quando non fu più a portata d'orecchio, Grania sussurrò a Fiona: «Strano, vendono solo pietre preziose in quel posto. Lo so perché hanno un conto presso di noi. Scommetto che non è un'imitazione, scommetto che è una pietra vera».

Tutto era pronto per il party di Natale al corso d'italiano. Poi non si sarebbero visti per un paio di settimane. Signora aveva chiesto a tutti di portare qualcosa da mangiare per l'ultima lezione prima delle vacanze. C'erano enormi cartelli appesi ai muri con scritto: «Buon Natale» e «Buon Anno». Tutti si erano agghindati per l'occasione. Perfino Bill, il serio impiegato di banca, Guglielmo come lo chiamavano i suoi compagni, era entrato nello spirito della festa e aveva addirittura portato dei cappellini di carta.

Connie, la signora ingioiellata della BMW, arrivò con sei bottiglie di Frascati. Le aveva trovate, disse, nel portabagagli della macchina di suo marito. Lui le avrebbe probabilmente regalate alla sua segretaria, così era meglio che le bevessero loro. Nessuno sapeva se prenderla sul serio o no e poi c'erano delle regole piuttosto severe sull'uso degli alcolici a scuola. Ma Signora disse che avrebbe chiarito tutto con Mr O'Brien, il preside, così non avrebbero dovuto preoccuparsi.

Signora non ritenne necessario raccontare che aveva già parlato con Tony O'Brien. Visto che la scuola sembrava formicolare di droghe pesanti e di ragazzi che mettevano facilmente le mani sul crack, era insignificante, aveva detto il preside, che alcuni adulti bevessero qualche bicchiere di vino alla festa di Natale.

«Come ha festeggiato lo scorso Natale?» chiese Luigi a Signora.

«Lo scorso Natale sono andata alla messa di mezzanotte e ho osservato mio marito Mario e i suoi figli dal fondo della chiesa», rispose Signora.

«E perché non sedeva con loro?» domandò lui.

Gli sorrise. «Non sarebbe stato conveniente.»

«E poi se n'è andato ed è morto», disse Lou. Suzi gli aveva parlato di Signora, una vedova, sembrava, anche se sua madre riteneva che fosse una suora in abiti borghesi.

«Esatto, Lou, se n'è andato ed è morto», asserì dolcemente.

«Mi dispiace», disse Lou in italiano. «È davvero molto triste, Signora.»

«È vero, Lou, ma la vita non è mai stata facile per nessuno.»

Stava per rispondere che aveva ragione, quando gli passò per la mente un pensiero orribile.

Era giovedì e non era venuto nessun uomo in giacca a vento. Nessun furgone. La scuola sarebbe rimasta chiusa per due settimane con tutto quello che c'era nel ripostiglio dell'atrio. Che cosa doveva fare, in nome di Dio?

Nessuno sarebbe potuto ritornare lì fino alla prima settimana di gennaio. Robin l'avrebbe ucciso. Ma era colpa sua. Non gli aveva dato nessun numero di telefono per contattarlo. Doveva esser successo qualcosa a chi avrebbe dovuto provvedere al ritiro. Nessuno poteva prendersela con lui. Tuttavia era stato pagato, molto ben pagato, per pensare in fretta e mantenersi calmo. Che cosa avrebbe fatto?

Avevano cominciato a rimettere tutto a posto e a salutarsi.

Lou si offrì di portar fuori la spazzatura. «Non è necessario, Luigi, hai fatto anche troppo», disse Signora.

Guglielmo e Bartolomeo lo aiutarono. In nessun altro posto avrebbe stretto amicizia con due tipi così, un serio bancario e un autista di camion. Insieme trasportarono fuori i sacchi neri della spazzatura fin nei grossi bidoni della scuola.

«È davvero molto simpatica, Signora, non vi sembra?» osservò Bartolomeo.

«Lizzie pensa che se l'intenda con Mr Dunne, sapete, il direttore del corso», sussurrò Guglielmo.

«Via.» Lou era sbalordito.

«Be', non sarebbe bello se fosse vero?»

«Ma alla loro età...» Guglielmo scosse la testa.

«Forse, quando avremo la loro età penseremo che sia la cosa più naturale del mondo.» Lou voleva prendere le difese di Signora.

Il suo cuore batteva ancora all'impazzata per le scatole. Sapeva che doveva fare qualcosa che detestava: ingannare quella simpatica, gentile donna con quei sorprendenti capelli. «Come torna a casa, Signora? Passa a prenderla Mr Dunne?» chiese come per caso.

«Sì, mi ha detto che forse passerà.» Appariva un po' arrossata e agitata. Il vino, il successo della serata, ma anche quella domanda così diretta.

Signora pensò che se Luigi, non il più brillante dei suoi allievi, aveva notato qualcosa, allora tutta la classe doveva essersene accorta. Odiava che si pensasse che era l'amica di Dunne. Dopotutto, tra loro non esisteva che del cameratismo. Avendo tuttavia vissuto per anni in una assoluta discrezione, Signora era innervosita al pensiero che si potessero fare delle illazioni su di lei. Inoltre, Aidan Dunne non la vedeva che come amica. Ma forse per gli altri non era così.

Luigi la stava guardando con un'aria di velata complicità. «Bene, vuole che chiuda io? Lei vada avanti, la raggiungerò, siamo tutti un po' in ritardo stasera.»

«Grazie, Luigi. Sei fin troppo gentile. Ma mi raccomando di chiudere bene. Sai che c'è un guardiano che passa circa un'ora dopo che ce ne siamo andati. Mr O'Brien è molto pignolo in questo. Finora non ci ha mai sorpresi a lasciare aperto. Non voglio che succeda proprio ora.»

Così non poteva lasciare aperto e tornare quando avesse escogitato un piano. Doveva chiudere quella maledetta porta. Prese la chiave. Era attaccata a un grosso anello a forma di gufo.

Come un fulmine vi infilò la propria. Poi chiuse il portone della scuola, rincorse Signora e le lasciò cadere la chiave nella borsetta. Non ne avrebbe avuto bisogno fino al prossimo trimestre e se fosse stato necessario averla prima, avrebbe sempre potuto sostituirla e rimettere quella giusta nella borsetta. La cosa più importante era che tornasse a casa convinta di avere la chiave.

Non vide Mr Dunne uscire dall'ombra e prenderla sottobraccio quella sera, ma non sarebbe stato fantastico che fosse stato vero? Doveva dirlo a Suzi. Il che gli ricordò che avrebbe fatto meglio a stare con Suzi quella notte. Infatti si era appena sbarazzato della chiave di casa sua.

«Rimango con Fiona stasera», disse Grania.

Brigid alzò lo sguardo dal suo piatto di pomodori.

Nell Dunne non alzò lo sguardo dal libro che stava leggendo. «Bene», disse.

«Allora ci vediamo domani sera», aggiunse Grania.

«Magnifico.» Sua madre non alzò neanche allora lo sguardo.

«Davvero magnifico», le fece eco acida Brigid.

«Puoi uscire anche tu, se vuoi, Brigid. Non è necessario che resti a sospirare sopra i pomodori, ci sono un sacco di posti dove andare oppure potresti stare anche tu da Fiona.»

«Sì, ha un palazzo che può ospitarci tutti», ribatté Brigid.

«Su, Brigid, domani è la vigilia di Natale, non puoi essere un po' più allegra?»

«Posso essere allegra anche senza farmi scopare», sibilò Brigid.

Grania guardò ansiosa attraverso la stanza, ma sua madre non aveva sentito. «Sì, tutti possiamo farlo», asserì Grania a bassa voce. «Ma non andiamo in giro ad aggredire il prossimo a causa della circonferenza delle nostre cosce che, comunque, sono più che normali.»

«Chi ti ha parlato delle mie cosce?» Brigid sembrava sospettosa.

«Un sacco di gente è venuta oggi in banca a parlarmene. Brigid, piantala! Sei fantastica, smettila di posare ad anoressica.»

«Anoressica?» Brigid scoppiò a ridere. «D'un tratto sei tutta zucchero e miele perché il tuo amante si è rimaterializzato.»

«Quale amante? Su dimmi, quale? Non sai un bel niente.» Grania era furiosa con la sorella minore.

«So che non hai fatto che piagnucolare, in giro. E parli di me che sospiro sopra i pomodori, quando tu sospiri in continuazione facendo salti a venti centimetri da terra ogni volta che suona il telefono. Chiunque egli sia, è sposato. E tu sei in colpa.»

«Non hai mai capito niente», ribatté Grania. «In questo momento, non ci hai proprio azzeccato. Non è sposato e scommetto che non lo sarà mai.»

«Queste sono le sciocchezze che dice la gente quando muore dalla voglia di avere un anello di fidanzamento», commentò Brigid, rigirando i suoi pomodori nel piatto senza entusiasmo.

«Ora me ne vado», annunciò Grania. «Di' a papà che non rientro, così potrà chiudere a chiave la porta.»

Aidan cenava ormai di rado in casa con loro. O si ritirava nella sua stanza a studiare i colori dei tessuti e i quadri da appendere, oppure restava a scuola a discutere del corso serale.

Anche quella sera Aidan Dunne si recò a scuola per vedere Signora, ma trovò la porta chiusa a chiave. Lei non andava mai al pub da sola e il *Coffee shop* sarebbe stato troppo affollato dagli acquirenti dell'ultima ora. Non le aveva mai telefonato a casa dei Sullivan e non poteva iniziare ora. Ma desiderava realmente vederla prima di Natale per darle un regalino. Aveva trovato un medaglione con l'effigie di Leonardo da Vinci. Non era un oggetto prezioso, ma adatto a lei. Sperava che potesse averlo per il giorno di Natale. Dopo, non sarebbe stata la stessa cosa.

O forse sì, ma aveva voglia di chiacchierare un po' con lei. Una volta gli aveva detto che in fondo alla strada dove abitava c'era un muretto dove, a volte, sedeva a guardare le montagne, riflettendo su com'era cambiata la sua vita e sul fatto che adesso *Vista del Monte* significava la scuola. Forse quella sera sarebbe stata lì.

Aidan Dunne attraversò il movimentato quartiere con le luci natalizie alle finestre. Doveva essere così diversa per Signora questa festa, rispetto all'anno prima quando era in Sicilia.

Lei sedeva lì, immobile. Non sembrò affatto sorpresa. Lui le si mise accanto.

«Le ho portato un regalino per Natale», disse.

«E io ho qui il mio», rispose lei, stringendo un grosso pacchetto.

«Li apriamo adesso?» Aidan era impaziente.

«Perché no?»

Lei aprì il pacchetto con il medaglione e lui quello con il grande piatto italiano giallo, oro e porpora, perfetto per il suo studio. Si ringraziarono a vicenda, lodando i doni. Sedevano come ragazzini che non sapessero dove andare.

Si alzò una folata di vento ed entrambi si alzarono contemporaneamente.

«Buon Natale, Signora.» Le diede un bacio sulla guancia.

«Buon Natale, Aidan caro», disse lei.

La vigilia di Natale si lavorò sodo nel negozio di elettrodomestici. Perché la gente aspettava fino all'ultimo momento per decidere che cosa regalare? Lou sgobbò tutto il giorno e fu solo all'ora di chiusura che vide Robin entrare nel negozio con uno scontrino. Lou lo stava in un certo senso aspettando.

«Buon Natale, Lou.»

«Buon Natale, Robin», gli disse Lou in italiano.

«Che cosa vuol dire?»

«Ha voluto che studiassi italiano, adesso stento a pensare in inglese.»

«Bene, sono venuto a dirti che puoi tirartene fuori quando vuoi», asserì Robin.

«Che cosa?»

«È così. Hanno trovato un altro posto, ma i ragazzi ti sono molto grati per come hai organizzato le cose.»

«Ma l'ultima consegna?» Il viso di Lou era pallidissimo.

«Cosa c'è con l'ultima consegna?»

«È ancora lì», dichiarò Lou.

«Mi stai prendendo in giro?»

«La prenderei in giro su una cosa come questa? Non è venuto nessuno giovedì. Non è stato ritirato niente.»

«Ehi, sbrigati lì, consegna l'apparecchio al cliente.» Il direttore voleva chiudere.

«Mi dia lo scontrino», sibilò Lou.

«È un televisore per te e Suzi.»

«Non posso accettarlo», disse Lou. «Capirebbe che è stato rubato.»

«Non è stato rubato, non ho appena pagato?» Robin era offeso.

«Sì, ma sa che cosa voglio dire. Glielo carico in macchina.»

«Ti avrei accompagnato da lei con il regalo.»

Era l'apparecchio più costoso del negozio. Suzi Sullivan non avrebbe mai accettato una spiegazione per una cosa del genere.

«Senta, abbiamo problemi più grossi del televisore, aspetti che mi paghino e poi andiamo un momento a scuola.»

«Immagino che tu abbia mosso qualche passo.»

«Qualcuno, ma potrebbero non essere quelli giusti.»

Lou entrò e rimase con gli altri ragazzi. Il direttore li pagò, offrì loro da bere e gli diede un premio. Dopo tornò dall'uomo seduto nella station wagon, l'immenso televisore sistemato sul sedile posteriore.

«Ho la chiave della scuola, ma Dio sa che razza di fanatici assumono per fare i controlli. Il preside è un mezzo maniaco.»

Tirò fuori la chiave che portava sempre con sé da quando l'aveva staccata dal portachiavi ad anello di Signora.

«Sei un ragazzo intelligente, Lou.»

«Più intelligente di quelli che non mi dicono che cosa fare se un maledetto uomo in giacca a vento non si fa vedere.» Era arrabbiato e spaventato. Sedeva su una macchina con un criminale, proprio nel parcheggio del posto dove lavorava con un televisore gigantesco che non poteva accettare. Aveva rubato una chiave, lasciando una partita di droga a scuola. Non si sentiva affatto intelligente, ma piuttosto un cretino.

«Be', naturalmente, ci sono sempre problemi con la gente», disse Robin. «La gente ti delude. Qualcuno ci ha delusi. Non lavorerà più.»

«Che cosa gli accadrà?» chiese spaventato Lou.

«Come ti ho detto, non lavorerà più per noi», ripeté Robin.

«Forse ha avuto un incidente d'automobile, o magari suo figlio è andato all'ospedale.» Perché Lou lo stava difendendo? Quello era l'uomo che li aveva messi in quel pasticcio.

Avrebbe potuto sganciarsi se non fosse stato per quella cosa. Gli uomini di Robin avevano trovato un nuovo posto. Stranamente pensò che avrebbe continuato con le lezioni. Gli piacevano. Avrebbe magari fatto anche quel viaggio in Italia che Signora stava organizzando per la prossima estate. Non sarebbe dovuto restare solo per controllare quel traffico. Il posto si era rivelato l'ideale. Niente era stato provato. Non sarebbe stata mossa nessuna accusa perché non era stato scoperto niente. L'unica grana adesso era quello stupido che non si era fatto vedere giovedì.

«Per punizione non troverà mai più lavoro.» Robin scosse la testa dispiaciuto.

Lou intravide una luce in fondo al tunnel. Ecco che cosa bisognava fare per farsi scaricare. Era sufficiente sbagliare qualcosa. Fare male un lavoro e non si veniva più richiamati. Se solo avesse saputo che sarebbe stato così semplice. Ma non era quello il lavoro in cui poteva sbagliare. L'uomo con la giacca a vento ne stava già portando le conseguenze e Lou aveva la chiave che gli avrebbe permesso di salvare la situazione. Sarebbe stato il prossimo lavoro, quello in cui avrebbe commesso un errore.

«Robin, è sua questa macchina?»

«No, naturalmente. Lo sai. Me la sono fatta prestare da un amico per poter portare il televisore a te e a Suzi. Ma tu non lo vuoi.» Era imbronciato come un bambino.

«Allora la polizia non la cercherà con quest'automobile», disse Lou. «Ho un'idea. Potrebbe non funzionare, ma è tutto quel che riesco a pensare.»

«Dimmi.»

E Lou glielo disse.

Era quasi mezzanotte quando Lou si recò a scuola. Girò la station wagon verso la porta dell'edificio e, guardando a destra e a sinistra per accertarsi di non essere osservato, entrò nella scuola.

Quasi timoroso di respirare, si avvicinò all'armadio del ripostiglio ed eccole, le quattro casse. Erano lì come sempre e come sempre davano l'impressione di contenere una dozzina di bottiglie di vino. Le sollevò con cura e le portò fuori dalla porta a una a una. Poi, ansimando, trasportò il grosso televisore in classe. Aveva già scritto il biglietto con un pennarello colorato.

«Buon Natale, Signora, a lei e a tutti», così diceva il testo in italiano.

La scuola avrebbe avuto un televisore. Le scatole erano state recuperate. Le avrebbe portate con la macchina di Robin in un luogo dove avrebbe incontrato un uomo diverso, con un furgone diverso che le avrebbe ritirate senza fare domande.

Si chiese che cos'avrebbe detto Signora, quando lo avesse visto. Sarebbe stata la prima a scorgerlo? O l'avrebbe visto quel folle di Tony O'Brien che pareva aggirarsi furtivamente per la scuola notte e giorno? Si sarebbero interrogati all'infinito su di esso. La scatola non ne rivelava l'origine.

Quando avessero incominciato a fare delle indagini, si sarebbero resi conto che non era stato rubato. In breve tempo il mistero di come era giunto lì avrebbe perso d'importanza. Dopotutto, non era stato rubato niente. Non c'era stato nessun atto di vandalismo.

Alla fine, anche il rabbioso Mr O'Brien avrebbe dovuto rinunciare a chiarirlo.

Nel frattempo ci sarebbe stato un magnifico televisore a scuola e, presumibilmente, sarebbe stato del corso serale nella cui aula aveva fatto la sua comparsa.

E il prossimo incarico che Robin gli avrebbe affidato, sarebbe stato eseguito male. E allora avrebbero mestamente detto a Lou che non poteva più lavorare e lui avrebbe potuto continuare con la sua vita.

Era la mattina di Natale e si sentiva esausto. Andò a casa dei genitori di Suzi a prendere il tè con una fetta di torta. Signora sedeva tranquillamente a giocare a scacchi con Jerry.

«Scacchi!» gli sussurrò Suzi stupita. «Quel ragazzo conosce i pezzi e le mosse. Non finisce mai di stupirmi.»

«Signora!» esclamò lui, salutandola.

«Luigi.» Sembrò contenta di vederlo.

«Ho ricevuto in regalo un portachiavi come il suo», disse. Non era poi così insolito e introvabile.

«Il mio portachiavi a gufo?»

«Sì, mi faccia vedere, non sono uguali?» disse.

Lei lo estrasse dalla borsetta e lui finse di confrontarli mentre effettuava lo scambio. Era salvo adesso e anche lei. Nessuno avrebbe mai ricordato quell'innocente conversazione. Doveva parlare di altri regali e confondere le cose.

* * *

«Pensavo che Lou non smettesse più di parlare stasera», osservò Peggy Sullivan mentre lei e Signora lavavano i piatti.

Era il momento delle confidenze. Peggy non aveva mai osato rivolgere una domanda personale a quella strana donna, ma in un certo senso aveva abbassato la guardia. «Ma non desiderava stare con i suoi familiari, Signora, il giorno di Natale?» chiese.

Signora non sembrò affatto sorpresa della domanda. Rispose senza problemi.

«No, vede, non è qualcosa che desideravo. Sarebbe stato artificioso. E poi ho visto mia madre e le mie sorelle molte volte negli ultimi tempi e nessuna di loro vi ha mai fatto accenno. Hanno le loro abitudini, adesso. Sarebbe difficile cercare di inserirmi. Sarebbe stato falso. In realtà, nessuno di noi l'avrebbe apprezzato. Ma mi sono divertita qui oggi con la sua famiglia.» Stava lì calma e serena. Portava il medaglione nuovo intorno al collo. Non aveva detto chi glielo aveva regalato e nessuno si era sognato di chiederglielo. Era una persona troppo riservata.

«E a noi ha fatto molto piacere averla qui, Signora», disse Peggy Sullivan e si chiese come avevano fatto prima che venisse ad abitare da loro.

Il corso ricominciò il primo martedì di gennaio. La serata era fredda, ma nessuno rimase a casa. C'erano anche il preside, Tony O'Brien e Mr Dunne, raggianti. Era accaduta una cosa straordinaria: la classe aveva ricevuto un dono. Signora era come una bambina, batteva quasi le mani per la gioia. Chi poteva averlo fatto? Qualcuno della classe? L'avrebbe detto perché potessero ringraziarlo? Erano tutti perplessi, ma naturalmente pensavano che fosse stata Connie.

«No, vorrei essere stata io. Anzi, avrei dovuto pensarci.» Connie appariva quasi imbarazzata adesso per non essere lei la responsabile.

Il preside disse che era felice del dono, ma preoccupato per quello che riguardava la sicurezza. Se nessuno si attribuiva quel dono generoso, allora avrebbero dovuto far cambiare le serrature perché qualcuno doveva avere una chiave. Però non c'erano segni di effrazione.

«La banca non la vedrebbe così», osservò Guglielmo. «Direbbero: 'Lasciate le cose come stanno. Chiunque esso sia, la prossima settimana ci regalerà magari un hi-fi'.»

Lorenzo, che in realtà era Laddy, il facchino d'albergo, disse che sarebbero rimasti sorpresi di sapere quante chiavi che aprivano le stesse porte, circolavano per Dublino.

E d'un tratto Signora alzò lo sguardo e fissò Luigi e lui guardò altrove.

Ti prego, fa che non dica niente, pensò. Non servirebbe. Arrecherebbe soltanto danno.

Sembrò che la preghiera avesse funzionato. Distolse anche lei lo sguardo.

La lezione ebbe inizio. Fecero un ripasso. Quante cose avevano dimenticato, disse Signora, quante cose c'erano ancora da imparare, se volevano andare a fare il viaggio in Italia.

Finita la lezione, Lou cercò di andarsene alla chetichella.

«Non mi dai una mano con le scatole stasera, Luigi?» La sua espressione era risoluta.

«Scusi, Signora. Me ne ero dimenticato.»

Le trasportarono nell'armadio del ripostiglio, perché non avrebbero mai più custodito qualcosa di pericoloso.

«Mr Dunne… uhm, l'accompagna a casa, Signora?»

«No, Luigi. Ma tu, piuttosto, non esci con Suzi che è la figlia della mia padrona di casa?» Il suo viso appariva inquieto.

«Ma lo sa, Signora. Siamo fidanzati.»

«Sì, è appunto di questo che volevo discutere con te, del fidanzamento e dell'anello di fidanzamento, appunto.»

«Sì, l'anello di fidanzamento.» Lou era in ansia.

«Ma solitamente non si tratta di smeraldi, Luigi. Non di un vero smeraldo. È questo che è strano.»

«Oh, via, Signora, non è un vero smeraldo. È vetro.»

«È uno smeraldo. Le pietre le riconosco. Mi piace toccarle.»

«Signora, nessuno sa riconoscere i veri dalle imitazioni oggigiorno.»

«Costa migliaia di sterline, Luigi.»

«Signora, senta…»

«E quel televisore costa centinaia e centinaia di sterline… magari anche migliaia.»

«Che cosa vuol dire?»

«Non lo so. Vuoi dirmi qualcosa tu?»

Nessun insegnante in passato aveva mai fatto sentire Lou Lynch così umiliato e pieno di vergogna. Suo padre e sua madre non erano mai riusciti a indurlo a diventare un cristiano praticante e d'un tratto eccolo lì, terrorizzato di perdere il rispetto di quella strana donna.

«Voglio dire…» incominciò. Lei attese, immobile e incuriosita. «E se dicessi che è una questione chiusa, di qualunque cosa si trattasse? Che non accadrà mai più?»

«Ma queste cose, questo splendido smeraldo e questo magnifico televisore, sono rubate?»

«No, in realtà non lo sono», rispose Lou. «Sono stati pagati. Non da me, ma da altra gente per la quale ho lavorato.»

«Ma per la quale non lavori più?»

«No, non lavoro più, lo giuro.» Voleva disperatamente che gli credesse.

«Non più pornografia, dunque?»

«Non più che cosa, Signora?»

«Be', naturalmente ho aperto quelle scatole, Luigi. Ero così preoccupata che circolasse droga a scuola e poi la storia del giovane Jerry, il fratello minore di Suzi… temevo che fosse questo che tenevi nell'armadio.»

«E non era questo?» chiese con un fil di voce.

«Sai che non lo era. Era robaccia ridicola, a giudicare dalle immagini che c'erano sopra. Tutto quel traffico per trasportare gli scatoloni dentro e fuori, una cosa così sciocca e molto dannosa per le persone più impressionabili.»

«Li ha guardati, Signora?»

«Non ho certo proiettato quei filmini, non possiedo un videoregistratore e anche se lo possedessi…»

«E non ha detto niente?»

«Per anni ho vissuto in silenzio senza mai dire niente. È diventata un'abitudine.»

«E sapeva della chiave?»

«Non fino a stasera, poi mi sono ricordata di quella sciocchezza a proposito del portachiavi. Perché ti serviva la chiave?»

«Erano rimaste alcune scatole durante le vacanze di Natale», rispose.

«Non potevi lasciarle lì, Luigi, invece di rubare le chiavi e poi restituirle?»

«C'erano un po' di problemi», disse, contrito.

«E il televisore?»

«È una lunga storia.»

«Raccontamela.»

«Be', era stato regalato a me per... aver custodito... ehm le scatole con le videocassette. E non volevo darlo a Suzi perché... be', non avrei potuto, vede. Avrebbe capito.»

«Adesso non c'è più niente che possa scoprire?»

«No, Signora.» Gli sembrava di avere quattro anni mentre se ne stava lì a testa china.

«In bocca al lupo, Luigi», disse Signora in italiano e chiuse con fermezza la porta dietro di loro, appoggiandovisi contro e controllando che fosse realmente chiusa.

Connie

Quando Constance O'Connor ebbe quindici anni, sua madre smise di servire dessert a casa. Non si gustarono più dolci con il tè, in tavola c'era crema a basso contenuto calorico invece di burro; caramelle e cioccolatini furono banditi per sempre.

«Stai mettendo su fianchi, cara», diceva sua madre quando Constance protestava.

«Tutte le lezioni di tennis e tutti i posti eleganti che frequentiamo non serviranno a niente se ti verrà un sederone.»

«Non serviranno a che cosa?»

«Ad attirare il giusto genere di marito», rise sua madre. E poi, prima che Connie potesse protestare, aggiunse: «Credimi, so quello che dico. Non dico che sia giusto, ma è così che vanno le cose per cui, se conosciamo le regole, perché non attenerci a esse?»

«Può darsi che queste fossero le regole ai tuoi tempi, mamma, negli anni Quaranta, ma è tutto cambiato da allora.»

«Credimi», sostenne sua madre. Era la sua frase preferita. «Niente è cambiato, anni Quaranta o Sessanta che siano, gli uomini vogliono ancora una moglie snella e curata. Di classe. Il genere di uomini a cui aspiriamo noi vuole donne che facciano la loro parte. Devi essere contenta di saperlo, mentre molte tue amiche a scuola non lo sanno.»

Connie lo chiese a suo padre. «Hai sposato la mamma perché era snella?»

«No, l'ho sposata perché era bella, simpatica e affettuosa. E perché sapeva badare a se stessa. Ero sicuro che chi sapeva badare a se stesso avrebbe badato anche a me e a te quando fossi arrivata e naturalmente anche alla casa. È molto semplice.»

Connie frequentava una costosa scuola femminile.

Sua madre insisteva sempre per invitare le sue amiche a cena o per il weekend. «Così loro inviteranno te e potrai conoscere i loro fratelli e i loro amici», diceva.

«Oh, mamma, è idiota. La nostra non è una società dove bisogna essere presentati a corte. Conoscerò chi dovrò conoscere e basta.»

«Le cose non stanno affatto così», ribatteva sua madre.

E quando Connie ebbe diciassette o diciott'anni si scoprì a uscire con le persone che sua madre avrebbe scelto per lei: figli di medici, di avvocati, giovanotti i cui padri erano uomini d'affari di successo. Alcuni di loro erano molto divertenti, altri erano molto stupidi, ma Connie sapeva che sarebbe andato tutto bene fino a quando avesse iniziato l'università. Allora avrebbe conosciuto le persone giuste, scelto i suoi amici, senza doversi accontentare della cerchia ristretta che sua madre aveva giudicato adatta.

Si era iscritta all'University College di Dublino poco prima del suo diciannovesimo compleanno. Aveva girato per il campus diverse volte e assistito ad alcune lezioni aperte al pubblico per non sentirsi troppo a disagio quando avrebbe iniziato i corsi a ottobre.

Ma a settembre accadde l'impensabile. Morì suo padre. Un dentista, che trascorreva gran parte del suo tempo sul campo da golf, la cui carriera di successo aveva molto a che fare con l'essere partner di suo zio. Avrebbe dovuto vivere in eterno, dicevano tutti. Non fumava, beveva solo qualche volta in compagnia, faceva molto esercizio fisico. Niente stress.

Ma naturalmente non sapevano che giocava. Nessuno l'aveva mai saputo finché non furono scoperti i suoi debiti. Avrebbero dovuto vendere la casa. Non ci sarebbero più stati i mezzi per mandare Connie né nessun altro all'università.

La madre di Connie si mostrò fredda come il ghiaccio. Al funerale si comportò perfettamente, dopo invitò tutti a casa per un rinfresco. «A Richard sarebbe piaciuto così», disse.

Le voci avevano già cominciato a circolare, ma lei teneva la testa alta. Quando rimase sola con Connie, solo allora, rinunciò alla facciata. «Se non fosse morto lo ucciderei io con le mie mani per averci fatto questo», ripeté più e più volte.

«Povero papà.» Connie aveva il cuore tenero. «Doveva essere profondamente turbato per aver sprecato tanto denaro in cani e cavalli. Era probabilmente alla ricerca di qualcosa.»

«Se fosse ancora qui davanti a me, saprebbe di che cosa era alla ricerca», disse sua madre.

«Ma se fosse vissuto, ci avrebbe spiegato e magari avrebbe anche vinto.» Connie voleva conservare un buon ricordo di suo padre che era stato così caro e gentile.

«Non essere sciocca, Connie. Non c'è tempo per queste cose adesso. La nostra unica speranza è che tu faccia un buon matrimonio.»

«Mamma! Non essere stupida, mamma. Non mi sposerò ancora per anni. Devo prima andare all'università, poi voglio viaggiare. Aspetterò finché non avrò quasi trent'anni prima di sistemarmi.»

Sua madre la guardò con un viso molto duro. «Cerchiamo di capirci bene: non ci sarà nessuna università. Chi pagherà le rette, chi pagherà per il tuo mantenimento?»

«Che cosa vuoi che faccia allora?»

«Farai quello che dovrai fare. Vivrai con la famiglia di tuo padre. I suoi zii e i suoi fratelli si vergognano molto di questa sua debolezza. Alcuni lo sapevano, altri no. Potrai stare da loro a Dublino per un anno mentre frequenterai un corso per segretaria e magari anche un paio di altre cose, poi ti troverai un lavoro e sposerai una persona adatta il più presto possibile.»

«Ma mamma... prenderò una laurea, era già stabilito, sono stata accettata.»

«Non c'è più niente di stabilito, adesso.»

«Questo non è giusto, non può essere.»

«Dillo a tuo padre, è stato lui, non io.»

«Ma non potrei trovarmi un lavoro e frequentare l'università?»

«Difficile. E i suoi parenti non ti ospiteranno in casa loro se lavorerai come cameriera o commessa; le due uniche cose in cui puoi sperare.»

Forse avrebbe dovuto lottare di più, si disse Connie. Ma era difficile ricordare com'erano esattamente le cose allora. E com'erano scioccati e sconvolti tutti.

E com'era spaventata lei a dover andare a vivere con dei cugini che neppure conosceva, mentre la mamma e i gemelli tornavano ad abitare in campagna con la famiglia della madre. La mamma disse che tornare nella cittadina che aveva lasciato in trionfo, tanti anni addietro, era la cosa più dura che si potesse chiedere a un essere umano.

«Ma saranno dispiaciuti per te e si dimostreranno gentili», aveva detto Connie.

«Non voglio la loro pietà, la loro gentilezza. Volevo solo il mio orgoglio. E lui me l'ha tolto. È questo che non gli perdonerò mai, finché vivrò.»

Al corso per segretarie Connie incontrò Vera, che era stata a scuola con lei.

«Sono terribilmente dispiaciuta che tuo padre abbia perso tutto il suo denaro», disse immediatamente Vera e gli occhi di Connie si riempirono di lacrime.

«È stato terribile», asserì. «Perché non si tratta solo del fatto che sia morto, ma che fosse una persona diversa, sconosciuta a tutti noi.»

«Oh, ma lo conoscevate, è solo che non sapevate che gli piaceva giocare e non l'avrebbe mai fatto se avesse pensato che ne sareste rimasti tutti così sconvolti», osservò Vera.

Connie fu lieta di trovare qualcuno tanto gentile e indulgente. E benché lei e Vera non fossero mai state amiche intime a scuola, lo divennero da quel momento.

«Non credo che tu possa immaginare come sia bello avere qualcuno così comprensivo», scrisse a sua madre. «È come un bagno caldo. Credo che la gente sarebbe così anche con te se glielo permettessi e dicessi come hai sofferto.»

La lettera che ricevette da sua madre fu brusca e molto esplicita. «Ti prego, non andare in giro a mendicare comprensione e via dicendo. La pietà non serve a nulla e neanche le parole di comprensione. La tua dignità e il tuo orgoglio sono le uniche cose di cui hai bisogno per poter andare avanti. Prego affinché tu non ne venga privata come lo sono stata io.»

Mai una parola su come le mancasse papà. Sul marito gentile che era stato, il buon padre. Le fotografie furono tolte dalle cornici. Le cornici vendute all'asta. Connie non osò chiedere se fossero state conservate le fotografie della sua infanzia.

Connie e Vera frequentavano con profitto il corso per segretarie. Fecero dattilografia, stenografia, contabilità e altre materie di carattere aziendale. La famiglia dei cugini presso la quale alloggiava era imbarazzata dalla difficile situazione in cui era venuta a trovarsi e le concedeva più libertà di quanto gliene avrebbe concessa sua madre.

Connie era felice di quella libertà e di vivere a Dublino. Lei e Vera andavano a ballare e incontravano gente simpatica. Un ragazzo di nome Jacko mostrò simpatia per lei e il suo amico Kevin per Vera, così uscirono spesso in quattro. Ma né lei, né Vera facevano sul serio, mentre i ragazzi sì. Furono entrambe sottoposte a una notevole pressione per fare del sesso. Connie rifiutò, ma Vera acconsentì.

«Perché lo fai se non ti pace, se hai paura di restare incinta?» chiese Connie, stupita.

«Non ho detto che non mi piaccia», protestò Vera. «Ho detto che non è fantastico come dicono che sia. E non ho paura di restare incinta perché prendo la pillola.»

Benché il controllo delle nascite fosse ancora ufficialmente proibito nell'Irlanda degli anni Settanta, la pillola contraccettiva poteva essere prescritta per curare le irregolarità mestruali. Nessuna sorpresa quindi che gran parte della popolazione femminile ne soffrisse. Connie pensava che fosse una buona idea seguire la stessa linea. Non potevi sapere l'ora e il giorno in cui saresti andata a letto con qualcuno e sarebbe stato un peccato dover aspettare che la pillola facesse effetto.

Jacko ignorava che Connie prendesse la pillola. Sperava che prima o poi lei si rendesse conto che erano fatti l'uno per l'altra, come Kevin e Vera. Pensava a che cosa avrebbe potuto farle piacere. Avrebbero viaggiato insieme per l'Italia... avrebbero imparato l'italiano. Era un bel ragazzo, ardente e innamorato. Ma Connie era ferma nei suoi propositi. Non ci sarebbe stata nessuna relazione, nessun vero impegno. Prendere la pillola faceva solo parte di un suo programma.

Ma qualunque tipo di pillola prendesse Vera, le dava sempre dei disturbi; così, mentre stava passando da un tipo all'altro, rimase incinta.

Kevin ne fu felicissimo. «Abbiamo sempre avuto intenzione di sposarci», continuava a ripetere.

«Avrei voluto godermi un po' la vita, prima», pianse Vera.

«Ma te la sei goduta un po', adesso vivremo realmente, tu, il bambino e io.» Kevin era contento che non dovessero più abitare in casa con i genitori. Ne avrebbero avuta una loro.

Ma non si rivelò una casa molto confortevole. La famiglia di Vera non era ricca e si mostrò piuttosto contrariata al pensiero che la figlia avesse buttato via la sua costosa educazione e il corso commerciale prima ancora di aver lavorato un solo giorno. E fu ancor meno soddisfatta della famiglia con la quale Vera stava per imparentarsi.

Non era necessario che Vera spiegasse quella tensione a Connie, perché anche la madre di Connie sarebbe stata furente. La immaginava gridare: «Suo padre è un imbianchino! E lui sta per entrare nella 'ditta'! E hanno il coraggio di chiamarla ditta!» Fu inutile per Vera sottolineare che il padre di Kevin era proprietario di una piccola azienda di ristrutturazione e arredamento e che, con il tempo, avrebbe potuto ingrandirsi.

Kevin si guadagnava da vivere da quando aveva diciassette anni. Adesso ne aveva ventuno ed era molto orgoglioso di diventare padre. Aveva dipinto la cameretta del villino a due piani. Voleva che fosse perfetta per quando sarebbe arrivato il bambino.

Al matrimonio di Vera, dove Jacko era testimone e Connie damigella d'onore, Connie prese una decisione. «Da oggi non usciremo più insieme», disse.

«Non puoi parlare sul serio! Che cosa ho fatto?»

«Non hai fatto niente, Jacko. Sei stato semplicemente fantastico, ma non voglio sposarmi. Voglio lavorare e andare all'estero.»

La sua faccia onesta rimase sconcertata. «Ti permetterei di lavorare, ti condurrei ogni anno in Italia per una vacanza.»

«No, Jacko. Caro Jacko, no.»

«E pensare che credevo che potessimo fare l'annuncio stasera», disse, la faccia rabbuiata per la delusione.

«Ci conosciamo appena, tu e io.»

«Ci conosciamo quanto gli sposi, guarda loro che lunga strada hanno già percorso.» Jacko parlava con invidia.

Connie non disse che pensava che la sua amica Vera fosse assai poco saggia a essersi impegnata per la vita con Kevin. Sentiva che si sarebbe annoiata presto. Vera, con la frangia scura che le andava ancora negli occhi come a scuola, sarebbe presto diventata mamma. Ma Vera fu capace di ammansire il padre e la madre ancora contrariati e di costringere tutti a divertirsi al suo ricevimento di nozze.

Giurò a Connie che era quello che desiderava.

E, cosa straordinaria, le cose andarono proprio così. Terminò il corso e andò a lavorare nell'ufficio del padre di Kevin. In brevissimo tempo aveva riorganizzato il loro rudimentale sistema di contabilità. Adesso c'era un vero schedario e un'agenda per gli appuntamenti. L'arrivo del funzionario delle tasse non era più fonte di terrore.

La bambina era un angelo, piccina, con gli occhi scuri e tantissimi capelli neri come quelli di Vera e Kevin. Al battesimo Connie provò la sua prima piccola fitta di invidia. Lei e Jacko fungevano da madrina e padrino. Jacko aveva un'altra ragazza adesso, un tipetto impertinente. La gonna era troppo corta, l'abbigliamento inadatto per la cerimonia.

«Spero che tu sia felice», gli sussurrò Connie presso il fonte battesimale.

«Tornerei con te domani, anzi, stasera stessa, Connie», le disse.

«Non solo questo è improbabile, ma non è neanche giusto», gli rispose.

«Lei c'è solo per farmi dimenticare te.»

«Forse ci riuscirà.»

«O una delle prossime ventisette, ma ne dubito.»

L'ostilità che la famiglia di Vera aveva nutrito precedentemente per Kevin era scomparsa. Come spesso accade, un visetto innocente in un vestitino bianco già indossato da zii, nonni o cugini faceva la differenza... Non ci fu bisogno che Vera cercasse di rallegrare gli ospiti. Erano già sufficientemente allegri.

Le ragazze continuarono a sentirsi e a vedersi. Un giorno Vera le chiese: «Non vuoi sapere di Jacko? Ti desidera sempre».

«No, ti prego. Non una parola.»

«E che cosa devo dire quando chiede se frequenti qualcuno?»

«Digli la verità, che ogni tanto lo faccio, ma che non mi interessano i ragazzi, né tantomeno che desidero sistemarmi.»

«Va bene», promise Vera. «Ma dimmi, hai incontrato qualcuno che ti piace da allora?»

«Alcuni che mi piacciono in parte, sì.»

«E sei andata fino in fondo con loro?»

«Non posso parlare di simili cose a una rispettabile donna sposata, nonché madre.»

«Questo significa no», osservò Vera e risero come ridevano quando stavano imparando a scrivere a macchina.

Il bell'aspetto e le maniere fredde di Connie erano un punto a suo favore nei colloqui di lavoro. Non si concedeva di apparire troppo interessata, eppure non c'era niente di altero in lei. Rifiutò un impiego interessante in banca perché era solo temporaneo.

L'uomo che la intervistò rimase sorpreso e piuttosto colpito. «Ma perché ha fatto richiesta se non intendeva farsi assumere?» chiese.

«Leggendo l'annuncio, non si capiva che l'impiego fosse solo temporaneo», ribatté lei.

«Ma una volta messo piede in banca, Miss O'Connor, sarebbe un grosso vantaggio.»

Connie si mostrò inflessibile. «Se decidessi per la banca, preferirei essere assunta regolarmente.»

L'uomo si ricordò di lei e ne parlò alla sera con due amici al golf club. «Ricordate Richard O'Connor, il dentista che si è giocato la camicia? Oggi è venuta da me sua figlia, una vera piccola Grace Kelly. Volevo offrirle un impiego, in ricordo del povero Richard, ma non ha accettato. Brillante, però.»

Uno degli uomini era proprietario di un albergo. «Potrebbe andar bene come receptionist al bureau?»

«Esattamente quello che stai cercando. Forse anche troppa classe.»

Così il giorno dopo Connie fu chiamata per un altro colloquio.

«È un lavoro molto semplice, Miss O'Connor», le spiegò l'uomo.

«Sì, ma che cosa potrei imparare? Non voglio fare qualcosa che non mi migliori.»

«Questo lavoro si svolge in un albergo di gran lusso, dipende da come lo imposterà lei.»

«Perché pensa che sia adatta?»

«Per tre ragioni: ha un bell'aspetto, parla bene e conoscevo suo padre.»

«Non ho nominato mio padre in questo colloquio.»

«No, ma io so chi era. Non sia sciocca, ragazza, accetti il lavoro. A suo padre farebbe piacere sapere che ci si occupa di lei.»

«Be', se così, non ha fatto certamente molto in vita sua per assicurarsi che le cose andassero in questo modo.»

«Non parli così, l'amava molto.»

«Come fa a saperlo?»

«Ci mostrava sempre le fotografie dei suoi tre figli. I ragazzi più in gamba del mondo, diceva.»

Connie sentì un pizzicore dietro agli occhi. «Non voglio un lavoro per pietà, Mr Hayes», disse.

«Vorrei che mia figlia avesse i suoi principi, ma vorrei anche che lei non ne facesse una questione d'orgoglio. Sa che è peccato mortale, ma soprattutto è una compagnia molto triste in una serata d'inverno.»

Era uno degli uomini più ricchi di Dublino che stava dividendo i suoi punti di vista con lei. «Grazie, Mr Hayes, lo apprezzo molto. Posso pensarci?»

«Vorrei che accettasse subito. Ci sono dozzine di altre giovani donne in attesa. Accetti e lo trasformi in un lavoro di prestigio.»

Connie telefonò a sua madre quella sera.

«Vado a lavorare all'*Hayes Hotel* da lunedì. Quando l'albergo aprirà, verrò presentata come la loro prima receptionist, scelta tra centinaia di aspiranti. È quanto hanno detto gli addetti alle pubbliche relazioni. Pensa, ci sarà perfino la mia fotografia sui giornali.» Connie era molto eccitata.

Sua madre non ne rimase colpita. «Ti vorranno trasformare in una specie di oca bionda che sorride ai fotografi.»

Connie sentì il cuore farsi di pietra. Aveva seguito alla lettera le istruzioni di sua madre, frequentato il corso per segretarie, abitato con i cugini, trovato un lavoro. Non si sarebbe lasciata insultare o trattare con tale condiscendenza. «Se ricordi, mamma, quello che desideravo io era andare all'università e diventare avvocato. Non è stato possibile, così sto facendo del mio meglio. Mi dispiace che tu abbia una così scarsa opinione di me, pensavo che saresti stata contenta.»

Sua madre si mostrò immediatamente contrita. «Mi dispiace, davvero. Se sapessi che lingua tagliente mi è venuta... Dicono che assomiglio alla zia Katie; ricordi che leggenda era in famiglia.»

«Non importa, mamma.»

«No, importa invece, mi dispiace. Sono molto orgogliosa di te. Dico delle cose così dure perché non sopporto di sentirmi grata a gente come quell'Hayes che giocava a golf con tuo padre. Probabilmente sa che sei la figlia del povero Richard e ti ha offerto l'impiego per pietà.»

«No, non credo che lo sappia affatto, mamma», mentì Connie, fredda.

«Hai ragione, perché dovrebbe? Sono passati quasi due anni.» Sua madre sembrava rattristata.

«Ti telefonerò per dirti come va, mamma.»

«Fallo, Connie cara e non badare a me. È tutto ciò che mi rimane, sai, il mio orgoglio. Ma non mi scuserò con nessuno di loro qui attorno, la mia testa è alta come sempre.»

«Sono lieta che tu sia contenta per me, salutami i gemelli.» Connie sapeva che sarebbe diventata un'estranea per i due quattordicenni che frequentavano la scuola di una piccola città, invece del prestigioso college, se tutto fosse andato come programmato.

Suo padre non c'era più e sua madre non sarebbe stata di nessun aiuto. Era sola. Avrebbe seguito i consigli di Mr Hayes. Avrebbe trasformato il suo primo lavoro in un impiego di prestigio. Sarebbe stata ricordata all'*Hayes Hotel* come la prima e migliore receptionist che avessero mai avuto.

Fu una scelta eccellente. Mr Hayes si congratulò con se stesso più e più volte. La ragazza era perfetta per quell'impiego. E così somigliante a Grace Kelly. Si chiedeva quanto tempo ci sarebbe voluto prima che incontrasse il suo principe.

Ci vollero due anni. Ci fu, naturalmente, un numero infinito di proposte. Molti uomini d'affari che frequentavano l'albergo aspiravano ad accompagnare l'elegante Miss O'Connor in alcuni dei ristoranti più raffinati e naturalmente nei night club che incominciavano a sorgere un po' dappertutto in città. Ma lei era sempre molto distaccata. Sorrideva e chiacchierava cordialmente con loro, ma diceva di non voler mescolare il lavoro con il piacere.

«Non deve essere necessariamente lavoro», asserì disperato Teddy O'Hara. «Senta, alloggerò in qualche altro albergo, se uscirà con me.»

«Sarebbe un modo poco carino per ripagare l'*Hayes Hotel* del mio impegno», gli disse Connie sorridendo, «se mandassimo tutti i clienti negli hotel della concorrenza!»

Di questi inviti parlava con Vera. Telefonava ogni settimana per incontrarsi con l'amica, Kevin e Deirdre, che presto avrebbe avuto un fratellino.

«Teddy O'Hara ti ha chiesto di uscire con lui?» Gli occhi di Vera si spalancarono per la meraviglia. «Oh, ti prego, sposalo, Connie, così potremo avere un contratto per rinnovare tutti i suoi negozi. Saremmo a posto per la vita. Su, sposalo, fallo per amor nostro.»

Connie rise, ma si rese anche conto di non aver mai procurato alcun lavoro agli amici, come invece avrebbe potuto fare. Il giorno dopo disse a Mr Hayes che conosceva una piccola ditta di ristrutturazione e arredamento, se desideravano aggiungerla alla lista dei loro fornitori. Mr Hayes disse che avrebbe lasciato decidere al responsabile, ma che aveva bisogno di rinfrescare la sua casa a Foxrock.

Kevin e Vera parlarono per lungo tempo delle dimensioni e dello splendore della casa, e della gentilezza degli Hayes, che avevano a loro volta una bambina, chiamata Marianne.

Vera e Kevin le furono molto grati per la presentazione. Mr Hayes era stato contento del lavoro e quindi aveva raccomandato ad altri la piccola ditta. Presto Kevin guidò un camioncino più bello. Si parlò anche di una casa più grande nell'imminente nascita del nuovo bambino.

Si vedevano ancora con Jacko, che si occupava di impianti elettrici. Connie disse all'amica che forse avrebbe potuto procurare un po' di lavoro anche a lui. Vera rispose che avrebbe prima tastato il terreno. Quello che Jacko effettivamente rispose fu: «Puoi dire a quella boriosa di tenersi i suoi favori e di metterseli in quel posto». «Non mi è sembrato molto propenso», fu invece ciò che riferì Vera, che ci teneva a mantenere la pace.

E proprio quando nacque Charlie, il bambino di Vera e Kevin, che Connie incontrò Harry Kane. Era il più bell'uomo che avesse mai visto, alto con folti e ondulati capelli castani che arrivavano fin sulle spalle, molto diverso dagli uomini d'affari che incontrava solitamente. Aveva un sorriso cordiale e maniere che lasciavano intendere che si aspettava una certa attenzione ovunque. I portieri si precipitavano ad aprirgli le porte, la ragazza del chiosco si dimenticava degli altri clienti per porgergli il giornale e anche Connie, che sapeva di essere considerata una donna di ghiaccio, alzava lo sguardo e gli sorrideva in maniera più che cordiale.

Fu particolarmente lieta che l'avesse vista trattare con dei clienti difficili. «È molto diplomatica, Miss O'Connor», osservò lui, ammirato.

«È sempre un piacere vederla qui, Mr Kane. È tutto a posto in sala riunioni.»

Harry Kane dirigeva, con due partner più anziani, una nuova compagnia di assicurazioni di grande successo. Alcuni però la guardavano con sospetto. Crescere tanto in fretta, dicevano, significa guai. Ma non se ne vedevano i segni. I partner lavoravano a Galway e a Cork e si incontravano ogni mercoledì all'*Hayes Hotel*. Lavoravano dalle nove a mezzogiorno e mezzo nella sala riunioni, aiutati da una segretaria, poi pranzavano con ospiti importanti.

A volte erano ministri del governo, altre industriali o sindacalisti.

Connie si chiedeva perché non tenessero quelle riunioni nell'ufficio di Dublino. Harry Kane aveva un prestigioso ufficio in una delle piazze principali, con una dozzina di impiegati. Doveva essere per una questione di privacy, decise. Ovviamente quella segretaria era a conoscenza di tutti i segreti. Connie la osservava con interesse quando andava e veniva con loro ogni settimana. Stringeva una cartella di documenti e non pranzava mai con loro e i loro ospiti. Eppure, doveva essere una confidente preziosa.

A Connie sarebbe piaciuto lavorare così per qualcuno. Qualcuno esattamente come Harry Kane. Cominciò a parlare con la donna, ricorrendo a tutto il suo charme e alla sua abilità.

«È tutto a posto in sala riunioni, Miss Casay?»

«Certamente, Miss O'Connor, altrimenti Mr Kane glielo avrebbe detto.»

«Abbiamo appena ricevuto un nuovo tipo di apparecchiatura audiovisiva, qualora vi occorresse per le vostre riunioni.»

«Grazie, ma non è necessario.»

Miss Casey pareva sempre ansiosa di andarsene, come se la sua valigetta contenesse denaro sporco. Forse era così. Connie e Vera ne discutevano per ore.

«È ovviamente un po' fissata», suggerì Vera mentre faceva saltellare Charlie sulle ginocchia.

«Perché?» Connie non aveva idea di quello che stesse pensando l'amica.

«È sado-masochista, li frusta quasi a morte ogni mercoledì. Solo così riescono a funzionare. Ecco che cosa c'è nella valigetta. Fruste!»

«Oh, Vera, vorrei che tu potessi vederla.»

Connie rise fino alle lacrime al pensiero di Miss Casey in quel ruolo. E, stranamente, provò anche un'ondata di gelosia nel caso che la tranquilla, elegante Miss Casey avesse una relazione con Harry Kane. Non aveva mai provato una cosa simile in precedenza.

«Ti piace», osservò con aria perspicace Vera.

«Solo perché non mi guarda.»

«Sai perché ti piace?»

«Mi ricorda un po' mio padre», rispose Connie, prima ancora di rendersi conto che quello in effetti era quanto aveva provato.

«Una ragione in più per tenerlo d'occhio», osservò Vera, che era l'unica persona a cui fosse concesso di nominare Richard O'Connor e la sua mania del gioco senza ricevere un'occhiata raggelante da sua figlia.

Senza darlo a vedere, Connie si informò più approfonditamente di Harry Kane. Aveva quasi trent'anni, era single, i suoi genitori vivevano in campagna, erano dei piccoli agricoltori. Era il primo della sua famiglia a essersi buttato negli affari. Viveva in un appartamento da scapolo che si affacciava sul mare, andava alle prime teatrali e ai vernissage, ma sempre in gruppo.

Qualche volta veniva nominato nelle colonne della cronaca mondana. Si diceva che, qualora si fosse deciso a sposarsi, avrebbe cercato di entrare a far parte di una famiglia come quella di Mr Hayes. Grazie a Dio, la figlia di quest'ultimo era ancora una ragazzina, altrimenti sarebbe stata l'ideale per lui.

«Mamma, perché non vieni a Dublino in treno un mercoledì e non inviti qualche tua amica a colazione all'*Hayes Hotel*? Farò in modo che vi trattino con tutti i riguardi.»

«Non ho più amiche a Dublino.»

«Sì, che ne hai.» E gliene nominò alcune.

«Non voglio la loro pietà.»

«Che pietà può esserci nell'invitarle a pranzo? Su, provaci. Forse la prossima volta ti inviteranno loro.»

Sua madre acconsentì, brontolando.

Furono sistemate vicino al gruppo di Mr Kane, che includeva il proprietario di un giornale e due ministri. Le signore apprezzarono molto il pranzo, ma anche per l'essere trattate con riguardo, ancora di più delle persone importanti accanto a loro.

Come Connie aveva sperato, il pranzo fu un grosso successo e una delle amiche della madre disse che la prossima volta sarebbe toccato a lei. Il mercoledì del mese successivo. E così continuarono, con sua madre che ritrovava la fiducia e l'allegria da quando nessuno nominava più suo marito, se non per dire: «povero Richard», come avrebbero fatto con qualsiasi altra vedova.

Connie faceva sempre in modo di passare dal loro tavolo e offrire un bicchierino di Porto, rivolgendo nel contempo un sorriso verso il tavolo di Mr Kane.

Dopo la quarta volta si rese conto che l'aveva notata. «È molto gentile con quelle anziane signore, Miss O'Connor», disse.

«È mia madre con alcune amiche. Si divertono a pranzare qui e per me è un piacere vederla, abita in campagna, capisce.»

«Ah, e dove abita lei?», chiese, gli occhi all'erta in attesa della sua risposta.

Sarebbe stato troppo normale dire: «Ho un mio appartamento». Oppure: «Per conto mio». Ma Connie si era preparata. «Be', vivo a Dublino, naturalmente, Mr Kane, ma spero di viaggiare un giorno, mi piacerebbe vedere altre città.» Non stava rivelando assolutamente niente, ma notò che sembrava ancora più interessato.

«E dovrebbe, Miss O'Connor. È stata a Parigi?»

«Purtroppo non ancora.»

«Io ci devo andare il prossimo weekend, le piacerebbe venire con me?»

Rise divertita, come se ridesse con lui, non di lui. «Sarebbe bello! Ma è fuori discussione, temo. Spero che si diverta.»

«Forse quando torno potrei invitarla a cena per parlare un po' con lei?»

«Molto volentieri.»

E così ebbe inizio l'idillio tra Connie O'Connor e Harry Kane. E in quel periodo si rese conto che Siobhan Casey, la sua fidata segretaria, la odiava. Mantennero la relazione più privata possibile, ma non fu facile. Se lui era invitato all'opera, desiderava condurre anche lei e così i loro nomi non tardarono a essere collegati.

Fu descritta da una «columnist» come la sua bionda compagna.

«Non mi piace questo», disse quando vide il suo nome su un giornale della domenica. «Dà una cattiva immagine di me.»

«Essere la mia compagna?» Harry inarcò le sopracciglia.

«Capisci quello che voglio dire, la parola compagna e tutto quello che sottintende.»

«Be', non è colpa mia se non dicono le cose come stanno.» Aveva cercato di portarla a letto già da un po' di tempo, ma lei continuava a rifiutare.

«Credo che dovremmo smettere di vederci, Harry.»

«Non puoi dire sul serio.»

«Non lo desidero, ma è meglio. Senti, non ho intenzione di avere un'avventura con te e poi essere messa da parte. Sul serio, Harry, mi piaci troppo. Oltre che piacermi, non faccio che pensare a te.»

«E io a te.» Sembrava che dicesse sul serio.

«Allora non è meglio che smettiamo di vederci adesso?»

«Qual è la frase giusta...?»

«Tirarsene fuori in tempo», suggerì lei, sorridendo.

«Non voglio tirarmene fuori.»

«Neanch'io, ma sarà più difficile dopo.»

«Vuoi sposarmi?» chiese.

«No, non è questo, non ti sto puntando una pistola alla testa. Questo non è un ultimatum o altro, è per il nostro bene.»

«Io ti sto puntando una pistola alla testa. Sposami!»

«Perché?»

«Perché ti amo», rispose semplicemente Harry.

Il matrimonio si sarebbe svolto all'*Hayes Hotel*. Tutti sostenevano che Mr Kane facesse parte della famiglia e Miss O'Connor era il centro vitale dell'albergo da quando era stato aperto.

La madre di Connie non doveva pagare altro che il proprio abbigliamento. Poté invitare le sue amiche, le signore con le quali aveva ripreso i contatti. Invitò anche alcune delle sue vecchie nemiche. I gemelli fecero da paggetti al matrimonio più elegante che Dublino avesse visto da anni: la sposa era bellissima e lo sposo il partito più ambito d'Irlanda. In quel giorno la madre di Connie perdonò quasi il marito.

Lei e Connie dormirono nella stessa stanza d'albergo la sera prima delle nozze. «Non so dirti come mi sento felice nel vederti così felice», disse alla figlia.

«Grazie, mamma, so che hai sempre desiderato il meglio per me.» Connie era molto calma. Il mattino dopo un parrucchiere e un'estetista sarebbero andati nella loro camera per occuparsi di lei, sua madre e Vera, la madrina d'onore che si sentiva intimidita da tanto splendore.

«Sei felice?» le chiese sua madre all'improvviso.

«Oh, mamma!» Connie cercò di controllare la rabbia. Possibile che sua madre dovesse sempre rovinare tutto? Tuttavia fissò il suo viso preoccupato e rispose: «Sono molto, molto felice. Ho soltanto paura di non essere abbastanza per lui, capisci. È un uomo di successo, potrei non riuscire a stare al passo con lui».

«Sei stata al passo con lui, finora», osservò acutamente sua madre.

«Ma quella era una questione di tattica. Non sono stata a letto con lui come mi risulta facciano ormai tutti. Non ho ceduto facilmente, potrebbe non essere lo stesso quando sarò sposata.»

Sua madre accese un'altra sigaretta. «Ricorda quello che ti dico stasera e non parlarne mai più, ma ricordatelo. Fai in modo che ti dia dei soldi per le tue necessità. Investili, mettili da parte. E alla fine, qualunque cosa accada, non ti troverai mai nei guai.»

«Mamma...» I suoi occhi erano dolci e pieni di pena per una madre che era stata tradita, rovinata da un marito che aveva mandato in frantumi il loro futuro.

«Il denaro avrebbe fatto molta differenza?»

«Non saprai mai quanta e la mia preghiera per te stasera è che tu non debba mai saperlo.»

«Penserò a quello che hai detto», la rassicurò Connie. Era una frase molto utile, la usava spesso sul lavoro, quando non aveva alcuna intenzione di pensare a quello che le dicevano.

Le nozze furono un trionfo. I due soci di Harry e le loro mogli dissero che era il più bel matrimonio a cui avessero mai assistito. Mr Hayes dichiarò che anche il suo amico Richard, il padre della sposa, sarebbe stato felice e orgoglioso di essere lì quel giorno e vedere la sua bella figliola così raggiante. Era una fortuna per l'*Hayes Hotel* che Connie Kane, come veniva chiamata adesso, avesse acconsentito a continuare a lavorare finché qualcosa non le avesse impedito di farlo.

Trascorsero la luna di miele alle Bahamas, due settimane che Connie aveva creduto che sarebbero state le più belle della sua vita. Le piaceva parlare con Harry e ridere con lui. Le piaceva camminare con lui lungo la spiaggia, fare castelli di sabbia nel sole mattutino sul bagnasciuga e tenersi per mano al tramonto prima di andare a cena e a ballare.

Non le piaceva andare a letto con lui, neanche un po'. Era l'ultima cosa che si sarebbe aspettata. Era brusco e impaziente. Era terribilmente irritato dalla sua mancanza di risposta. Quando poi si rese conto di cosa gli sarebbe piaciuto e finse un'eccitazione che non provava, lui se ne accorse.

«Oh, via, Connie, smettila di gemere e sospirare, bloccheresti anche un gatto.»

Non si era mai sentita più ferita e più sola. Era gentile, la corteggiava, la adulava. Cercava anche soltanto di abbracciarla e accarezzarla. Ma non appena si profilava il momento del rapporto, lei si irrigidiva e opponeva resistenza, per quanto si dicesse che era quello che entrambi desideravano.

A volte giaceva sveglia nella calda notte buia ascoltando le cicale e i suoni caraibici in lontananza. Si chiedeva se era questo che provavano tutte le donne. Era questo che aveva inteso sua madre dicendole di pretendere sicurezza?

In quelle lunghe notti insonni, quando non osava muoversi per paura che lui si svegliasse e ricominciasse, Connie meditava anche sulle parole della sua amica Vera. «Su, Connie, vai a letto con lui, per carità. Vedi se ti piace. Pensa se non ti piacesse... è per tutta la vita.»

Ma lei non aveva voluto e lui aveva rispettato il suo desiderio di essere vergine al momento del matrimonio. C'erano state delle volte negli ultimi mesi in cui si era sentita eccitata. Perché non era andata fino in fondo invece di aspettare? Che disastro. Una delusione che avrebbe marchiato entrambi per sempre.

Dopo otto giorni e otto notti di quello che avrebbe dovuto essere il periodo migliore per due giovani sani, ma che si stava invece tramutando in un incubo di frustrazione e incomprensione, Connie decise di recuperare la sua personalità distaccata, di ritornare la donna che lo aveva tanto attratto. Indossò il suo più bel vestito bianco e giallo, si sedette sul balcone della loro camera e lo chiamò: «Harry, alzati e fatti una doccia, per favore, tu e io dobbiamo parlare».

«È tutto quello che vuoi fare...» borbottò lui nel cuscino.

«Su, Harry, il caffè non resterà caldo in eterno.»

Con sua sorpresa le obbedì e uscì bello e scarmigliato con l'accappatoio bianco a fare colazione. Era un peccato, pensò, che non potesse soddisfare quell'uomo. Ma, soprattutto, era qualcosa che andava affrontato.

Dopo la seconda tazza di caffè, disse: «A casa, quando si presentava un problema sul lavoro, ci si riuniva per discuterne, non è vero?».

«Che cosa vuoi dire?» Non sembrava che volesse collaborare.

«Mi hai parlato della moglie del vostro socio che beveva troppo e andava in giro a raccontare i vostri affari. Di come avete dovuto accertarvi che non le giungesse all'orecchio niente d'importante. Era una strategia... facevate in modo di dirle in gran segreto cose che non avevano importanza. E lei era perfettamente contenta e lo è anche oggi. Ci siete arrivati grazie a una strategia e avete risolto il problema senza ferirla.»

«Sì?» Non capiva dove volesse arrivare.

«E nel mio lavoro, abbiamo avuto un problema con il nipote di Mr Hayes. Un tipo piuttosto ottuso... ma come dirlo a Mr Hayes? Ne abbiamo parlato e abbiamo scoperto che il ragazzo voleva diventare un musicista, non un direttore d'albergo. Lo abbiamo incaricato di suonare il pianoforte in uno dei saloni, lui ha fatto venire i suoi amici e le persone che desiderava lo sentissero. E così tutto si è risolto per il meglio.»

«Che cosa significa tutto questo, Connie?»

«Tu e io abbiamo un problema. Non riesco a capire. Sei bello, sei un amante esperto, ti amo. Deve essere colpa mia, può darsi che abbia bisogno di vedere un medico o uno psichiatra. Ma voglio affrontarlo. Possiamo discuterne senza arrabbiarci o tenerci il broncio o sconvolgerci?»

Era così bella, così ansiosa di spiegare cose che erano difficili e sgradevoli anche solo da dire, che lui fece fatica a rispondere.

«Di' qualcosa, Harry, di' che dopo otto giorni e otto notti non ci arrenderemo. Dimmi che sei convinto che tutto si aggiusterà.» Ancora silenzio. Non accusatorio, ma sgomento. «Di' qualunque cosa», lo implorò. «Dimmi quello che vuoi.»

«Voglio un bambino concepito in luna di miele, Connie. Ho trent'anni. Voglio un figlio che possa occuparsi dei miei affari quando io ne avrò cinquantacinque. Voglio avere una famiglia nei prossimi anni, da cui possa tornare quando ne avrò bisogno. Ma tutto questo tu lo sai. Tu e io ne abbiamo parlato a lungo, notte dopo notte prima che scoprissi...» s'interruppe.

«No, continua», disse lei con voce tranquilla.

«Be', prima che scoprissi che eri frigida», asserì. Ci fu un silenzio. «Adesso me l'hai fatto dire. Non vedo il motivo di parlare di queste cose.» Sembrava sconvolto.

Lei era ancora calma. «Hai ragione, te l'ho fatto dire. E ritieni che sia così?»

«Be', l'hai detto tu stessa che forse hai bisogno di uno psichiatra, un medico, insomma qualcosa del genere. Forse il problema è nel tuo passato, non lo so. E mi dispiace enormemente perché sei tanto bella e non potrei essere più sconvolto al pensiero che tu non sia felice.»

Era determinata a non piangere, urlare, fuggire, tutte cose che avrebbe voluto fare. Ma aveva imparato a rimanere calma, doveva continuare così.

«Sotto molti aspetti desideriamo la stessa cosa. Anch'io voglio un bambino concepito in luna di miele», disse. «Vieni, non è difficile. Molta gente lo fa, continuiamo a provarci.» E gli rivolse il più insincero dei sorrisi, riportandolo in camera da letto.

Quando ritornarono a Dublino, Connie gli assicurò che avrebbe cercato di risolvere il problema. Continuando a sorridere coraggiosamente, disse che avrebbe consultato degli specialisti. Prese appuntamento con un importante ginecologo. Era un uomo affascinante e cortese; le mostrò un diagramma dell'area riproduttiva femminile dove avrebbero potuto esserci delle ostruzioni. Connie lo studiò con interesse. Avrebbe potuto trattarsi del progetto per un nuovo impianto d'aria condizionata dell'albergo.

Ma quando il medico volle visitarla, cominciarono i problemi. Si tese talmente da rendere impossibile la cosa. Lui se ne stava lì preoccupato, la mano infilata nel guanto di plastica, il volto gentile e impersonale. Connie non lo considerava una minaccia, ma ogni muscolo del suo corpo si era contratto.

«Credo che dovremo effettuare l'esame sotto anestesia», disse. «Sarà più facile per tutti.»

Connie fissò l'appuntamento per la settimana successiva. Harry si mostrò molto affettuoso con lei. L'accompagnò in clinica. «Sei tutto ciò che conta per me. Non ho mai conosciuto nessuno come te.»

«Ci scommetto», disse lei, buttandola sul ridere. «Tenerle alla larga era il tuo problema, non come devi fare con me.»

«Connie, andrà tutto bene.» Era così gentile e preoccupato. Se non poteva amare un uomo come quello, non c'era speranza per lei. Se avesse ceduto alle persuasioni di gente come Jacko in passato, chissà se adesso sarebbe stato meglio o peggio? Non l'avrebbe mai scoperto ora.

L'esame mostrò che fisicamente non c'era niente di anomalo in Mrs Constance Kane. Fissò quindi un appuntamento con uno psichiatra. Una donna molto piacevole con un sorriso aperto e sincero e un approccio deciso. Era facile parlare con lei. Il suo metodo sembrava quello di porre domande brevi e aspettarsi risposte più lunghe.

Connie assicurò alla donna che non aveva avuto spiacevoli esperienze sessuali in passato perché non ne aveva avute affatto. No, non si era sentita privata di qualcosa, o frustrata dal non fare del sesso, né per altro incuriosita. No, non si era mai sentita attratta verso nessuno del proprio sesso, né aveva avuto amicizie femminili così importanti da mettere in ombra i rapporti eterosessuali. Parlò alla donna della sua grande amicizia con Vera, ma disse che in tutta onestà non c'era traccia di sessualità o dipendenza emotiva in essa, erano solo risate e confidenze.

E come era incominciata. Perché Vera era stata l'unica persona a trattare l'argomento di suo padre come se fosse una cosa normale che poteva succedere a chiunque.

La psichiatra sembrò molto comprensiva e indulgente; le rivolse sempre più domande sul padre di Connie e sul senso di delusione che aveva provato dopo la sua morte. «Credo che stia dando troppa importanza a questa faccenda di mio padre», asserì Connie a un certo punto.

«È possibile. Mi racconti di quando tornava a casa da scuola. Suo padre si interessava ai suoi compiti, per esempio?»

«So che cosa sta cercando di dire, che forse lui e la sua morte hanno interferito con me o qualcosa del genere, ma non è andata affatto così.»

«No, non sto dicendo questo. Perché pensa che sia questo che sto dicendo?»

Continuavano a girare attorno a questi argomenti. A volte Connie piangeva. «Mi sento così sleale a parlare di mio padre in questi termini.»

«Ma non ha detto niente contro di lui, ha solo detto come fosse gentile, buono e affettuoso e come facesse vedere la sua fotografia agli amici sul campo da golf.»

«Ma sento che è accusato di qualcos'altro, come del fatto che io non sia brava a letto.»

«Non l'ha accusato di questo.»

«Lo so, ma sento quest'accusa sospesa sopra di me.»

«E perché mai?»

«Non lo so. Immagino sia perché mi sono sentita così abbandonata, perché ho dovuto riscrivere tutta la storia della mia vita. Non ci amava affatto. Come avrebbe potuto, se gli interessavano di più i cavalli e i cani?»

«È così che vede la cosa ora?»

«Non ha mai posato una mano su di me, non so quante volte l'ho ripetuto. Non è che abbia cercato di dimenticare o altro.»

«Ma suo padre l'ha delusa. L'ha abbandonata.»

«Non può essere solo questo, no? Perché un uomo, un padre, ci ha deluso, una donna deve avere paura di tutti gli uomini?» Connie rise.

«È così improbabile?»

«Tratto con gli uomini tutto il giorno, lavoro con gli uomini. Non ne ho mai avuto paura.»

«Ma non ha neanche mai permesso a uno di loro di venirle vicino.»

«Penserò a quello che ha detto», asserì Connie.

«Pensi a quello che ha detto lei», ribatté la psichiatra.

«Ha trovato qualcosa?» Il viso di Harry era fiducioso.

«Un sacco di sciocchezze. Perché mio padre era inaffidabile, penso che tutti gli uomini lo siano.» Connie rise sprezzante.

«Potrebbe essere vero», disse lui con sua sorpresa.

«Ma Harry, come potrebbe? Siamo così aperti l'uno verso l'altra, tu non mi deluderai mai.»

«Spero di no», rispose lui così seriamente che lei provò un brivido lungo la spina dorsale.

E i giorni passarono. Niente effettivamente cambiò, ma Connie si aggrappò ancora di più a lui, implorandolo. «Ti prego, non rinunciare a me, Harry. Ti amo. Desidero tanto un bambino nostro. Forse quando lo avremo mi rilasserò e mi piacerà farlo come sarebbe giusto che fosse.»

«Zitta, zitta», diceva lui, carezzandole il volto. Fare l'amore con lui non era affatto ripugnante o penoso, era soltanto molto difficile. E lo avevano fatto così tante volte che avrebbe potuto rimanere incinta. Finalmente saltò il suo periodo e, non osando quasi sperare, attese finché non ne fu sicura. Poi gli diede la notizia.

La sua faccia si illuminò. «Non avresti potuto rendermi più felice», disse. «Non ti deluderò mai.»

«Lo so», rispose lei. Ma in realtà non lo sapeva, perché era sicura che ci fosse un'intera parte della sua vita che non poteva dividere con lei e che prima o poi l'avrebbe divisa con qualcun altro. Ma nel frattempo doveva fare in modo di puntellare quelle parti che le erano accessibili.

Insieme parteciparono a molti avvenimenti mondani e Connie insisteva perché venisse nominata come Mrs Constance Kane dell'*Hayes Hotel*, oltre che come moglie di Harry. Raccolse denaro per due opere di beneficenza insieme alle mogli di altri uomini di successo. Diede numerosi ricevimenti nella sua nuova splendida casa, dove tutti i lavori di restauro erano stati effettuati dalla famiglia di Kevin.

Non disse niente a sua madre della situazione tra di loro. Ne parlò invece con Vera. «Quando nascerà il bambino», l'ammonì Vera, «cerca di avere un'avventura con qualcun altro. Potresti scoprire che ti piace e poi tornare da Harry e farlo come si deve.»

«Ci penserò», disse Connie.

La cameretta per il bambino era pronta. Connie aveva rinunciato al suo lavoro. «Nessuna speranza di poterla riavere, anche part-time, quando il bambino sarà abbastanza grande da poter essere affidato a una nurse?» chiese Mr Hayes.

«Vedremo.» Era più calma e controllata che mai, pensava Mr Hayes. Il matrimonio con un uomo difficile come Harry Kane non aveva intaccato il suo spirito.

Connie si era fatta un dovere di tenersi in contatto con la famiglia di Harry. In un anno era andata a trovarli più spesso di quanto non avesse fatto il figlio nei precedenti dieci. Li teneva informati su tutti i dettagli della sua gravidanza: era il loro primo nipote, un'importante pietra miliare, dicevano loro. Erano persone tranquille, intimorite dal crescente successo di Harry. Si mostravano contenti e quasi imbarazzati di essere partecipi a quel modo nella vita del figlio e della nuora e che si chiedesse la loro opinione sul nome da dare al bambino.

Connie si accertò anche di avere la fiducia dei soci di Harry e delle loro mogli. Prese l'abitudine di offrire loro una cena leggera a casa il mercoledì sera. Harry e i suoi soci avevano infatti mangiato e bevuto abbondantemente a pranzo, dopo la riunione settimanale del mercoledì e non aspiravano a una cena abbondante. Ma preparava sempre qualcosa di appetitoso.

Connie rivolgeva delle domande alle signore e ascoltava le loro risposte. Ricordava ogni noioso particolare sugli esami dei loro figli, le migliorie apportate alle loro case, le vacanze, gli abiti che avevano comperato. Avevano quasi vent'anni più di lei. Dapprincipio erano state fredde e sospettose. Sei mesi dopo, erano le sue devote schiave. Dicevano ai mariti che Harry Kane non avrebbe potuto trovare una moglie più adatta, che era stupendo non avesse sposato quella faccia dura di Siobhan Casey, che aveva nutrito così ambiziose speranze su di lui.

I soci di Harry non erano disposti a dire una parola contro Siobhan e la sua dedizione. Per discrezione e solidarietà maschile non ritenevano necessario spiegare che le ambiziose speranze di Miss Casey potevano non essere sfociate nel matrimonio, ma che c'erano prove evidenti che il romantico idillio esistito una volta tra di loro fosse ricominciato. Nessuno dei soci riusciva a capirlo. Se a casa uno aveva una moglie bella come Connie, perché andare a cercare altrove?

Quando Connie si rese conto che suo marito andava a letto con Siobhan Casey, provò un grosso choc. Non si era aspettata niente del genere così presto. Non gli era occorso molto tempo per deluderla. Non aveva concesso molte chance alla vita che conducevano insieme. Era sposata da sette mesi, incinta di tre e aveva rispettato i patti. Nessun uomo aveva una compagna migliore e uno stile di vita più confortevole. La loro casa era elegante e accogliente, sempre piena di fiori, di allegria e di gente. Ma anche tranquilla e riposante, quando lui desiderava questo. Ma lui desiderava di più.

Avrebbe potuto accettarlo se si fosse trattato dell'avventura di una notte, durante un convegno o un viaggio all'estero. Ma non con quella donna che l'aveva sempre voluto! Com'era umiliante che se lo fosse ripreso. E così in fretta.

Le sue scuse non erano neanche troppo tortuose. «Sarò a Cork lunedì, credo che mi tratterrò», aveva detto, solo che il socio di Cork aveva telefonato cercandolo. Così non era a Cork.

Connie aveva minimizzato e accettato, apparentemente, la spiegazione di Harry. «Quell'uomo non ricorderebbe neanche il suo nome, se non fosse scritto sulla sua cartella. Devo avergli ripetuto tre volte che avrei pernottato in albergo.»

E poi poco tempo dopo, quando dovette recersi a Cheltenham, l'agenzia di viaggi mandò a casa il biglietto e lei vide che ce n'era uno anche per Siobhan Casey.

«Non avevo realizzato che sarebbe venuta anche lei.» Gli disse con un tono disinvolto.

Harry si strinse nelle spalle. «Dobbiamo stabilire dei contatti, assistere alle corse e incontrare della gente. Qualcuno deve rimanere sobrio e prendere nota di tutto.»

E poi cominciò a restare fuori casa almeno una volta alla settimana. E almeno due sere alla settimana rientrava talmente tardi che era ovvio che fosse stato con qualcuno. Le propose delle camere separate, per non disturbarla, date le sue condizioni. Era tutto molto triste, pensò Connie.

Le settimane passavano e i loro contatti diminuivano. Lui si mostrava sempre cortese e pieno di elogi. Soprattutto riguardo le sue cene del mercoledì. Erano realmente servite a cementare la collaborazione tra i soci, le disse. Lei lo aveva fatto anche perché desiderava che trascorresse il mercoledì sera a casa, ma non gli rivelò che lo scopo fosse soprattutto questo.

Quando se ne andavano sedeva con Harry a chiacchierare del suo lavoro, ma spesso soltanto una parte della sua mente seguiva il discorso. L'altra si chiedeva se lui facesse altrettanto a casa di Siobhan Casey. O la loro passione era tale che si spogliavano non appena varcata la soglia?

Un mercoledì sera le accarezzò il ventre prominente e lei vide delle lacrime nei suoi occhi. «Mi dispiace», disse.

«Per che cosa?» Il viso di Connie era inespressivo. Lui si interruppe come se si stesse chiedendo se dirle qualcosa o no, così lei riprese subito a parlare. Non voleva che ci fosse alcunché di ammesso, riconosciuto o accettato. «Di che cosa sei dispiaciuto? Abbiamo quasi tutto e quello che non abbiamo, potremo averlo con il tempo.»

«Sì, sì certo», disse lui, riprendendosi.

«E presto nascerà il nostro bambino», asserì lei, con tono carezzevole.

«E andrà tutto bene», aggiunse lui, poco convinto.

* * *

Il bambino nacque dopo diciotto ore di travaglio. Era perfettamente sano. Fu battezzato Richard. Connie spiegò che per un caso fortuito questo era il nome del padre di Harry e anche di suo padre, per cui la scelta era stata ovvia.

Il ricevimento che diedero a casa loro per il battesimo fu elegante e semplice al tempo stesso. Connie accoglieva gli ospiti, la figura di nuovo snella già una settimana dopo il parto, sua madre elegantissima e felice, i figli della sua amica Vera, Deirdre e Charlie, facevano da paggetti.

Il prete della parrocchia era un grande amico di Connie e se ne stava lì, orgoglioso. Era presente anche un avvocato di mezza età, amico del padre di Connie, un importante membro del Foro, con un'alta reputazione. Era noto per non perdere mai una causa.

Mentre Connie era lì in piedi nel suo elegante abito di seta blu dai profili bianchi, con a fianco il prete e l'avvocato e il bambino in braccio, Harry provò un brivido di apprensione. Non sapeva che cosa fosse e lo ricacciò. Poteva essere l'inizio di un'influenza. Sperava di no, perché lo aspettava molto lavoro nelle settimane successive. Ma non riusciva a staccare gli occhi dal quadretto. Era come se rappresentasse qualcosa. Qualcosa che lo minacciava.

Si avvicinò loro quasi contro la sua volontà. «È un gran bel quadretto», osservò con le sue maniere cordiali. «Mio figlio circondato dalla chiesa e dalla legge nel giorno del suo battesimo, di che cos'altro ha bisogno per iniziare la sua vita nella Santa Irlanda?»

Sorrisero e Connie parlò. «Stavo giusto dicendo a padre O'Hara e a Mr Murphy qui presenti che dovresti essere un uomo felice oggi. Gli stavo ripetendo quello che hai detto a me otto giorni dopo che eravamo sposati.»

«Oh sì, che cosa?»

«Hai detto che volevi un bambino concepito in luna di miele, perché potesse occuparsi dei tuoi affari quando avessi avuto cinquantacinque anni. Una famiglia che fosse lì ad aspettarti quando ne avevi bisogno.» La sua voce poteva sembrare allegra e piena di ammirazione agli estranei. Ma lui ne percepiva la durezza. Non avevano mai più parlato di quella conversazione. Mai avrebbe pensato che la ripetesse in pubblico. Che rappresentasse una minaccia?

«Credo di averlo detto in maniera più carina, Connie», asserì sorridendo. «Eravamo alle Bahamas, in viaggio di nozze.»

«È quanto hai detto e mi sembra che le cose si stiano avviando in quel senso.»

«Speriamo che a Richard piaccia lavorare nel campo delle assicurazioni.»

Era una specie di minaccia; Harry lo avvertì, ma non capì da che parte potesse provenire.

Fu alcuni mesi dopo che un avvocato gli chiese di passare dal suo studio.

«Sta organizzando un piano di assicurazione globale?» chiese Harry.

«No, è una questione personale e ci sarà anche un collega.»

Nello studio c'era T. P. Murphy, l'amico del padre di Connie.

Sorridente e affascinante, sedeva in silenzio mentre l'avvocato spiegava che era stato incaricato da Mrs Kane di provvedere a una separazione dei beni, in base alle vigenti leggi a tutela delle donne sposate.

«Ma Connie sa che la metà dei miei beni è sua.» Harry era più scioccato di quanto fosse mai stato in vita sua.

«Sì, ma ci sono altri fattori da prendere in considerazione», disse l'avvocato. Il suo distinto collega non disse nulla, si limitò a guardare dall'uno all'altro.

«Del tipo?»

«Il rischio che esiste nei suoi affari, Mr Kane.»

«C'è un elemento di rischio in ogni maledetto affare, compreso i suoi», ribatté lui.

«Dovrà ammettere che la sua compagnia si è espansa molto rapidamente. Alcune attività potrebbero non essere come appaiono sulla carta.»

Maledetta, aveva parlato a quegli avvocati dell'unico gruppo che aveva delle difficoltà, dell'unica area di cui lui e i suoi soci si preoccupavano. Non potevano averlo saputo altrimenti.

«Se ha detto qualcosa ai danni della nostra compagnia per poterci mettere le mani sopra, ne risponderà», asserì abbassando completamente la guardia.

Fu a questo punto che T. P. Murphy si chinò in avanti e parlò con voce mielata. «Mio caro Mr Kane, ci lascia sgomenti per come ha frainteso la preoccupazione di sua moglie per lei. Dovrebbe conoscere un po' il suo passato. Gli investimenti di suo padre si sono rivelati insufficienti a sostenere la famiglia quando...»

«La situazione era totalmente diversa. Suo padre era un vecchio dentista pazzo che investiva in cani e cavalli tutto quello che guadagnava curando i denti.»

Nello studio legale cadde il silenzio. Harry Kane si rese conto di aver commesso un errore. I due avvocati si guardarono l'un l'altro. «Un uomo perbene a tutti gli effetti, in ogni modo», borbottò allora.

«Sì, un uomo molto perbene, come ha detto. Uno dei miei più cari amici per molti anni», dichiarò T. P. Murphy.

«Sì. Sì, certo.»

«E sappiamo da Mrs Kane che avrete un secondo figlio tra qualche mese», dichiarò l'avvocato alzando gli occhi dalle carte.

«È vero, sì. Siamo entrambi molto felici.»

«E Mrs Kane, naturalmente, ha rinunciato alla sua brillante carriera all'*Hayes Hotel* per occuparsi di questi bambini e di altri che potreste avere.»

«Era un semplice lavoro di receptionist. Non era una brillante carriera. Ora è sposata con me, può avere tutto ciò che vuole. Le ho mai negato qualcosa? Dice questo nella lista delle sue lagnanze?»

«Sono veramente lieto che Mrs Kane non sia qui a sentire le sue parole», asserì T. P. Murphy. «Se sapesse come ha frainteso la situazione. Non c'è nessuna lista di lagnanze, c'è solo un'enorme preoccupazione da parte sua per lei, la sua compagnia e la famiglia che desiderava tanto creare. Teme che se dovesse accadere qualcosa al suo gruppo, lei potrebbe restare senza le cose per le quali ha lavorato così sodo, viaggiando molto e rimanendo a lungo lontano dalla famiglia.»

«E che cosa propone?»

Eccoli al dunque. I legali di Connie volevano che venisse messo quasi tutto a nome di lei, la casa e una percentuale dei profitti annui. Connie avrebbe formato una sua società con suoi amministratori.

«Non posso fare una cosa simile», dichiarò Harry Kane.

«Perché no, Mr Kane?»

«Che cosa significherebbe per i miei due soci, gli uomini che hanno fondato questa società con me? Dovrei dire loro: 'Sentite amici, sono un po' preoccupato per tutta la baracca, così ho intestato la mia parte a mia moglie, per cui non vi sarà possibile toccarmi se dovessimo avere dei guai'. Che impressione farebbe?»

Harry non aveva mai sentito una voce suadente come quella di T. P. Murphy. «Sono sicuro che lei non interferisce su come i suoi due soci investano i loro profitti, Mr Kane... cavalli, opere d'arte... Perché loro dovrebbero avere qualcosa da ridire sul fatto che lei investe nella società di sua moglie?»

Gli aveva raccontato lei tutto quello. Come faceva a saperlo, comunque? Le mogli al mercoledì sera... Be', cielo, avrebbe posto fine a tutto questo.

«E se rifiutassi?»

«Sono sicuro che non lo farà. Non è previsto il divorzio nella Costituzione, ma abbiamo tribunali per i Diritti di famiglia, e posso garantirle che chiunque rappresentasse Mrs Kane otterrebbe un eccellente accomodamento. Il guaio, naturalmente, è che ne scaturirebbe una cattiva pubblicità e le compagnie di assicurazioni si basano sulla fiducia del pubblico in generale...» La sua voce si spense.

Harry Kane firmò i documenti.

Fece immediatamente ritorno alla sua grande e confortevole casa. Entrò dalla porta principale e osservò i fiori freschi in anticamera, le pareti luminose, i quadri che avevano scelto insieme. Sbirciò nel grande salotto che ospitava facilmente una quarantina di persone per un drink senza aprire le doppie porte della sala da pranzo. Entrò nella cucina piena di sole dove Connie sedeva a dar da mangiare al piccolo Richard. Indossava un grazioso premaman a fiori con un colletto bianco. Sopra si udiva il ronzio dell'aspirapolvere. Tra poco sarebbe arrivato il camioncino con le consegne del supermercato.

Era senza dubbio una casa diretta in maniera superba. I suoi abiti venivano ritirati dalla tintoria e rimessi nel guardaroba. Non aveva mai bisogno di comprarsi calze o biancheria nuova, ma sceglieva i suoi abiti, le sue camicie e le sue cravatte.

Rimase a guardare la sua bella moglie e il suo bel bambino. Presto ne avrebbero avuto un altro. Lei aveva rispettato i patti. In un certo senso aveva ragione a proteggere il suo investimento. Connie non si accorse del marito lì in piedi e quando lui si mosse sussultò lievemente.

Ma Harry notò che la sua prima reazione fu di piacere. «Oh bene, sei riuscito a venire a casa presto! Vuoi che prepari del caffè?»

«Li ho visti», disse.

«Visto chi?»

«Il tuo team di legali.» Era gelido.

Lei non si scompose. «Molto meglio lasciar fare tutto a loro. L'hai sempre detto anche tu, non perdere tempo, paga gli esperti.»

«Oserei dire che paghiamo T. P. Murphy molto bene per essere un esperto, a giudicare dal taglio dei suoi vestiti e dall'orologio che porta.»

«Lo conosco da tanto tempo.»

«Sì, l'ha detto.»

Connie fece il solletico sotto il mento di Richard. «Di' ciao a papà, Richard. Non torna spesso a casa a vederti durante il giorno.»

«Sarà sempre così, osservazioni pungenti, battute tendenziose sul fatto che non sono a casa? Crescerà a questo modo e anche il prossimo, brutto papà, negligente papà… è così che andrà?»

Il viso di lei era contrito. E per quello che ne capiva Harry, sembrava sincera.

«Harry, non volevo fare osservazioni pungenti. Te lo giuro. Ero contenta di vederti, stavo dicendo al bambino che doveva essere contento anche lui. Credimi, non ci saranno battute tendenziose, è qualcosa che detesto anche negli altri, per cui le eviteremo.»

Da mesi non si avvicinava a lui, né accennava un gesto affettuoso. Ma vide come se ne stava lì desolato e se ne rammaricò profondamente. Si diresse verso il punto in cui si trovava. «Harry, ti prego, non fare così. Sei tanto buono con me, facciamo una bella vita. Non potremmo gioirne invece di comportarci con freddezza e sospetto?»

Lui non alzò le mani sebbene lei gli avesse buttato le braccia al collo. «Non mi hai chiesto se ho firmato», disse.

Lei si ritrasse. «So che lo hai fatto.»

«Come fai a saperlo? Ti hanno chiamato nell'istante in cui ho lasciato lo studio?»

«No, naturalmente.» Sembrava disdegnare una simile supposizione.

«Perché no? È stato un lavoretto ben fatto!»

«Hai firmato perché era giusto e perché alla fine ti sei reso conto che era per il tuo bene, non per far piacere agli avvocati.»

Allora lui l'attirò a sé e sentì la protuberanza del suo ventre contro il suo corpo.

Per la dinastia Kane ci voleva un altro figlio in quella bella casa. «Vorrei che mi amassi», disse.

«Ti amo.»

«Non nel modo che conta», asserì. E la sua voce era molto triste.

«Ci provo, sai che sono disponibile ogni sera se lo desideri. Vorrei che dormissimo nello stesso letto, nella stessa stanza. Sei tu che desideri delle camere separate.»

«Sono tornato a casa molto, molto arrabbiato, Connie. Avrei voluto dirti che eri una sgualdrina ad avermela fatta così alle spalle, ad avermi portato via ogni centesimo che ho. Avrei voluto dirti un sacco di cose.» Lei stava lì, in attesa. «Ma francamente credo che tu abbia commesso un grosso errore, come l'ho commesso io. Sei infelice anche tu.»

«Sono più sola che infelice», sostenne lei.

«Chiamalo come vuoi.» Si strinse nelle spalle. «Sarai meno sola adesso che hai i tuoi quattrini.»

«Sarò probabilmente meno spaventata», rispose.

«Di che cosa eri spaventata? Che perdessi tutto come ha fatto tuo padre, che saresti diventata di nuovo povera?»

«No, questo è completamente sbagliato.» Parlava con grande chiarezza. Harry sapeva che stava dicendo la verità. «No, non mi è mai importato essere povera. Potevo guadagnarmi da vivere, qualcosa che mia madre non poteva fare. Ma avevo paura di diventare amara come lei, avevo paura di odiarti se avessi dovuto riprendere un lavoro che mi avevi fatto lasciare. Non sopporterei che i miei figli crescessero in un modo e finissero in un altro. Lo so per esperienza, ecco le cose che mi hanno spaventato. Abbiamo tanto, andiamo d'accordo su tutto, tranne che a letto. Volevo continuare così fino alla morte.»

«Capisco.»

«Non puoi essermi amico, Harry? Ti amo e desidero il meglio per te, anche se sembra che non riesca a dimostrartelo.»

«Non lo so». rispose lui, prendendo le chiavi della macchina per andarsene di nuovo. «Non lo so. Vorrei esserti amico, ma non credo di potermi fidare di te e uno si deve fidare degli amici.» Si rivolse al gorgogliante bimbetto sul seggiolone. «Fa' il bravo con la mamma, ragazzo. Può dare l'impressione che tutto sia facile e bello per lei, ma non è così.» E quando se ne andò, Connie pianse lacrime amare.

Nacque una bambina e fu chiamata Veronica. Un anno dopo arrivarono due gemelli. Quando il monitor mostrò due embrioni, Connie ne fu felicissima. C'erano già stati dei gemelli nella sua famiglia, che meraviglia! Pensò che anche Harry ne sarebbe stato felice. «Vedo che sei contenta», disse invece lui molto freddamente. «Così fanno quattro. Affare concluso. Basta. Che sollievo!»

«Sai essere molto crudele», disse Connie.

Per il mondo esterno erano naturalmente la coppia perfetta. Mr Hayes, la cui figlia Marianna stava diventando una bellezza molto ricercata dai giovani cacciatori di dote di Dublino, era ancora un buon amico di Connie e la consultava spesso su questioni inerenti all'albergo. Se si accorgeva che i suoi occhi erano tristi, si asteneva dal dirlo.

Sentiva raccontare che Harry Kane non era un marito completamente fedele. Era stato visto qua e là con altre donne. Aveva ancora al seguito la patetica devota segretaria. Ma, con il passare degli anni, il sensibile Mr Hayes pensò che la coppia avesse trovato un proprio equilibrio.

Il figlio maggiore, Richard, andava bene negli studi ed era anche tra i primi quindici in gara per la coppa di rugby della scuola, la figlia Veronica era determinata a fare medicina, mentre i gemelli erano dei ragazzi impetuosi.

I Kane davano sempre delle splendide feste e venivano visti spesso in pubblico. Connie entrò nella trentina con più eleganza di altre signore della sua generazione, anche se non sembrava che la moda fosse ai primi posti tra i suoi interessi.

Non era felice. Era ovvio che non fosse felice. Ma Connie si diceva che molta gente viveva la vita sperando che le cose migliorassero, che le luci si accendessero, o il film si tramutasse in un technicolor.

Forse era così che viveva molta gente e tutte quelle chiacchiere sulla loro felicità erano per i curiosi. Avendo lavorato in un albergo, sapeva quante persone fossero sole e infelici.

Leggeva molti libri, vedeva ogni spettacolo che desiderava e faceva piccoli viaggi a Londra e a Kerry.

Harry non aveva mai tempo per una vacanza con la famiglia, diceva. Connie si domandava spesso se i ragazzi si rendessero conto che i suoi soci trascorrevano le vacanze con le loro mogli e i loro figli. Ma i ragazzi potevano essere assai poco osservatori. Altre mogli andavano all'estero con i loro mariti, ma Connie non ci andava mai. Harry andava molto all'estero. Per lavoro, diceva. Lei si chiedeva che genere di lavoro potesse avere la società nel sud della Spagna o nelle isole della Grecia. Ma non fiatava.

Harry si allontanava solo per il sesso. Gli piaceva. Lei non era stata capace di darglielo, era ingiusto che glielo negasse altrove. E non era affatto gelosa della sua intimità sessuale con Siobhan Casey o qualsiasi altra potesse esserci. Quello che avrebbe voluto, però, era che fosse un amico affettuoso in casa. Sarebbe stata felice di dividere la sua camera da letto, i suoi piani, le sue speranze, i suoi sogni con lui. Perché era così irragionevole? Le sembrava una punizione eccessiva essere tagliata fuori da tutto perché non era capace di fare del sesso con lui in modo da dargli piacere. Gli aveva dopo tutto sfornato quattro figli e questo doveva contare nella sua valutazione delle cose.

Connie sapeva che alcuni pensavano che dovesse lasciarlo. Vera, per esempio. Non lo diceva apertamente, ma vi faceva accenno. E anche Mr Hayes. Entrambi immaginavano che rimanesse con lui per ragioni economiche. Non sapevano come avesse organizzato bene le sue finanze e che avrebbe potuto andarsene e diventare una donna indipendente.

Perché restava allora?

Perché era meglio per la famiglia, in quanto i ragazzi avevano bisogno di entrambi i genitori. Cambiare tutto richiedeva uno sforzo immane e non c'era alcuna garanzia che da un'altra parte potesse essere più felice. E quella non era poi una brutta vita. Harry era gentile e gradevole, quando c'era. E lei aveva molte cose da fare, non era certo un problema riempire le ore che si tramutavano in settimane, mesi e anni.

Andava a trovare sua madre e i genitori di Harry. Intratteneva ancora i soci e le loro mogli. Accoglieva in casa gli amici dei figli. Sullo sfondo c'era sempre il suono della pallina da tennis o della musica che proveniva dalle loro stanze.

E poi, quando Richard Kane ebbe diciannove anni, la stessa età che aveva Connie quando morì suo padre, lasciandoli in miseria, Harry Kane tornò a casa e disse loro che il sogno era finito. La società avrebbe chiuso il giorno dopo con il massimo dello scandalo e il minimo delle risorse. Avevano debiti in tutto il paese, gente che aveva perduto gli investimenti e i risparmi di una vita. Uno dei soci fu sul punto di suicidarsi, l'altro di fuggire dal paese.

Sedevano in sala da pranzo, Connie, Richard e Veronica. I gemelli erano via in gita scolastica. Sedevano in silenzio mentre Harry Kane spiegava come sarebbe stato difficile da quel momento in poi. Titoli sui giornali, reporter alla porta, fotografi dappertutto.

Che cosa l'aveva causato? Prendere scorciatoie, correre rischi, accettare persone che altri non avrebbero considerato affidabili e via dicendo.

«Dovremo vendere la casa?» chiese Richard. Ci fu un silenzio.

«Non ci saranno più soldi per l'università?» volle sapere Veronica.

Altro silenzio.

Quindi Harry parlò di nuovo. «Dovrei dirvi a questo punto che vostra madre mi ha sempre fatto presente che sarebbe potuto accadere. Mi ha avvertito, ma io non le ho dato retta. Così, quando ripenserete a questo giorno, ricordatevelo.»

«Oh, papà, non importa», disse Veronica esattamente con lo stesso tono di voce che Connie avrebbe usato se suo padre fosse stato vivo e fosse venuto alla luce il suo disastro finanziario. Vide gli occhi di Harry riempirsi di lacrime.

«Poteva accadere a chiunque», osservò Richard coraggiosamente. «Gli affari sono affari.»

In cuor suo, Connie era lieta. Avevano allevato dei figli generosi, non dei cuccioli che consideravano quel genere di vita come un diritto.

Connie realizzò che fosse il momento di parlare. «Non appena vostro padre mi ha dato questa cattiva notizia, gli ho chiesto di aspettare che foste qui anche voi, volevo che fossimo uniti come una famiglia. In un certo senso è una fortuna che i gemelli non ci siano, glielo spiegheremo in seguito. Quello che faremo adesso è lasciare questa casa, stasera stessa. Prepareremo delle piccole valigie con indumenti sufficienti per una settimana, diciamo. Chiederò a Vera e a Kevin di mandarci un furgone perché i giornalisti che sono già là fuori non ci vedano partire in macchina. Lasceremo un messaggio sulla segreteria telefonica in cui diremo di rivolgersi a Siobhan Casey. Immagino sia giusto così, Harry?»

Annuì sbalordito. «Giusto.»

«Voi andrete a stare con mia madre in campagna. Nessuno sa dove abita e nessuno la disturberà. Telefonate da lì ai vostri amici e dite loro che alla fine andrà tutto bene, ma che non sarete reperibili per un po' finché le acque non si saranno calmate. Dite che ritornerete tra una decina di giorni. Nessuna storia dura così a lungo.» La guardarono a bocca aperta.

«E sì, naturalmente andrete entrambi all'università e anche i gemelli. E probabilmente venderemo questa casa ma non subito, non perché lo vuole una banca!»

«Ma non dovremo pagare i debiti?» chiese Richard.

«Questa casa non è di proprietà di vostro padre», rispose semplicemente Connie.

«Ma anche se fosse tua, non dovresti...»

«No, non è mia. È stata acquistata molto tempo fa da un altro gruppo di cui io sono consigliere d'amministrazione.»

«Oh papà, è stata una mossa intelligente!» esclamò Richard.

Ci fu un momento di silenzio. «Sì, tuo padre è un uomo d'affari molto accorto e quando fa un patto lo mantiene. Non vorrà che la gente ci rimetta, per cui sono sicura che non usciremo come dei farabutti da tutto questo. Ma per il momento sarà molto dura e avremo bisogno di tutto il coraggio e la fiducia che riusciremo a trovare.»

La serata si tramutò in una sequenza confusa di cose da raccogliere e di telefonate da fare. Abbandonarono la casa non visti sul furgone degli amici.

Vera e suo marito Kevin li accolsero a casa loro. Non c'era conversazione futile da fare, né simpatia da offrire e da ricevere, così salirono nella stanza che era stata preparata per loro, la stanza degli ospiti con il grande letto matrimoniale. Avevano preparato per loro della zuppa calda.

«Ci vediamo domattina», disse Vera.

«Come fa la gente a sapere le cose giuste da dire?» chiese Harry.

«Immagino che si chiedano che cosa vorrebbero sentirsi dire.» Connie gli porse una tazza di zuppa. Lui scosse il capo. «Prendila, Harry. Potresti averne bisogno domani.»

«Kevin era assicurato con noi?»

«No, in niente», rispose calma Connie.

«Come mai?»

«Glielo avevo chiesto io, nel caso che...»

«Che cosa devo fare, Connie?»

«Affronta la cosa. Di' che non volevi accadesse, che resterai nel paese e farai quello che potrai.»

«Mi faranno a pezzi.»

«Soltanto per un po', poi si stancheranno.»

«E tu?»

«Riprenderò a lavorare.»

«Ma che cosa farai di tutto il denaro che quei legali hanno messo da parte per te?»

«Terrò quello che occorrerà per sistemare i ragazzi, poi userò il resto per ripagare la gente che ha perduto tutti i risparmi.»

«Dio, non ti atteggerai a martire cristiana, oltre a tutto il resto.»

«Che cosa mi suggeriresti di fare con quello che dopo tutto è il mio denaro, Harry?» I suoi occhi erano duri.

«Tientelo e ringrazia la tua buona stella di averlo conservato. Non buttarlo via.»

«Non dirai sul serio? Ne parleremo domani.»

«Dico sul serio. Questi sono affari, non una partita di cricket tra gentiluomini. Hai salvato la tua parte e a che cosa serve, in nome di Dio, rimetterla dentro?»

«Domani», rispose lei.

«Cancella dalla faccia quell'espressione affettata, Connie, e sii normale per una volta nella vita. Smettila di recitare per cinque minuti e piantala con questa storia di voler restituire il denaro ai poveri investitori. Sapevano quello che facevano. Come tuo padre sapeva quello che faceva quando puntava i tuoi soldi per l'università su qualche dannato cavallo che sta ancora correndo.»

Il viso di Connie era pallidissimo. Si alzò in piedi e andò alla porta. «La solita altezzosa. Preferisci andartene piuttosto che parlarne. Va' dalla tua amica Vera e parla della cattiveria degli uomini. Forse era con Vera che avresti dovuto metterti. Che avessi bisogno di una donna per sgelarti?»

Non era stato nelle sue intenzioni farlo, ma Connie lo colpì in pieno viso. Era perché stava gridando contro Vera in casa sua, quando Vera e Kevin li avevano accolti e senza far domande. Harry non assomigliava più a una persona, era come un animale selvaggio.

Gli anelli gli scalfirono la guancia lasciando una lunga striscia rossa. E con sua sorpresa, Connie non si sentì sconvolta davanti al sangue, non provò vergogna per quello che aveva fatto.

Chiuse la porta e scese. Al tavolo della cucina avevano ovviamente sentito gridare, udito probabilmente le parole che si erano detti. Connie, sempre così calma e controllata, volse lo sguardo attorno al piccolo gruppo. C'erano Deirdre, la bella figlia di Vera che lavorava in una boutique, e Charlie, che era entrato nella ditta di famiglia.

E tra Kevin e Vera, davanti a una bottiglia di whisky, c'era Jacko. Il colletto della camicia aperto e gli occhi rossi. Jacko che aveva pianto e bevuto e non aveva ancora smesso di fare nessuna delle due cose. Connie realizzò immediatamente che aveva perduto ogni centesimo nella finanziaria di suo marito. Il suo primo boyfriend, che l'aveva amata semplicemente e senza complicazioni, che era rimasto fuori dalla chiesa il giorno in cui aveva sposato Harry nella speranza che non andasse fino in fondo, sedeva ora al tavolo degli amici, completamente rovinato. Come era potuto accadere tutto quello? si chiese Connie, mentre stava lì con la mano posata sulla gola per quella che le sembrò un'eternità.

Non poteva restare in quella stanza, ma nemmeno salire di sopra dove Harry l'aspettava come un leone in gabbia per ingiuriarla ulteriormente. Non poteva uscire nel mondo, perché non sarebbe più stata capace di guardare in faccia la gente. Che la gente si attirasse la sfortuna e incoraggiasse gli altri a comportarsi male?

Ricordò d'un tratto la faccia aperta e amichevole della psichiatra che le aveva rivolto tutte quelle domande su suo padre. Che potesse esserci stato qualcosa in ciò? Pensava di essere lì da molto tempo, ma il gruppetto non si era mosso, così forse si trattava solo di un paio di secondi.

Poi Jacko parlò. Aveva la voce impastata. «Spero che tu sia soddisfatta adesso», disse.

Gli altri rimasero in silenzio.

Con voce chiara e ferma come sempre, Connie rispose. «No, Jacko, questa è una cosa strana da dire, ma non sono mai stata soddisfatta, non un solo istante in vita mia.» I suoi occhi sembravano lontani. «Posso aver avuto vent'anni di agiatezza che avrebbero dovuto rendermi felice. In realtà, non è stato così. Sono stata sola e ho recitato un ruolo per la maggior parte della mia vita. Ma questo non ti è di nessun aiuto, ora.»

«No, non lo è.» Il viso di Jacko era sconvolto.

Era ancora bello e ardente. Il suo matrimonio era fallito, sapeva da Vera che sua moglie si era presa il bambino che lui amava tanto.

Il lavoro era tutto per lui. E adesso era finito. «Riavrai tutto quanto», disse Connie.

«Oh sì?» La sua risata assomigliava a un latrato.

«Sì, ci sono dei soldi.»

«Immagino che ce ne siano, nel Jersey o nelle Isole Cayman, o magari a nome della moglie», ringhiò Jacko.

«In verità, c'è parecchio a nome della moglie», asserì lei.

Vera e Kevin la guardarono a bocca aperta. Jacko non riuscì a capire bene.

«Allora sono fortunato a essere un vecchio amico della moglie, è questo che mi stai dicendo?» Non sapeva se prenderla come una boa di salvataggio o ributtargliela in faccia.

«Ti sto dicendo che molta gente sarà fortunata grazie alla moglie. Se domattina Harry starà abbastanza bene, lo condurrò in banca prima della conferenza stampa.»

«Se il denaro è tuo, perché non te lo tieni?» chiese Jacko.

«Perché, malgrado quello che puoi pensare di me, non sono un essere abbietto. Vera, posso dormire da qualche altra parte, magari sul divano della saletta della televisione?»

Vera l'accompagnò nella saletta e le porse una coperta. «Sei la donna più forte che io abbia mai conosciuto», disse con convinzione.

«E tu sei la migliore amica che abbia mai avuto», rispose Connie.

Sarebbe stato bello aver amato Vera? Vivere insieme per anni e magari con una piccola attività artigianale? Abbozzò un sorriso al pensiero.

«Che cosa ti fa ridere in tutto questo?» chiese Vera.

«Ricordami di dirtelo un giorno, non ci crederai mai», rispose Connie, sfilandosi le scarpe e sdraiandosi sul divano.

Dormì in modo meraviglioso e si svegliò al tintinnìo di un cucchiaino che batteva contro la tazza. Era Harry, pallido e con una lunga ferita scura che gli spiccava sulla guancia. Aveva dimenticato quella particolare parte della notte precedente.

«Ti ho portato il caffè», disse.

«Grazie.» Ma non accennò a prenderlo.

«Sono terribilmente dispiaciuto.»

«Sì.»

«Scusami. Gesù, Connie, ero impazzito ieri sera. Quello che ho sempre desiderato era essere qualcuno e c'ero quasi riuscito. E poi è andato tutto in fumo». Si era vestito con cura e rasato intorno alla ferita. Era pronto per la giornata più lunga che avrebbe mai vissuto. Lei lo guardò come se non l'avesse mai visto, come lo vedeva la gente alla televisione, tutti estranei che avevano perduto i loro risparmi. Un bell'uomo che non voleva altro che essere qualcuno e non gli importava di come ci sarebbe arrivato.

Poi si accorse che stava piangendo.

«Ho disperatamente bisogno di te, Connie. Hai recitato con me per tutta la vita, potresti recitare ancora un po' e fingere di avermi perdonato? Ti prego, Connie, ho bisogno di te. Sei l'unica persona che possa aiutarmi.» Posò la faccia sulle sue ginocchia, e singhiozzò come un bambino.

Connie non riusciva a ricordare realmente quel giorno. Era come cercare di rimettere insieme i pezzi di un film dell'orrore, un incubo che non se ne voleva andare. Prima lo studio legale dove erano state spiegate a Harry le condizioni del fondo che era stato predisposto per l'educazione dei figli. Il denaro era stato ben investito. Ce n'era molto. Il resto era stato investito altrettanto bene a nome di Connie. Constance Kane era una donna molto ricca. Vide l'espressione sprezzante che ostentava l'avvocato nei confronti di suo marito. Non si curava minimamente di nasconderlo. Nello studio era presente anche l'amico di suo padre, T. P. Murphy, silenzioso e con i capelli ancora più argentei. Il suo viso era scuro, corrucciato. Si esprimevano davanti al grande Harry Kane come se fosse stato un comune truffatore. Il giorno prima, pensò Connie, avrebbero trattato suo marito con rispetto. Come cambiavano in fretta le cose nel mondo degli affari.

Poi andarono in banca. Mai banchieri rimasero più sorpresi di veder apparire dei fondi dal nulla. Connie e Harry sedevano in silenzio mentre i loro consiglieri dicevano alla banca che non un solo centesimo di ciò poteva essere toccato se la banca non prometteva una garanzia a favore degli investitori.

Per mezzogiorno avevano raggiunto un accordo. Furono convocati i soci di Harry e fu loro ordinato di tenere la bocca chiusa durante la conferenza stampa all'*Hayes Hotel.* Nessuna delle mogli dei soci vi avrebbe presenziato. Il nome di Connie non venne menzionato. Fu dichiarato che i fondi d'emergenza erano stati accantonati in previsione di una simile circostanza.

Uno dei giornalisti chiese a Harry Kane della ferita al volto. Era stato un creditore?

«È stato qualcuno che non ha capito quello che stava succedendo, che non ha realizzato che avremmo fatto tutto il possibile per tutelare la gente che ha avuto fiducia in noi», dichiarò Harry, davanti all'obiettivo.

E Connie si sentì pervadere da un'ondata di nausea. Se poteva mentire a quel modo che cos'altro avrebbe potuto fare? Tra il pubblico, Connie scorse Siobhan Casey in fondo alla grande sala dove si stava tenendo la conferenza stampa. Si chiese quanto sapeva Siobhan e se fosse stato sottratto denaro dai fondi di Connie per provvedere a lei. Ma non l'avrebbe mai saputo.

Tornarono a casa e nel giro di una settimana ripresero a respirare. Tre mesi dopo le cose ritornarono pressoché normali.

Veronica chiedeva di tanto in tanto al padre della cicatrice sulla faccia. «Oh, resterà lì per sempre a ricordare a tuo padre che stupido è stato», rispondeva lui; Connie vedeva l'occhiata affettuosa che si scambiavano.

Anche Richard non sembrava nutrire altro che ammirazione per suo padre.

«Trascorre molto più tempo a casa adesso, non è vero, mamma?» osservò Veronica, come se chiedesse l'approvazione o la benedizione per qualcosa.

«Naturalmente», rispose Connie. Harry passava una notte alla settimana fuori casa e tornava tardi due o tre sere. Questo sarebbe stato il suo modello di comportamento anche per il futuro.

Qualcosa in Connie voleva cambiare questo stato di cose, ma era stanca. Era esaurita dagli anni di finzione e non conosceva altra vita.

Un giorno telefonò a Jacko al lavoro.

«Immagino che debba mettermi in ginocchio per ringraziare Sua grazia del fatto che ho riavuto il mio denaro.»

«No, Jacko, ho solo pensato che magari potevamo vederci.»

«Per che cosa?» chiese.

«Non lo so, per parlare, per andare al cinema. Hai poi imparato l'italiano?»

«No, ero troppo occupato a guadagnarmi da vivere.» Lei rimase silenziosa. Doveva averlo fatto sentire in colpa. «E tu?» chiese lui.

«No, ero troppo occupata a non guadagnarmi da vivere.»

«Gesù, Connie, non c'è motivo di incontrarci. Mi innamorerei di nuovo di te e ricomincerei a infastidirti chiedendoti di venire a letto con me, come ho fatto per tutti quegli anni.»

«Ma, Jacko, hai ancora in mente quel genere di cose?»

«Certo, perché no? Non sono forse nel fiore della giovinezza?»

«È vero.»

«Connie?»

«Sì.»

«Tanto perché tu lo sappia. Grazie.»

«Lo so, Jacko.»

* * *

I mesi passarono. Niente era cambiato, ma a guardare bene si sarebbe notato che Connie Kane aveva perso gran parte della sua vivacità.

Kevin e Vera ne parlavano. Erano tra i pochi che sapevano come avesse salvato suo marito e come lui non dimostrasse una sincera gratitudine. A tutti era noto che si faceva tuttora vedere in pubblico con la sua ex assistente personale, l'enigmatica Siobhan Casey che adesso era amministratore delegato della società.

La madre di Connie aveva notato che sua figlia aveva perduto molto del suo spirito. Cercò di rallegrarla. «Non è permanente il danno che ti ha arrecato, non come nel mio caso e poi aveva a disposizione quel fondo di emergenza. Tuo padre non l'ha mai avuto.» Connie non le rivelò mai la verità. In parte dipendeva da una forma di lealtà verso Harry, ma soprattutto non voleva ammettere che sua madre aveva avuto ragione in passato consigliandole di rendersi economicamente indipendente.

I suoi figli non vi facevano caso. Mamma era mamma, meravigliosa e sempre lì quando la volevano. Sembrava contenta di sé e di vedere gli amici.

Richard divenne a sua volta consulente finanziario e Mr Hayes gli offrì un ottimo posto nello studio di suo genero. L'adorata figlia Marianne aveva sposato un uomo molto bello e affascinante di nome Paul Malone. Il denaro degli Hayes e la sua personalità l'avevano aiutato a salire la scala sociale. Richard era molto felice.

Veronica studiava medicina. Stava pensando di specializzarsi in psichiatria. La maggior parte dei guai della gente, diceva, era nella loro testa e nel loro passato.

I gemelli avevano finalmente scoperto di avere personalità distinte: uno voleva frequentare l'Art College, l'altro entrare nel Civil Service. Vivevano ancora nella grande casa. Non era stato necessario venderla quando era stato raccolto il denaro per risarcire gli investitori. I legali di Connie continuavano a sollecitarla a redigere un altro documento con misure simili a quelle dell'accordo originale, che le garantisse parte dei profitti, ma lei era restia a farlo.

«Quello è stato fatto tanti anni fa, quando avevo bisogno di assicurare il futuro dei miei figli», disse.

«In realtà andrebbe rifatto. Se sorgesse un problema, un tribunale deciderebbe quasi certamente per lei, ma...»

«Che genere di problema potrebbe sorgere ora?» chiese Connie.

Il legale, che aveva visto spesso Mr Kane pranzare al *Quentin* con una donna che non era Mrs Kane, tenne la bocca chiusa. «Preferirei che lo facesse», ripeté.

«Va bene, ma senza creare drammi o umiliarlo. Il passato è passato.»

«Verrà fatto con il minimo di problemi, Mrs Kane», le assicurò l'avvocato.

E fu così. I documenti furono inviati all'ufficio di Harry per essere firmati. Non ci furono incontri di persona. Ma il suo viso era duro il giorno in cui li firmò. Connie lo conosceva così bene da leggergli nel pensiero. Non glielo avrebbe detto subito, ma avrebbe cercato di punirla.

«Resterò via per qualche giorno», disse infatti quella sera. Nessuna spiegazione, nessuna finzione. Connie stava preparando la cena, ma capì che non sarebbe rimasto a dividerla con lei. Connie era abituata a far finta che tutto andasse bene anche quando non era così.

«Sarà un viaggio faticoso?» chiese, attenta a non domandare dove, perché e con chi.

«Non proprio.» La sua voce era brusca. «Ho deciso di unire l'utile al dilettevole, di prendermi anche qualche giorno di riposo.»

«Ti farà bene.»

«Andrò alle Bahamas», disse. Il silenzio cadde tra loro.

«Bene», fece lei dopo un momento.

«Nessuna obiezione? Non lo consideri un nostro posto speciale o altro, voglio dire?» Connie non rispose, ma andò a togliere il flan dal forno. «Naturalmente tu avrai i tuoi investimenti, i tuoi progetti finanziari, i tuoi diritti, per consolarti di tutto quando sarò via.» Era così arrabbiato che non riusciva quasi a parlare.

Solo qualche anno prima aveva pianto sulle sue ginocchia, aveva detto che non la meritava, giurato che non sarebbe più stata sola. Adesso aveva le labbra livide di rabbia al pensiero che lei avesse voluto continuare a proteggere i suoi investimenti.

«Sai che è solo una formalità», ribatté lei.

Il suo viso si tramutò in un ghigno. «Anche questo viaggio d'affari è una formalità», disse e salì a preparare i bagagli.

Connie si rese conto che sarebbe andato a casa di Siobhan quella sera e che sarebbero partiti insieme l'indomani. Sedette e mangiò la sua cena. Era abituata a mangiare sola. Era una serata di fine estate, sentiva gli uccelli in giardino, i rumori attutiti delle macchine sulla strada al di là dell'alta recinzione della casa. C'erano dozzine di luoghi dove avrebbe potuto andare quella sera se avesse voluto.

Quello che desiderava fare era incontrare Jacko e andare al cinema. Ma era un'idea ridicola. Aveva ragione, non c'era più niente da dire ormai.

Stava leggendo il giornale, quando Harry scese con due valigie. Sarebbe stata una vacanza lunga alle Bahamas. Sembrava essere sollevato e al tempo stesso irritato che non ci fossero state scenate per la sua partenza.

Lei alzò lo sguardo e gli sorrise al di sopra degli occhiali. «Quando dovrò dire che torni?» chiese.

«Dire? A chi devi dirlo?»

«Be', ai tuoi figli innanzi tutto, ma sono certa che li informerai tu della tua partenza, agli amici e a chiunque me lo chieda in ufficio o in banca.»

«In ufficio lo sanno.»

«Bene, allora dirò di rivolgersi a Siobhan?» Aveva un'espressione innocente.

«Siobhan viene anche lei alle Bahamas, come ben sai.»

«A qualcun altro allora?»

«Non me ne sarei andato affatto, Connie, se ti fossi comportata in maniera ragionevole, non come una specie di ispettore delle tasse.»

«Ma se è un viaggio di lavoro devi andare, non ti pare?» disse Connie e lui uscì sbattendo la porta. Connie cercò di continuare a leggere il giornale. C'erano state troppe scene come quella, in cui lui se ne andava e lei piangeva. Non poteva più vivere così.

Lesse di un'intervista con un insegnante che stava organizzando un corso d'italiano al Mountainview College, in una zona popolare, la zona di Jacko. Mr Aidan Dunne diceva di ritenere che la gente del quartiere sarebbe stata lieta di conoscere la vita e la cultura italiana, oltre che la lingua. Soprattutto dopo che la Coppa del mondo aveva suscitato tanto interesse tra i dublinesi comuni. Aveva organizzato un programma molto vario. Connie lesse di nuovo l'articolo. Era possibile che si iscrivesse anche Jacko. E se no, sarebbe stata dalle sue parti due volte alla settimana. C'era un numero di telefono, si sarebbe iscritta subito prima di cambiare idea.

Naturalmente Jacko non si era iscritto al corso. Quel genere di cose accadevano solo nella fantasia. Ma Connie lo trovò delizioso. Quella meravigliosa donna, Signora, non più anziana di lei, aveva tutte le qualità di un'insegnante nata. Non alzava mai la voce, ma aveva sempre l'attenzione di tutti. Non criticava mai, ma si aspettava che le persone imparassero quello che programmava per loro.

«Costanza... temo che non conosca bene le ore, sa dire solo sono le due, sono le tre... deve imparare anche la mezza, il quarto.»

«Mi dispiace, Signora», rispondeva Mrs Constance Kane, sconcertata. «Ho avuto un po' di cose da fare, non ho potuto studiare.»

«La settimana prossima le saprà alla perfezione», ribatteva Signora. Come aveva potuto frequentare quella catapecchia di scuola a miglia da casa sua e sedere in una classe con trenta estranei, ripetendo nomi di dipinti, statue, edifici, assaggiando specialità italiane e ascoltando brani d'opera? Ma soprattutto trovandolo piacevole.

Cercò di parlarne a suo marito quando ritornò abbronzato e meno acido dalla sua vacanza. Ma lui non mostrò molto interesse.

«Che cosa diamine ti spinge in quel benedetto posto?» chiese. E fu il suo unico commento sull'iniziativa.

Anche Vera non approvò. «È un postaccio, stai tentando il destino andandoci con quella splendida macchina e per carità, Connie, togliti quell'orologio d'oro.»

«Non lo vedo affatto come un ghetto, equivarrebbe a darsi delle arie.»

«Non capisco perché tu vada fin lì, non ci sono tanti altri posti più vicino dove puoi imparare l'italiano?»

«Mi piace questo, ho sempre la speranza di incontrare Jacko nelle vicinanze...» rispose Connie con un sorriso malizioso.

«Mio Dio, non hai avuto abbastanza guai in vita tua senza cercarne altri?» sentenziò Vera, alzando gli occhi al cielo. Vera era sempre molto occupata, teneva ancora la contabilità per Kevin e si occupava anche del nipotino. Deirdre aveva avuto uno splendido bambino, ma aveva detto subito che non si sarebbe lasciata incatenare e rendere schiava da un concetto di matrimonio tradizionalmente inteso.

A Connie piacevano i suoi compagni di corso: il serio Bill Burke, Guglielmo e la sua splendida ragazza, Elisabetta. Lavorava nella banca che aveva provveduto alla garanzia per Harry e i suoi soci, ma era troppo giovane per esserne a conoscenza. E anche se lo fosse stato, come avrebbe potuto riconoscerla come Costanza? Anche la vivace coppia di donne Caterina e Francesca, che avrebbero potuto essere sorelle o madre e figlia, costituivano una buona compagnia.

C'era inoltre il grosso, discreto Lorenzo con le mani grandi come badili che interpretava la parte dell'ospite in un ristorante mentre Connie fungeva da cameriera.

«Un tavolo vicino alla finestra», diceva Lorenzo in italiano, e Connie spingeva una scatola di cartone verso il disegno di una finestra e lo invitava a sedere lì, aspettando che Lorenzo esaminasse i piatti da ordinare.

E poi c'era Luigi con quel cipiglio così pronunciato. Era un tipo che non avrebbe mai incontrato altrove, ma a volte era suo partner, come quando avevano interpretato il medico e l'infermiera.

A poco a poco divennero tutti meno imbarazzati e più uniti al pensiero della vacanza che avrebbero trascorso in Italia l'estate seguente. Connie, che avrebbe potuto offrire il viaggio a tutta la classe, si unì invece alle discussioni per la riduzione dei costi, la caparra e via dicendo. Se avessero fatto tutti quel viaggio, ci sarebbe certamente andata.

Connie notò anche che la scuola stava cambiando aspetto di settimana in settimana. La facciata, gli alberi, il cortile. Anche il capannone per le biciclette fu rimesso a nuovo.

«State compiendo un vero lavoro di restauro qui», disse rivolta al trasandato ma affascinante Mr O'Brien, il preside, che veniva di tanto in tanto a lodare il corso di italiano.

«Un lavoraccio, Mrs Kane! Se potesse mettere una parola buona a qualcuna delle persone che suo marito conosce, qualche finanziatore, gliene saremmo molto grati.» Sapeva chi era, quindi non la chiamava per nome come faceva con gli altri. Ma non era curioso di sapere che cosa ci facesse lì.

«Sono gente senza cuore, Mr O'Brien. Non capiscono che il futuro del paese è nell'istruzione.»

«Non lo dica a me», sospirò lui. «Passo metà della mia vita nelle banche a riempire moduli. Ho dimenticato come si fa a insegnare.»

«Non ha una moglie e una famiglia, Mr O'Brien?» Connie non sapeva perché gli avesse rivolto quella domanda personale. Non era nel suo stile essere invadente.

«No, in realtà», rispose.

«Meglio così, in un certo senso è sposato alla scuola. Credo che molta gente non dovrebbe mai sposarsi. Mio marito rientra in quella categoria.»

Lui inarcò un sopracciglio. Connie si rese conto di essersi spinta troppo oltre in una conversazione all'apparenza casuale. «Mi scusi, sto facendo la parte della moglie abbandonata, stavo solo affermando un fatto.»

«Io invece vorrei essere sposato ed è un fatto anche questo», asserì lui. «Il problema è che non ho mai conosciuto nessuna donna che volessi veramente sposare, finché non sono stato troppo vecchio per farlo.»

«Non è affatto vecchio!»

«Lo sono, perché è la persona sbagliata, un po' come se fosse mia figlia. È la figlia di Mr Dunne, in realtà», disse, annuendo in direzione della scuola dove Aidan Dunne e Signora stavano augurando la buona notte ai membri del corso.

«E lei la ama?»

«Lo spero, ma sono l'uomo sbagliato per lei, troppo vecchio. E poi ci sono altri problemi.»

«Che cosa ne pensa Mr Dunne?»

«Non lo sa, Mrs Kane.»

Lei emise un profondo sospiro. «Capisco che cosa vuol dire a proposito dei problemi», dichiarò. «La lascio a cercare di risolverli.»

Le sorrise, grato che non gli avesse chiesto altro. «Suo marito è un pazzo a essere così sposato al suo lavoro», commentò.

«Grazie, Mr O'Brien.» Salì in macchina e tornò a casa. Da quando frequentava il corso stava imparando delle cose fantastiche sulla gente.

Quella straordinaria ragazza con i riccioli, Elisabetta, le aveva detto che Guglielmo avrebbe diretto una banca in Italia l'anno seguente, quando si fosse impadronito della lingua. L'accigliato Luigi le aveva chiesto se una persona comune poteva capire se qualcuno portava al dito un anello da diecimila sterline. Mentre Aidan Dunne le aveva domandato se sapeva dove avrebbe potuto comprare un tappeto di seconda mano dai colori vivaci. Bartolomeo voleva sapere se aveva mai conosciuto qualcuno che avesse tentato di suicidarsi. Era per una amica, aveva ripetuto diverse volte. Caterina, che era la sorella o la figlia di Francesca, aveva detto di aver fatto colazione al *Quentin* una volta e che i carciofi erano fantastici. Lorenzo continuava a ripetere che la famiglia con la quale sarebbe stato in Italia era così ricca che sperava di non fare brutta figura. E adesso Mr O'Brien diceva che aveva una relazione con la figlia di Mr Dunne.

Due mesi prima non conosceva nessuno di loro e nulla delle loro vite.

Quando pioveva offriva un passaggio a casa ai compagni, ma non abitualmente perché non si tramutasse in un servizio di taxi. Ma provava tenerezza per Lorenzo che doveva prendere due autobus per tornare all'albergo di suo nipote. Era lì che abitava e lavorava come tuttofare e portiere notturno. Tutti gli altri se ne tornavano a casa a coricarsi o a vedere la televisione, oppure si recavano al pub o in un caffè dopo la lezione. Ma Lorenzo tornava a lavorare. Aveva detto che quel passaggio a casa gli faceva molto comodo, così Connie cercava di accompagnarlo.

Il suo vero nome era Laddy, apprese. Ma al corso tutti si chiamavano con nomi italiani. Laddy era stato invitato a Roma da alcuni amici italiani. Era un uomo grande e grosso, allegro, sulla sessantina, che non ci trovava niente di strano nell'essere accompagnato da una donna con una macchina come quella.

A volte parlava di suo nipote Gus, il figlio di sua sorella, un ragazzo che aveva sempre lavorato e che adesso correva il rischio di perdere l'albergo.

Avevano preso un grosso spavento un po' di tempo prima, quando una società di assicurazioni e investimenti era fallita. Ma all'ultimo momento, le cose si erano aggiustate e avevano riavuto i loro soldi. La sorella di Lorenzo era in una Casa di riposo all'epoca e le si era quasi spezzato il cuore. Ma Dio era stato buono, aveva vissuto abbastanza per sapere che suo figlio Gus non sarebbe fallito. Era morta felice. Connie si mordeva il labbro mentre le veniva raccontata la storia. Quella era gente che Harry avrebbe calpestato.

Qual era dunque il problema? gli chiese. Be', faceva sempre parte del vecchio problema, rispose Lorenzo. La società che era nei guai aveva onorato i suoi debiti e li aveva convinti a investire di nuovo una somma molto grossa. Un po' come una forma di ringraziamento. Lorenzo conosceva vagamente tutta la faccenda, ma era enormemente preoccupato. Gus era al limite delle sue capacità, aveva tentato tutte le strade. L'albergo aveva bisogno di essere rimodernato. Tutti i suoi risparmi erano finiti in quel nuovo investimento e non poteva monetizzare. Evidentemente c'era una legge alle Bahamas che prevedeva un preavviso molto lungo prima che si potesse farlo.

Connie affiancò la macchina al marciapiede, quando lo sentì parlare di quell'ultima cosa.

«Potresti ripetermelo, per favore, Lorenzo.» Il suo viso era pallidissimo.

«Non sono un esperto di finanza, Costanza.»

«Potrei parlare con tuo nipote allora? Ti prego.»

«Potrebbe non gradire che vada in giro a raccontare dei suoi affari...» Lorenzo era quasi dispiaciuto di essersi confidato con quella donna.

«Ti prego, Lorenzo.»

Durante la conversazione con Gus, Connie dovette chiedere un brandy. Lo storia era così squallida, così meschina. Negli ultimi cinque anni, da quando Gus e presumibilmente molti altri come lui si erano salvati dal primo investimento, li avevano convinti a investire in due gruppi completamente separati a Freeport e Nassau.

Con le lacrime agli occhi Connie lesse che gli amministratori erano Harold Kane e Siobhan Casey. Gus e Lorenzo la guardavano senza capire. Per prima cosa tirò fuori il libretto degli assegni e consegnò a Gus un assegno molto sostanzioso, poi diede loro l'indirizzo di una ditta di ristrutturazione e arredamento. Erano dei suoi buoni amici e avrebbero fatto un ottimo lavoro. Annotò anche il nome di una ditta di impianti elettrici, ma suggerì che non facessero il suo nome.

«Ma perché fa tutto questo, Costanza?» chiese Gus sbalordito.

Connie indicò i nomi sulla carta intestata. «Quell'uomo è mio marito, quella donna è la sua amante. Ho chiuso un occhio per anni sulla loro relazione. Non mi importa se va a letto con lei, ma mi importa, per Dio, se ha usato il mio denaro per frodare gente onesta.» Sapeva che doveva apparire sconvolta e fuori di sé.

Gus si espresse con dolcezza. «Non posso accettare questo denaro, Mrs Kane, non posso. È troppo.»

«Ci vediamo martedì, Lorenzo», disse lei, e se ne andò.

Tante volte, al giovedì sera quando ritornava a casa, aveva sperato che lui fosse lì, ad aspettarla, ma era accaduto molto raramente. Quella sera non fece eccezione. Era tardi, ma telefonò al vecchio amico di suo padre, l'avvocato T. P. Murphy e poi all'altro legale. Fissò un appuntamento per il mattino dopo. Non ci furono scuse né recriminazioni. Erano le undici di sera quando finirono di parlare.

«Che cosa farete adesso?» chiese all'avvocato.

«Telefoneremo a Harcourt Square», rispose brevemente. Era lì che aveva base la Squadra investigativa antifrode.

Harry non era tornato a casa quella sera. Lei non aveva dormito. Si rendeva conto che era stato ridicolo mantenere così a lungo quella casa. I ragazzi vivevano ormai tutti per conto loro. Si recò in città e parcheggiò la macchina. Salì i gradini dell'ufficio di suo marito per un incontro che avrebbe posto fine al tipo di vita che conduceva.

Le avevano detto che ci sarebbe stata molta pubblicità, per lo più sfavorevole, il fango si sarebbe attaccato anche a lei. Le avevano suggerito di trovarsi un'altra abitazione. Anni prima aveva comperato un piccolo appartamento, nel caso che sua madre avesse desiderato venire a vivere a Dublino. Era a pianterreno, vicino al mare. Sarebbe stato l'ideale. Poteva trasferire lì le sue cose nel giro di poche ore.

«Sarà questione di ore», le avevano detto.

Chiese di vederlo da solo.

Sedeva nel suo ufficio mentre schedari e software venivano portati via. «Tutto quello che volevo era essere qualcuno», disse.

«Me l'hai già detto una volta.»

«Be', te lo ripeto. Solo perché si dicono due volte le stesse cose non significa che non siano vere.»

«Eri qualcuno, sei sempre stato qualcuno. Non è questo che desideravi, tu desideravi avere tutto.»

«Non era necessario che lo facessi, sai, stavi bene.»

«Sono sempre stata bene», ribatté.

«No, non è vero, eri una frigida, gelosa sgualdrina e lo sei ancora.»

«Non sono mai stata gelosa di quello che poteva darti Siobhan, mai», asserì semplicemente.

«Allora perché l'hai fatto?»

«Perché non era giusto. Eri stato avvertito, eri stato salvato, non ti bastava?»

«Non sai niente degli uomini. Niente.» Sputò fuori le parole con rabbia. «Non solo non sai come procurar loro piacere, ma pensi anche che un uomo possa essere un vero uomo e accettare i tuoi soldi e le tue carezze sulla testa.»

«Sarebbe un aiuto se ti dimostrassi forte per amore dei ragazzi», disse.

«Vattene da qui, Connie.»

«Ti hanno voluto molto bene e ti sono stati vicini l'ultima volta. Vivono per conto loro, ma tu sei il loro padre. A te non importava molto di tuo padre, ma a loro sì.»

«Mi odi, non è così? Sarai felice se finirò in galera.»

«No, e probabilmente non ci starai a lungo, ammesso che tu ci vada. Te la caverai come sempre.» Lasciò l'ufficio.

Vide il nome di Siobhan Casey sulla targhetta d'ottone della porta. Stavano portando via schedari e software anche da quell'ufficio. Apparentemente Siobhan non aveva parenti né amici che potessero confortarla. Sedeva nel suo ufficio tra funzionari di banca, ispettori della Squadra investigativa e legali.

Connie non vacillò quando uscì dalla porta e premette il telecomando per aprire la portiera dell'automobile. Vi salì e si diresse verso il suo nuovo appartamento sul mare.

Laddy

Quando Signora scelse i nomi italiani per i suoi allievi si accertò che avessero la stessa iniziale, anche se la traduzione non corrispondeva completamente. C'era una donna che si chiamava Gertie. In realtà avrebbe dovuto essere Margaret. Ma Gertie non avrebbe mai riconosciuto il suo nome e così la chiamò Gloria. E quel nome le piacque così tanto che decise di farsi chiamare così.

Per trovare un nome per l'uomo grosso con la faccia ansiosa che diceva di chiamarsi Laddy, Signora restò per un momento in silenzio. Inutile cercare di risalire alle origini. Meglio dargli un nome che gli piacesse. «Lorenzo», esclamò.

A Laddy piacque. «È così che si fanno chiamare in Italia quelli che si chiamano Laddy?», chiese.

«È così, Lorenzo», rispose Signora ripetendo il nome.

«Lorenzo, ci credereste?» Laddy era veramente contento del nome. Lo ripeté più e più volte.

Quando Laddy venne battezzato nel 1930, il nome che gli imposero al fonte battesimale fu John Matthew Joseph Byrne, ma venne chiamato Laddy. Era l'unico maschio dopo cinque femmine e il suo arrivo significò che la piccola fattoria era salva. Ci sarebbe stato un uomo a mandarla avanti.

Ma le cose non sempre vanno come la gente si aspetta.

Laddy stava tornando a casa da scuola, un miglio e mezzo attraverso pozze d'acqua e alberi sgocciolanti, quando vide le sorelle venirgli incontro e capì che era successo qualcosa di terribile. Pensò dapprima che fosse accaduto qualcosa a Tripper, il collie che amava tanto. Forse si era fatto male alla zampa o era stato morso da un topo.

Cercò di passar loro accanto, ma le ragazze lo trattennero e gli dissero che mamma e papà erano andati in cielo e che d'ora in poi loro si sarebbero occupate di lui.

«Non possono esserci andati insieme.»

Laddy aveva otto anni, capiva le cose. La gente andava in cielo da sola, tutti si vestivano di nero e piangevano.

Ma era successo. Erano rimasti uccisi a un passaggio a livello, mentre tiravano un carretto che si era incastrato nelle rotaie. Il treno era finito loro addosso ancora prima che se ne fossero accorti. Laddy capì che Dio li aveva voluti, che quello era il loro momento, ma per tutta la sua vita si chiese perché Dio avesse scelto quel modo.

Il dolore aveva sconvolto tutti. Il conducente che guidava il treno non fu più lo stesso e finì al manicomio. Le persone che trovarono mamma e papà non riuscirono a parlarne con nessuno. Una volta Laddy chiese a un prete perché Dio non avesse fatto venire a mamma e papà un terribile raffreddore durante l'inverno, se proprio voleva che morissero. E il prete aveva detto che era un mistero. E se fosse possibile capire tutte le cose che succedono sulla terra saremmo saggi quanto Dio stesso, il che naturalmente non poteva essere.

La sorella maggiore di Laddy, Rose, era infermiera presso l'ospedale locale. Rinunciò al suo lavoro e rimase a casa per occuparsi della famiglia. Per lei fu molto triste, perché il ragazzo che la corteggiava non se la sentì più di frequentarla, ora che si doveva occupare di una famiglia così numerosa.

Ma Rose fu un'ottima madre. Ogni sera in cucina rivedeva i compiti dei fratelli, lavava e rammendava i loro vestiti, cucinava e puliva la casa, si occupava dell'orto, dava da mangiare alle galline. E, come aiuto, assunse Shay Neil come bracciante.

Shay si occupava della piccola mandria di buoi e mandava avanti la fattoria. Andava alle fiere e ai mercati, vendeva gli animali e i prodotti della terra. Viveva silenziosamente in una casetta separata dalla fattoria. Non sarebbe stato serio che un uomo, un bracciante, vivesse nella stessa casa insieme a tutte quelle ragazze e a un bambino.

Ma le ragazze Byrne non rimasero a lungo nella piccola fattoria. Rose si accertò che facessero i loro esami e, con il suo incoraggiamento, se ne andarono a una a una. Una come infermiera, un'altra come insegnante, una terza a lavorare in un negozio di Dublino e un'altra ancora nel Servizio civile.

Avevano dato una buona educazione alle ragazze Byrne, le suore e Rose. Lo dicevano tutti. E Rose si dava ancora un bel daffare ad allevare il piccolo Laddy. A sedici anni era diventato un ragazzo grande e grosso e aveva quasi dimenticato i genitori. Rose era il suo unico punto di riferimento nella vita, una ragazza paziente e divertente che non pensò mai che fosse un po' duro di comprendonio.

Sedeva con lui a studiare, ripetendo all'infinito una cosa finché non la ricordava. E non si arrabbiava mai se a volte lui, il mattino dopo, l'aveva già dimenticata. Da come i suoi compagni parlavano dei loro genitori, Rose era migliore di una madre.

Ci furono due matrimoni l'anno in cui Laddy compì sedici anni e Rose cucinò e intrattenne gli ospiti delle sorelle minori. Furono grandi eventi, di cui rimasero molte fotografie scattate fuori dalla casa che Shay aveva ridipinto appositamente per l'occasione. Shay era lì naturalmente, ma sullo sfondo. Non si mescolava realmente con la gente, era il bracciante.

E poi la sorella che lavorava in Inghilterra annunciò che si sarebbe sposata. Una cerimonia molto intima, il che significava che era incinta e che si sarebbero sposati soltanto in municipio. Rose scrisse e disse che lei e Laddy sarebbero stati felici di andare se fosse stato necessario. La lettera di risposta era piena di gratitudine e di parole sottolineate, ma diceva che non sarebbe stato di nessun aiuto.

L'ultima sorella, che faceva l'infermiera, andò in Africa. Ecco sistemata la famiglia Byrne, diceva la gente, con Rose che mandava avanti la fattoria finché il povero Laddy non fosse cresciuto e non fosse stato in grado di sostituirla, ammesso che ciò potesse mai avvenire. Tutti pensavano che Laddy fosse un po' tardo. Tutti, eccetto Rose e Laddy stesso.

Adesso che aveva sedici anni, Laddy avrebbe dovuto prepararsi per il diploma, ma nessuno sembrava farvi accenno.

«Prendono davvero le cose alla leggera quei frati», gli disse un giorno Rose. «Dovrebbero fare dei ripassi, gli esami, ma neanche una parola da parte loro.»

«Non credo che ce la farò quest'anno», disse Laddy.

«Ma certo che ce la farai. Altrimenti quando?»

«Fratel Gerald non ha detto una parola al riguardo.» Appariva preoccupato adesso.

«Gli parlerò io, Laddy.» Rose aveva sempre risolto tutto.

Aveva quasi trent'anni adesso, una bella ragazza dai capelli scuri, allegra e di buon carattere. In quegli anni molti ragazzi avevano dimostrato interesse per lei, ma non li aveva mai corrisposti. Doveva occuparsi della famiglia. Quando si fossero risolte le cose, avrebbe pensato all'amore... lo diceva con una risata felice, con molto garbo quando respingeva le avance di qualcuno interessato a lei.

Rose andò a parlare con fratello Gerald, un ometto gentile di cui Laddy aveva sempre parlato bene.

«Oh, Rose, non vuoi aprire gli occhi?» disse. «Laddy è il ragazzo più caro della scuola, ma non ha un gran cervello, purtroppo.»

Rose si sentì arrossire per l'irritazione. «Non credo di capire, fratello», incominciò. «È così ansioso di imparare, forse la classe è troppo numerosa per lui.»

«Non sa leggere senza sottolineare le parole con il dito, e solo con difficoltà.»

«Questa è un'abitudine, possiamo fargliela passare.»

«Ci ho provato per una decina d'anni, ma non ci sono riuscito.»

«Be', non è la fine del mondo. Ha sempre superato gli esami. Non ha mai fatto tanto male un test, supererà anche questa prova, non è vero?» Fratel Gerald cominciò a parlare, poi si interruppe. «No, continui, per favore. Non stiamo bisticciando per Laddy. Vogliamo entrambi il suo bene. Mi dica quello che dovrei sapere.»

«Non ha mai fatto tanto male i test, Rose, perché non ne ha mai fatti. Non mi sono sentito di umiliarlo così. Perché farlo arrivare sempre ultimo?»

«E che cosa gli fa fare, quando gli altri fanno i test?»

«Gli chiedo di sbrigarmi delle commissioni, è un ragazzo molto affidabile.»

«Che genere di commissioni, fratello?»

«Oh, be', trasportare scatole di libri e preparare il fuoco nella sala degli insegnanti, oppure consegnare qualcosa all'ufficio postale.»

«Allora io pago la retta scolastica per mio fratello perché faccia da servitorello ai frati. È questo che mi sta dicendo?»

«Rose Byrne», gli occhi dell'uomo erano pieni di lacrime. «Vuoi smetterla di interpretare male le cose? E di che rette stai parlando? Poche sterline l'anno. Laddy è felice con noi, lo sai. Non è quanto di meglio possiamo fare per lui? Ma non potrà sostenere nessun genere di esame, questo devi capirlo. Il ragazzo ha un quoziente intellettivo molto basso. Vorrei poter dire soltanto questo di molti ragazzi che hanno frequentato la scuola.»

«Che cosa devo fare di lui, fratello? Pensavo che potesse frequentare una scuola d'agraria, per esempio, imparare a occuparsi della fattoria.»

«Impossibile, Rose, anche se venisse accettato non ci riuscirebbe.»

«Ma come farà a occuparsi della fattoria?»

«Non si occuperà della fattoria. Te ne occuperai tu. L'hai sempre saputo.»

Non l'aveva mai saputo, fino a quel momento.

Tornò a casa con il cuore gonfio.

Shay Neil stava ammucchiando il letame. Accennò come sempre un saluto con il capo. Il vecchio cane di Laddy, Tripper, abbaiò per salutarla. Anche Laddy venne alla porta.

«Fratel Gerald ti ha detto qualcosa di me?» chiese timoroso.

«Ha detto che sei il ragazzo più servizievole della scuola.» Senza rendersene conto si era quasi messa a parlargli come se fosse un bimbetto. Cercò di controllarsi.

Ma Laddy non l'aveva notato. Il suo faccione era tutto un sorriso. «È vero?»

«Sì, ha detto che sei bravissimo a preparare il fuoco, trasportare libri e fare commissioni.» Cercò di reprimere l'amarezza nella voce.

«Bene, non si fida mica di tutti, ma di me sì», disse Laddy orgoglioso.

«Ho un po' di mal di testa, Laddy. Sai che cosa mi farebbe piacere? Potresti prepararmi una tazza di tè e portarmela su con una fetta di pane. Prepara magari un po' di tè anche per Shay.»

«Devo tagliargli due fette di prosciutto e un pomodoro?»

«Sì, Laddy, fallo.»

Salì al piano superiore e si sdraiò sul letto. Come non aveva fatto a capire che era così ritardato? Che i genitori non se ne fossero accorti, tanto erano protettivi?

Be', non l'avrebbe mai saputo adesso. Non si sarebbe mai sposata. Avrebbe vissuto lì con il fratello ritardato e il bracciante immusonito. Non c'era futuro per lei. Sarebbe sempre stato così. La luce si era spenta in gran parte di quello che faceva.

Ogni settimana scriveva una lettera a una delle sorelle, perché ogni mese ricevessero sue notizie. Adesso le pesava farlo. Avevano capito che loro fratello era un po' tardo? Le rivolgevano tante lodi perché aveva rinunciato alla sua vita per prendersene cura?

Doveva spedire un biglietto di compleanno a una nipote con dentro dieci scellini e mentre li infilava nella busta realizzò che gli altri dovevano pensare che fosse ben pagata per il suo disturbo. Aveva la fattoria. Se solo avessero saputo come non la desiderava, che l'avrebbe ceduta volentieri alla prima persona che passava, se avesse pensato che avrebbe dato a Laddy una casa felice per il resto della sua vita.

Ogni estate veniva in città il luna park. Rose vi condusse Laddy e andarono sull'autoscontro e sui seggiolini volanti.

Visitarono la Casa dei fantasmi e Laddy si aggrappò a lei gridando di terrore, ma poi volle un altro scellino per poterci ritornare. Vide diverse persone che abitavano in città e tutti la salutarono con calore. Rose Byrne era qualcuno da ammirare. Adesso capiva perché. L'apprezzavano per aver rinunciato a vivere la sua vita.

Suo fratello si stava divertendo un mondo.

«Possiamo spendere i soldi delle uova?» chiese.

«Una parte, non tutti.»

«Ma che cosa c'è di meglio che spenderli alla fiera?» domandò e lei lo osservò dirigersi al baraccone della pesca e vincere una statua del Sacro cuore. Gliela consegnò traboccante d'orgoglio.

Una voce accanto a lei disse: «La riporto io alla fattoria, non può portarsela in giro per tutto il giorno». Era Shay Neil. «La metto nel cestino della bicicletta.»

Era gentile da parte sua, perché la statua sarebbe stata pesante da trasportare.

Rose gli sorrise grata. «Bene, Shay, sei davvero un ragazzo in gamba, sempre presente quando c'è bisogno di te.»

«Grazie, Rose», disse.

C'era qualcosa nella sua voce, come se avesse bevuto. Lo guardò più attentamente. Be', perché no? Era il suo giorno libero, poteva bere se voleva. Non doveva essere una gran vita neanche la sua, vivere nella casetta, ammucchiare letame, mungere le vacche. Non aveva amici, né una famiglia di cui fosse al corrente. Qualche whisky non poteva fargli male.

Si allontanò e con Laddy si diresse verso il banco dell'indovina. «Proviamo?» chiese.

Era così contento che rimanesse ancora un po' alla fiera. Aveva temuto che lei volesse tornare a casa. «Mi piace farmi predire la fortuna», disse lui. La zingara guardò a lungo la sua mano. Vide grande successo al gioco e nello sport in un prossimo futuro, una lunga vita e un lavoro insieme ad altre persone. E un viaggio. Ci sarebbe stato un viaggio al di là del mare. Rose sospirò. Era stato bello fino a quel momento. Perché aveva nominato il viaggio? Laddy non sarebbe mai andato all'estero, a meno che non ce lo conducesse lei. E sembrava molto improbabile.

«Adesso tocca a te, Rose», disse Laddy.

La zingara alzò lo sguardo, compiaciuta.

«Ah, ma io lo conosco il mio futuro, Laddy.»

«Lo conosci?»

«Il mio futuro consiste nel mandare avanti la fattoria insieme a te.»

«Ma io incontrerò gente e andrò a fare un viaggio al di là del mare», dichiarò lui.

«È vero», ammise Rose.

«Su, fatti leggere la mano, Rose.» Aspettava ansioso.

La zingara vide che Rose si sarebbe sposata da lì a un anno, che avrebbe avuto un figlio e che questo le avrebbe portato una grande felicità.

«E andrò anch'io oltremare?» chiese, più per cortesia che per altro.

No, la zingara disse che non vedeva viaggi per Rose. Vedeva una salute cagionevole, ma molto più in là. Pagarono due mezze corone e presero un altro gelato prima di tornare a casa. La camminata le sembrò lunga quella sera, era lieta di non dover portare la statua.

Laddy continuava a parlare della bella giornata e di come non si fosse spaventato nella Casa dei fantasmi. Rose fissò il fuoco e pensò alla zingara e al suo strano modo di guadagnarsi da vivere, spostandosi da una città all'altra con lo stesso gruppo di gente. Forse era sposata con uno di loro.

Laddy se ne andò a letto con il giornaletto che gli aveva comperato e Rose si domandò che cosa stessero facendo in quel momento alla fiera. Da lì a poco le luci colorate si sarebbero spente e la gente sarebbe ritornata nelle roulotte. Tripper russava accanto al fuoco, di sopra Laddy si era addormentato. Fuori era buio. Rose pensò al matrimonio, al bambino e alla salute cagionevole, più in là negli anni. Avrebbero dovuto proibire questo genere di attività. Certa gente era così sciocca da crederci.

Si svegliò al buio con la sensazione di soffocare. Un grosso peso la opprimeva. Incominciò a divincolarsi e a sentirsi cogliere dal panico. Che le fosse caduto addosso l'armadio? Che fosse caduto il soffitto? Mentre cercava di muoversi e gridare, una mano le tappò la bocca. Sentì odore di alcol. In un momento di lucidità, realizzò con orrore che Shay Neil era nel suo letto, sdraiato sopra di lei.

Lottò per liberare la testa dalla sua mano. «Ti prego, Shay», sussurrò. «Ti prego, Shay, non farlo.»

«È un pezzo che ci speri», disse lui, respingendola giù e cercando di allargarle le gambe.

«Shay, non è vero. Non voglio che tu lo faccia. Shay, lasciami adesso, non ne parleremo più.»

«Perché bisbigli allora?» sussurrò a sua volta.

«Per non svegliare Laddy, per non spaventarlo.»

«No, è perché vuoi farlo, ecco perché non vuoi che si svegli.»

«Ti darò qualunque cosa.»

«No, è di quello che darò io a te che stiamo parlando.» Era rude e pesante, troppo forte per lei. Aveva due possibilità. Una era gridare perché Laddy le venisse in aiuto. Ma non voleva che Laddy la vedesse così, con la camicia da notte strappata, il corpo inchiodato giù. L'altra era di lasciarlo fare. Rose scelse la seconda possibilità.

Il mattino dopo lavò le lenzuola, bruciò la camicia da notte e aprì le finestre della stanza.

«Shay dev'essere venuto di sopra durante la notte», disse Laddy a colazione.

«Perché dici questo?»

«La statua che ho vinto per te è sul pianerottolo. Deve averla portata su», disse soddisfatto Laddy.

«Sì, deve averla portata su», ammise Rose.

Si sentiva ammaccata e dolorante. Avrebbe chiesto a Shay di andarsene. Laddy avrebbe rivolto un'infinità di domande, doveva inventare una storia convincente, anche per i vicini. Poi un'ondata di nausea la pervase. Perché proprio lei, Rose, che era innocente, doveva inventare delle scuse, delle spiegazioni, delle storie? Era la cosa più ingiusta che avesse mai sentito in vita sua.

La mattina passò come molte altre. Preparò dei tramezzini per Laddy e lui andò a scuola, a sbrigare commissioni per gli insegnanti, come lei ben sapeva adesso. Raccolse le uova e diede da mangiare alle galline.

D'abitudine, Shay faceva colazione nel suo cottage. Al suono dell'Angelus proveniente dalla città, si lavava le mani e la faccia alla pompa del cortile ed entrava per il pasto di mezzogiorno. Non c'era carne tutti i giorni, a volte solo zuppa. Ma c'erano sempre una ciotola di grosse patate farinose, una brocca d'acqua sul tavolo e una teiera. Poi Shay portava piatto e posate al lavandino e le lavava.

Un'abitudine mantenuta senza gioia da nessuno dei due. A volte Rose riusciva a leggere attraverso le parole non dette, perché Shay non era portato per la conversazione. Quel giorno non gli preparò il pranzo.

Quando fosse venuto gli avrebbe detto che doveva andarsene. Ma le campane dell'Angelus suonarono e Shay non si fece vedere. Sapeva che stava lavorando. Aveva sentito le mucche entrare per essere munte e visto i bidoni del latte all'esterno per essere ritirati dalla latteria.

Cominciò ad avere paura. Forse l'avrebbe aggredita di nuovo, probabilmente scambiava per incoraggiamento il fatto che non gli avesse ordinato di andarsene quella mattina. Ma lei non pensava ad altro che risparmiare a Laddy qualcosa che non avrebbe capito.

Alle due si sentiva molto a disagio. Non c'era mai stato giorno in cui Shay non fosse venuto per il pranzo. Che la stesse aspettando da qualche parte per farle di nuovo del male? Be', se era così, quella volta si sarebbe difesa. Fuori dalla porta della cucina c'era un bastone con dentro dei chiodi ricurvi. Lo portò dentro e sedette al tavolo cercando di immaginare la mossa successiva.

Aveva aperto la porta ed era entrato in cucina prima che se ne fosse resa conto. Rose fece per prendere il bastone, ma lui lo tolse di mezzo con un calcio. Il suo volto era pallido e nella gola vedeva il pomo d'Adamo muoversi su e giù. «Quello che ho fatto ieri sera non avrebbe dovuto accadere», disse. Rose stava tremando. «Ero molto ubriaco. Non sono abituato a bere cose forti. È stata tutta colpa dell'alcol.»

Cercò le parole che l'avrebbero indotto ad andarsene, a non aggredirla di nuovo. Ma scoprì che non riusciva a parlare. Erano abituati ai silenzi. Aveva trascorso ore, giorni, settimane in quella cucina con Shay Neil, senza che venisse pronunciata una sola parola, ma quel giorno era diverso. La paura e il ricordo dei gemiti e delle oscenità della notte prima erano sospesi tra loro. «Vorrei poter cancellare quello che è successo ieri sera», disse lui infine.

«Anch'io lo vorrei tanto», ribadì lei. «Ma visto che non è così...» Adesso gli avrebbe detto di andarsene.

«Ma visto che non è così», ripeté lui, «non credo che verrò più a mangiare qui con voi in casa. Mi preparerò da mangiare da solo. Sarà meglio per tutti.»

Intendeva restare dopo quel che era accaduto tra loro? Quell'uomo doveva essere pazzo.

Rose parlò gentilmente, ma con fermezza. Non doveva permettere alla paura di trapelare dalla sua voce. «No, Shay, non credo che sarà sufficiente, credo sia meglio che tu te ne vada. Non sarà facile per noi dimenticare quello che è accaduto. Dovrai ricominciare altrove.»

Lui la guardò incredulo. «Non posso andarmene», disse.

«Troverai un altro posto.»

«Non posso andarmene, ti amo.»

«Non dire sciocchezze.» Era arrabbiata e perfino più spaventata adesso. «Tu non ami me, né nessun altro. Quello che hai fatto non ha niente a che vedere con l'amore.»

«Ti ho detto che ero ubriaco, ma ti amo.»

«Devi andartene, Shay.»

«Non posso lasciarvi. Che ne sarà di te e Laddy se me ne vado?» Si girò e uscì dalla cucina.

«Perché Shay non è venuto per il pranzo?» chiese Laddy il sabato.

«Dice che preferisce mangiare per conto suo, è una persona molto riservata», spiegò Rose.

Non aveva più parlato a Shay da allora. Il lavoro proseguiva come sempre. Lo steccato attorno al frutteto era stato riparato. Sulla porta della cucina aveva messo un nuovo chiavistello che si chiudesse dall'interno.

Tripper, il vecchio collie, era in punto di morte.

Laddy era sconvolto. Sedeva vicino al cane e gli accarezzava la testa, cercando di fargli bere un po' d'acqua con un cucchiaio. A volte piangeva con le braccia intorno al collo del cane. «Cerca di guarire, Tripper. Non sopporto di sentirti respirare così.»

«Rose?» Era la prima volta che Shay le rivolgeva la parola da settimane.

Sussultò. «Che cosa?»

«Credo che dovrei portare Tripper nel prato e spararagli alla testa. Che cosa ne pensi?» Insieme guardarono il cane che rantolava.

«Non possiamo farlo senza dirlo a Laddy.» Laddy era andato a scuola quel giorno con l'idea di comprare a Tripper una piccola bistecca che l'avrebbe aiutato a guarire. Tornando a casa passò dal macellaio. Il cane non avrebbe mai potuto mangiare la bistecca o altro, ma Laddy non voleva crederci.

«Glielo chiederò allora?»

«Lo farò io.»

Shay si allontanò. Quella sera Laddy scavò una fossa per Tripper e insieme lo portarono sul prato del retro. Shay puntò il fucile alla testa del cane. Finì tutto in un secondo. Laddy fece una piccola croce di legno, Shay ritornò nel suo cottage.

«Sei molto tranquilla, Rose», disse Laddy. «Credo volessi bene a Tripper quanto me.»

«Oh sì, certamente», disse Rose.

Ma Rose era tranquilla perché non aveva avuto il suo periodo. Qualcosa che non le era mai successo in precedenza.

Nella settimana successiva Laddy si mostrò ansioso. C'era qualcosa che non andava in Rose. Era qualcosa di più che aver perso Tripper.

Quando si accorse di essere incinta, Rose pensò che aveva tre possibilità nell'Irlanda degli anni Cinquanta. Tenere il bambino e vivere alla fattoria, con tutte le conseguenze, infischiandosene delle chiacchiere dei parrocchiani. Vendere la fattoria e trasferirsi con Laddy da qualche altra parte e iniziare una nuova vita dove nessuno li conosceva. Portare Shay da un prete e sposarlo.

C'era qualcosa che non andava in ognuna di quelle possibilità. Da una parte, non sopportava il pensiero di cambiare il suo status dopo tanti anni. Dall'altra, le sue piccole distrazioni come una visita in città, un caffè in un bar, una chiacchierata dopo la messa, ovviamente sarebbero finite. Sarebbe stata una donna disonorata, oggetto di pettegolezzi, da compiangere. Laddy ne sarebbe rimasto confuso. E poi, poteva effettivamente vendere la fattoria? In un certo senso la fattoria apparteneva a tutti loro, comprese le sue quattro sorelle. Se avessero sentito che andava a vivere con Laddy e un figlio illegittimo a Dublino, come l'avrebbero presa?

A questo punto si decise e sposò Shay Neil.

Laddy ne fu felice. Ma lo fu ancora di più al pensiero di diventare zio. «Il bambino mi chiamerà zio Laddy?» volle sapere.

«Come vorrai», rispose Rose.

Niente era cambiato in casa, se non che Shay adesso dormiva nella camera di Rose e lei andava meno spesso in città.

Forse perché si sentiva stanca da quando aspettava il bambino, o forse perché aveva perso interesse a vedere la gente. Laddy non ne era sicuro. Scriveva meno alle sorelle mentre loro scrivevano di più. Infatti erano rimaste molto sorprese da quel matrimonio, senza un pranzo di nozze come Rose aveva organizzato per loro. Ma quando erano venute a trovarla, non avevano ottenuto spiegazioni esaurienti dalla loro estroversa sorella maggiore.

E poi nacque il bambino, un bel bambino sano. Laddy fece da padrino e Mrs Nolan, dell'albergo, da madrina. Fu battezzato Augustus, ma lo chiamarono sempre Gus. Il sorriso ritornò sulla faccia di Rose quando strinse tra le braccia suo figlio. Shay era silenzioso e riservato riguardo al piccolo come in ogni altra cosa. Dopo i primi momenti, tutti ripresero le proprie abitudini. Laddy andò a lavorare per Mrs Nolan all'albergo. Il miglior aiuto che avesse mai avuto, asserì Mrs Nolan. Niente era troppo faticoso per lui, sarebbero stati perduti senza Laddy.

E il piccolo Gus imparò a camminare e a trotterellare per il cortile della fattoria inseguendo le galline. Rose stava sulla porta e lo ammirava. Shay Neil era più che mai imbronciato. A volte, di sera, Rose lo guardava senza darlo a vedere. Giaceva per ore con gli occhi aperti. A che cosa stava pensando? Era contento di essersi sposato?

C'era stata assai poca attività sessuale tra loro. Dapprima Rose non aveva voluto per via della gravidanza. Ma dopo la nascita di Gus, gli aveva detto esplicitamente: «Siamo marito e moglie, buttiamoci il passato alle spalle. D'ora in poi dovremo condurre una normale vita matrimoniale».

«D'accordo», aveva detto lui, senza grande entusiasmo.

Rose aveva scoperto, con sua sorpresa, che il rapporto fisico non la disgustava, né la spaventava. Non riaccendeva in lei i ricordi di quella notte di violenza. Shay era un uomo complicato e introverso. Non era facile parlare con lui, di nessun argomento.

Non avevano alcol in casa, a parte la mezza bottiglia di whisky in cima allo scaffale della cucina che andava usata solo in casi di emergenza. La sbornia di quella sera non venne mai menzionata.

Così Rose fu completamente impreparata ad affrontare uno Shay violento, ubriaco e quasi incapace di parlare al suo ritorno dalla fiera. Inviperito dai suoi rimproveri, lui si sfilò la cintura dei pantaloni e la picchiò. Sembrava che picchiarla lo eccitasse e approfittò di lei esattamente come nella notte che Rose aveva cercato di respingere dalla sua mente. Ogni ricordo tornò a galla e con esso il disgusto e il terrore. E benché adesso avesse familiarità con il suo corpo, la cosa fu terribile. Giacque nel letto contusa e con un labbro spaccato.

«E domani non venirmi a dire di raccogliere le mie cose e di andarmene. Non questa volta. Non ora che ti ho sposata», le disse. E si girò, addormentandosi.

«Che cosa ti è successo, Rose?» Laddy era preoccupato.

«Sono caduta dal letto, mezza addormentata e ho battuto la testa contro il tavolino da notte», spiegò.

«Devo dire al dottore di venire qui quando vado in città?» Laddy non aveva mai visto niente di simile.

«No, Laddy, va tutto bene», asserì lei, ed entrò a far parte della schiera di donne che accetta la violenza, perché è più facile che opporvisi.

Rose aveva sperato in un altro figlio, una sorellina per Gus, ma non era successo. Strano che una gravidanza potesse essere il risultato di una notte di violenza e non di mesi di quella che veniva definita normale vita matrimoniale.

Mrs Nolan dell'albergo disse al dottor Kenny che era strano come Rose sembrasse cadere spesso dal letto e farsi male.

«Lo so, l'ho vista.»

«Dice che è diventata molto goffa, ma non ci credo.»

«Neanch'io, Mrs Nolan, ma che cosa posso fare?» Aveva vissuto abbastanza a lungo per notare che molte donne sostenevano di essere diventate goffe e di cadere con frequenza.

E la strana coincidenza era che avveniva spesso dopo un giorno di fiera o di mercato in città. Per il dottor Kenny l'alcol avrebbe dovuto essere bandito dalle fiere. Ma chi avrebbe dato retta a un vecchio medico di campagna al quale i pazienti dicevano raramente la verità su quello che accadeva?

A Laddy piacevano le ragazze ma non ci sapeva fare. Disse a Rose che gli sarebbe piaciuto mettersi la brillantina sui capelli e portare scarpe a punta, allora forse le ragazze lo avrebbero amato. Rose gli comprò scarpe a punta e gli lisciò i capelli con una pomata. Ma non servì.

«Pensi che mi sposerò mai, Rose?» le chiese una sera.

Shay era in un'altra città a comprare del bestiame. Gus dormiva già perché l'indomani avrebbe incominciato la scuola. C'erano solo Rose e Laddy accanto al fuoco, come spesso succedeva in passato.

«Non lo so, Laddy, neanch'io me l'aspettavo, ma ricordi l'indovina dalla quale eravamo andati anni fa? Aveva detto che mi sarei sposata entro l'anno ed è stato così... Non me l'aspettavo proprio. Che avrei avuto un figlio e che l'avrei amato. A te aveva detto che avresti avuto un impiego che ti avrebbe permesso di incontrare della gente e lavori in un albergo. Che avresti viaggiato al di là del mare e fatto dello sport e tutto questo deve ancora verificarsi.»

Gli sorrise raggiante, ricordandogli tutte le belle cose che gli erano state predette, ma tralasciando che la zingara aveva anche previsto una salute cagionevole per Rose, ma non subito.

Quando accadde, accadde nel tutto inaspettatamente. Non c'era stata una fiera, né si era ubriacato. Non temeva il suo ritorno quella sera, per cui fu un vero choc vederlo ubriaco, con lo sguardo offuscato, la bocca storta da un lato.

«Non guardarmi a quel modo», cominciò.

«Non ti sto guardando affatto», ribatté lei.

«Sì, invece, che mi stai guardando.»

«Hai comprato delle giovenche?»

«Te le faccio vedere io le giovenche», disse sfilandosi la cintura.

«No, Shay, no. Sto solo conversando con te, non ti sto affatto criticando. No!» Quella sera gridò invece di bisbigliare per impedire a suo fratello e a suo figlio di sapere che cosa stava accadendo.

Sembrava che le grida lo eccitassero maggiormente. «Sei una sgualdrina», disse. «Una maledetta sgualdrina. Non ne hai mai abbastanza, questo è sempre stato il tuo problema ancor prima di sposarti. Sei disgustosa.» Alzò la cintura e l'abbassò percuotendole dapprima le spalle e poi la testa.

Nello stesso tempo fece cadere a terra i pantaloni e le strappò la camicia da notte. Lei si mosse per afferrare la sedia e proteggersi, ma lui la raggiunse per primo, la sollevò, la spaccò contro il bordo del letto e poi andò verso di lei con una gamba della sedia alzata.

«No, Shay, in nome di Dio non farlo!» Non le importava che sentissero. Dietro di lui sulla porta vide la piccola figura atterrita di Gus, la mano sulla bocca per l'orrore e, alle sue spalle, Laddy. Svegliati dalle grida, entrambi erano accorsi in camera e rimasero pietrificati dalla scena che si svolgeva di fronte a loro. Prima di riuscire a trattenersi, Rose gridò: «Aiutami, Laddy, aiutami!» E allora vide Shay che veniva trascinato indietro, il possente braccio di Laddy attorno al suo collo.

Gus gridava terrorizzato. Rose raccolse la camicia strappata e, incurante del sangue che le colava sulla fronte, corse a prendere in braccio suo figlio.

«Non è in sé», disse a Laddy. «Non sa quello che fa, dovremo rinchiuderlo da qualche parte.»

«Papà», strillò Gus.

Shay si liberò e venne verso la moglie e il figlio. Aveva ancora la gamba della sedia in mano.

«Laddy, per carità», implorò Rose.

Shay si fermò per guardare Laddy, il ragazzone dalla faccia rossa e sudata che stava in piedi in pigiama, incerto, spaventato.

«Ebbene, lady Rose, non hai un bel protettore qui? Lo scemo del villaggio in pigiama, davvero una bella visione. Lo scemo del villaggio che si prenderà cura della sua sorellina maggiore.» Guardò dall'uno all'altra beffandosi di Laddy. «Su forza, ragazzo, colpiscimi. Colpiscimi,

Laddy. Povero, grasso cretino che non sei altro.» Stringeva la gamba della sedia con i chiodi al vivo nel punto in cui si era spaccata, rendendola un'arma pericolosa.

«Colpiscilo, Laddy», gridò Rose e il grosso pungo di Laddy si abbatté pesantemente sulla mascella di Shay. Cadendo, Shay pestò la testa contro il lavandino di marmo. Si udì uno scricchiolìo e i suoi occhi rimasero spalancati quando giacque sul pavimento... Rose posò dolcemente a terra Gus, il bambino aveva smesso di piangere, ora. Il silenzio si protraeva all'infinito.

«Credo che sia morto», disse Laddy.

«Hai fatto quello che dovevi fare, Laddy.» Lui la guardò, incredulo. Credeva di aver fatto qualcosa di terribile. Aveva colpito Shay troppo forte, gli aveva tolto la vita. Spesso Rose gli aveva detto: «Non conosci la tua forza, Laddy, vacci piano». Ma quella volta non l'aveva rimproverato. Credeva a stento a quello che era successo. Girò la faccia per non vedere gli occhi di Shay che sembravano fissarlo.

Rose parlò lentamente. «Adesso, Laddy, voglio che tu ti vesta e vada in città, in bicicletta, a dire al dottor Kenny che il povero Shay è caduto e ha picchiato la testa. Lui lo dirà a padre Maher e ti riaccompagneranno qui.»

«E gli dirò...?»

«Dirai che hai sentito gridare, che Shay è caduto e io ti ho chiesto di andare a chiamare il dottore.»

«Ma lui... il dottor Kenny potrà, voglio dire...?»

«Il dottor Kenny farà quello che potrà e poi chiuderà gli occhi al povero Shay. Vestiti e va', Laddy, da bravo.»

«Ma tu stai bene, Rose?»

«Sto bene e anche Gus sta bene.»

«Sto bene», disse Gus, il dito ancora in bocca, la mano che stringeva quella di Rose.

Laddy pedalò furiosamente nel buio e fece come gli aveva detto Rose. Il dottor Kenny e padre Maher misero la bicicletta sul tetto della macchina del dottore e quando arrivarono alla fattoria Rose era molto calma. Si era vestita con cardigan e gonna scuri e una camicetta bianca. Aveva tirato un po' i capelli sulla fronte per nascondere la ferita. Il fuoco brillava. Vi aveva bruciato la sedia rotta. Adesso era ridotta in cenere. Nessuno avrebbe mai potuto scoprire che era stata usata come un'arma.

La sua faccia era pallida. Aveva preparato il bollitore per il tè e le candele per l'Estrema Unzione. Furono recitate le preghiere con Laddy, Gus e Rose che davano le risposte. Fu redatto il certificato di morte e in esso, ovviamente, si disse che la morte era stata accidentale, dovuta a uno stato di ebbrezza. Il mattino dopo vennero le donne a preparare la salma. Le condoglianze vennero offerte e accettate in maniera formale. Sia il medico, sia il prete sapevano che era stato un matrimonio di convenienza, perché il bracciante aveva messo incinta la donna. Shay Neil non sopportava l'alcol, era risaputo.

Il dottor Kenny non fece congetture su come Shay fosse caduto, né discusse del sangue fresco sul volto di Rose. Quando il prete fu occupato altrove, tirò fuori la sua borsa nera e, senza che nessuno glielo chiedesse, esaminò la ferita e vi applicò dell'antisettico. «Andrà tutto bene, Rose», disse. E lei sapeva che non stava parlando solo della ferita sulla fronte. Dopo il funerale Rose chiese a tutta la famiglia di tornare alla fattoria e riunirsi tutti insieme intorno al tavolo della cucina per consumare il pasto che aveva preparato con cura. Al funerale erano venuti anche alcuni parenti di Shay, ma non erano stati invitati a tornare alla fattoria.

Rose aveva una notizia da dare. Quel luogo adesso le ricordava momenti tristi e lei, Gus e Laddy avrebbero preferito venderla e tornare vivere a Dublino. Ne aveva discusso con un agente immobiliare e l'uomo aveva fornito un'idea realistica del prezzo a cui la fattoria avrebbe potuto essere venduta. Nessuno di loro aveva obiezioni da sollevare in caso di vendita? Qualcuno desiderava viverci? No, nessuno voleva vivere lì ed erano tutti felici che Rose la vendesse.

«Bene.» Fu molto pratica e sbrigativa.

C'erano ricordi che qualcuno desiderava portare con sé?

«Adesso?» Erano sorpresi per la rapidità della decisione.

«Sì, oggi.»

Avrebbe messo in vendita la casa il giorno dopo.

Gus frequentò una scuola di Dublino e Laddy, armato di ottime referenze rilasciategli da Mrs Nolan, trovò lavoro come facchino in un piccolo albergo. Venne presto considerato come parte della famiglia e invitato a vivere lì. Questo gli stava bene. E poi gli anni trascorsero abbastanza tranquillamente.

Rose riprese a fare l'infermiera. A Gus piaceva la scuola e si iscrisse a un corso per Direttori d'albergo. Rose, a quarant'anni, era ancora una donna presentabile, poteva sperare di risposarsi a Dublino. Il vedovo di una donna che aveva curato pareva molto interessato a lei, ma Rose fu irremovibile. Un matrimonio senza amore alle spalle era sufficiente. Non si sarebbe risposata, a meno che non si trattasse di qualcuno che amasse veramente.

A Gus piaceva il suo lavoro, era pronto a fare anche gli straordinari e i mestieri più pesanti per imparare. Laddy lo conduceva spesso alle partite di calcio e agli incontri di boxe. Si ricordava dell'indovina. «Forse voleva dire che mi sarei interessato di sport», spiegò una volta a Gus.

«Forse è così.» Gus voleva molto bene a quell'uomo grosso e gentile che si occupava di lui.

Nessuno di loro parlò mai della notte dell'incidente. A volte Rose si chiedeva quanto ricordasse Gus. Aveva sei anni allora, abbastanza per aver capito. Non aveva avuto incubi da bambino e, in seguito, quando sentì parlare di suo padre, non provò alcuna emozione o imbarazzo. Non rivolgeva però domande su com'era suo padre, il che era significativo. La maggior parte dei ragazzi avrebbe voluto sapere. Probabilmente Gus sapeva già abbastanza.

L'albergo dove lavorava Laddy era di proprietà di un'anziana coppia. Un giorno dissero a Laddy che si sarebbero presto ritirati e lui si preoccupò moltissimo. Quella era casa sua da anni, ormai. E proprio in quel periodo Gus aveva conosciuto la ragazza dei suoi sogni, un'allegra, effervescente giovane di nome Maggie, uno chef diplomato con lo spirito e la sicurezza di sé degli irlandesi settentrionali. Era la donna ideale per lui nella mente di Rose; gli avrebbe dato tutto il sostegno di cui aveva bisogno.

«Ho sempre pensato che sarei stata gelosa, quando Gus avesse trovato una ragazza, ma non è così, sono felice per lui.»

«E io ho sempre pensato che avrei avuto una megera come suocera e invece ho trovato te», disse Maggie.

Tutto ciò di cui avevano bisogno era un albergo da gestire insieme. Anche di un posto in rovina da ristrutturare.

«Non potreste comprare il mio albergo?» propose Laddy. Era quello che desideravano, ma non potevano permetterselo.

«Se mi darete una stanza in cui abitare, vi darò il denaro io», propose Rose.

Che cosa poteva fare di meglio con quello che aveva risparmiato, unito a ciò che avrebbe ricavato dalla vendita dell'appartamento di Dublino? Sarebbe stata una casa per Laddy e Gus, un'attività per la giovane coppia. Un posto dove stare quando la malattia che le era stata predetta si sarebbe manifestata. Sapeva che era una cosa stupida, oltre che un peccato credere negli indovini, ma quella giornata e le parole della zingara erano ancora molto vive nella sua mente.

Dopo tutto era stata la giornata in cui Shay l'aveva violentata.

Non fu facile avviare l'attività, all'inizio. Trascorrevano molto tempo facendo i conti. Le uscite erano superiori alle entrate.

Laddy capiva che gli affari non andavano bene. «Posso portare più carbone di sopra», diceva, ansioso di aiutare.

«Non serve a molto, Laddy, quando non abbiamo clienti per cui accendere il fuoco.» Maggie era molto gentile con lo zio di suo marito. Lo faceva sempre sentire importante.

«Potremmo andare per la strada, con un cartellone su cui compare il nome dell'albergo e tu potresti distribuire dei volantini.»

«No, Laddy. Questo è l'albergo di Gus e Maggie. Ci penseranno loro, riusciranno ad avviarlo. Presto sarà così affollato che non sapranno come cavarsela.»

E alla fine fu così.

I due giovani sposi lavoravano giorno e notte. Si fecero molti clienti. Veniva gente dal nord che periodicamente vi soggiornava e passava la voce. E ogni volta che arrivava un cliente straniero proveniente dal continente, Maggie gli dava un bigliettino dell'albergo dicendo: «Abbiamo amici che parlano francese, tedesco, italiano».

Era vero. Conoscevano un rilegatore di libri tedesco, un insegnante di francese e un italiano che potevano essere immediatamente contattati per fare da interpreti.

Gus e Maggie avevano due bambine e Rose si considerava una delle donne più felici d'Irlanda. Conduceva le nipotine a dar da mangiare agli anatroccoli in St. Stephen Green nelle mattinate di sole.

Uno degli ospiti dell'albergo chiese a Laddy se nei pressi ci fosse una sala da biliardo e Laddy, desideroso di accontentarlo, gliela trovò.

«Fai una partita con me?», chiese l'ospite dell'albergo, che era un solitario uomo d'affari di Birmingham.

«Temo di non saper giocare, signore», si scusò Laddy.

«Ti farò vedere io», asserì l'uomo.

E così accadde. La predizione dell'indovina si avverò. Laddy era portato per il gioco. L'uomo di Birmingham non credeva che non avesse mai giocato. Imparò l'ordine: giallo, verde, marrone, blu, rosa, nero. Mandava le palle in buca con facilità ed eleganza. La gente si riuniva intorno al tavolo a guardare.

Laddy era diventato lo sportivo che gli era stato predetto.

Non scommetteva mai sulle partite. Gli altri scommettevano su di lui, ma lui lavorava troppo sodo per lasciarsi tentare dalle scommesse e tutti avevano bisogno del suo aiuto, Rose, Gus, Maggie e le bambine. Ma continuava a vincere gare e la sua fotografia appariva spesso sul giornale. Era una piccola celebrità in fatto di biliardo.

Rose osservava soddisfatta tutto quello che stava succedendo. Suo fratello era finalmente una persona importante. Non avrebbe neppure avuto bisogno di chiedere a suo figlio di occuparsi di lui quando se ne fosse andata. Sapeva che non era necessario. Laddy sarebbe vissuto con Gus e Maggie fino alla fine.

«Credi che Shay sarebbe stato orgoglioso di tutto questo?» le chiese Laddy una sera. Era un uomo di mezza età adesso e non aveva quasi mai parlato di Shay Neil. L'uomo che aveva ucciso quella notte con un colpo violento.

Rose trasalì. Parlò con estrema lentezza: «Credo che ne sarebbe stato contento. Ma vedi, con lui era molto difficile sapere che cosa pensasse. Parlava poco, chissà che cosa gli frullava nella mente».

«Perché l'hai sposato, Rose?»

«Per dare una famiglia a noi tutti», rispose semplicemente.

La spiegazione parve soddisfare Laddy. Non aveva più pensato neanche lui al matrimonio, o alle donne, per quello che ne sapeva Rose. Sembrava che il biliardo fosse un'ottima alternativa. Così quando Rose subì un'intervento di isterectomia, che comunque non risolse il suo problema, era una donna senza preoccupazioni per il futuro.

Il medico non era abituato a persone che accettassero certe diagnosi con tanta calma.

«Faremo in modo che soffra il meno possibile», disse.

«Oh, ne sono certa. Quello che vorrei, tuttavia, sarebbe andare in un ricovero, se possibile.»

«Ha una famiglia molto affettuosa, che sarebbe lieta di curarla», ribatté il medico.

«È vero, ma devono mandare avanti l'albergo. Preferirei non stare da loro, gli farei perdere troppo tempo. La prego, dottore, non sarò di disturbo al ricovero, aiuterò finché potrò.»

«Non ne dubito», disse lui soffiandosi il naso.

Rose ebbe i suoi momenti di sconforto e di rabbia come chiunque altro. Ma non li divise con la sua famiglia o con gli altri ospiti del ricovero. Quando venivano a trovarla, apprendevano assai poco sulla sua infermità, ma molto sul posto dov'era e sul lavoro che vi veniva svolto. Il ricovero era un luogo sereno, aperto a idee e iniziative nuove.

Laddy portò un tavolo da biliardo di seconda mano e impartì lezioni a infermieri e ricoverati. Gus andò con Maggie a fare dimostrazioni di arte culinaria. E i mesi passarono facilmente e serenamente. Anche se Rose era diventata molto magra e il suo passo si era fatto più lento, diceva che non soffriva e non voleva commiserazione, soltanto compagnia e allegria. Perlomeno finché la sua mente funzionava.

Anche troppo per Gus e Maggie, che non poterono nasconderle la catastrofe che si era abbattuta su di loro. Si erano assicurati e avevano fatto degli investimenti con una finanziaria che aveva fatto bancarotta. Avrebbero perduto non solo l'albergo, ma le speranze, i sogni, il futuro. Forse sarebbero riusciti a nasconderlo a Rose. Sarebbe morta senza sapere quello che era successo. Dopotutto era così fragile che non la riconducevano più in albergo, la domenica, per pranzare con le nipotine.

Ma alla fine non riuscirono più a tenerglielo nascosto.

«Dovete dirmi che cosa c'è», intimò la donna a Gus e a Maggie. «Non potete lasciare questa stanza senza dirmi che cosa sta succedendo. Se ho solo poche settimane di vita, non le trascorrerò nel tormento, cercando di scoprire che cosa c'è. Immaginando che sia peggio di quello che è.»

«Qual è il peggio per te?» chiese Maggie.

«C'è qualcosa che non va con una delle bambine?» Scossero la testa. «O con voi? O Laddy? Una malattia?» Dissero di nuovo di no. «Be', tutto il resto lo possiamo affrontare», asserì lei, il viso smagrito sorridente, gli occhi brucianti.

Le raccontarono la storia. Com'era stata riportata dai giornali. E poi, aggiunsero, Harry Kane aveva dichiarato alla televisione che nessuno avrebbe perduto i propri soldi investiti, che le banche li avrebbero risarciti, ma la gente temeva ancora il contrario. Non c'era niente di chiaro.

Rose pianse. La zingara non le aveva detto questo. Si arrabbiò con se stessa per aver creduto all'indovina. Imprecò contro Harry Kane. Nessuno l'aveva mai vista così arrabbiata.

«Sapevo che non avremmo dovuto dirtelo», asserì Gus mestamente.

«No, dovevate dirmelo, naturalmente. E giurate anche di riferirmi ogni singola cosa che succederà d'ora in poi. Se mi direte che va tutto bene e non è vero, io lo capirò e non vi perdonerò mai.»

«Ti farò partecipe di ogni dettaglio, mamma», disse Gus.

«E se non lo farà lui, lo farò io», rispose Maggie.

«Comunque, mamma, se dovesse andar male e fossimo costretti a ripiegare su un altro lavoro, stai tranquilla che condurremo Laddy con noi.»

«Certo che lo sa», sottolineò Maggie.

E mentre i giorni passavano, le portavano le lettere della banca. E alla fine i loro investimenti subirono uno scossone, ma non andarono perduti.

«Laddy ha capito come siamo stati vicini a perdere tutto?» chiese Rose.

«Capisce quello che può capire», spiegò Maggie e, con un'ondata di sollievo, Rose realizzò che qualunque cosa fosse successa dopo la sua morte, Laddy sarebbe stato sempre in mani sicure e caritatevoli.

Morì in pace.

Non seppe mai che una donna di nome Siobhan Casey avrebbe telefonato all'albergo e spiegato che sarebbe stato necessario un importante reinvestimento, a compenso del fatto che l'albergo era stato risarcito. Miss Casey spiegò che di solito in simili circostanze, quando cioè una società a responsabilità limitata falliva, gli investitori non venivano rimborsati e che il denaro rimborsato ai Neil per il loro albergo proveniva dalle finanze personali di Mr Kane, che adesso chiedeva a tutti coloro che avevano visto salvi i loro affari di sostenerlo nella sua nuova speculazione.

Sarebbe stato un accordo segreto tra gentiluomini, nel quale non andavano coinvolti gli amministratori.

Dapprima la cifra suggerita non era ingente, ma poi era aumentata. Gus e Maggie erano preoccupati. Ma erano già stati tirati fuori dai guai, quando avevano pensato di aver perso tutto. Miss Casey parlava dei suoi soci in tono molto rispettoso, come se fossero persone di immenso potere, gente che sarebbe stato sciocco contrastare.

Gus sapeva che se sua madre fosse stata viva, non avrebbe approvato. Non dissero nulla a Laddy. Facevano economie. Non poterono comperare un nuovo boiler quando ne ebbero bisogno e non sostituirono la moquette nell'atrio, comperarono invece un tappeto a buon prezzo per coprire la parte consunta. Ma Laddy si rendeva conto che qualcosa non andava e si preoccupava. Non poteva dipendere dagli affari, i clienti erano numerosi come in passato. Ma i sostanziosi breakfast irlandesi non erano più come un tempo e Maggie diceva che non c'era bisogno che Laddy andasse al mercato a comprare fiori freschi, erano troppo cari. E quando una delle cameriere se ne andò, non fu sostituita.

Avevano un certo numero di clienti italiani adesso e Paolo, il loro interprete, diceva che qualcuno dell'albergo avrebbe dovuto imparare la lingua.

Un uomo d'affari italiano, sua moglie e i suoi due figli erano ospiti dell'albergo in quel periodo. L'uomo restava chiuso tutto il giorno negli uffici dell'*Irish Trade Board*, sua moglie andava in giro per negozi e i due figli adolescenti si annoiavano. Laddy si offrì di condurli a giocare a biliardo. Non in una sala dove fumavano, bevevano e scommettevano, ma al *Catholic boy's club* dove non sarebbero incorsi in alcun pericolo. E trasformò completamente la loro vacanza.

Era una famiglia molto ricca. Vivevano a Roma, questo fu tutto ciò che Laddy riuscì a sapere da loro. Il giorno della loro partenza, si fecero fare una fotografia insieme a lui fuori dall'albergo. Poi salirono sul taxi e andarono all'aeroporto. Sul marciapiede, quando il taxi si allontanò, Laddy vide il rotolo di banconote. Banconote irlandesi avvolte strettamente con un elastico. Alzò lo sguardo e vide il taxi sparire. Non avrebbero mai saputo dove le avevano perdute. Non se ne sarebbero probabilmente accorti fino a casa. Erano ricchi, non ne avrebbero sentito la mancanza. La donna aveva speso una fortuna in Grafton Street.

Non avrebbero avuto bisogno di quei soldi.

Non come Maggie e Gus che invece avevano terribilmente bisogno di parecchie cose. Dei porta menu nuovi, per esempio. I loro erano tutti macchiati e rovinati. Una nuova insegna sulla porta. Pensò a tutte quelle cose per circa quattro minuti, poi sospirò, prese l'autobus diretto all'aeroporto per restituire loro il denaro che avevano perduto.

Li trovò che stavano consegnando al check in i costosi bagagli in morbido cuoio. Per un momento ebbe di nuovo qualche dubbio, poi tese la sua manona prima di poter cambiare idea.

La famiglia italiana lo abbracciò. Fecero partecipi gli astanti della generosità e dell'eccezionalità degli irlandesi. Non avevano mai conosciuto gente così buona in vita loro. Vennero estratte alcune banconote dal rotolo e infilate nella tasca di Laddy. Ma quello non era importante.

«Perché non viene a casa nostra a Roma?» gli chiesero in italiano.

«Le stanno domandando di andare a Roma da loro», tradusse qualcuno delle persone in coda, contento di sentire tanto entusiasmo per uno di loro.

«Lo so», disse Laddy con gli occhi scintillanti. «E ci andrò di sicuro. Anni fa mi hanno predetto la sorte e l'indovina ha detto che sarei andato al di là del mare». Era raggiante. Gli italiani lo baciarono di nuovo e lui risalì sull'autobus. Non vedeva l'ora di raccontare la novità.

Gus e Maggie ne parlarono quella sera.

«Forse se ne dimenticherà in pochi giorni», disse Gus.

«Perché non si sono limitati a dargli la mancia?» si chiese Maggie. In cuor loro sapevano che Laddy voleva essere invitato da quelle persone a Roma, lo aveva desiderato tanto.

«Ho bisogno di fare il passaporto, sapete», disse Laddy il giorno dopo.

«Non dovresti prima imparare l'italiano?» suggerì Maggie con un lampo di genio.

Se fossero riusciti a posporre la spedizione per un po', Laddy si sarebbe forse persuaso che il viaggio a Roma era soltanto un sogno.

Al suo club, Laddy domandò dove tenessero delle lezioni d'italiano.

Un camionista, di nome Jimmy Sullivan, disse che c'era una fantastica donna chiamata Signora che abitava con loro e che avrebbe iniziato a dare lezioni d'italiano al Mountainview College.

Una sera Laddy si recò alla scuola e si iscrisse. «Non sono molto istruito, pensa che possa seguire le lezioni?» chiese alla donna chiamata Signora mentre stava pagando.

«Oh, non ci sarà nessun problema. Se l'idea le piace, vedrà che parlerà italiano in brevissimo tempo», lo rassicurò.

«Saranno solo due ore, il martedì e il giovedì sera», disse Laddy in tono supplichevole a Gus e Maggie.

«Prenditi tutto il tempo che vuoi, per carità, Laddy. Non lavori centinaia di ore alla settimana?»

«Avevate ragione a dirmi che non avrei dovuto andare lì come uno sciocco. Signora dice che mi insegnerà a parlare in brevissimo tempo.»

Maggie chiuse gli occhi. Che cosa le aveva fatto aprir bocca e consigliargli di andare a prendere lezioni d'italiano? L'idea che il povero Laddy dovesse seguire un corso serale era ridicola.

Era molto nervoso la prima sera, così Maggie andò con lui. La classe era tutta decorata con fotografie e poster; sembrava che ci fossero perfino piatti di salumi e formaggi che avrebbero mangiato più tardi. L'insegnante stava distribuendo dei cartellini perché ci scrivessero i loro nomi, in italiano.

«Laddy», disse, quando fu il suo turno.

«È difficile da tradurre questo. Ha qualche altro nome?»

«Non credo.» Laddy sembrava spaventato e intimidito.

«No, va bene. Pensiamo a un bel nome italiano che gli assomigli un po'. Lorenzo! Che cosa ne dici?» Laddy apparve in dubbio, ma a Signora piaceva. «Lorenzo», ripeté più volte. «Credo che vada bene come nome. Non abbiamo nessun Lorenzo in questo corso.»

«È così che in Italia vengono chiamati i Laddy?» chiese ansioso. Maggie attese mordendosi il labbro.

«È così, Lorenzo», rispose la donna con gli strani capelli e il grande sorriso.

Maggie tornò all'albergo. «È una cara persona», disse a Gus. «Non c'è pericolo che faccia sentire inferiore il povero Laddy. Ma gli concedo tre lezioni prima che ci rinunci.»

Gus sospirò. Era una cosa in più di cui sospirare in quei giorni.

Non avrebbero potuto sbagliarsi di più riguardo al corso. Laddy ne era entusiasta. Imparava le frasi che dovevano ripetere a casa ogni settimana come se la sua vita dipendesse da esse. Quando venivano degli italiani in albergo, li salutava calorosamente in italiano, aggiungendo un «Mi chiamo Lorenzo» con un senso di orgoglio, come se si fossero aspettati che il facchino di un piccolo albergo irlandese si chiamasse in quel modo. Trascorsero così le settimane e spesso, le sere in cui pioveva, Laddy veniva accompagnato a casa su una lucida BMW.

«Dovresti far entrare la tua amica, Laddy.» Maggie aveva sbirciato fuori qualche volta e intravisto il profilo di una bella donna al volante della macchina.

«Ah no, Costanza deve tornare a casa. Ha un lungo tragitto da fare», spiegava.

Costanza! Come poteva quella ridicola insegnante aver ipnotizzato l'intera classe a fare quel gioco! Laddy non partecipò a una gara di biliardo nella quale avrebbe sicuramente vinto per non deludere i compagni del corso d'italiano. Quella settimana avrebbero imparato le parti del corpo e lui e Francesca avrebbero dovuto indicare alla classe cose come gola, gomiti, caviglie. Li aveva imparati tutti. Francesca non l'avrebbe mai perdonato se non fosse andato.

Gus e Maggie si guardarono stupiti. Decisero che gli faceva bene. Dovevano crederlo, altre cose andavano troppo male al momento. C'erano dei lavori che avrebbero dovuti essere fatti, ma non potevano permetterseli. Avevano detto a Laddy che le cose erano difficili, ma sembrava che non ci facesse molto caso. Cercavano di vivere alla giornata. Se non altro Laddy era felice al momento. Se non altro Rose era morta pensando che andasse tutto bene.

A volte Laddy trovava difficile ricordare tutti i vocaboli. Non era stato abituato a farlo a scuola dove gli insegnanti non avevano ritenuto necessario pretendere troppo da lui. Ma in quel corso doveva stare alla pari con gli altri. A volte sedeva ripetendo parole e frasi all'infinito e Mr O'Brien, il preside della scuola, veniva spesso a sedersi accanto a lui.

«Come va?» chiedeva.

«Bene, benissimo.» Signora gli aveva raccomandato di rispondere a ogni domanda in italiano.

«E le piace il corso? Come si chiama?»

«Mi chiamo Lorenzo.»

«Ma certo. Bene, Lorenzo, secondo lei il corso vale il prezzo che costa?»

«Non sono sicuro di quanto costi, signore. Ha pagato la moglie di mio nipote.»

Tony O'Brien guardava quell'uomo semplice, avvertendo un groppo in gola. Aidan Dunne aveva fatto bene a battersi per quei corsi. Sembrava che andassero a gonfie vele. Veniva ogni genere di persone. La moglie di Harry Kane, tra l'altro, e gangster come quel ragazzo con la fronte perennemente corrugata.

L'aveva detto a Grania, ma lei era ancora convinta che glielo dicesse per addolcirla. Forse avrebbe dovuto apprendere qualcosa di specifico per dimostrarle che era veramente interessato all'iniziativa.

«Che cosa state studiando, Lorenzo?»

«Be', questa settimana facciamo le parti del corpo, nel caso che ci venisse un attacco di cuore o avessimo un incidente in Italia.»

Ripeterono insieme alcune frasi, collegandole ad altre già imparate in precedenza. Laddy appariva molto soddisfatto.

«È sposato, Lorenzo?» gli chiese a un certo punto O'Brien.

«No, signore, non sarei stato molto bravo come marito. Mia sorella diceva che dovevo concentrarmi sul biliardo.»

«Be', non si deve necessariamente scegliere tra una cosa o l'altra. Potrebbe averle entrambe.»

«Sì, se fossi intelligente come lei e dirigessi una scuola. Ma io non sono capace di fare molte cose insieme.»

«Neanch'io, Lorenzo.» Mr O'Brien sembrava triste.

«Neanche lei è sposato, allora? Pensavo che avesse dei figli già grandi», asserì Lorenzo.

«No, non sono sposato.»

«Forse insegnare è un lavoro per la gente che non si sposa», osservò Laddy. «Neanche Mr Dunne, il direttore del corso, è sposato.»

«Oh, davvero?» Tony O'Brien alzò le orecchie.

«No, ma credo che abbia una storia con Signora!» Laddy si guardò intorno per paura che lo sentisse qualcuno.

«Non credo che le cose stiano così.» Tony O'Brien era sbalordito.

«Noi lo crediamo. Francesca, Guglielmo, Bartolomeo e io ne stavamo discutendo. Ridono molto e tornano a casa insieme dopo la scuola.»

«Be', via», fece Tony O'Brien.

«Sarebbe bello per loro, non le pare?» A Laddy piaceva che anche gli altri gioissero delle cose.

«Sarebbe molto interessante, sì», ammise Tony O'Brien.

Mai si sarebbe aspettato una cosa simile da riferire a Grania. Poteva darsi che si trattasse solo dell'interpretazione di quel sempliciotto, ma poteva anche essere vero. Se era vero, allora le cose sarebbero state più facili. Aidan Dunne non avrebbe potuto essere troppo critico, se lui stesso era coinvolto in qualcosa, a dir poco, di così insolito. Dopotutto Tony O'Brien era uno scapolo che corteggiava una ragazza libera. Paragonato al rapporto Aidan-Signora, la cosa era assolutamente lineare e priva di complicazioni.

Ma non ne avrebbe parlato con Grania. Si erano visti e la conversazione era stata stentata.

«Pensi di restare stanotte?» aveva chiesto.

«Sì, ma non voglio fare l'amore.»

«E dormiremo nello stesso letto o io dovrò dormire sul divano?»

Era apparsa molto giovane e confusa. Avrebbe voluto prenderla tra le braccia, accarezzarla e dirle che alla fine sarebbe andato tutto bene. Ma non osava.

«Dormirò io sul divano, è casa tua.»

«Non so che cosa dirti, Grania. Se ti prego di dormire con me nel mio letto, sembra che io sia un animale in caccia del tuo corpo. Se non lo faccio, sembra che non mi importi. Vedi che problema è per me?»

«Ti prego, lasciami dormire sul divano questa volta», lo implorò.

Lui le rimboccò le coperte e la baciò. Al mattino le aveva preparato un buon caffè e lei era apparsa stanca e con cerchi scuri sotto gli occhi.

«Non sono riuscita a dormire», disse. «Ho letto alcuni dei tuoi libri. Hai delle cose straordinarie di cui non avevo mai sentito parlare.»

Vide *Comma 22* e *Sulla strada* accanto al divano. Grania non avrebbe letto Heller o Kerouac. Forse l'abisso tra loro era troppo grande. Era apparsa sconcertata davanti alla sua collezione di jazz tradizionale. Era ancora una bambina.

«Vorrei ritornare per cena», disse, andandosene.

«Dimmi quando e cucinerò io.»

«Stasera? O è troppo presto?»

«No, stasera va benissimo», disse lui. «Ma un po' tardi, perché mi piace fare una scappata al corso d'italiano. E prima che litighiamo di nuovo, desidero che tu sappia che ci vado perché lo desidero, niente a che vedere con tuo padre o con te.»

«Pace», disse lei. Ma i suoi occhi erano inquieti.

Adesso Tony O'Brien era tornato a casa e aveva preparato tutto. I petti di pollo stavano marinando nello zenzero e nel miele, la tavola era apparecchiata. C'erano lenzuola pulite sul letto e una coperta sul divano per ogni eventualità.

Tony aveva sperato di poter riferire qualcosa di più appropriato dopo la sua visita in classe della notizia che il padre di Grania sembrava avere una storia con quella strana insegnante d'italiano. Avrebbe fatto bene ad andare in fretta in quella dannata classe per trovare qualcosa da raccontare.

* * *

La lezione sulle parti del corpo era decisamente divertente. Tony O'Brien dovette tenersi una mano sul volto per non scoppiare a ridere mentre si davano colpi a vicenda, ripetendo le varie frasi. Ma con sua sorpresa sembrava che avessero imparato molti vocaboli e a non essere per nulla imbarazzati a usarli.

Quella donna era una brava insegnante; riprendeva all'improvviso i giorni della settimana o come si ordinava un drink al bar. «Non trascorreremo tutto il nostro tempo in ospedale, quando andremo a fare questo viaggio a Roma.»

Gli allievi erano veramente convinti di fare quell'escursione a Roma. Tony O'Brien era ammutolito. Si sentiva leggermente confuso davanti a tale prospettiva.

Stava per andare a dire ad Aidan Dunne che se ne sarebbe andato, quando vide Aidan e Signora ridere sopra alcuni scatoloni che da letti d'ospedale si stavano tramutando nei sedili di un treno. Da come stavano vicini si capiva che erano due persone che tenevano l'una all'altra. Intimi, senza tuttavia sfiorarsi. Gesù, e se fosse stato vero?

Afferrò il cappotto e si concentrò sul pranzo di quella sera con la figlia di Aidan Dunne.

Le cose andavano talmente male all'albergo che Gus e Maggie avevano difficoltà a far fronte ai problemi d'apprendimento di Laddy. La sua mente era piena di parole, raccontava loro, e alcune si confondevano.

«Non importa, Laddy. Impara quello che puoi», ripeteva Gus, indulgente esattamente come i frati della scuola anni addietro.

Ma Laddy non voleva intendere ragione. «Voi non capite. Signora dice che questo è lo stadio in cui dobbiamo avere fiducia e ripetere le cose. Avremo un'altra lezione sulle parti del corpo e io continuo a dimenticare le parole. Per favore, ascoltatemi. Per favore.»

Quel giorno due ospiti se n'erano andati perché le stanze non erano abbastanza confortevoli, avevano detto. E un altro aveva dichiarato che avrebbe scritto all'Ufficio del turismo. Avevano soldi appena sufficienti per pagare gli stipendi di quella settimana e c'era Laddy che voleva essere interrogato sui vocaboli italiani.

«Se sapessi di fare coppia con Costanza, non mi preoccuperei. Cerca sempre di darmi una mano, ma non possiamo avere sempre gli stessi compagni. Potrei essere con Francesca o con Gloria. Ma molto probabilmente sarò con Elisabetta, così possiamo ripassarli un po', per favore?»

Maggie prese il foglio. «Da dove incominciamo?» chiese. Ci fu un'interruzione. Il macellaio voleva sapere quando gli avrebbero pagato il conto. «Lascia che me la sbrighi io, Gus», disse Maggie.

Gus la sostituì. «Bene, Laddy. Vuoi che io faccia il medico o il paziente?»

«Potresti farli tutti e due, Gus, finché non avrò afferrato bene. Puoi ripetermi i vocaboli come facevi una volta?»

«Certo. Sono entrato in sala operatoria e c'è qualcosa che non va in me e tu sei il medico, così che cosa dici?»

«Devo dire: 'Dove sente male'. Elisabetta sarà la paziente e io il dottore.»

Gus non sapeva come facesse ad avere tanta pazienza. Laddy continuava a ripetere disperatamente le frasi. «Sai, Elisabetta si comportava un po' da sciocca all'inizio, ma Guglielmo l'ha costretta a prendere le lezioni sul serio e adesso fa anche i compiti a casa.» Gus e Maggie pensavano che quella gente assomigliasse un po' al cast di un'opera comica. Gente adulta che si chiamava con ridicoli nomi e si indicava i gomiti e fingeva perfino di avere lo stetoscopio.

E quella fu la sera, tra tutte le sere, in cui Laddy invitò Costanza ad entrare. La donna più elegante che avessero mai visto e con un volto molto turbato. Tra tutte le dannate sere dell'anno, Laddy aveva proprio scelto quella in cui avevano trascorso tre ore a passare in rassegna colonne di cifre, cercando di non vedere quello che appariva ovvio e cioè che dovevano vendere l'albergo. Adesso avrebbero dovuto fare conversazione con quella donna.

Ma non fecero nessuna conversazione. Quella era la persona più arrabbiata che avessero mai incontrato. Disse loro che era sposata con Harry Kane, il nome che appariva sui contratti che avevano firmato, sui documenti. Disse loro che Siobhan Casey era la sua amante.

«Non capisco come possa essere accaduto, lei è molto più bella», osservò Maggie all'improvviso.

Costanza la ringraziò brevemente e tirò fuori il libretto degli assegni. Diede loro il nome di amici che le avrebbe fatto piacere che consultassero per eseguire i lavori. Non un solo momento dubitarono che non fosse sincera. Disse che senza di loro non avrebbe probabilmente mai avuto l'informazione e il coraggio di fare quello che stava per fare. Molte cose sarebbero cambiate e dovevano credere che il denaro era loro di diritto e sarebbe stato da lei recuperato non appena le ruote avessero ricominciato a girare.

«Ho fatto bene a dirlo a Costanza?» Laddy guardò i tre, intimorito. Non aveva mai parlato con qualcuno dei loro affari. Aveva temuto che non si mostrassero cordiali quando era arrivato con lei al fianco. Ma adesso sembrava che tutto si fosse risolto nel migliore dei modi. Meglio di quanto avesse sperato.

«Sì, Laddy, hai fatto bene», disse Gus. Era molto controllato, ma Laddy riconobbe una nota di lode della sua voce.

Adesso sembrava che tutti respirassero meglio. Gus e Maggie qualche ora prima erano così tesi mentre l'aiutavano con i suoi vocaboli italiani. Adesso pareva che il problema fosse come sparito come per incanto.

Doveva dir loro com'era andato bene a scuola. «È andato tutto a meraviglia stasera. Sapevate che avevo paura di non ricordare i vocaboli, ma invece li ho ricordati tutti quanti.» Era raggiante.

Maggie annuì, non fidandosi a parlare. I suoi occhi erano molto lucidi.

Costanza decise di riprendere il filo della conversazione. «Sapevate che io e Laddy eravamo in coppia stasera? Siamo stati bravissimi», concordò.

«Il gomito, la caviglia e la gola?» fece Gus.

«Oh, molto di più, il ginocchio e la barba», disse Costanza.

«Il ginocchio e la barba», ripeté Laddy in italiano.

«Sa che Laddy spera di rivedere quella famiglia italiana a Roma?» cominciò Maggie.

«Oh, lo sappiamo tutti, sì. E la prossima estate, quando andremo a Roma, li vedremo di sicuro. Signora ha tutto sotto controllo.»

Costanza se ne andò.

Loro rimasero lì seduti, tutti e tre insieme, come Rose sapeva che avrebbero fatto.

Fiona

Fiona lavorava nella caffetteria di un grande ospedale della città. Diceva spesso che era brutto fare l'infermiera se non si riusciva a far star meglio la gente. Vedeva le facce pallide e ansiose delle persone che aspettavano il loro turno per una visita, amici e parenti che venivano a trovare qualcuno che non migliorava, bambini agitati e rumorosi perché si rendevano conto che qualcosa andava male, ma non sapevano esattamente di che cosa si trattasse.

Ogni tanto avvenivano anche cose piacevoli, come quando da uno studio medico era uscito un tale gridando: «Non ho il cancro, non ho il cancro»! Aveva baciato Fiona e stretto la mano alla gente della sua stanza.

Quella naturalmente era una bella notizia e tutti gli sorrisero. Ma alcuni di coloro che sorridevano avevano realmente il cancro, ed era qualcosa a cui lui non aveva pensato. Alcuni di coloro che avevano il cancro sarebbero migliorati, ma quando lo videro rallegrarsi perché la condanna era stata sospesa, dimenticarono che anche loro potevano migliorare e invidiarono la sua situazione.

Bisognava, ovviamente, pagare per tè, caffè e biscotti, ma Fiona sapeva che non si doveva mai insistere per il pagamento se qualcuno era sconvolto. Si metteva infatti in mano una tazza di tè bollente zuccherato a chiunque fosse vittima di uno choc. Avrebbe preferito non avere bicchierini di carta, ma sarebbe stato impossibile lavare tante tazze e piattini visto il consumo giornaliero. Molte persone la conoscevano per nome e conversavano per distrarsi dai propri pensieri.

Fiona era sempre vivace e allegra, proprio il tipo di cui gli ammalati avevano bisogno. Aveva l'aria di una pazzerella con gli enormi occhialoni che facevano apparire i suoi occhi ancora più grandi, e portava i capelli raccolti dietro in uno chignon. Faceva molto caldo nella grande sala d'aspetto, così Fiona aveva deciso di indossare una T-shirt con una corta gonnellina nera. Aveva comperato delle magliette con stampato il giorno della settimana, che alla gente piacevano molto. «Non saprei che giorno è, se non vedessi il petto di Fiona», dicevano molti.

A volte Fiona sognava che uno dei bei dottori dell'ospedale si fermasse a guardarla negli occhi e le dicesse che era la ragazza che aspettava da tutta la vita.

Ma questo non accadeva. E Fiona si rendeva conto che probabilmente non sarebbe mai accaduto. Quei dottori avevano i loro amici, altri dottori, figlie di dottori, insomma gente elegante. Non avrebbero certo guardato negli occhi una ragazza che indossava una semplice T-shirt e offriva tazze di caffè. Smettila di sognare, si diceva.

Fiona aveva ormai vent'anni e cominciava ad interrogarsi sulle sue effettive possibilità di incontrare degli uomini. Pensava di non saperci fare. Bastava guardare le sue amiche Grania e Brigid Dunne. Uscivano dalla porta di casa e incontravano uomini con i quali a volte trascorrevano la notte. Fiona lo sapeva perché le chiedevano spesso di far loro da alibi. «Rimango da Fiona», era la loro scusa.

La madre di Fiona non ne sapeva niente. Non avrebbe approvato. Era ancora il tipo che apparteneva alla scuola di pensiero «Le-Brave-Ragazze-Aspettano-Fin-Dopo-Il-Matrimonio». Fiona si rendeva conto di non avere idee così precise in materia. Sentiva che se avesse amato un ragazzo e lui l'avesse ricambiata, il rapporto avrebbe dovuto essere appropriato. Ma dato che il problema non si era presentato, non aveva mai potuto verificare quella teoria.

A volte si guardava allo specchio. Non era male. Forse un po' piccolina e di sicuro gli occhiali non l'aiutavano. Ma alla gente piacevano i suoi occhiali: le dicevano che le stavano bene. Aveva un aspetto da stupida? Davvero non era facile stabilirlo con certezza.

Grania Dunne le diceva di non essere sciocca, era carina. Ma lei non c'era con la testa in quei giorni. Era così infatuata di quell'uomo che aveva l'età di suo padre! Fiona non riusciva a capire. Grania aveva molti corteggiatori, perché scegliere proprio quel vecchio?

Brigid diceva che Fiona era fantastica e aveva una magnifica figura, contrariamente a lei che ingrassava anche mangiando un sandwich. Ma perché allora Brigid con i suoi fianchi pronunciati non era mai senza un ragazzo o un cavaliere? E non si trattava solo di gente che incontrava all'agenzia viaggi. Brigid diceva che sul lavoro non conosceva nessuno che le piacesse. C'erano solo ragazze che prenotavano vacanze al sole, donne anziane che andavano in pellegrinaggio e coppie in luna di miele che solitamente chiedevano un posto «molto privato». Non perché Grania e Brigid andassero a letto con tutti, ma facevano colpo sugli uomini. Era un vero rebus per Fiona.

La mattina era sempre molto indaffarata. C'erano sempre così tante bustine di tè e carte di biscotti nel cestino dei rifiuti che doveva svuotarlo. Quel giorno stava infatti trasportando il grosso sacco di plastica fuori, nell'area indicata, quando un giovanotto si alzò e l'aiutò.

«Lascia fare a me», disse. Era bello, di carnagione scura, a parte i capelli molto dritti. Sotto il braccio stringeva il casco della motocicletta, come se avesse paura di perderlo.

Gli tenne la porta aperta e gli indicò i bidoni allineati fuori. «Vanno bene tutti», disse, e attese cortesemente che ritornasse.

«Sei stato molto gentile», lo ringraziò poi.

«Mi aiuta a dimenticare altre cose», fece lui.

Sperava che non ci fosse qualcosa che non andava in lui, appariva così giovane e in forma. Ma Fiona aveva visto tante persone all'apparenza in ottima forma sentirsi dare brutte notizie.

«Be', è un grande ospedale», osservò. Non sapeva neppure se lo fosse veramente.

«Lo è?» Sembrava ansioso. «Ho portato qui mia madre perché era il più vicino.»

«Oh, ha un'ottima fama.» Fiona non desiderava concludere la conversazione.

Lui stava indicando il suo petto. «Giovedì», disse infine in italiano.

«Scusa?»

«È scritto in italiano, 'giovedì'», spiegò.

«Sì? Parli italiano?»

«No, ma frequento un corso d'italiano due volte alla settimana.» Sembrava molto orgoglioso ed entusiasta. Quel ragazzo le piaceva e voleva continuare a chiacchierare con lui.

«Chi hai detto di aver portato qui?» chiese. Meglio chiarire la questione fin dall'inizio. Se era una moglie o un'amica, non valeva la pena di perdere tempo.

«Mia madre», disse lui, il viso rannuvolato. «È al Pronto Soccorso. Devo aspettare qui.»

«Ha avuto un incidente?»

«Più o meno.» Capiva che non voleva parlarne.

Fiona dirottò nuovamente il discorso sul corso d'italiano. Era difficile? Dove si teneva?

«A Mountainview, quella grande scuola laggiù.»

Fiona era stupita. «Che strana coincidenza! Il padre della mia miglior amica insegna lì.» Sembrava un legame tra loro!

«Il mondo è davvero piccolo», osservò il ragazzo.

Sentiva che lo stava annoiando e poi c'era gente in attesa al banco che reclamava tè e caffè. «Grazie per avermi aiutata con la spazzatura, è stato molto gentile da parte tua.»

«Per carità, per così poco.»

«Sono sicura che tua madre si rimetterà, sono fantastici i medici del Pronto Soccorso.»

«Anch'io ne sono sicuro», disse lui.

Fiona riprese a servire la gente, sorridendo. Ma intanto rifletteva. Che lei fosse una persona molto noiosa? Era una cosa che una ragazza avrebbe dovuto capire automaticamente.

«Sono noiosa?» chiese a Brigid quella sera.

«No, sei fantastica. Dovresti avere il tuo personale show televisivo.» Brigid stava osservando irritata la lampo della gonna che le si era aperta. «Non le fanno per niente bene, sai, non posso essere così grassa da farle saltare. Impossibile.»

«Ma certo che è impossibile», mentì Fiona. E quindi si rese conto che anche Brigid le stava probabilmente mentendo. «Sono noiosa», ripeté la povera Fiona, in un improvviso momento di autocritica.

«Fiona, tu sei magra, non è quello che cercano di essere tutti in questo stupido mondo? La vuoi smettere di dire che sei noiosa, non lo sei mai stata finché non hai incominciato a piagnucolare su quest'argomento.» Brigid aveva poca pazienza quando era concentrata sulla questione del peso.

«Ho incontrato un tale che ha cominciato a sbadigliare e ad allontanarsi da me dopo solo due minuti che mi aveva conosciuta.» Fiona appariva stupita.

Brigid si addolcì. «Dove l'hai conosciuto?»

«Al lavoro, sua madre era ricoverata al Pronto Soccorso.»

«Be', accidenti, sua madre era stata investita o chissà che cosa. Che cosa ti aspettavi che facesse, che conversasse tranquillamente con te? Datti una calmata, Fiona, una volta per tutte.»

Fiona era solo parzialmente convinta. «Sai, studia italiano alla scuola di tuo padre.»

«Bene. Grazie a Dio qualcuno ci va, avevano paura di non avere abbastanza allievi per il corso. Poverino, si è dato da fare per tutta l'estate», disse Brigid.

«Do la colpa ai miei genitori, naturalmente. Che cos'altro potevo essere se non una persona noiosa, loro non parlano mai di niente. Non ci sono argomenti di discussione in casa. Che cosa potrei mai avere da dire dopo tanti anni trascorsi così?»

«Oh, vuoi tacere, Fiona! Tu non sei noiosa, anche se i tuoi genitori non hanno mai niente da dire. I miei non fanno conversazione da anni. Papà si ritira nella sua stanza dopo cena e ci rimane tutta la notte. Sono sorpresa che non ci dorma anche. Siede alla sua scrivania, accarezza i libri, i piatti italiani e i quadri alle pareti. Nelle belle serate siede sul divano accanto alla finestra e guarda fuori. Non ti sembra noioso?»

«Che cosa gli devo dire, se lo rivedo?» chiese Fiona.

«Mio padre?»

«No, il ragazzo con i capelli dritti.»

«Cielo, immagino che tu possa chiedergli come sta sua madre. Devo venire a sedermi vicino a te e suggerirti come se tu fossi un burattino e dirti: 'Adesso parla, adesso scuoti la testa?'»

«Non sarebbe una cattiva idea... Tuo padre possiede un dizionario d'italiano?»

«Ne avrà una ventina, perché?»

«Voglio cercare i nomi della settimana», spiegò Fiona, come se fosse stato ovvio.

«Vado dai Dunne stasera», disse Fiona in casa.

«Bene», asserì sua madre.

«Non vorrei che le vedessi troppo, è come se tu vivessi da loro», osservò suo padre.

Fiona si chiese che cosa volesse dire. Non ci andava da settimane. Se solo i suoi genitori avessero saputo come le ragazze Dunne dichiaravano spesso di trascorrere la notte in casa loro! Be', quello gli avrebbe causato dei problemi!

«Pensate che Brigid Dunne sia carina?» chiese.

«Non lo so, è difficile dirlo», si espresse sua madre.

Suo padre stava leggendo il giornale.

«Ma è così difficile? Immagina di incontrarla, diresti che è carina?»

«Dovrei pensarci», rispose la madre di Fiona.

Quella notte Fiona rifletté a lungo sulla situazione.

Come facevano Grania e Brigid Dunne a essere così fiduciose e sicure di tutto? Avevano lo stesso tipo di casa che aveva lei, avevano frequentato la stessa scuola. Eppure Grania aveva coraggio da vendere. Aveva una relazione con un uomo maturo. Presto ne avrebbe parlato a suo padre e a sua madre per comunicargli che si sarebbe trasferita da lui, l'avrebbe sposato perfino.

La cosa terribile era che quell'uomo era il superiore di Mr Dunne. E a Mr Dunne non piaceva. Grania non sapeva se fingere di aver iniziato solo da poco la relazione, per dare a suo padre il tempo di abituarsi all'idea, oppure dirgli la verità. Lui sosteneva che la verità andava detta subito alle persone.

Ma Grania e Brigid non erano convinte.

Anzi Brigid aveva dei dubbi. Era così vecchio. «Resterai vedova in pochissimo tempo», aveva detto.

«Sarò una ricca vedova, è per questo che ci sposiamo. Avrò la sua pensione», aveva riso Grania.

«Vorrai altri uomini, gli sarai infedele; lui ti troverà nel letto di un altro e commetterà un doppio omicidio.» Brigid appariva quasi entusiasta alla prospettiva.

«No, non ho mai desiderato nessuno prima di lui. Comunque quando accadrà lo saprete.» Grania appariva compiaciuta.

Brigid e Fiona alzarono gli occhi al cielo. Il vero amore era un sentimento esclusivo e del tutto estenuante.

La sera, Fiona, mentre giaceva al buio, pensava al bel ragazzo con i capelli dritti che le aveva sorriso calorosamente. Non sarebbe stato fantastico essere il genere di ragazza che riesce a far innamorare di sé un tipo simile?

Trascorse più di una settimana prima che lo rivedesse.

«Come sta tua madre?» gli chiese.

«Come fai a sapere di lei?» Sembrava irritato, e preoccupato che avesse svolto delle indagini. Al diavolo il consiglio di Brigid.

«Non ti ricordi di me? Quando eri qui la settimana scorsa mi hai aiutato a portar fuori il sacco della spazzatura e mi hai detto che tua madre era al Pronto Soccorso...»

Il suo viso si schiarì. «Sì, certo, scusa... Be', non è in splendida forma al momento. E non è la prima volta.»

«È stata investita?»

«No, ha preso una dose eccessiva di sonniferi.»

«Oh, mi dispiace davvero.» Sembrava sincera.

«Lo so.»

Ci fu un silenzio. Poi Fiona indicò la sua T-shirt. «Venerdì», disse orgogliosa in italiano. «È così che si pronuncia?»

«Sì, è così. Stai imparando anche tu l'italiano?» chiese con interesse.

Fiona parlò senza riflettere. «No, ho imparato i giorni della settimana nel caso che ti avessi incontrato», disse. Di colpo arrossì e pensò che avrebbe voluto morire di vergogna, lì vicino alle macchine del tè e del caffè.

«Mi chiamo Barry», disse il ragazzo. «Vuoi venire al cinema con me stasera?»

Barry e Fiona si incontrarono in O'Connell Street e guardarono le file davanti ai cinema.

«Che cosa ti piacerebbe vedere?» chiese lui.
«Non so, che cosa piacerebbe a te?»
«Sinceramente non m'importa.»
«Neanche a me. Proviamo in quello dove c'è la coda più corta», propose.
«Ma è un film sulle arti marziali», protestò lui.
«Per me va bene», disse Fiona scioccamente.
«Ti piacciono le arti marziali?» Appariva incredulo.
«E a te?» ribatté lei.
Come appuntamento non si era rivelato un gran successo fino a quel momento. Andarono a vedere un film che non piacque a nessuno dei due. Poi arrivò il problema di cosa fare dopo.
«Ti andrebbe una pizza?» chiese lui.
Fiona annuì subito. «Splendido.»
«O preferiresti andare al pub?»
«Be', anche il pub mi fa piacere.»
«Optiamo per la pizza», disse lui.
Sedettero al tavolo e si guardarono. La scelta della pizza era stata un incubo. Fiona aveva detto sì alla pizza Margherita, ma anche a quella Napoletana, così alla fine Barry ordinò una Quattro stagioni per entrambi.
Le disse che al corso d'italiano, una sera, l'insegnante aveva portato delle pizze. Doveva spendere tutto quello che guadagnava in regali per loro, aggiunse. Sedevano tutti insieme, a mangiare e a ripetere i nomi delle varie pizze. Era stato bellissimo. Sembrava così giovane ed entusiasta di tutto, mentre raccontava, Fiona avrebbe voluto avere la stessa vivacità sul volto e nel cuore.
Tutta colpa di suo padre e sua madre. Erano brava gente, ma non avevano niente da dire a nessuno. Ecco perché alla fine non aveva niente da dire neanche lei, non sapeva nemmeno decidere quale film andare a vedere, quale pizza mangiare o che cosa dire. Doveva forse parlargli dei tentativi di suicidio di sua madre, o lui stava cercando di dimenticare? Fiona aggrottò la fronte pensierosa.
«Scusa, credo di averti un po' annoiata con la storia delle lezioni d'italiano.»
«Oh no, cielo no», esclamò. «Mi piace sentirtene parlare, come mi

piacerebbe avere il tuo entusiasmo per le cose. Stavo invidiando te e tutte le persone che frequentano quel corso, mi sento un po' spenta.» Molto spesso, quando meno se l'aspettava, sembrava che dicesse qualcosa che alla gente piaceva.

Barry sorrise e le accarezzò la mano. «No, non sei affatto spenta, sei molto simpatica e niente ti impedisce di frequentare anche tu quel corso, no?»

«No, immagino di no. Il tuo è completo?» Desiderò di nuovo di non aver parlato. Si morse il labbro mentre lui scrollava la testa.

«Non ti converrebbe unirti a noi adesso. È troppo tardi, noi siamo troppo avanti», disse con orgoglio. «E comunque, tutti si sono iscritti per qualche buona ragione, sai. Avevano tutti bisogno di imparare l'italiano. O almeno così sembra.»

«Perché tu avevi bisogno di imparare l'italiano?» chiese.

Barry apparve un po' imbarazzato. «Be', sono stato in Italia in occasione della Coppa del mondo di calcio», rispose. «Sono andato con un gruppo di irlandesi, ma ho incontrato gente simpatica e mi sono sentito imbarazzato per non saper parlare la loro lingua.»

«Ma la Coppa del mondo si terrà di nuovo lì?»

«No, ma gli italiani ci sono sempre. Vorrei tornare nei luoghi dove sono già stato per chiacchierare con loro», disse. C'era un'espressione remota sul suo volto in quel momento.

Fiona si domandò se dovesse chiedergli di sua madre, ma decise per il no. Se avesse desiderato parlargliene, l'avrebbe fatto lui. Pensò che era molto carino e che le sarebbe piaciuto rivederlo. Come si comportavano quelle ragazze che avevano tanto successo con gli uomini? Che dicessero qualcosa di spiritoso? O non dicevano niente? Avrebbe voluto saperlo. Non c'era modo di lanciargli un segnale, fargli capire che le piaceva?

«Penso che sarebbe meglio andare a casa», disse Barry.

«Oh, sì. Certo.» Era stanco di lei, lo capiva.

«Ti accompagno all'autobus?»

«Sei gentile, grazie.»

«O preferisci un passaggio sulla mia motocicletta?»

«Oh, sarebbe magnifico.» Si rese conto di aver mostrato di gradire entrambe le cose. Doveva giudicarla una stupida. Fiona decise di spiegarsi. «Voglio dire che quando mi hai offerto di accompagnarmi all'autobus, non sapevo che potessi darmi un passaggio in moto. Ma chiaramente preferisco la moto.» Era scioccata per il suo coraggio.

Lui parve soddisfatto. «Splendido», disse. «Aggrappati forte a me. D'accordo?»

«D'accordo», rispose Fiona, e gli sorrise. Giunta nelle vicinanze di casa, gli chiese di lasciarla in fondo alla strada, perché quella era una zona tranquilla, dove non passavano spesso motociclette. Si domandava se le avrebbe chiesto di rivederla.

«Ci vediamo», disse Barry.

«Sì, sarebbe carino.» Sperava che il suo viso non avesse un'espressione troppo supplichevole.

«Be', tu potresti incontrarmi al supermercato», disse lui.

«Che cosa? Oh, sì certo.»

«Oppure io potrei trovarti all'ospedale?» aggiunse in alternativa.

«Be', sì. Sì, certo, qualora passassi», asserì lei mestamente.

«Passerò ogni giorno», disse Barry. «Hanno trattenuto mia madre. Grazie per non avermi chiesto di lei... Non volevo parlarne.»

«No, certo che no.» Fiona trattenne il fiato, sollevata. Era stata sul punto di chinarsi sul tavolo mentre mangiavano la pizza e chiedergli ogni particolare.

«Buona notte, Fiona.»

«Buona notte, Barry, e grazie», disse.

Rimase sveglia a lungo nel letto. Gli piaceva. E la ammirava per non aver ficcato il naso nella sua vita. D'accordo, aveva commesso qualche piccolo errore, ma lui aveva detto che si sarebbero rivisti.

Brigid passò dall'ospedale per vedere Fiona. «Potresti farci un favore, venire da noi stasera?»

«Certo, perché?»

«Stasera è la volta buona. Granra parlerà a papà del suo pretendente. Potrebbe succedere un pandemonio.»

«A che cosa posso servire?» chiese Fiona ansiosamente.

«Può darsi che si controlli un po' se c'è qualcuno estraneo alla famiglia.» Brigid sembrava in dubbio.

«E ci sarà anche lui?»
«Resterà fuori in macchina nel caso ce ne fosse bisogno.»
«Bisogno?» Fiona sembrava intimorita.
«Be', sai, in qualità di futuro genero, per venire a salvare Grania, qualora papà la picchiasse.»
«Pensi che lo farebbe?»
«No, Fiona, sono sicura che non lo farebbe mai. Prendi tutto alla lettera. Non hai un po' d'immaginazione?»
«No, non credo di averne», rispose mestamente Fiona.

Durante il giorno Fiona svolse alcune indagini su Mrs Healy, la madre di Barry. Conosceva Kitty, una delle infermiere del reparto, che la ragguagliò. Avevano dovuto farle la lavanda gastrica, per la seconda volta. Sembrava determinata a farla finita. Kitty non aveva tempo per lei, né per gli altri come lei. Che la facessero finita se proprio lo volevano. Perché sprecare tanto tempo a ripetere loro che erano amati e desiderati? Probabilmente non lo erano. Se avessero conosciuto gente veramente malata, allora forse non l'avrebbero fatto.
Kitty non provava simpatia per chi tentava il suicidio. Ma raccomandò a Fiona di non dirlo in giro. Non voleva farsi una cattiva reputazione. E così dava le medicine a quella sciocca donna ed era gentile con lei come con tutti gli altri pazienti.
«Come si chiama di nome?»
«Nessa, credo.»
«Com'è?» chiese Fiona.
«Oh, non lo so. Debole, soprattutto. In stato di choc. Continua a guardare la porta della stanza come se si aspettasse di veder entrare suo marito.»
«Ed è venuto?»
«No, finora. Viene suo figlio, ma non è lui che vuole, vuole vedere suo marito. Ecco perché l'ha fatto.»
«Come lo sai?»
«È per questo che lo fanno tutte», asserì saggiamente Kitty.

* * *

—

Nella cucina dei Dunne sedevano tutti intorno al tavolo. C'erano dei maccheroni al gratin, ma quasi nessuno li aveva toccati. Nell aveva il suo libro a portata di mano. Dava l'impressione di essere qualcuno che aspettava in un aeroporto invece di essere in casa sua.

Brigid come al solito non stava mangiando, ma spiluccando qua e là, sgranocchiando pane e burro, insomma mangiando di più che se avesse fatto un pasto normale. Grania era molto pallida, e Mr Dunne stava per recarsi nel suo amato studio.

«Papà, un minuto», disse Grania. Aveva la voce strozzata. «Voglio dirti una cosa, anche a tutti voi, in effetti.»

La madre di Grania alzò lo sguardo dal libro. Brigid lo abbassò sulla tavola. Fiona si sentì arrossire e assumere così un'aria colpevole. Solo il padre di Grania sembrava ignaro che stesse per succedere qualcosa di importante.

«Sì, certo.» Si rimise a sedere, quasi compiaciuto che si facesse conversazione.

«Lo troverete difficile da capire, lo so, così cercherò di spiegarvelo il più semplicemente possibile. Amo qualcuno e desidero sposarlo.»

«Be', non è una cosa meravigliosa?» chiese suo padre.

«Sposarlo?» fece sua madre come se fosse la cosa più inaspettata che una persona innamorata potesse fare.

Brigid e Fiona non dissero niente, ma emisero piccoli versi di sorpresa e piacere che chiunque avrebbe capito che erano falsi.

Prima che suo padre potesse chiedere chi amava, glielo disse Grania. «Penso che all'inizio questo non vi piacerà, direte che è troppo vecchio per me e magari un sacco di altre cose, ma si tratta di Tony O'Brien.»

Il silenzio fu perfino peggiore di quanto Grania avesse potuto immaginare.

«È uno scherzo?» disse infine il padre.

«No, papà!»

«Tony O'Brien! La moglie del preside, nientemeno!» Sua madre scoppiò a ridere.

Fiona non riuscì a sopportare la tensione. «So che è molto simpatico», disse in tono supplichevole.

«E da chi l'hai saputo, Fiona?» Mr Dunne si espresse come il classico insegnante.

«Be', in giro», rispose debolmente Fiona.

«Non è poi così male, papà. E lei dovrà pur sposare qualcuno», intervenne Brigid, pensando che questo avrebbe in un certo senso aiutato.

«Ebbene, se credi che Tony O'Brien ti sposerà, scordatelo.» L'espressione di Aidan era dura e amara.

«Volevamo che lo sapeste voi per primi; pensavamo di sposarci il mese prossimo.» Grania cercò di controllare il tremito nella voce.

«Grania, quell'uomo dice almeno a tre ragazze all'anno che intende sposarle. Poi le conduce nel suo bordello e fa di loro quello che vuole. Be', probabilmente ne sei a conoscenza, ci sei stata abbastanza spesso, o perlomeno tutte le volte che hai detto di restare da Fiona.»

Fiona si rattrappì alla bugia che veniva smascherata.

«Non è così. Va avanti da secoli, be', è nell'aria da secoli. Non l'ho più visto da quando è diventato preside, perché ero convinta che ci avesse in un certo senso ingannati, tu e io, ma lui ripete che non è vero, che ora le cose si sono sistemate.»

«Davvero?»

«Sì. Ti è affezionato e ha molta ammirazione per te e per come sta andando il corso serale.»

«Conosco un ragazzo che ci va, dice che è fantastico», squittì Fiona. Dalle occhiate che ricevette capì che l'interruzione non era stata di grande aiuto.

«Ha impiegato molto tempo a persuadermi, papà. Stavo dalla tua parte e non volevo avere niente a che fare con lui. Ma lui mi ha spiegato che non c'erano parti... lavoravate tutti per la stessa ragione...»

«Già, sono sicuro che ci ha messo molto tempo a persuaderti. I soliti tre giorni? Si vanta, sai, di come riesce a portarsi a letto le ragazzine. Questo è il genere d'uomo che dirige Mountainview!»

«Non più, papà. Non ora. Ci scommetto. Pensaci.»

«Solo perché non è nella sala professori, perché è nello studio del preside, anzi nella stanza del trono, come la chiama lui.»

«Ma papà, non è sempre stato lo studio del preside, anche quando c'era Mr Walsh?»

«Era diverso. Quello è un uomo che meritava quel posto.»

«Mentre Tony non lo merita? Non ha fatto ridipingere la scuola e fatto tutti quegli ammodernamenti? Dato il via a nuove iniziative e a te i fondi per il giardino? Non ha organizzato il corso d'italiano e convinto i genitori a caldeggiare un servizio d'autobus migliore...?»

«Oh, ti ha ben indottrinata.»

«Che cosa ne pensi, mamma?» Grania si rivolse a sua madre.

«Che cosa ne penso? Che importanza ha quello che penso io? Tanto alla fine farai lo stesso quello che vorrai.»

«Non è stato facile nemmeno per lui. Voleva dirtelo tanto tempo fa, non gli piacevano tutti questi segreti, ma io non mi sentivo ancora pronta.»

«Oh, sì.» Suo padre era molto sprezzante.

«È vero, papà. Diceva che non si sentiva a suo agio vedendoti e sapendo che prima o poi avrebbe dovuto affrontarti, sapendo che ti stava nascondendo qualcosa.»

«Ohimè, la povera anima inquieta.» Non avevano mai visto loro padre così sarcastico e amaro per qualcosa. Ora il suo viso era arcigno e beffardo.

Grania raddrizzò le spalle. «Come ha detto la mamma, ho più di ventun anni e posso fare quello che voglio, ma avevo sperato di farlo con il vostro... be', con il vostro consenso.»

«E dov'è, il grande sir Galahad. Non ha osato venire a dircelo di persona?»

«È fuori, papà, in macchina. Gli ho detto che gli avrei chiesto di entrare se fosse stato il caso.» Grania si stava mordendo il labbro. Sapeva che non gli avrebbero chiesto di farlo.

«Non è il caso. No, Grania, non ti darò la mia benedizione o l'incoraggiamento di cui hai parlato. E come dice tua madre, andrai per la tua strada, noi che cosa possiamo farci?» Arrabbiato e sconvolto, si alzò e abbandonò la tavola. Sentirono la porta del suo studio sbattere dietro di lui.

Grania alzò lo sguardo sulla madre. Nell si strinse nelle spalle. «Che cosa ti aspettavi?» chiese.

«Tony mi ama», protestò Grania.

«Oh, può amarti e non amarti. Ma credi che per tuo padre faccia differenza? Diciamo che hai scelto la persona, tra migliaia al mondo, con la quale non si riconcilierà mai.»

«Ma tu, mamma, almeno tu capisci?» Grania sperava che qualcuno l'appoggiasse.

«Io capisco che è quello che desideri al momento. Certo. Che cos'altro c'è da capire?»

Il viso di Grania era pietrificato. «Grazie mille per l'aiuto», disse. Poi guardò sua sorella e l'amica. «E grazie anche a voi, siete state davvero di grande appoggio.»

«Cielo, che cosa potevamo fare, metterci in ginocchio e dire che sapevamo che eri fatta per lui?» Brigid era ferita dall'ingiustizia dell'accusa.

«Ho cercato di dire che è simpatico a tutti», belò la povera Fiona.

«Sì, è così», disse truce Grania. Si alzò in piedi, con un'espressione dura, decisa.

«Dove vai? Non rincorrere papà, non cambierà idea», l'ammonì Brigid.

«Vado a preparare le mie cose per trasferirmi a casa di Tony.»

«Se è così pazzo di te, sarà lì anche domattina», disse sua madre.

«Non voglio più restare qui», asserì Grania. «Me ne sono resa conto cinque minuti fa, non sono mai stata realmente felice qui.»

«Che cosa significa felice?» chiese Nell.

E rimasero in silenzio ad ascoltare i passi di Grania che saliva al piano superiore e poi entrava nella sua camera per preparare la valigia.

L'uomo che aspettava fuori in macchina si stava sforzando di cogliere un'indicazione di quello che stava succedendo nella casa, si chiedeva se il movimento nella stanza laterale fosse un buon segno oppure no.

Poi vide Grania lasciare la casa con la valigia.

«Ti porto a casa, cara», le disse. E lei pianse sulla sua spalla e sulla sua giacca, come aveva pianto su quella di suo padre non molto tempo addietro quando era bambina.

Fiona ripensò per ore a quella scena. Grania aveva solo un anno più di lei. Come aveva potuto affrontare a quel modo i suoi genitori? Paragonati ai drammi della vita di Grania, quelli di Fiona erano molto piccoli. Quello che doveva fare adesso era prendere un'iniziativa per ricontattare Barry.

Ci avrebbe pensato l'indomani al lavoro.

Se lavoravi in un ospedale, potevi comprare spesso dei fiori a buon prezzo al termine della giornata. Comprò un mazzolino di fresie e scrisse su un bigliettino: «Guarisci presto, Nessa Healy». Quando non la vide nessuno, le lasciò al banco delle infermiere nel reparto. Poi tornò nella caffetteria.

Non vide Barry per due giorni, ma quando venne aveva un'aria allegra. «Sta molto meglio, torna a casa alla fine della settimana», disse.

«Oh, ne sono lieta... l'ha superata, qualunque cosa fosse.»

«Be', è per mio padre, vedi. Crede... be', credeva... comunque, che non sarebbe venuto a trovarla. Diceva che non si sarebbe fatto ricattare da questi tentativi di suicidio. E sulle prime era molto depressa.»

«Ma adesso?»

«Adesso sembra che lui abbia ceduto. Le ha mandato dei fiori. Un mazzo di fresie. Così sa che gli importa ancora ed è disposta a tornare a casa.»

Fiona si sentì gelare. «E non è venuto lui stesso... con i fiori?»

«No, li ha lasciati in reparto e se n'è andato. Comunque ha funzionato.»

«E che cosa ha detto al riguardo, tuo padre?» La voce di Fiona era molto fievole.

«Oh, continua a ripetere che non ha mai mandato dei fiori, ma questo fa parte del gioco.» Appariva un po' preoccupato adesso.

«Tutti i genitori sono un po' strani, me l'ha detto una mia amica proprio l'altro giorno. Non si capisce mai quello che passa loro per la mente.» Appariva ansiosa e preoccupata.

«Quando sarà tornata a casa usciremo di nuovo?» le chiese.

«Volentieri», rispose Fiona. Ti prego, mio Dio, fa' che nessuno scopra mai dei fiori, che pensino sempre che li ha mandati lui.

Una domenica, Barry la portò a una partita di calcio. Prima di entrare nello stadio, le disse qual era la squadra per cui fare il tifo.

Alla partita Barry incontrò un uomo scuro e tarchiato. «Come stai, Luigi, non sapevo che seguissi questa squadra.»

Luigi non avrebbe potuto mostrarsi più felice di essersi imbattuto in lui.

«Bartolomeo, vecchio mio, sono con questi ragazzi da quando hanno incominciato.»

Poi si misero entrambi a parlare in italiano, dicendo frasi come «mi piace giocare a calcio», poi scoppiarono a ridere e rise anche Fiona.

«Ve la spassate veramente al corso d'italiano», osservò.

«Oh, scusa, Luigi, questa è la mia amica Fiona», disse Barry.

«Sei fortunato ad avere una ragazza che viene alla partita. Suzi dice che preferisce rimanere a casa ad aspettare.»

Fiona si chiese se non dovesse spiegare a quello strano uomo con l'accento dublinese e il nome italiano che non era veramente la ragazza di Barry. Ma decise di lasciar perdere. E perché chiamava Barry con quello strano nome?

«Se ti vedi con Suzi più tardi, potremmo prendere una bibita insieme?» propose Barry. Luigi disse che era una splendida idea e nominarono un pub.

Durante la partita Fiona si sforzò di capire, rallegrarsi e mostrarsi eccitata al momento giusto. In cuor suo lo trovava bellissimo, andare alla partita, incontrarsi con gli amici e ritrovarsi più tardi anche con le loro ragazze.

Si sentiva splendidamente.

Per ora doveva cercare di seguire il gioco, ma soprattutto di non chiedere a Barry di sua madre, suo padre e nominare il misterioso mazzo di fiori.

Suzi era favolosa, aveva i capelli rossi e faceva la cameriera in uno di quei posti eleganti come il *Temple Bar*.

Fiona le raccontò del suo lavoro all'ospedale. «Non è la stessa cosa», disse con aria di scusa.

«È più importante», osservò Suzi, decisa. «Tu servi persone che hanno bisogno, io servo gente che viene lì soltanto per farsi vedere.»

Gli uomini erano compiaciuti di vedere le ragazze chiacchierare animatamente e loro si sentirono più liberi di commentare la partita a loro piacimento. Poi cominciarono a parlare del viaggio in Italia.

«Anche Bartolomeo parla giorno e notte di questo viaggio?» volle sapere Suzi.

«Perché lo chiami così?» sussurrò Fiona.

«È il suo nome, no?» Suzi sembrava sinceramente sorpresa.

«Be', in realtà si chiama Barry.»

«Oh. Be', per questo Signora è meravigliosa. Insegna italiano a scuola ed è l'inquilina di mia madre. È lei che gli ha messo questo nome italiano. Per esempio Lou lo chiama Luigi. Lo valorizza, a volte capita che lo chiami così anch'io. Ma ci vai anche tu?»

«Dove?»

«A Roma!» disse Suzi, roteando gli occhi.

«Non saprei. Non conosco ancora così bene Barry. Ma se le cose andranno avanti tra noi, può darsi che ci vada. Non si sa mai.»

«Comincia a risparmiare, vedrai che sarà molto divertente. Lou vuole che ci sposiamo lì o almeno che vi trascorriamo la luna di miele.» Suzi mosse il dito con il bell'anello di fidanzamento.

«È fantastico», osservò Fiona.

«Sì, sembra vero ma non lo è; l'ha procurato un amico di Lou.»

«Figuriamoci, la luna di miele a Roma.» Fiona era pensierosa.

«L'unico lato negativo è che dividerò la luna di miele con cinquanta o sessanta persone», disse Suzi.

«Allora dovrai intrattenerlo soltanto di notte», osservò Fiona.

«Io devo 'intrattenere' lui? Mi aspetto che sia lui a intrattenere me.» Fiona avrebbe voluto non aver parlato, come le capitava spesso. Era naturale che qualcuno come Suzi la pensasse a quel modo. Lei non avrebbe avuto paura di annoiarlo come succedeva invece a Fiona. Non sarebbe stato bello essere così sicuri di sé? Fiona trasse un sospiro.

Suzi la guardò, comprensiva. «È stata noiosa la partita?» chiese.

«No, non è stata affatto male. Sai, non c'ero mai stata! Non capisco ancora il gioco. E tu?»

«Oh, no, per carità. Il mio parere è che sia meglio incontrarsi dopo.» Suzi sapeva tutto.

Fiona la guardò con evidente ammirazione mista a invidia. «Come hai fatto a diventare... be', come sei adesso, così sicura delle cose? Solo perché sei bella!»

Suzi la guardò. Quella ragazza con la faccia ansiosa e i grandi occhiali non la stava prendendo in giro. Era assolutamente sincera. «Non ho idea di come sono», disse Suzi, convinta. «Mio padre mi diceva che assomigliavo a una sgualdrina e mia madre che ero un po' troppo svelta. Nei posti dove cercavo lavoro dicevano che portavo troppo trucco, i ragazzi con i quali andavo a letto dicevano invece che ero fantastica. Come fai dunque a sapere come sei veramente?»

«Oh, capisco», ammise Fiona. Sua madre diceva invece che sembrava una sciocca con quelle T-shirt, mentre la gente all'ospedale diceva che stava bene. Alcuni sostenevano che gli occhiali le donavano, le ingrandivano gli occhi, altri le suggerivano di provare le lenti a contatto. Anche i capelli, a volte le piacevano lunghi, ma altre volte pensava di assomigliare a una scolaretta un po' cresciuta.

«Così, alla fine, mi sono resa conto che ero cresciuta e che non dovevo più piacere a nessuno», continuò Suzi. «Così ho deciso di piacere solo a me stessa; ho un po' attenuato il trucco e porto le gonne corte perché ho delle belle gambe. Adesso che ho smesso di preoccuparmi, sembra che nessuno abbia più niente da dire.»

«Pensi che dovrei tagliarmi i capelli?» le chiese Fiona fiduciosa.

«No, direi di no, ma non credo nemmeno che tu debba lasciarli lunghi. Devi fare quello che vuoi tu, senza tener conto del mio consiglio o di quello di Bartolomeo o di tua madre, altrimenti resterai sempre una bambina. Questo è il mio punto di vista.»

Oh, era così facile per la bella Suzi esprimersi a quel modo. Fiona si sentiva come un topolino con gli occhiali e con i capelli lunghi. Ma anche se si fosse liberata degli occhiali e dei capelli lunghi, sarebbe rimasta comunque un topolino. Che cosa l'avrebbe fatta crescere e prendere decisioni come la gente normale? Forse sarebbe successo qualcosa, qualcosa che l'avrebbe resa più forte.

Barry aveva apprezzato la serata. Accompagnò a casa Fiona con la sua motocicletta e mentre lei gli stava aggrappata alla giacca, si chiedeva che cosa avrebbe risposto se lui l'avesse invitata a un'altra partita. Ci sarebbe andata o gli avrebbe detto che preferiva vederlo dopo? Se solo fosse stata in grado di scegliere come voleva essere. Ma non era ancora cresciuta come Suzi, non aveva ancora opinioni sue.

«È stato un piacere conoscere i tuoi amici», disse, scendendo dalla moto che si era fermata all'inizio della sua strada.

«La prossima volta faremo quello che vorrai tu», propose lui. «Passo a salutarti domani, quando riporto a casa mia madre.»

«Oh, credevo che fosse già a casa.» Barry aveva detto che l'avrebbe invitata di nuovo a uscire quando sua madre fosse tornata a casa. Lei aveva pensato che fosse stata dimessa, anche perché non aveva osato avvicinarsi al reparto per paura di essere identificata come la donna che aveva lasciato i fiori.

«No. Pensavamo che si fosse ripresa, ma ha avuto una ricaduta.»

«Oh, mi dispiace.»

«Si era messa in testa che era stato mio padre a mandarle i fiori. E naturalmente non era stato lui. Quando se n'è resa conto, ha avuto una ricaduta.»

Fiona provò una sensazione di calore e di gelo nello stesso tempo. «È orribile», disse. E poi con un fil di voce: «Perché pensava che fosse stato lui?»

La faccia di Barry era triste. Si strinse nelle spalle. «Chi lo sa. È stato trovato un mazzo di fiori con sopra scritto il suo nome. Ma i medici pensano che se li sia procurati da sé.»

«E perché mai?»

«Perché nessun altro sapeva che era lì», rispose Barry semplicemente.

Fiona passò un'altra notte insonne. Erano successe troppe cose. La partita, l'incontro con Luigi e Suzi, la possibilità di un viaggio in Italia, persone che pensavano che lei fosse la ragazza di Barry. La speranza che quando uno cresceva finalmente sapeva che cosa doveva fare, pensare, decidere. E poi l'orribile consapevolezza di aver fatto regredire la madre di Barry con il suo mazzo di fiori. Aveva pensato che sarebbe stato un gesto carino verso la donna. Invece aveva peggiorato la situazione.

Fiona era molto pallida e stanca quando andò al lavoro. Aveva scelto la maglietta con il giorno sbagliato, creando una notevole confusione. Alcune persone dissero che credevano fosse venerdì e altre che doveva essersi vestita al buio. Una donna che vide la scritta «Lunedì» sul petto di Fiona, se ne andò prima dell'appuntamento perché credeva di aver sbagliato giorno. Fiona andò in bagno e si girò la maglietta.

Barry arrivò verso l'ora di pranzo. «Miss Clarke, la direttrice, mi ha concesso un paio di ore libere, è molto gentile. Frequenta anche lei il corso d'italiano.»

Fiona stava incominciando a pensare che mezza Dublino frequentasse quel corso nascondendosi sotto falsi nomi. Tuttavia, aveva ben altro in mente che provare invidia per quelle persone. Doveva informarsi sulla madre di Barry senza darlo a vedere.

«Tutto bene?»

«No, affatto. Mia madre non vuole tornare a casa e non sta abbastanza male da essere ricoverata qui, così dovranno metterla in una clinica per malattie mentali.» Era molto amareggiato.

«Mi dispiace molto, Barry», disse, il viso stanco per la notte in bianco e per l'ansia.

«Sì, be', dovrò farmene una ragione. Volevo solo dirti che so di averti detto che saremmo usciti ancora insieme e che avresti scelto tu che cosa fare...»

Fiona si sentì cogliere dal panico, perché non aveva ancora osato scegliere. Cielo, sperava che non glielo avrebbe chiesto proprio adesso, con tutte le cose a cui doveva da pensare.

«Non ho ancora riflettuto...»

«No, credo che dovremmo rimandare per un po', non che vada fuori con un'altra, o che non voglia o...» stava balbettando adesso.

Fiona si rese conto di piacergli. «Oh, no, per carità, capisco, quando le cose si saranno appianate, ti farai vivo.» Il sorriso le illuminava il viso, la gente in attesa del tè e del caffè completamente ignorata.

Barry esibì un sorriso altrettanto sfolgorante e se ne andò.

Fiona telefonò alla sua amica Brigid Dunne.

Rispose al telefono il padre di Brigid. «Oh, sì. Sono lieto di avere l'opportunità di parlarti, Fiona. Temo di essere stato piuttosto scortese con te, quando sei stata a casa nostra l'ultima volta. Ti prego di scusarmi.»

«Per carità, Mr Dunne. Era sconvolto.»

«Sì, ero sconvolto e lo sono ancora. Ma non è una buona ragione per comportarsi male con un ospite. Ti prego di accettare le mie scuse.»

«No, forse non avrei dovuto essere lì.»

«Ti chiamo Brigid», disse lui.

Brigid era in gran forma. Aveva perso un chilo, trovato una fantastica giacca che la faceva apparire angolosa e prenotato un viaggio a Praga. Niente spiagge di nudisti che mostravano la gente senza veli.

«E come va Grania?»

«Non ne ho idea.»

«Vuoi dire che non sei andata a trovarla?» Fiona era scioccata.

«Ehi, è una buona idea. Andiamoci!» Stabilirono a che ora andare. «Forse incontreremo anche il vecchiardo.»

«Taci, non chiamarlo così. Tuo padre potrebbe sentirti.»

«È lui che lo chiama così, è una sua espressione.»

Fiona, però, voleva sapere se Grania era sopravvissuta.

Quando suonarono, aprì la porta Grania. Indossava jeans e un lungo maglione nero. Sembrò stupita di vederle. «Non ci credo», disse, contenta. «Entrate. Tony, il primo segno d'un ramo d'ulivo è arrivato alla porta.»

Uscì sorridendo un uomo di bell'aspetto, ma anziano. Fiona si chiese come Grania potesse vedere il suo futuro con lui.

«Mia sorella Brigid e la nostra amica Fiona.»

«Entrate, non sareste potute arrivare in un momento migliore. Volevo aprire una bottiglia di vino. Grania dice che beviamo troppo, il che significa che io bevo troppo… così adesso dobbiamo farlo.» Le precedette in una stanza piena di libri, nastri e CD. Si sentiva della musica greca in quel momento.

«È la *Danza di Zorba*?» chiese Fiona.

«No, ma è lo stesso compositore. Ti piace Theodorakis?» I suoi occhi si illuminarono al pensiero di aver trovato qualcuno a cui piaceva la musica della sua epoca.

«Chi?» chiese Fiona, e il sorriso di lui sparì mestamente.

«Che lusso!» Brigid si stava guardando attorno con forzata ammirazione.

«Vero? Tony si è fatto fare tutti quegli scaffali dallo stesso falegname che ha fatto quelli di papà. Come sta?» volle sapere Grania.

«Oh, be', più o meno come sempre.» Brigid non fu di grande aiuto.
«Sta ancora farneticando e delirando?»
«No, più sospirando e gemendo direi.»
«E la mamma?»
«Conosci la mamma, sembra non accorgersi che te ne sei andata.»
«Grazie, sai come far sentire qualcuno desiderato.»
«Ti sto solo dicendo la verità.»
Fiona stava cercando di parlare con l'uomo perché non sentisse quegli ultimi dettagli sulla famiglia Dunne. Ma probabilmente li conosceva già.
Tony versò a ciascuna un bicchiere di vino. «Sono lieto di vedervi, ragazze, ma ho del lavoro da sbrigare a scuola e voi vorrete chiacchierare, così vi lascio per un po'.»
«Non è necessario che tu te ne vada, amore», disse Grania per nulla imbarazzata.
«So di non dovermene andare, ma lo farò.» Si girò verso Brigid. «E se parli con tuo padre, digli... be'...» Brigid lo guardò, aspettando. Ma le parole non vennero facilmente a Tony O'Brien. «Digli... che Grania sta bene», asserì brusco e se ne andò.
«Bene», fece Brigid. «Che cosa ne pensate?»
«È terribilmente sconvolto», asserì Grania. «Sai, papà non gli rivolge la parola a scuola, esce quando lui entra, è molto dura per lui. Ed è dura anche per me non poter tornare a casa.»
«Non puoi tornare a casa?» chiese Fiona.
«È meglio di no, altrimenti ci sarebbero nuove scenate...»
«Non saprei, ma si è abbastanza calmato», disse Brigid. «Forse brontolerebbe un po' durante le prime visite, ma poi tornerebbe quello di sempre.»
«Detesto che critichi Tony.» Grania appariva in dubbio.
«Tirando in ballo il suo orribile passato, vuoi dire?» chiese Brigid.
«Sì, ma anch'io ho già un passato nel mio piccolo. Se fossi avanti negli anni come lui ambirei ad avere un passato interessante. È solo che non sono vissuta a sufficienza.»
«Sei fortunata ad avere un passato!» Fiona era pensierosa.
«Oh, dai, smettila, Fiona. Sei magra come un chiodo, devi avere un passato da sballo tu», la incalzò, con una certa complicità Brigid.

«Non ho mai dormito con nessuno, non ho mai fatto l'amore», ammise sottovoce Fiona.

Le sorelle Dunne la guardarono con interesse.

«Ma devi averlo fatto», disse Brigid.

«Perché devo? Me ne sarei accorta se l'avessi fatto. Non l'ho fatto, ecco tutto.»

«Perché no?» chiese Grania.

«Non lo so. O i ragazzi erano sbronzi od orribili, o il posto era sbagliato, o quando avevo deciso era troppo tardi. Mi conoscete.» Sembrava piena di autocommiserazione e rimpianto. Grania e Brigid erano a corto di parole. «Ma adesso mi piacerebbe», asserì pensierosa Fiona.

«Peccato che ci siamo lasciate scappare lo stallone, ti avrebbe potuta accontentare», disse Brigid, indicando con la testa la porta che Tony O'Brien aveva chiuso dietro di sé.

«Non lo trovo affatto divertente», protestò Grania.

«Neanch'io», asserì Fiona in tono di disapprovazione. «Non pensavo di farlo con chiunque. Solo con qualcuno di cui sono innamorata.»

«Oh be', scusami», disse Brigid, seccata.

Grania versò loro un altro bicchiere di vino. «Non litighiamo.»

«E chi sta litigando?» chiese Brigid, porgendole il bicchiere.

«Ricordate quando eravamo a scuola e giocavamo a 'verità o sfida'?»

«Tu sceglievi sempre la 'sfida'», ricordò Fiona.

«Ma stasera scelgo la verità.»

«Che cosa dovrei fare? Ditemelo.»

«Dovresti andare a casa a trovare papà. Gli manchi», disse Brigid.

«Dovresti parlare di altri argomenti, come la banca, la politica e il corso serale che dirige, non di cose che gli ricordino… ehm… Tony, finché non si sarà un po' abituato», suggerì Fiona.

«E alla mamma non le importa davvero?»

«No, l'ho detto solo per irritarti. Ma sai che ha qualcosa in mente, forse è il lavoro o la menopausa, per lei non rappresenti un grosso problema come per papà.»

«Mi sembra abbastanza giusto», ammise Grania. «Passiamo a Brigid, adesso.»

«Credo che Brigid dovrebbe piantarla con questa storia di essere grassa», sostenne Fiona.

«Perché non è grassa, è sexy. Un sederone e due grosse tette non sono quello che amano gli uomini?» domandò Grania.

«E un vitino nel mezzo», aggiunse Fiona.

«Ma è decisamente noiosa con quella storia delle calorie e delle cerniere», asserì Grania con una risata.

«Facile a dirsi quando si assomiglia a un manico di scopa.»

«Noiosa e sexy, un'inaspettata combinazione», osservò Grania.

Brigid sorrise, perché capì che dicevano sul serio. «Giusto. Adesso tocca a Fiona», disse Brigid, visibilmente rallegrata.

Le sorelle fecero una pausa. Era più facile attaccare un membro della famiglia.

«Datemi un altro bicchiere per prepararmi», disse Fiona inaspettatamente.

«Troppo umile.»

«Troppo piena di scuse.»

«Nessuna visione realistica delle cose.»

«Incapace di prendere decisioni.»

«Mai cresciuta veramente, mai consapevole che siamo noi a dover prendere le nostre decisioni.»

«Forse rimarrà una bambina per tutta la vita.»

«Continuate pure», le interruppe Fiona.

Grania e Brigid si chiesero se non si fossero lasciate trasportare un po' troppo.

«È solo che sei troppo gentile con la gente e nessuno sa mai quello che pensi realmente», disse Grania.

«O se pensi realmente», aggiunse Brigid, cupamente.

«E sul fatto di essere una bambina?» chiese Fiona.

«Be', credo di aver voluto dire che dobbiamo prendere le nostre decisioni. Altrimenti sono gli altri a prenderle per noi e si rimane bambini. È questo che volevo dire», asserì Grania, timorosa di aver offeso la piccola, buffa Fiona.

«È straordinario. Sei la seconda persona che me lo dice. Quella ragazza, Suzi, me l'ha detto anche lei quando le ho chiesto se avrei dovuto tagliarmi i capelli.»

«Allora pensi di farlo?» chiese Brigid.

«Fare che cosa?»

«Decidere in tempo sulle cose, andare a letto con il tuo uomo, farti tagliare i capelli, avere delle idee.»

«E tu la smetterai di lamentarti per le calorie?» chiese Fiona con spirito.

«Sì, lo farò se vi annoia così tanto.»

«Va bene, allora», asserì Fiona.

Grania disse che sarebbe andata a un *take away* cinese se Fiona prometteva di non esitare a dire quello che voleva e se Brigid non fiatava sui fritti. Risposero che se Grania acconsentiva ad andare a trovare suo padre il giorno dopo, si sarebbero attenute alle regole.

Aprirono un'altra bottiglia di vino e risero finché non tornò a casa «il vecchio» dicendo che alla sua età aveva bisogno di un sonno regolare, per cui ora le avrebbe cacciate.

Ma da come stava guardando Grania capirono che non stava pensando a un sonno regolare.

«Be', è stata una grande idea andare a trovarli.» Commentarono quando furono sull'autobus per tornare a casa e Brigid parve convinta che l'idea fosse stata sua.

«Mi sembra molto felice», commentò Fiona.

«È così vecchio però, non ti pare?»

«Be', se è quello che vuole lei», asserì con fermezza Fiona.

Con sua sorpresa Brigid ne convenne. «Questo è il punto. Non ha importanza se viene da Marte e ha le orecchie a punta, l'essenziale è che le piaccia. Se più gente avesse il coraggio di cercare di ottenere ciò che vuole, il mondo sarebbe migliore.» Parlava a voce alta, forse per via del vino.

Molte persone sull'autobus la sentirono e risero, alcuni applaudirono perfino. Brigid li guardò inferocita.

«Su bellezza, facci un sorriso», gridò uno dei ragazzi.

«Mi hanno chiamata bellezza», mormorò Brigid felice.

«Che cosa ti abbiamo detto?» fece Fiona.

Decise che sarebbe stata una persona diversa quando Barry Haley le avesse domandato un'altra volta di uscire. Come avrebbe sicuramente fatto.

* * *

Il tempo sembrò molto lungo, anche se non si trattò che di una settimana, poi Barry ricomparve.

«Le cose vanno bene a casa?» chiese Fiona.

«No, per niente. Mia madre non ha interesse per nulla, non vuole nemmeno cucinare. E pensare che in passato era tutto il contrario. Adesso devo comperare pasti già pronti al supermercato altrimenti non mangeremmo niente.»

Fiona si mostrò comprensiva. «Che cosa pensi di fare?» chiese.

«Non ne ho idea, sto per diventare più pazzo di lei, francamente. Senti, hai deciso che cosa ti piacerebbe fare quando usciremo di nuovo?»

E d'un tratto Fiona decise lì per lì. «Vorrei andare a prendere il tè a casa tua.»

«No, questa non è una buona idea», rispose lui sbigottito.

«Mi hai chiesto quello che vorrei fare. Tua madre sarà costretta a scuotersi, se le dirai che porti una ragazza a cena. Potrei essere una compagnia allegra e carina.»

«No, Fiona, non ancora.»

«Ma non credi che potrebbe servire? Come potrà mai pensare che le cose stiano tornando normali se non le fai apparire tali?»

«Be', immagino che in questo caso tu abbia ragione», cominciò lui, incerto.

«Quale sera dunque?» Con molti dubbi e timori Barry fissò la data.

Poi si aspettò che Fiona dicesse che le andava bene tutto, che il cibo non aveva importanza. Ma con sua sorpresa lei sostenne che sarebbe stata stanca dopo una lunga giornata di lavoro e che le sarebbe piaciuto mangiare qualcosa di sostanzioso come gli spaghetti o il pasticcio di carne, insomma qualcosa di buono e nutriente. Barry si stupì. Ma trasmise il messaggio.

«Non sono in grado di fare niente del genere», protestò la madre di Barry.

«Ma direi proprio di sì, mamma, tu sei una grande cuoca!»

«Tuo padre non la pensa così», disse. E il cuore di Barry si fece nuovamente di piombo. Ci sarebbe voluto ben altro che invitare a pranzo

Fiona per scuotere sua madre. Avrebbe voluto non essere figlio unico, avere fratelli e sorelle con cui dividere tutto quello. Avrebbe voluto che suo padre dicesse tutte quelle dannate cose che sua madre voleva sentire, che la amava e che gli si spezzava il cuore ogni volta che tentava di togliersi la vita. E che giurava che non l'avrebbe mai lasciata per nessun'altra. E poi chi se lo sarebbe preso, tanto per incominciare? E perché doveva considerare i suoi tentativi di suicidio come una specie di ricatto al quale non avrebbe ceduto? Suo padre non aveva opinioni precise su niente. Perché allora doveva prendersela proprio per quel genere di cose? Non poteva pronunciare le parole che le avrebbero fatto piacere?

Quell'idea di Fiona non avrebbe funzionato. Lo capiva.

«Be', d'accordo, mamma. Penso che potrei cucinare qualcosa io. Non sono così bravo, ma tenterò. E farò finta che l'abbia preparato tu. Dopotutto, non vorrei che pensasse di non essere la benvenuta.»

«Cucinerò», disse sua madre. «Tu non saresti capace di preparare da mangiare neanche per Cascarino», il loro grosso gatto con un occhio solo. Era stato chiamato così come Tony Cascarino, che giocava a calcio per la Repubblica d'Irlanda, anche se non era altrettanto veloce di gambe.

Fiona portò una scatola di cioccolatini per la madre di Barry.

«Oh, non avresti dovuto, mi faranno soltanto ingrassare», disse la donna. Era pallida e aveva gli occhi stanchi. Indossava uno scialbo vestito marrone e aveva i capelli piatti e senza vita.

Ma Fiona la guardò con ammirazione. «Oh, Mrs Healy, non è affatto grassa. Ha dei begli zigomi, è da questo che si capisce se una persona sta mettendo su peso o no, dagli zigomi», disse.

Barry vide sua madre toccarsi il viso con una certa incredulità. «È vero?» chiese.

«È un dato di fatto! Guardi tutte quelle star cinematografiche che avevano begli zigomi...» Le elencarono insieme allegramente.

Barry non vedeva sua madre così animata da settimane. Poi sentì Fiona parlare di Marilyn Monroe che, se fosse invecchiata, non avrebbe resistito nemmeno lei alla prova tempo. Non avrebbe dovuto lasciar deviare la conversazione su persone che si erano suicidate.

Sua madre riprese il filo del discorso. «Ma non è per questo che si è uccisa, ovviamente, non per gli zigomi più o meno pronunciati.»

Barry vide il colore affluire al volto di Fiona, ma la ragazza ribatté: «No, penso che l'abbia fatto perché riteneva di non essere abbastanza amata. Cielo, se tutti noi lo facessimo, il mondo si spopolerebbe in un batter d'occhio». Parlava così casualmente e alla leggera che Barry trattenne il fiato.

Ma inaspettatamente sua madre rispose con voce normale: «Forse sperava di essere trovata e che a chiunque l'amasse sarebbe dispiaciuto».

«Direi che sarebbe stato soprattutto furioso», asserì Fiona allegramente.

Barry la guardò con ammirazione. Era più effervescente quel giorno. Difficile dire da che cosa dipendesse, ma sembrava che non stesse aspettando di prendere l'imbeccata da lui. Era stata una buona idea insistere per venire a cena. E figuriamoci, proprio Fiona che diceva a sua madre che aveva gli zigomi belli.

Sentiva che la serata sarebbe stata molto meno disastrosa di quello che pensava. Si rilassò un po' e si chiese di che cosa avrebbero parlato in seguito, dopo che avevano superato il campo minato del suicidio di Marilyn Monroe.

Barry passò in rassegna senza successo una lista di argomenti di conversazione. Non poteva dire che Fiona lavorava all'ospedale, perché avrebbe ricordato a tutti la lavanda gastrica e il ricovero della madre in quel luogo. Non poteva mettersi a parlare del corso d'italiano, del supermercato o della sua motocicletta, perché avrebbero capito che stava cercando nuovi argomenti di conversazione. Poteva raccontare a sua madre delle T-shirt di Fiona, ma non pensava che le sarebbe interessato, anche perché Fiona aveva indossato la sua giacca buona e una camicetta rosa per quell'incontro.

E proprio in quel momento entrò il gatto e fissò il suo occhio buono su Fiona.

«Vorrei presentarti Cascarino», disse Barry, che non aveva mai amato molto il grosso gatto guercio. Si augurava che non si aggrappasse alla gonna nuova di Fiona. Invece le si accoccolò in grembo e cominciò a fare le fusa.

«Avete anche voi un gatto a casa?» chiese la madre di Barry.

«No, mi piacerebbe, ma mio padre dice che non si sa mai che guai possono combinare.»

«Peccato. Io trovo che siano una grossa consolazione. Cascarino non è una bellezza, ma per essere un maschio è molto comprensivo.»

«Lo so», ammise Fiona. «Non è così strano che gli uomini siano tanto difficili. Onestamente non credo che vogliano esserlo, è solo che sono fatti così.»

«Sono senza cuore», concluse Mrs Healy, gli occhi pericolosamente lucidi. «Oh, certo, hanno qualcosa lì dentro che batte e manda in circolo il sangue, ma non è un cuore. Guarda suo padre. Non è qui nemmeno stasera, anche se sapeva che Barry aveva un'amica a cena. Lo sapeva e non è qui.»

Quello era peggio di quanto Barry avesse ritenuto possibile. Non aveva idea che sua madre si sarebbe scoperta a tal punto già nella prima mezz'ora.

Ma con suo stupore sembrò che Fiona sapesse farvi fronte facilmente.

«Gli uomini sono fatti così. Quando condurrò a casa Barry per conoscere la mia famiglia, mio padre mi deluderà anche lui. Oh, ci sarà, è sempre lì. Ma scommetto che dopo quindici minuti dirà a Barry che è rischioso andare in moto, è pericoloso guidare il furgone del supermercato, è stupido seguire il calcio. Vede solo il lato negativo delle cose. È così deprimente.»

«Cosa dice tua madre di tutto questo?» La madre di Barry era interessata alla situazione.

«Be', credo che negli anni abbia incominciato a dargli ragione. Sono vecchi, vede, Mrs Healy, molto più vecchi di lei e del padre di Barry. Io sono la minore di una famiglia numerosa. Sono come ancorati alle loro posizioni, non cambieranno mai.» Ogni madre sarebbe stata lieta di avere una ragazza affettuosa come quella per il proprio figlio.

Barry vide che sua madre incominciava a rilassarsi.

«Barry, per favore, vuoi andare in cucina a infilare il pasticcio nel forno e a fare quello che deve essere fatto.»

Le lasciò e si mosse rumorosamente, poi ritornò alla porta per sentire quello che stava succedendo in soggiorno. Stavano parlando a voce bassa e non riusciva a capire. Dio, fa' che Fiona non dica niente di stupido. E che sua madre non cominci con le sue fantasie su papà che aveva un'altra donna. Sospirò e tornò in cucina a preparare la tavola per loro tre. Si sentiva irritato con suo padre perché non era lì. Dopotutto era un tentativo per riportare le cose alla normalità. Avrebbe potuto fare uno sforzo. Non capiva che comportandosi così rafforzava i sospetti della moglie? Perché non veniva a recitare la parte per una sera? Per l'occasione sua madre aveva preparato il pasticcio di pollo e la torta di mele per dessert. Era un progresso.

La cena andò meglio di quanto avesse osato sperare. Fiona mangiò tutto con appetito e leccò quasi il piatto.

Disse che le sarebbe piaciuto saper fare i dolci. Non era brava in cucina, ma a un tratto le venne un'idea. «È questo che potrei fare, un corso di cucina», affermò. «Barry mi stava chiedendo che cosa mi piacerebbe realmente imparare e adesso che ho visto tutto questo, ho capito che cosa vorrei.»

«Che buona idea», disse Barry, soddisfatto per l'apprezzamento della cucina di sua madre.

«Devi trovare qualcuno che ti insegni a fare i dolci», asserì sua madre.

«Sì, lo so, e naturalmente il trimestre sarebbe già a metà. Senta... no, non posso chiederlo... ma... magari...» Guardò pensierosa la madre di Barry.

«Continua, che cosa c'è?»

«Pensavo che il martedì e il giovedì quando Barry frequenta il suo corso, lei potrebbe magari farmi provare, darmi qualche suggerimento?»

L'anziana signora rimase silenziosa per un momento. Fiona riprese velocemente. «Mi dispiace, questo è un po' tipico di me, aprire la mia grande bocca prima di pensare a quello che sto per dire.»

«Sarei felice di insegnarti a cucinare, Fiona», disse la madre di Barry. «Incominceremo il prossimo martedì, con i pasticcini.»

Brigid Dunne rimase vivamente impressionata. «Farti insegnare da sua madre a cucinare, è stata una mossa molto abile», commentò piena di ammirazione.

«Be', è nato abbastanza naturalmente.» Fiona era stupita per la faccia tosta che aveva dimostrato.

«E tu saresti quella che dice che non sa farci con gli uomini? Quando ci farai conoscere questo Barry?»

«Presto, ma non voglio sopraffarlo con tutte le mie amiche, soprattutto con quelle sexy e sicure come te.»

«Sei cambiata, Fiona», disse Brigid.

«Grania? Sono Fiona.»

«Oh, magnifico, credevo fosse l'ufficio del preside. Come stai? L'hai poi fatto?»

«Fatto che cosa?»

«Lo sai», disse Grania.

«No, non ancora, ma lo farò presto. È tutto previsto. Ho telefonato per ringraziarti.»

«Di che cosa?»

«Di aver detto che ero un po' ottusa.»

«Non ho mai detto questo, Fiona.» Grania ci rimase male.

«No, ma mi hai detto di darmi una mossa e ha funzionato a meraviglia. Barry è pazzo di me e anche sua madre. E non potrebbe andare meglio.»

«Be', ne sono lieta.» Grania sembrava contenta.

«Ti ho telefonato per chiederti se sei andata a trovare tuo padre.»

«No, ho tentato, ma all'ultimo momento mi è mancato il coraggio.»

«Grania!» disse Fiona in tono severo.

«Ehi, proprio tu vieni a farmi la paternale!»

«Lo so, ma ci eravamo promesse di sostenerci a vicenda per fare le cose che avevamo stabilito quella sera.»

«Lo so.»

«Brigid non ha più parlato di dolcificanti a basso contenuto calorico da allora e io sono stata coraggiosa come una tigre. Non lo crederesti mai.»

«Oh, accidenti, Fiona! Ci andrò stasera», disse Grania.

Grania trasse un profondo sospiro e bussò. Aprì la porta suo padre. Non riusciva a leggergli in volto.

«Hai ancora la tua chiave, non è necessario che tu ti faccia aprire», disse.

«Non mi andava l'idea di entrare come se abitassi ancora qui.»

«Nessuno ha detto che non puoi più abitarci.»

«Lo so, papà.» Erano ancora in anticamera. C'era un imbarazzante silenzio intorno a loro. «Dove sono gli altri? Sono tutti a casa?»

«Non lo so», rispose suo padre.

«Via, papà. Devi saperlo.»

«Non lo so. Tua madre sarà in cucina a leggere e Brigid di sopra. Io ero nella mia stanza.»

«Come sta venendo?» chiese per cercare di nascondere la tristezza. Quella non era una casa abbastanza grande perché un uomo non sapesse se sua moglie e sua figlia erano a casa o no. E non preoccuparsene.

«Bene», rispose.

«Me la fai vedere?» Grania si chiese se sarebbe sempre stato così con suo padre.

«Certamente, con piacere.»

La condusse nello studio e lei trattenne il fiato per la sorpresa. Il sole della sera entrava dalla finestra, facendo risaltare i toni di giallo e l'oro tutt'attorno al piccolo divano; le tende color oro e porpora assomigliavano al sipario di un teatro. Gli scaffali erano pieni di libri e soprammobili, mentre la piccola scrivania brillava nella luce del crepuscolo.

«Papà, è bellissimo. Non sapevo che fossi così bravo in questo genere di cose.»

«Ci sono molte cose che non sappiamo l'uno dell'altro.»

«Ti prego, papà, permettimi di ammirare la tua bella, bellissima stanza. Guarda quegli affreschi, sono meravigliosi.»

«Sì.»

«E tutti questi colori, papà. È un sogno.»

Il suo entusiasmo era così genuino che lui non riuscì a mantenersi rigido e freddo. «Sì, è un sogno e io sono sempre stato un sognatore, Grania.»

«Allora ho ereditato da te.»

«No, non credo.»

«Non in senso artistico, non riuscirei mai a creare una stanza come questa. Ma anch'io ho i miei sogni, sì.»

«Non sono sogni giusti, Grania. Non lo sono.»

«Ti dirò una cosa, papà. Non ho mai amato nessuno prima, a parte te e mamma e, a essere sincera, te di più. No, voglio dirlo perché può darsi che tu non mi permetta più di parlarti. Adesso so che cos'è l'amore. È desiderare il meglio per l'altro, è desiderare che sia più felice di te, non è così?»

«Sì.» Parlò con voce spenta.

«Provavi questo per la mamma, una volta, non è vero? Magari è ancora così.»

«Credo che invecchiando si cambi.»

«Ma per me non ci sarà il tempo di invecchiare. Tu e mamma siete insieme da quasi venticinque anni, Tony sarà morto e sepolto tra venticinque anni. Fuma, beve, è un caso disperato. Lo sai. Se avremo una decina d'anni da passare insieme, potrò ritenermi fortunata.»

«Grania, potresti cavartela molto meglio.»

«Niente è meglio che essere amati dalla persona che ami, papà. Lo so io e lo sai anche tu.»

«Non è affidabile.»

«Io mi fido completamente di lui, papà. Gli affiderei la mia vita.»

«Aspetta che ti lasci con un figlio senza padre. Ricorderai queste parole allora.»

«Desidero avere un figlio suo più d'ogni altra cosa al mondo.»

«Be', continua così allora. Niente riuscirà a fermarti.»

Grania si chinò ed esaminò i fiori sul tavolino. «Te li compri tu, papà?»

«Chi altri pensi che me li comprerebbe?»

C'erano delle lacrime nei suoi occhi. «Te li comprerei io, se me lo permettessi. Verrei qui a sedermi con te e se avessi un bambino te lo porterei qui.»

«Mi stai dicendo che sei incinta, vero?»

«No, non è così. Deciderò io quando e come, ma niente bambino finché non saprò che sarà ben accetto da tutti.»

«Allora dovrai aspettare a lungo», disse Aidan. Ma lei notò che aveva gli occhi pieni di lacrime.

«Papà...» poi fu difficile dire chi dei due si mosse per primo verso l'altro, serrandolo in un abbraccio.

* * *

Brigid e Fiona andarono al cinema.

«Sei già stata a letto con lui?»

«No, non c'è fretta, sta andando tutto secondo un piano preciso», disse Fiona.

«Mi sembra un po' troppo lungo questo piano», borbottò Brigid.

«No, credimi, so quello che sto facendo.»

«Sono lieta che qualcuno lo sappia», ribatté Brigid. «Papà e Grania vanno d'amore d'accordo. Grania siede nella stanza di papà e chiacchiera con lui come se tra loro non fosse mai successo nulla.»

«Non è bello?»

«Sì, è bello, certo, ma è un mistero», si lamentò Brigid.

«E tua madre, che cosa dice?»

«Niente. Questo è un altro mistero. Ho sempre pensato che fossero le persone più ottuse, più comuni del mondo. Adesso mi sembra di vivere in una gabbia di matti. Pensavo che tu fossi un po' strana, Fiona. Ma ecco che t'innamori e stai imparando a diventare una grande cuoca, prendendo lezioni dalla madre, mentre fai dei piani per portarti a letto il figlio. Come è accaduto?»

Brigid odiava i misteri e le situazioni poco chiare. E di quello che le stava succedendo attorno, pareva molto contrariata.

Le lezioni culinarie furono un grosso successo. A volte il padre di Barry era presente. Alto, bruno e vigile, all'apparenza era molto più giovane della moglie e non aveva la mente così sconvolta. Lavorava in una grossa serra e consegnava ortaggi e fiori freschi ai ristoranti e agli alberghi della città. Era gentile con Fiona, ma non entusiasta della sua presenza. Non era curioso di sapere qualcosa di lei e dava l'impressione di essere qualcuno di passaggio, invece di uno che ci abitava.

A volte Barry tornava dalle sue lezioni d'italiano e mangiava ciò che le due donne avevano sperimentato durante il giorno in cucina, ma Fiona diceva che non era necessario che lui si precipitasse a tornare per lei. Altre volte era troppo tardi per mangiare e a lui piaceva rimanere a chiacchierare insieme agli amici. Lei avrebbe preso l'autobus per tornare a casa. Dopotutto, potevano vedersi anche in altre sere.

Fiona a poco a poco venne a sapere la storia della Grande infedeltà. Dapprima cercò di non ascoltare, ma poi ne fu coinvolta. «Non mi dica tutto questo, Mrs Healy. Le dispiacerà quando avrà fatto pace con Mr Healy.»

«No, non mi dispiacerà, tu sei mia amica. Taglia a fette sottilissime, Fiona. Non ci devono essere pezzetti. Ascoltami, adesso. Devi sapere com'è il padre di Barry.»

Tutto era andato perfettamente bene fino a due anni prima. Bene, si fa per dire. I suoi turni erano sempre stati difficili, ma si era abituata. A volte si alzava alle quattro e mezzo del mattino, altre volte lavorava fino a tardi la sera. Ma c'erano stati dei momenti liberi, a metà giornata. Ricordava quando erano andati al cinema per lo spettacolo delle due e poi avevano preso il tè con i pasticcini. Era invidiata da tutte le altre donne. Infatti, nessuna di loro era mai andata al cinema in pieno giorno con il proprio marito.

Lui non aveva mai voluto che lei lavorasse. Diceva che portava abbastanza denaro per loro due e il bambino. Doveva occuparsi della casa, cucinare ed essere lì quando tornava. Così avrebbero potuto fare una bella vita.

Ma due anni addietro era cambiato tutto. Aveva conosciuto qualcuno e iniziato una relazione.

«Non può esserne sicura, Mrs Healy», disse Fiona, pesando l'uvetta per il dolce. «Potrebbe trattarsi di un'altra cosa, come qualche difficoltà sul lavoro o un peggioramento del traffico.»

«Le quattro del mattino, quando torna a casa, non sono un'ora di punta.»

«Ma non sono proprio le ore più terribili?»

«E poi ho controllato con la società, lavora ventotto ore alla settimana. Se ne sta lontano da qui quasi il doppio.»

«E il tempo per andare avanti e indietro?» chiese Fiona disperata.

«Sono circa dieci minuti dal posto di lavoro», tagliò corto la madre di Barry.

«Vorrà magari avere un piccolo spazio suo.»

«Ce l'ha già, dorme nella stanza degli ospiti.»

«Magari per non svegliarla?»

«E per non essermi vicino.»

«Se esiste questa donna, chi pensa che sia?» Fiona parlava in un bisbiglio.

«Non lo so, ma lo scoprirò.»

«Può essere qualcuno al lavoro, pensa?»

«No, li conosco tutti. Non c'è nessuno del genere lì. Ma è qualcuno che ha conosciuto attraverso il lavoro e potrebbe trattarsi di mezza Dublino.»

Era molto penoso ascoltarla. Tutta quell'infelicità e, secondo Barry, erano solo fantasie.

«Te ne parla mai?» chiese Barry a Fiona.

Fiona pensava che ci fosse una sorte di complicità in quelle conversazioni sopra le assi infarinate o le casseruole che sobbollivano, sorbendo una tazza di caffè dopo le lezioni di cucina, quando Fiona sedeva sul divano e il grosso Cascarino le si adagiava in grembo facendo le fusa.

«Ogni tanto, non molto», mentì.

Poiché Nessa Healy era sua amica, pensò che non era corretto riportare le loro conversazioni.

Barry e Fiona si vedevano spesso. Andavano alle partite di calcio e al cinema e quando il tempo migliorò si recarono in moto a Wicklow o a Kildare e visitarono luoghi dove Fiona non era mai stata.

Non le aveva ancora chiesto di andare a fare quel viaggio a Roma, ma Fiona sperava che a un certo punto lo facesse e così aveva richiesto il passaporto.

A volte andavano fuori in quattro con Suzi e Luigi, che li avevano invitati al loro matrimonio a Dublino per metà giugno. Suzi diceva che fortunatamente l'idea di un matrimonio a Roma era stata abbandonata. Troppo complicato per tutti. Avrebbero invece fatto la luna di miele in quella città.

«Stai imparando anche tu l'italiano?» chiese Fiona.

«No. Se vogliono parlarmi, devono parlarmi nella mia lingua», rispose Suzi.

Poi ci fu il grosso party per raccogliere fondi. I trenta allievi del corso d'italiano avrebbero dovuto pensare al buffet. Le bevande sarebbero state offerte da varie ditte e dal supermercato. Ogni allievo avrebbe dovuto invitare almeno cinque persone, che avrebbero sborsato cinque sterline a testa per la festa. Avrebbero così raccolto 750 sterline per il viaggio e poi ci sarebbe stata la lotteria. I premi erano numerosi, così avrebbero potuto raccogliere ancora 150 sterline o anche di più. L'agenzia di viaggi continuava ad abbassare il prezzo. Avevano prenotato una pensione a Roma. Il viaggio a Firenze, dove avrebbero pernottato in un ostello e poi una visita anche a Siena, prima di far ritorno a Roma.

Barry stava cercando di mettere insieme i suoi cinque invitati.

«Mi farebbe piacere che venissi, papà», disse. «Significherebbe molto per me; ricorda che la mamma e io siamo sempre venuti alle tue gite di lavoro.»

«Non sono sicuro di essere libero, figliolo. Ma se lo sarò, ci verrò sicuramente.»

Barry avrebbe inoltre condotto Fiona, sua madre, un amico del posto dove lavorava e un vicino. Fiona lo avrebbe chiesto alle sue amiche Grania e Brigid, ma loro ci sarebbero comunque andate per via del padre. E Suzi sarebbe andata con Luigi. Si prospettava una splendida serata.

Le lezioni di cucina continuavano. Fiona e la madre di Barry avrebbero preparato una specialità italiana come dessert per il party: cannoli ripieni di frutta, noci e ricotta.

«Sei sicura che non si tratti di pasta?» chiese preoccupato Barry.

No, gli assicurarono le due donne, quelli erano i «cannelloni». Gli dissero di chiedere anche a Signora, la quale rispose che i «cannoli» erano uno dei dolci più buoni del mondo, una famosa specialità siciliana.

Mentre cucinavano, Fiona e Nessa Healy continuavano a scambiarsi confidenze. Fiona diceva che Barry le piaceva molto. Era una persona generosa, ma non voleva esercitare pressioni su di lui, perché non riteneva che fosse ancora pronto per un legame definitivo.

La madre di Barry diceva a Fiona che non riusciva a rinunciare a suo marito. C'era stato un momento in cui avrebbe anche potuto dirle che non l'amava più e lei probabilmente l'avrebbe lasciato andare. Ma non ora.

«E perché?» volle sapere Fiona.

«Quando sono stata all'ospedale, sai quella volta in cui mi ero comportata un po' da sciocca, lui mi ha portato dei fiori. Un uomo non fa queste cose se non gli interessi. Ha portato un mazzo di fresie e le ha lasciate al banco per me. Gli importa, Fiona, ed è su questo che conto.»

Fiona si sedette confusa, tenendo le mani infarinate in grembo. E si maledisse per essere stata tanto stupida. Sapeva che se voleva parlare, doveva farlo subito.

Ma quando guardò Nessa Healy e lesse la speranza sul suo viso, capì che non avrebbe mai potuto farlo.

Come avrebbe potuto dire a quella donna che lei, la ragazza che lavorava nella caffetteria dell'ospedale, le aveva lasciato quelle fresie? Lei, Fiona, che non sapeva del tentativo di suicidio. Non se n'era mai discusso. Doveva trovare un altro modo per dirglielo.

Fiona era disperata, i giorni passavano e la donna che sarebbe forse diventata sua suocera le diceva che l'amore non poteva essere morto, se qualcuno ti mandava dei fiori.

Suzi avrebbe saputo che cosa fare, ma Fiona non glielo avrebbe domandato, neanche tra un milione di anni. Suzi avrebbe potuto dirlo a Luigi e Luigi l'avrebbe detto al suo amico Bartolomeo che insisteva a chiamare Barry. E, comunque, Suzi l'avrebbe disprezzata e Fiona non desiderava che quello avvenisse.

Purtroppo nemmeno Brigid e Grania Dunne sarebbero state d'aiuto in una situazione come quella. Avrebbero detto che Fiona stava riprendendo le vecchie abitudini, agitandosi per un nonnulla. Non doveva far loro sapere in che guaio sconvolgente si era cacciata quella volta, perché avrebbero detto che era tutta colpa sua. E, naturalmente, era vero

«Mi vuoi bene, Fiona?» Le chiese Mrs Healy un giorno, dopo che avevano preparato insieme una meringa al limone.

«Molto», rispose Fiona.

«E mi diresti la verità?»

«Oh, sì.» La voce di Fiona era stridula. Aspettava che si abbattesse il colpo di grazia. In qualche modo si era scoperto che i fiori erano suoi Forse era meglio così.

«Pensi che dovrei farmi dire i colori?» chiese Mrs Healy.

«I colori?»

«Sì. Vorrei andare da un esperto a farmi dire quali tinte mi si addicono di più. Pare che sia una cosa scientifica...»

Fiona faticò a trovare le parole. «E quanto costa?» chiese infine.

«Oh, i soldi non sono un problema», rispose Mrs Healy.

«Be', non me ne intendo molto di queste cose, ma ho un'amica in gamba, glielo chiederò. Lei saprà se è una buona idea oppure no.»

«Grazie, Fiona», disse Mrs Healy, che doveva avere circa quarantacinque anni, ma ne dimostrava settantacinque e pensava che suo marito l'amasse ancora per via di quei benedetti fiori.

Suzi disse che era un'idea brillante. «Quando ci vai?» chiese.

Fiona non ebbe il coraggio di ammettere che non stava parlando di sé. Era anche un po' sconvolta che Suzi pensasse che anche lei avesse bisogno di un consiglio al riguardo. Ma si stava sforzando di crescere in quei giorni e così disse che ci stava pensando.

Nessa Healy fu contenta della notizia. «Sai un'altra cosa che dovremmo fare?» disse fiduciosa. «Credo che dovremmo andare da un buon parrucchiere e farci fare un nuovo look.»

Fiona si sentì svenire. I soldi che aveva risparmiato per il viaggio si sarebbero presto volatilizzati, se le avesse dato retta.

Fortunatamente Suzi le passò l'indirizzo di una scuola di parrucchieri.

Con il trascorrere delle settimane, Mrs Healy smise di vestirsi di marrone e cominciò a indossare colori tenui, con sciarpe in tonalità più vivaci. Si era fatta tingere e tagliare i capelli e ora dimostrava cinquant'anni invece di settantacinque.

Anche Fiona si fece tagliare i capelli e fece la frangia e tutti le dissero che era favolosa. Cominciò a indossare abiti di un rosso e di un giallo accesi e un paio di chirurghi all'ospedale le rivolsero frasi lusinghiere, ma lei si limitò a ridere invece di pensare che avrebbero potuto sposarla, come faceva in passato.

E il padre di Barry cominciò a restare a casa un po' di più, ma non troppo, ma sembrava contento quando c'era Fiona.

Non sembrava però che la nuova tinta o la nuova pettinatura l'avrebbero fatto ritornare quello di prima della presunta relazione.

* * *

«Sei molto brava con mia madre, ha un aspetto fantastico», disse Barry.

«E io, non sono bellissima anch'io?»

«Tu sei sempre bellissima. Ma ti prego, non dirle che ti ho parlato del suicidio. Mi chiede spesso di giurarle che non te l'ho detto. Le dispiacerebbe perdere il tuo rispetto, sai.»

Fiona deglutì quando glielo disse. Non avrebbe mai potuto rivelare la verità neanche a Barry.

Come non era preparata alla rivelazione che le fece la donna, mentre stavano decorando una bella meringa.

«Ho scoperto dove lavora.»

«Chi?»

«La donna, l'amante di Dan», spiegò soddisfatta Mrs Healy.

«E dove?» Tutto quello significava che la madre di Barry avrebbe avuto un altro attacco di nervi e cercato di uccidersi di nuovo? Il volto di Fiona era ansioso.

«In uno dei ristoranti più eleganti di Dublino, pare. Nientemeno che al *Quentin*. Ne hai sentito parlare?»

«Sì, lo si vede spesso sui giornali», disse Fiona.

«E potresti vedercelo ancora sui giornali», aggiunse oscuramente la donna.

Non poteva voler dire che sarebbe andata al *Quentin* a fare una scenata. O sì?

«Ed è sicura che lavora lì? Coma fa a saperlo con esattezza, Mrs Healy?»

«L'ho seguito», rispose trionfante.

«L'ha seguito?»

«Ieri notte è uscito con il furgone. Lo fa spesso al mercoledì. Rimane a guardare la televisione e poi, dopo mezzanotte, dice che deve andare a sbrigare un lavoro. So che è una bugia… non ci sono lavori notturni e poi si veste in modo elegante, si lava i denti e mette la camicia pulita.»

«Ma come ha fatto a seguirlo? Non è uscito con il furgone?»

«Certo. Ma io avevo un taxi in attesa, con le luci spente e così lo abbiamo seguito.»

«Un taxi in attesa per tutto il tempo? Finché lui non è stato pronto a uscire?»

«No, sapevo che sarebbe uscito verso mezzanotte, così l'ho prenotato per mezzanotte meno un quarto. Poi sono salita e l'ho seguito.»

«E che cos'ha pensato il tassista?»

«Ha pensato che si sarebbe guadagnato una bella sommetta, ecco che cosa ha pensato.»

«E poi che cosa è successo?»

«Be', il furgone si è messo in moto e si è fermato in un vicolo dietro il *Quentin*.» S'interruppe. Non sembrava particolarmente sconvolta. Fiona aveva visto spesso Mrs Healy più tesa e stressata di così. Che cosa poteva aver scoperto in quella missione straordinaria?

«E poi?»

«Be', poi abbiamo aspettato. È uscita una donna. Non ho potuto vederla bene, era troppo buio. È salita direttamente sul furgone come se sapesse che era lì e sono partiti, così in fretta che in un attimo li abbiamo perduti di vista.»

Fiona si sentì sollevata. Ma Mrs Healy era una donna determinata.

«Ma il prossimo mercoledì non li perderemo», disse.

Malgrado tutti i suoi tentativi, non era riuscita a farle cambiare idea sul fare una seconda escursione. «Ma non pensa al costo! Potrebbe comprarsi una bella gonna nuova, invece di pagare il tassista.»

«Sono i miei risparmi, Fiona. Li spenderò in quello che mi dà più piacere.»

«Ma pensi se la vedessero, se venisse scoperta...»

«Non sono io che starò facendo qualcosa di sbagliato. Io farò solo una corsa in taxi.»

«Ma anche se vedesse quella donna, poi che differenza farebbe?»

«Saprei com'è, la donna che lui crede di amare.» E la sua voce era talmente sicura nel pronunciare quelle parole che Fiona si sentì gelare il sangue.

«Tua madre non lavora al *Quentin*?» domandò Fiona a Brigid.

«Sì. Perché?»

«Conosce gente che lavora lì di sera, tipo cameriere?»

«Credo di sì, è lì da molto tempo. Perché?»

«Se ti facessi un nome, potresti chiederle qualcosa in merito, senza però dire perché glielo chiedi?»

«Potrei, ma perché?»

«Non smetti mai di chiedere perché.»

«Non faccio niente senza chiedere perché», rispose Brigid.

«Okay, lasciamo perdere.»

«No, non ho detto che non lo farei.»

«Lascia perdere.»

«Va bene, glielo chiederò. È per via del tuo Barry? Pensi che abbia qualcuno che lavora al *Quentin*?» Brigid era molto interessata adesso.

«Non esattamente.»

«Be', potrei chiederglielo, naturalmente.»

«No, fai troppe domande. Lasciamo perdere, ti tradiresti.»

«Oh, via, Fiona, siamo amiche da tanto tempo. Ci hai coperte tante volte, ora noi copriremo te. Lo scoprirò, dimmi semplicemente il nome e glielo domanderò casualmente.»

«Forse.»

«Come si chiama?» insisté Brigid.

«Non lo so ancora, ma lo saprò presto», rispose Fiona e a Brigid fu ovvio che stava dicendo la verità.

«Come potremmo scoprire il suo nome?» chiese Fiona a Mrs Healy.

«Non lo so. Credo che dovremmo affrontarli.»

«No, conoscendo il suo nome avremmo un vantaggio. Non sarebbe necessario affrontarli.»

«Non vedo come potrebbe essere.» Nessa Healy era confusa. Sedettero in silenzio pensando.

«Supponiamo», disse Fiona, «supponiamo che lei dicesse a suo marito che ha telefonato qualcuno dal *Quentin* chiedendo di lui, ma che non ha lasciato il nome. In questo caso potremmo sentire di chi chiede.»

«Fiona, sei sprecata in quell'ospedale», disse la madre di Barry. «Dovresti fare l'investigatore privato.»

Attuarono il piano quella sera, dopo che Dan era tornato e gli avevano fatto assaggiare un po' di croccante. Poi, come se l'avesse ricordato per caso, sua moglie gli riferì il messaggio del *Quentin*.

L'uomo andò al telefono dell'anticamera e Fiona tenne il mixer acceso mentre la madre di Barry scivolava furtivamente alla porta per ascoltare.

Erano entrambe tuffate tra gli ingredienti quando Dan Healy ritornò in cucina. «Sei sicura che abbia detto *Quentin*?»

«È quello che ha detto la donna.»

«Il fatto è che ho telefonato e hanno risposto che non mi aveva chiamato nessuno.»

Sua moglie si strinse nelle spalle. Affari suoi. Sembrava preoccupato e se ne andò al piano superiore.

«L'ha sentito chiedere di qualcuno?» domandò Fiona.

Mrs Healy annuì, gli occhi luccicanti e febbrili. «Sì, abbiamo il nome. Le ha parlato.»

«E chi sarebbe? Come si chiama?» Fiona non riusciva quasi a respirare per l'eccitazione e la pericolosità di quello che stavano facendo.

«Be', chiunque abbia risposto al telefono, lui ha detto: 'Gesù Nell, perché mi hai telefonato a casa?' Ecco. Il suo nome è Nell.»

«Che cosa?»

«Nell. Una piccola, egoista, avventata, sgualdrina. Be', lui sembrava semplicemente furioso con lei.»

«Sì», fece Fiona.

«Così, adesso conosciamo il nome, siamo in una posizione di forza», disse Nessa Healy.

Fiona non fiatò.

Nell era il nome della madre di Brigid e Grania. Nell Dunne faceva la cassiera al *Quentin* e solitamente rispondeva al telefono.

Il padre di Barry aveva una relazione con la madre delle sue amiche. Non una sciocca ragazzetta come avevano pensato, ma una donna della stessa età di Nessa Healy. Una donna con un marito e delle figlie adulte. Fiona si chiese dove avrebbe portato tutto quello.

«Fiona? Sono Brigid.»

«Oh sì, sai che non posso ricevere telefonate sul lavoro.»

«Se sei diplomata e hai un buon lavoro, dovresti poter ricevere delle telefonate», si lagnò Brigid.

«Sì, be', non è così. Che cosa c'è, Brigid? Ho una folla di gente qui davanti che aspetta di essere servita.» In realtà non c'era nessuno, ma si sentiva a disagio a parlare con la sua amica adesso che conosceva quel terribile segreto sulla sua famiglia.

«Era per la ragazza, quella che pensi piaccia a Barry e lavora al *Quentin*... avevi detto che mi avresti detto il nome così avrei chiesto informazioni a mia madre.»

«No!» La voce di Fiona era quasi un grido.

«Ehi, sei stata tu a chiedermelo.»

«Ho cambiato idea.»

«Be', se esce con qualcuno, dovresti saperlo. La gente deve sapere, è un suo diritto.»

«Lo è, Brigid.» Fiona sapeva di avere un tono molto intenso.

«Ma certo. Se dice che ti ama e lo dice anche a lei, allora...»

«Ma non è esattamente così, vedi.»

«Non ti ha detto che ti ama?»

«Sì, l'ha detto. Ma, be', al diavolo!»

«Fiona.»

«Sì?»

«Credo che tu stia diventando realmente pazza. Credo che tu debba saperlo.»

«Certo, Brigid», rispose Fiona, grata per una volta di essere sempre stata considerata una persona in perenne stato di agitazione.

«Le dispiacerebbe di più se fosse giovane o vecchia?» domandò Fiona alla madre di Barry.

«Nell? Deve essere giovane, altrimenti perché mi avrebbe tradita?»

«È impossibile capire gli uomini, lo dicono tutti. Potrebbe anche essere anziana, sa.»

Nessa Healy era serena. «Se ha una relazione, è perché qualche giovane donna gli si è buttata ai piedi. Agli uomini piace essere adulati. Ma lui ama me. Questo è sempre stato chiaro. Quando ero in ospedale, è entrato mentre dormivo e ha lasciato i fiori. Questo è un dato di fatto.»

Barry entrò eccitatissimo. C'era un sacco di gente che aveva prenotato per il party di giovedì. Sarebbe stato fantastico. Mr Dunne aveva detto che sarebbe stato in grado di annunciare che, visto il successo, avrebbero potuto organizzare un nuovo corso per l'anno prossimo.

«Mr Dunne?» chiese Fiona a bassa voce.

«È lui che lo ha ideato, è un grande amico di Signora. Mi hai detto che conosci le figlie.»

«Sì, è così.» Fiona continuava a parlare a bassa voce.

«È felicissimo per come stanno andando le cose.»

«E ci sarà anche lui?»

«Ehi, Fiona, stai dormendo o che cosa? Non mi hai detto tu che non potevamo vendere i biglietti alle sue figlie perché ci andranno con lui?»

«Ho detto questo?» Doveva averlo fatto, ma molto tempo prima, quando ancora non sapeva ciò che sapeva ora.

«E pensi che verrà anche sua moglie?» chiese.

«Oh, sì, credo proprio di sì. Chiunque abbia una moglie o un marito, una madre o un padre, per non parlare di un'adorabile ragazza... be', si fa in modo che vengano.»

«E tuo padre verrà?» chiese Fiona.

«Oggi come oggi dice di sì», dichiarò Bartolomeo.

La sera del party a Mountainview era attesa con ansia.

Signora voleva comprarsi un vestito per l'occasione, ma all'ultimo momento decise di spendere i soldi in luci colorate per l'atrio della scuola.

«Oh, via, Signora», disse Suzi Sullivan. «Ho visto uno splendido vestito per lei al *Good as new shop*. Che la scuola si tenga le vecchie luci.»

«Voglio che si ricordino per sempre di questa serata. Se ci sono delle belle luci colorate, l'effetto sarò cento volte superiore... Che cosa vuoi che gliene importi alla gente se spenderò quaranta sterline per un abito? Nessuno lo noterà.»

«Se riesco a farle avere le luci, comprerà il vestito?» chiese Suzi.

«Non starai suggerendo che Luigi...» Signora appariva molto in dubbio sulla cosa, naturalmente.

«No, giuro che non gli permetterò di mettersi in contatto di nuovo con quel sottobosco. Ci ho impiegato un bel po' a tirarlo fuori. No, conosco qualcuno che si occupa di impianti elettrici, un tale di nome Jacko. Ne avevo bisogno per il mio appartamento e Lou l'ha chiesto in classe. Laddy conosceva questo tizio che aveva fatto l'impianto all'albergo dove lavora. Dunque posso mandarglielo?»

«Be', Suzi...»

«Se non è caro, come penso, comprerà il vestito?» Sembrava molto ansiosa al riguardo.

«Certo, Suzi», rispose Signora, chiedendosi perché la gente si preoccupasse tanto degli abiti.

Jacko venne a vedere l'atrio della scuola. «È poco più di un capannone», commentò.

«Lo so, ma pensavo che se avessimo avuto tre o quattro file di luci colorate, vede, un po' come a Natale...»

«Apparirebbe patetico», disse Jacko.

«Be', non abbiamo abbastanza soldi per comprare qualcos'altro.» Signora sembrava abbattuta adesso.

«Chi ha parlato di comprare? Le illuminerò il posto a dovere. Lo farò sembrare una discoteca. Installerò le luci per una sera e me le riporterò via il giorno dopo.»

«Ma non può farlo. Costerebbe una fortuna. Dovrebbe esserci qualcuno a farle funzionare.»

«Ci penserò io. Ed è solo per una sera, non le farò pagare niente.»

«Ma non possiamo aspettarci che lei faccia tutto questo.»

«Mi accontenterò di un grosso cartello pubblicitario con il mio nome», rispose Jacko con un ampio sorriso.

«Potrei offrirle un paio di biglietti, nel caso le facesse piacere portare qualcuno.» Signora voleva in tutti i modi ricambiare la cortesia.

«No, sono solo in questo periodo, Signora», disse con il suo fantastico sorriso. «Ma non si sa mai chi potrei incontrare alla festa. Non sarà necessario che mi occupi delle luci per tutto il tempo.»

Bill Burke e Lizzie Duffy dovevano portare dieci persone, ma Bill ebbe difficoltà a vendere i biglietti in banca perché Grania Dunne era arrivata prima di lui. Per combinazione, la madre di Lizzie sarebbe stata a Dublino quella sera.

«Pensi che possiamo rischiare?» chiese Bill. Mrs Duffy era come un cannone pronto a sparare, i rischi potevano essere superiori ai vantaggi.

Lizzie ci pensò seriamente. «Che cosa potrebbe fare di così grave?»

Bill rifletté a sua volta. «Potrebbe sbronzarsi o cantare con la banda», disse.

«No, quando si sbronza racconta a tutti che bastardo è mio padre.»

«La musica sarà molto forte, non la sentirà nessuno. Invitiamola», asserì Bill.

Costanza avrebbe potuto comperare tutti i biglietti, ma non era quello il punto. Doveva invitare delle persone, quello era lo scopo.

Veronica sarebbe venuta, naturalmente, e avrebbe condotto un collega di lavoro. Le figlie erano meravigliose. Senza sperarlo, chiese a suo figlio Richard se gli avrebbe fatto piacere condurre la sua ragazza e con sua sorpresa sembrò lieto di farlo. I ragazzi erano stati di grande sostegno dopo il processo e la sentenza. Harry stava scontando una condanna minima, come era stato predetto. Ogni settimana nel suo piccolo appartamento in riva al mare Connie riceveva telefonate e visite dai suoi quattro figli. Doveva aver fatto qualcosa di giusto, dopotutto.

«Non ci crederai», le telefonò Richard un paio di giorni dopo. «Ma sai che alla tua festa italiana ci viene anche Mr Malone, il mio boss. Me ne stava parlando proprio oggi.»

«Il mondo è davvero piccolo», osservò Connie. «Allora forse lo chiederò a suo suocero. Paul viene con sua moglie?»

«Credo di sì», rispose Richard. «In genere le persone anziane lo fanno.» Connie si chiese chi diamine poteva aver invitato Paul Malone.

Gus e Maggie dissero a Laddy che naturalmente sarebbero andati alla festa. Niente li avrebbe trattenuti. Avrebbero chiesto al loro amico italiano di andare anche lui, per ringraziarlo di aver fatto loro da interprete, inoltre avrebbero offerto delle cene gratis all'albergo come premi per la lotteria.

* * *

Jerry Sullivan volle sapere da Signora qual era il limite minimo di età.

«Sedici, Jerry. Te lo continuo a ripetere», disse Signora. Sapeva che a scuola c'era molto interesse per quel ballo, dove ci sarebbero state luci da discoteca e liquori veri.

Mr O'Brien, il preside, aveva scoraggiato anche i ragazzi più grandi dal presenziarvi. «Non passate già abbastanza tempo in questo posto?» aveva detto. «Perché non andate nelle vostre orribili cantine piene di fumo ad ascoltare quella musica che fa venire il mal d'orecchi?»

Tony O'Brien era agitatissimo in quei giorni. Per far piacere a Grania, l'amore della sua vita, aveva smesso di fumare e la cosa gli pesava molto. Ma Grania aveva effettuato un miracolo per lui e così aveva cercato di pareggiare il conto smettendo di fumare. Era anche andata a trovare suo padre che ora stava dalla loro parte.

Tony non sapeva come ci fosse riuscita, ma il giorno dopo Aidan Dunne era entrato nel suo ufficio e gli aveva teso la mano.

«Mi sono comportato come un padre di un melodramma vittoriano», aveva detto. «Mia figlia è abbastanza grande da ragionare con la sua testa e se tu la rendi felice, per me va bene.»

Tony era quasi caduto dalla sedia per lo choc. «Ho vissuto una vita disordinata, Aidan, e lo sai. Ma, onestamente, Grania rappresenta una svolta per me. Tua figlia mi rende felice, mi fa sentire giovane e pieno di speranza e felicità. Non la deluderò mai. Se credi in qualcosa, credi alle mie parole.»

E si erano stretti la mano con tale vigore che il braccio di entrambi ne aveva risentito per giorni.

Tutto era diventato più semplice sia a scuola sia a casa. Grania aveva smesso di prendere la pillola. Tony sapeva che l'aveva fatto perché Aidan aveva compiuto quel gesto. Era uno strano uomo... Se non l'avesse conosciuto meglio, avrebbe pensato che l'insegnante di latino avesse realmente un debole per Signora.

Ma era impossibile.

Gli amici di Signora, Brenda e Patrick Brennan, sarebbero entrambi venuti al party. Il ristorante avrebbe potuto sopravvivere per una sera senza di loro. E, naturalmente, sarebbe stata presente anche Nell Dunne, la cassiera.

«Non so perché ci andiamo. Dobbiamo essere un po' svitati», osservò Nell.

«Per solidarietà e sostegno naturalmente, per che cos'altro?» rispose Mrs Brennan, lanciando una strana occhiata alla donna.

Nell sentì, come altre volte, che Mrs Brennan non aveva simpatia per lei. Dopotutto, la sua era una domanda ragionevole. Gente elegante come i Brennan e sì, come lei, Nell Dunne, una persona che contava a Dublino, seduta al *Quentin* come una regina nel suo abito nero con sciarpa gialla, che si recavano in quella catapecchia di scuola, dove Aidan aveva lavorato a lungo.

Ma avrebbe preferito non aver parlato. I Brennan non avevano una grande opinione di lei.

Comunque, poteva andarci. Dan non era libero quella sera, doveva recarsi da qualche parte con suo figlio, inoltre le sue figlie ci sarebbero rimaste male se non avesse fatto quello sforzo.

Sarebbe stato noioso, com'era sempre stato noioso tutto in quella scuola. Ma se non altro, non bisognava agghindarsi troppo. Cinque sterline per un pezzo di pizza e un'orchestrina che ti avrebbe assordato suonando canzoni italiane. Mio Dio, che cosa non doveva mai fare per la famiglia!

Grania e Brigid si stavano vestendo per la festa.

«Spero che tutto vada bene, per papà», disse Grania.

«Papà è ormai pronto a tutto se accetta che tu vada a letto con il suo capo.» Brigid si stava pettinando davanti allo specchio del soggiorno.

Grania si irritò. «Vorrei che la smettessi con questa storia dell'andare a letto. C'è molto di più di questo.»

«Alla sua età, non si sfinisce?» ridacchiò Brigid.

«Se ne parlassi, diventeresti verde per la gelosia», ribatté Grania, applicandosi l'ombretto. Entrò Nell. «Ehi, mamma, muoviti, noi siamo pronte e ce ne andiamo tra pochi minuti», disse Grania.

«Sono pronta.»

Guardarono la madre, i capelli a malapena ravviati, non aveva trucco, un abito comune con un cardigan sulle spalle. Non valeva la pena di fiatare. Le sorelle si scambiarono un'occhiata e non fecero commenti.

«Bene allora», disse Grania. «Andiamo.»

Questa era la prima uscita di Nessa Healy da quando era stata in ospedale. La donna che le aveva consigliato i colori giusti per lei aveva fatto un ottimo lavoro.

Barry pensava che erano anni che non vedeva sua madre così in forma. Senza dubbio Fiona aveva esercitato una meravigliosa influenza su di lei. Si chiese se dovesse domandarle di partecipare al viaggio. Significava molte cose, come dividere la stanza e, sotto quel profilo, non avevano fatto progressi nelle settimane che avevano trascorso insieme. Avrebbe voluto, ma non c'era mai l'opportunità, né il luogo e l'occasione giusta.

Suo padre sembrava a disagio. «Che genere di persone ci saranno, figliolo?»

«Tutte le persone che frequentano il corso, papà, e chiunque riescano a trascinare come io sto trascinando te. Sarà bellissimo, te l'assicuro.»

«Sì, ne sono certo.»

«Papà, Miss Clarke dice che posso guidare il furgone del supermercato, anche se non si tratta di lavoro. Così potrò riaccompagnare te e la mamma a casa, nel caso vi doveste annoiare o stancare.»

Sembrava così ansioso e grato che suo padre se ne vergognò. «Quando mai Dan Healy abbandona una festa finché c'è ancora da bere sul tavolo?» chiese.

«E troveremo Fiona lì?» la mamma avrebbe gradito il sostegno morale di quella vivace ragazza a cui si era tanto affezionata. Fiona le aveva fatto promettere di rinviare un confronto con Nell, almeno per una settimana. Una settimana sola. E Nessa Healy aveva acconsentito, riluttante.

«Sì, ha insistito molto. Ha voluto andarci da sola», disse Barry. «Bene, andiamo.»

Andarono.

* * *

Signora aspettava nell'atrio.

Si era guardata a lungo nello specchio prima di lasciare la casa dei Sullivan. Francamente, non si era quasi riconosciuta nella donna che era venuta in Irlanda un anno prima. La vedova, come si era vista lei, che piangeva per il povero Mario, i capelli raccolti dietro, la gonna lunga che ricadeva mollemente. Timida, incapace di trovare un lavoro o un luogo dove stare, impaurita dalla sua famiglia.

Quel giorno appariva alta ed elegante, con l'abito color caffè e lilla che si intonava perfettamente allo strano colore dei suoi capelli. Suzi aveva detto che quell'abito poteva costare 300 sterline. Figurarsi. Per l'occasione aveva permesso a Suzi di truccarla.

«Tanto nessuno mi vedrà», aveva protestato lei.

«Invece no, è la sua serata, Signora», aveva insistito Peggy Sullivan.

E lo era. Stava lì, nell'atrio adorno di scintillanti luci colorate, con poster appesi dappertutto e una musica italiana di sottofondo in attesa che arrivasse la piccola orchestra.

Entrò Aidan Dunne. «Non finirò mai di ringraziarla», disse.

«Sono io che devo ringraziare lei, Aidan.» Era l'unica persona alla quale non aveva italianizzato il nome. E questo lo rendeva molto speciale.

«Nervosa?» chiese.

«Un po'. Ma siamo circondati da amici, perché dovrei essere nervosa? Tutti sono per noi, nessuno è contro di noi.» Sorrise. Stava respingendo dalla mente il fatto che nessuno della sua famiglia sarebbe venuto a sostenerla quella sera. Lo aveva chiesto loro gentilmente, ma non aveva insistito. Sarebbe stato carino, almeno per una volta, poter dire alla gente: «Questa è mia sorella, questa è mia madre». Ma no, impossibile.

«Nora, è bellissima. Sì, proprio lei, intendo, non soltanto il posto.»

Non l'aveva mai chiamata Nora in precedenza. Ma non ebbe il tempo di rifletterci perché cominciò ad arrivare gente. All'entrata, un'amica di Costanza, una donna estremamente efficiente di nome Vera, stava ritirando i biglietti.

Al guardaroba la giovane Caterina e una sua amica, una vivace ragazza di nome Harriet, erano occupate a consegnare le contromarche e a raccomandare loro di non perderle. Stava sopraggiungendo anche gente sconosciuta, che si meravigliava del posto.

Il preside, Tony O'Brien, era occupato a dirottare i complimenti dalla loro parte. «Io non c'entro, è tutto merito di Mr Dunne, l'organizzatore e di Signora, l'insegnante.»

Se ne stavano lì come due sposi ad accettare le congratulazioni.

Fiona vide Grania e Brigid entrare con la madre. Ansimò. Aveva incontrato Mrs Dunne diverse volte, ma quella sera stentò a riconoscerla. La donna appariva pallida, stanca. Si era a malapena sciacquata la faccia.

Dio, pensò cupa Fiona. Provò un'orribile sensazione al petto, come se avesse inghiottito qualcosa che non andava né su, né giù. Sapeva che era la paura. Fiona stava per interferire nella vita di altre persone. Avrebbe raccontato loro una quantità di bugie e li avrebbe spaventati a morte. Ci sarebbe riuscita o sarebbe finita a terra svenuta, peggiorando la situazione?

Ma certo che ci sarebbe riuscita. Fiona era molto cambiata ultimamente e non ne era derivato che bene. Aveva persuaso Nessa Healy a farsi bella e a venire alla festa. Doveva porre fine alla relazione che stava spezzando tanti cuori. Non appena l'avesse fatto, avrebbe potuto riprendere il filo della sua vita e iniziare veramente il suo rapporto con Barry.

Fiona si guardò intorno, cercando di esibire un bel sorriso fiducioso. Avrebbe aspettato che l'atmosfera si fosse un po' riscaldata.

E, visto il calore, non impiegò molto a riscaldarsi. Iniziarono anche a ballare al suono di canzoni anni Sessanta che si adattavano a gruppi di ogni età.

Fiona si avvicinò a Nell Dunne che stava in piedi, sola, con aria sdegnosa. «Si ricorda di me, Mrs Dunne?»

«Oh, Fiona?» Sembrò ricordare il nome con difficoltà e senza grande interesse.

«Sì, è sempre stata gentile con me quando ero piccola, Mrs Dunne, lo rammento.»

«Sì?»

«Sì, quando venivo per il tè. Non vorrei che si rendesse ridicola.»

«Perché dovrei rendermi ridicola?»

«Dan, l'uomo laggiù.»

«Che cosa?» Nell guardò verso il punto indicato da Fiona.

«Sa, va in giro a raccontare a tutti che ha quella sciattona di moglie con la fissa di suicidarsi e che non vede l'ora di lasciarla. Ma ha una fila di donne e racconta a tutte la stessa storia.»

«Non so di che cosa tu stia parlando.»

«E lei è probabilmente, vediamo, quella del mercoledì e di un altro giorno. È così che si comporta.»

Nell Dunne fissò la donna elegante con Dan Healy, che stava ridendo allegramente. Non poteva essere la moglie di cui le aveva parlato. «E perché credi di sapere tanto su di lui?» chiese a Fiona.

«Semplice», rispose Fiona. «Ha avuto anche mia madre. Veniva a prenderla con il furgone al lavoro. Era infatuata di lui. Una cosa orribile.»

«Perché mi stai raccontando tutto questo?» Aveva gli occhi sbarrati e la voce incrinata. Guardava a destra e a sinistra.

Fiona si rese conto che Mrs Dunne era molto turbata. «Be', consegna verdura e fiori dove lavoro io e non fa che parlare delle sue donne, anche di lei e di come ci va matta. 'L'elegante Signora del *Quentin*', la chiama. E allora mi sono resa conto che stava parlando della madre di Brigid e Grania, come una volta faceva di mia madre... e ci sono rimasta molto male.»

«Non credo una sola parola di quello che stai dicendo. Sei una ragazza folle e molto pericolosa», osservò Mrs Dunne, gli occhi ridotti a due fessure.

Luigi stava ballando con Caterina. Caterina e la sua amica Harriet avevano lasciato il guardaroba e si stavano rifacendo del tempo perduto.

«Scusami.» Fiona trascinò via Luigi dalla pedana.

«Che c'è? A Suzi non importa, le fa piacere che balli.» Sembrava indignato.

«Fammi un grosso favore», lo pregò Fiona. «Ma senza rivolgere domande.»

«Eccomi», rispose Luigi.

«Potresti avvicinarti a quell'uomo bruno vicino alla porta e dirgli che se sa che cos'è meglio per lui, deve lasciar perdere la sua amica del mercoledì.»

«Ma...?»

«Hai detto che non mi avresti chiesto perché.»

«Non ti sto chiedendo perché, ti sto solo chiedendo se mi aggredirà.»

«No, non lo farà. E poi...»

«Sì?»

«Ancora due cose. Potresti non dire niente di tutto questo a Suzi e a Bartolomeo?»

«D'accordo.»

«E potresti assumere un'espressione feroce mentre gli parli?»

«Cercherò», rispose Luigi, pensando che, per ottenerla, avrebbe dovuto applicarsi.

Nell Dunne stava per avvicinarsi a Dan, che era intento a parlare con un uomo tarchiato dalla mascella pronunciata e l'espressione truce. Pensò di avvicinarsi e bisbigliargli all'orecchio che aveva bisogno di scambiare una parola con lui. Indicargli con il capo il corridoio.

Perché non le aveva detto che sarebbe venuto? Sempre così riservato, così chiuso! Poteva esserci ben altro di lui che non sapeva. Ma prima che gli andasse vicino, lui alzò gli occhi e la guardò con un'espressione allarmata. Si allontanò di colpo, afferrò il braccio della moglie e la invitò a ballare.

Fiona adesso era in piedi su una sedia per osservare meglio quello che stava succedendo nella sala e imprimerselo per sempre nella mente. Barry le aveva appena chiesto se voleva unirsi al viaggio e lei aveva accettato. Io suoi futuri suoceri stavano ballando.

La madre di Grania e Brigid si stava aprendo a fatica un varco tra la gente per ritirare il cappotto. Aveva chiesto a Caterina e alla sua amica di aprire il guardaroba. Soltanto Fiona la vide allontanarsi. Barry non la notò di certo. Forse non avrebbe mai saputo di lei più di quanto sapesse delle fresie.

«Vuoi ballare?» le chiese lui. Stavano suonando una canzone molto romantica.

La strinse a sé. «Ti amo, Fiona», sussurrò in italiano.

«Anch'io», disse lei nella stessa lingua.

«Che cosa?» Non riusciva a crederci.

«Anch'io ti amo. Ti amo da morire», continuò lei sempre in italiano.

«Dio, come l'hai imparato?» chiese, colpito.

«L'ho chiesto a Signora. Nel caso...»

«Nel caso?»

«Nel caso che tu me lo dicessi, per sapere che cosa risponderti.»

Attorno a loro la gente ballava. Il padre di Grania e Brigid non era andato a cercare la moglie, stava invece parlando con Signora. Sembrava che potessero mettersi a ballare da un momento all'altro. Il padre di Barry non si stava guardando in giro ansioso, ma stava conversando con sua moglie come se fosse veramente una persona diversa. Brigid non era fasciata in una gonna troppo stretta, indossava un morbido abito rosso e cingeva il collo di un uomo che non le sarebbe sfuggito. Grania stava appoggiata al braccio di Tony. Non ballavano, ma si sarebbero sposati presto. Fiona era stata invitata al matrimonio.

Fiona pensava che fosse meraviglioso essere finalmente cresciuta. Non era stata lei a far accadere tutte quelle cose, ma aveva senz'altro contribuito a farne accadere una parte importante.

Il viaggio

«PERCHÉ invitiamo Mr Dunne al nostro matrimonio?» volle sapere Lou.

«Perché sarebbe carino per Signora, in caso contrario non avrebbe nessuno che conosce.»

«Non avrebbe nessuno? Non vive forse con la tua famiglia?»

«Sai che cosa voglio dire.» Suzi era irremovibile.

«Dobbiamo invitare anche sua moglie? La lista si allunga di minuto in minuto. Lo sai che sono diciassette sterline a testa e questo prima ancora di cominciare?»

«Naturale che non invitiamo sua moglie. Ti sei rammollito?» replicò Suzi e il suo volto assunse quell'espressione che a Lou non piaceva. Era come se si stesse chiedendo se non stava per sposare qualcuno un po' duro di comprendonio.

«Ma certo, sua moglie no», si affrettò a ripetere Lou. «Stavo probabilmente sognando, tutto qui.»

«Ci sono altri da parte tua che ti piacerebbe invitare?» chiese Suzi.

«No, no. In un certo senso sono anche da parte mia e poi non vengono con noi in luna di miele?» chiese Lou rianimandosi.

«Insieme a mezza Dublino», rispose Suzi, roteando gli occhi.

«Un matrimonio civile», osservò Nell Dunne quando Grania le comunicò la data.

«Be', sarebbe ipocrita farlo in chiesa, nessuno di noi ci entra mai.» Nell scrollò le spalle. «Ci verrai, mamma, non è vero?» Grania sembrava preoccupata.

«Certo che verrò. Perché me lo chiedi?»

«È che...»

«Che cosa c'è, Grania? Ho detto che verrò.»

«Be', hai lasciato quella festa alla scuola prima ancora che incominciasse ed era la serata più importante di papà. Non partecipi a questo viaggio in Italia...»

«Non sono stata invitata a questo viaggio in Italia», ribatté Nell in tono duro.

«Può partecipare chiunque a questa vacanza a Roma e a Firenze?» chiese Bernie Duffy a sua figlia Lizzie.

«No, mamma. Mi spiace, è solo per gli allievi del corso.»

«Non vogliono altra gente per far numero?» Bernie si era divertita immensamente alla festa. Pensava che il viaggio potesse esserlo ancora di più.

«Come farò? Non mi dà pace!» disse Lizzie a Bill più tardi.

«La condurremo invece a Galway, a trovare tuo padre», suggerì Bill all'improvviso.

«Non possiamo farlo, ti pare?»

«Questo non risolverebbe un sacco di cose? In un modo o nell'altro la terrebbe occupata e così non avrebbe la sensazione di essere stata esclusa da qualche divertimento.»

«Splendida idea, Bill», Lizzie era piena di ammirazione.

«E poi, lo dovrei conoscere, non credi?»

«Perché? Non ci sposeremo finché non avremo venticinque anni!»

«Non so. Luigi si sposa, la figlia di Mr Dunne si sposa... penso che potremmo sposarci prima anche noi, cosa ne dici?»

«Perché no?» rispose Lizzie con un gran sorriso.

«Ho chiesto a Signora di scrivere per me la lettera ai Garaldi», disse Laddy. «Ha detto che gli avrebbe spiegato tutto.»

Maggie e Gus si scambiarono un'occhiata. Signora si rendeva certamente conto di quanto l'invito rivolto a Laddy fosse stato casuale. Mai avrebbero immaginato che lo prendesse sul serio al punto da frequentare un corso d'italiano e aspettarsi un caloroso benvenuto.

Signora era una donna matura che capiva la situazione, tuttavia c'era qualcosa di infantile in lei. Era una persona un po' ingenua, forse era come Laddy e credeva che questi Garaldi stessero attendendo a braccia aperte qualcuno che, a questo punto, potevano aver completamente dimenticato.

Ma nulla avrebbe indotto Gus e Maggie a smorzare l'eccitazione di Laddy. Aveva messo il passaporto nella cassaforte dell'albergo e aveva già cambiato una certa somma in lire. Quel viaggio significava tutto per lui, nessun'ombra doveva offuscarlo. Sarebbe andato tutto bene, si dissero Gus e Maggie, desiderando con tutto il cuore che così fosse.

«Non sono mai andata all'estero in vita mia, figurati che quest'estate ci andrò due volte», raccontò Fran a Connie.

«Due volte?»

«Sì, per il nostro viaggio e in America. Kathy ha vinto due biglietti per gli Stati Uniti. Roba da non crederci. Ha partecipato a un concorso su una rivista finanziaria e ha vinto due biglietti per New York, così ci andiamo tutt'e due.»

«Fantastico. E sai dove andare, una volta arrivata là?»

«Sì. Ho un amico, un tale con cui uscivo. Verrà a prenderci. Vive a più di quattrocento miglia.»

«Devi piacergli ancora, se farà tanta strada.»

Fran sorrise. «Lo spero. A me lui piace ancora», dichiarò. «Non è un miracolo che Kathy abbia vinto i biglietti?»

«Oh, sì.»

«Sai, quando me l'ha detto, ho pensato che glieli avesse dati suo padre. Ma poi, quando sono arrivati, ho visto che erano stati pagati da quella rivista.»

«Perché suo padre avrebbe dovuto darveli senza dirtelo?»

«Be', adesso non lo frequento, è sposato con una delle donne più ricche d'Irlanda, ma non li accetterei mai da lui.»

«No, naturalmente, no. Provi ancora qualcosa per il padre di Kathy?»

«Affatto... è una storia di tanti anni fa. No, gli auguro ogni bene, anche se è già sposato con Marianne Hayes e possiede un quarto di Dublino.»

«Bartolomeo, tu e Fiona potreste dividere una stanza?» chiese Signora.

«Sì, grazie Signora, va benissimo.» Barry arrossì un pochino all'idea.

«Bene, questo rende tutto più semplice, le camere singole sono un grosso problema.»

Signora l'avrebbe divisa con Costanza e Aidan Dunne con Lorenzo. Tutti gli altri avevano degli amici.

L'agenzia viaggi era stata meravigliosa. Vi lavorava Brigid e aveva fatto i prezzi migliori.

«Perché tu e il vecchio uomo di mare non ci andrete?» chiese a Grania.

Grania adesso rideva quando la sorella faceva queste osservazioni. «Tony e io ci stiamo preparando al matrimonio geriatrico del secolo.»

Brigid ridacchiò. Grania era così felice che niente poteva offenderla.

Stavano pensando com'era strano che nessuno avesse accennato alla madre nella programmazione di questo viaggio. Ma era una cosa di cui non parlavano. Troppo futile e al tempo stesso troppo seria. Significava che mamma e papà avevano rotto? Cose del genere non succedevano in famiglie come la loro.

Poco prima dell'inizio del viaggio Fiona condusse Barry a cena a casa sua.

«Praticamente tu vivi in casa mia», si lamentò lui, «e io non posso mai venire da te.»

«Non volevo che tu incontrassi i miei genitori finché non fosse stato troppo tardi.»

«Troppo tardi per che cosa?»

«Perché tu mi lasciassi. Volevo che fossi divorato dal desiderio fisico di me, oltre che ammirarmi e amarmi come persona.»

Parlò così seriamente che a Barry riuscì difficile non scoppiare a ridere. «È un bene allora che il lato fisico sia così preponderante», osservò. «Riuscirò a sopportarli per quanto terribili siano.»

Ed erano abbastanza terribili. La madre di Fiona sostenne che l'Irlanda era il posto migliore per una vacanza, perché non si rischiava di scottarsi o di venir scippati.

«Non è vero, lo fanno qui come altrove.»

«Ma perlomeno qui parlano inglese», ribatté suo padre.

Barry raccontò di aver imparato speditamente l'italiano: sarebbe stato in grado di ordinare da mangiare, cavarsela con la polizia, gli ospedali e i guasti agli autobus.

«Lo vedi?» Il padre di Fiona era trionfante. «Deve essere un posto molto pericoloso, se è questo che ti hanno insegnato.»

«Quant'è il supplemento per una camera singola?» chiese la madre.

«Cinque sterline a notte», rispose Fiona.

«Nove sterline a notte», rispose contemporaneamente Barry. Si guardarono furiosi. «Ehm... è superiore per gli uomini», aggiunse il povero Barry disperato.

«Come mai?» Il padre di Fiona si fece sospettoso.

«Sa, è risaputo che gli italiani sono molto cavalieri verso le signore.»

Quindi aggiunse: «A proposito, mia madre non vede l'ora di conoscervi».

«Perché?» chiese la madre di Fiona, stupita.

Barry non riuscì a trovare un perché: «È fatta così, le piace la gente».

«Buon per lei», commentò il padre.

La sera prima della partenza per l'Italia, Grania sedeva con il padre nel suo studio. Aidan aveva preparato tutte le carte geografiche e le guide necessarie. Le avrebbe portate con sé in una valigetta. Non importava, disse, se andavano persi i vestiti, ma loro no.

«La mamma lavora stasera?» chiese Grania in tono casuale.

«Immagino di sì, cara.»

«E tu sarai abbronzato per il matrimonio?» Era decisa a mantenere un'atmosfera allegra.

«Sì. Lo sai che faremo qui la cerimonia?»

«In realtà preferiremmo un pub, papà.»

«Ho sempre pensato che ti saresti sposata qui e che avrei pagato tutto io.»

«Tu offrirai una grande torta e lo champagne, non è abbastanza?»

«Lo spero.»

«È tantissimo. Sei agitato per questo viaggio?»

«Un po', nel caso che non vada come tutti speriamo. Il corso è andato così bene, non vorrei che il viaggio si rivelasse un fiasco.»

«Impossibile papà, sarà fantastico. Vorrei venirci anch'io e per molte ragioni.»

Ma nessuno dei due disse una parola sul fatto che la donna che da venticinque anni era la moglie di Aidan non andasse con loro e che, secondo lei, non fosse stata invitata ad andare.

Jimmy Sullivan doveva recarsi al Nord per lavoro, così accompagnò Signora all'aeroporto.

«È in anticipo», disse.

«Sono troppo eccitata. Non riuscivo più a stare a casa.»

«Andrà a trovare i parenti di suo marito in quel paese in cui viveva?»

«No, no, Jimmy, non ci sarà il tempo.»

«Peccato, però, arrivare fino in Italia e non andarli a trovare. La classe le concederebbe sicuramente un paio di giorni liberi.»

«No, la Sicilia è troppo lontana.»

«Allora non sapranno che lei è in Italia?»

«No, non lo sapranno.»

«Bene, allora, purché non si offendano.»

«No, niente del genere. Suzi e io vi racconteremo ogni dettaglio quando torneremo.»

«Dio..., il matrimonio è stato fantastico, non è vero, Signora?»

«Mi è piaciuto molto e penso anche a tutti gli altri.»

«Dovrò pagare le spese per il resto della mia vita.»

«Sciocchezze, Jimmy. Ha una figlia sola ed è stata proprio una gran festa. La gente ne parlerà per anni.»

«Ci sono voluti parecchi giorni affinché si riprendessero dalla sbronza», disse, illuminandosi al pensiero della sua leggendaria ospitalità. «Spero che Suzi e Lou escano da quel letto e arrivino in tempo all'aeroporto.»

«Oh, sa come sono gli sposini...» commentò diplomaticamente Signora.

«Sono stati in quel letto per un bel po' di mesi, prima di diventare sposini», aggiunse Jimmy Sullivan in tono di disapprovazione. Gli seccava sempre che Suzi fosse così poco contrita riguardo alla sua cattiva condotta.

Quando si ritrovò da sola all'aeroporto, Signora sedette e tirò fuori le targhette che aveva preparato. Su ognuna c'era stampato VISTA DEL MONTE e il nome di una persona. Così nessuno si sarebbe perso. Erano quarantadue persone, compreso lei e Aidan Dunne, il numero giusto per riempire il pullman che doveva andarli a prendere. Si chiese chi sarebbe arrivato per primo. Forse Lorenzo? O forse Aidan? Aveva detto che l'avrebbe aiutata a distribuire le targhette.

Ma fu Costanza. «Ecco la mia compagna di camera», esclamò con entusiasmo quando vide Signora e si attaccò la targhetta sulla giacca.

«Avresti potuto facilmente permetterti una stanza singola, Costanza», disse Signora, cosa che non le aveva mai detto prima.

«Sì, ma poi con chi avrei chiacchierato... Non è questo la metà del divertimento in un viaggio?»

Prima di poter replicare, Signora vide giungere gli altri. Molti di loro erano arrivati con l'autobus dell'aeroporto. Vennero a ritirare le loro targhette e sembrarono compiaciuti di vedere che appartenevano a un luogo che suonava così elegante.

«Nessuno in Italia saprà che razza di umida scuola sia 'Vista del Monte' in realtà», commentò Lou.

«Ehi, Luigi, sii onesto, quest'anno è migliorata un bel po'.» Aidan si stava riferendo ai lavori di restauro, alla tinteggiatura e al nuovo capannone per le biciclette. Tony O'Brien aveva realizzato tutto quello che aveva promesso.

«Scusi, Aidan, non mi sono reso conto che era a portata d'orecchio», rise Lou. Aidan era stato di buona compagnia al matrimonio. Aveva cantato il brano d'opera *La donna è mobile* di cui sapeva tutte le parole.

Brenda era venuta all'aeroporto a salutarli. Signora si era commossa. «Sei così buona con me. Forse perché tutti gli altri hanno una famiglia normale.»

«No, non è vero.» Brenda Brennan accennò con la testa ad Aidan che stava parlando con Luigi. «Lui, per esempio, non ce l'ha. Ho chiesto a quella noiosa di sua moglie perché non veniva a Roma con tutti voi; lei ha alzato le spalle e ha detto che, in ogni caso, non si sarebbe divertita. Ti sembra normale?»

«Povero Aidan», commentò con compassione Signora.

Poi fu annunciato il volo.

La sorella di Guglielmo stava salutando tutti con la mano. Per Olive andare all'aeroporto era già una festa. «Mio fratello è un direttore di banca e vedrà il Papa», raccontava agli estranei.

«Be' se metterà le mani su un po' di quel denaro, saranno molto contenti di lui», commentò un passeggero. Bill sorrise e insieme a Lizzie salutò con la mano Olive finché non sparì dalla loro vista.

«Quarantadue persone! Finiremo senz'altro per perderne almeno una», disse Aidan.

«Com'è ottimista! Io continuo a pensare che li perderemo tutti.» Signora sorrise.

«Ma il sistema di conteggio dovrebbe funzionare.» Aidan cercava di apparire più convinto di quanto in realtà fosse. Li aveva divisi in quattro gruppi di dieci e aveva assegnato a ognuno un capo. Quando arrivavano in qualche posto oppure lo lasciavano, il capo doveva riferire che tutti erano presenti. Con i bambini e i ragazzi funzionava, ma gli adulti avrebbero potuto offendersi.

Tuttavia non sembrarono affatto infastiditi, anzi, alcuni lo accolsero positivamente.

«Si figuri, Lou è uno dei capi», disse Suzi con ammirazione a Signora.

«Be', un uomo sposato e responsabile come Luigi! Chi potrebbe farlo meglio di lui?» disse la donna più anziana. La verità naturalmente era che lei e Aidan lo avevano scelto per via del suo cipiglio minaccioso. Nessuno del suo gruppo sarebbe arrivato in ritardo.

Li fece marciare verso l'aereo come se li stesse portando alla guerra.

«Volete mostrare i passaporti?» chiese. Tutti eseguirono obbedienti. «E adesso riponeteli e non toccateli finché non saremo a Roma.»

Sull'aereo gli annunci vennero fatti sia in inglese sia in italiano. Signora li aveva preparati in proposito, per cui le indicazioni risultarono familiari e le ripeterono con la hostess in italiano. Gli occhi di Aidan incontrarono quelli di Signora. Stava realmente accadendo. Stavano andando a Roma.

Signora era seduta accanto a Laddy. Per lui tutto era nuovo ed eccitante, dalla cintura di sicurezza al vassoio con il pasto.

«I Garaldi saranno all'aeroporto?» chiese ansioso.

«No, Lorenzo. I primi giorni dobbiamo visitare Roma... faremo tutti i giri turistici di cui abbiamo parlato, ricordi?»

«Sì, ma mettiamo che mi vogliano subito?» Il suo faccione era preoccupato.

«Sanno che arrivi. Ho scritto loro che li contatteremo giovedì.»

«Non mangia il suo dessert, Signora?»

«No, Lorenzo. Prendilo tu.»

«Sarebbe un peccato se andasse sprecato.»

Signora disse che adesso avrebbe riposato un po'. Chiuse gli occhi e si raccomandò a Dio, per favore, fa' che tutto vada bene. Che tutti possano trovare il loro momento magico. Che i Garaldi si ricordino di Lorenzo e siano gentili con lui. Aveva messo il cuore nella lettera che aveva «spedito», ma era delusa di non aver avuto risposta.

Il pullman aspettava. «Dov'è il pullman?» chiese Bill in italiano per mostrare che ricordava la frase.

«È lì davanti a noi», rispose Lizzie.

«Lo so, ma volevo dirlo in italiano», spiegò Bill.

«Guarda, le ragazze sono tutte ben fornite...» sussurrò Fiona a Barry, piena di ammirazione mentre si guardava attorno.

«Sì, in verità è piuttosto piacevole a vedersi», ammise Barry sulla difensiva. Questa era la sua Italia, era lui l'esperto del luogo dalla sua precedente visita in occasione della Coppa del mondo e non desiderava che se ne parlasse male.

«No, è fantastico!» continuò Fiona. «Come vorrei che le vedesse

Brigid Dunne… dato il modo in cui si lamenta sempre di sé.»

«Potresti dire a suo padre di riferirglielo.» Barry dubitava dell'opportunità di quell'idea.

«Non posso, naturalmente capirebbe che abbiamo parlato di lei. Ha detto che l'albergo sarà abbastanza buono. Che non rimarremo delusi.»

«Io non rimarrò sicuramente deluso», dichiarò Barry, cingendo Fiona con un braccio.

«E neanch'io. Sono stata in albergo una volta sola, a Maiorca. Ed era così rumoroso che nessuno di noi riuscì a dormire, così ci alzammo tutti e ritornammo alla spiaggia.»

«Immagino che abbiano dovuto tenere i prezzi bassi.» Barry era terrorizzato che Fiona muovesse delle critiche.

«So che è a buon mercato, inoltre Brigid mi ha detto che è andata da lei una mezza pazza che voleva sapere dove alloggiavamo: si dev'essere quindi sparsa la voce che avevamo speso bene il nostro denaro.»

«Voleva unirsi al gruppo?»

«Brigid le ha detto che non poteva, che avevamo prenotato da tempo a queste condizioni. Ma lei ha insistito per sapere il nome dell'albergo.»

«Sei mai stata in un albergo, Fran?» chiese Kathy sul pullman.

«Due volte, secoli fa.» Fran era vaga.

Ma Kathy insisté. «Non me l'hai mai detto.»

«È stato a Cork, con Ken, se proprio vuoi saperlo.»

«Oh, quando hai detto che stavi con una compagna di scuola?»

«Sì. Non volevo che pensassero che sfornassi un altro figlio da affidare a loro.» Fran le diede un'affettuosa gomitata.

«Saresti troppo vecchia per questo tipo di cosa!»

«Senti, se mi rimetto per un po' con Ken in America, adesso che hai vinto il biglietto… potrei sfornare una sorellina o un fratellino da portare a casa con noi.»

«O magari con cui rimanere lì?» disse Kathy.

«È un biglietto di andata e ritorno, ricordi?»

«Non nascono in una notte, ricordi?» ribatté Kathy.

Risero, additandosi a vicenda le cose più interessanti, finché il pullman si fermò davanti a un edificio in via Giolitti.

* * *

Signora si alzò in piedi e iniziò con il conducente un'animata conversazione.

«Gli sta dicendo che ci deve lasciare all'albergo, non qui al terminal dell'aeroporto», spiegò Suzi.

«Come lo sai? Non frequenti neanche il corso serale.» Lou era stupito.

«Oh, quando si fa la cameriera, prima o poi si impara a capire tutto. E se a casa lo parli sempre, impari qualche parola qua e là.» Quella sembrava una spiegazione più plausibile.

E Suzi aveva ragione. Il pullman ripartì e li lasciò al loro albergo. Signora rivolse loro un ampio sorriso.

Li aveva condotti a Roma senza disastri, l'albergo aveva la prenotazione e tutta la comitiva era di ottimo umore. La sua ansia era inutile. Presto si sarebbe rilassata e sarebbe stata contenta di essere nuovamente in Italia, con i suoi colori, i suoi suoni e la sua eccitazione. Cominciò a respirare più facilmente.

L'albergo non era certo uno dei più eleganti di Roma, ma la sua accoglienza fu splendida. Il proprietario e la moglie si profusero in lodi per il loro buon italiano e li accompagnarono nelle loro camere.

Connie appese con cura gli abiti nel piccolo armadio. Fuori dalla finestra poteva vedere tetti e finestre di alti edifici nelle stradine che portavano in piazza dei Cinquecento. Si lavò nel lavandino della stanza. Erano anni che non scendeva in un albergo senza bagno personale. Ma erano anche anni che non faceva un viaggio tanto a cuor leggero. Non si sentiva superiore a quella gente perché aveva più denaro. Non era neanche lontanamente tentata di affittare una macchina, cosa che avrebbe potuto fare facilmente, oppure offrire loro un pasto in un ristorante a cinque stelle. Era ansiosa di seguire i programmi che Signora e Aidan Dunne avevano preparato nei dettagli. Come tutti gli altri partecipanti al corso serale, Connie sentiva che la loro amicizia era molto di più di un semplice rapporto professionale. Nessuno era rimasto sorpreso dal fatto che la moglie di Aidan non si fosse unita al gruppo.

«Signor Dunne, telefono», chiamò la moglie del proprietario dalle scale.

Aidan aveva consigliato Laddy di non suggerire subito di lucidare le maniglie delle porte, potevano aspettare qualche giorno.

«Che siano i suoi amici italiani?» chiese Laddy.

«No, Lorenzo, non ho amici italiani.»

«Ma è già stato qui.»

«Sì, un quarto di secolo fa, nessuno mi ricorderebbe.»

«Io ho degli amici qui», asserì Laddy, orgoglioso. «E Bartolomeo ha conosciuto delle persone durante il suo soggiorno per la Coppa del mondo.»

«Magnifico», commentò Aidan. «Sarà meglio che vada a vedere chi mi vuole.»

«Papà?»

«Brigid? Tutto bene?»

«Certo. Allora siete arrivati bene?»

«Sì, tutti interi. È una serata meravigliosa, tra poco andremo in piazza Navona a berci qualcosa.»

«Bene, sono sicura che sarà fantastico.»

«Sì, Brigid, c'è qualcosa...?»

«Probabilmente è stupido, papà, ma una strana donna è venuta due volte per sapere in quale albergo alloggiavate. Non sarà niente, ma non mi è piaciuta, sembrava un po' svitata.»

«Ha detto il perché?»

«Ha detto che si trattava di una semplice domanda e che era meglio che le rispondessi e le dessi il nome dell'albergo oppure avrebbe parlato con il mio capo.»

«E tu, che cosa hai fatto?»

«Be', papà, mi è parso che fosse un po' tocca, così ho risposto di no. Le ho detto che mio padre si trovava lì e che se voleva far avere un messaggio a qualcuno del gruppo mi sarei messa in contatto io con te.»

«Bene, tutto a posto allora.»

«No, per niente. È andata dal capo e gli ha detto che aveva urgenza di contattare Mr Dunne del gruppo Mountainview e lui le ha dato il nome dell'albergo e a me una lavata di capo.»

«Deve conoscermi, se sa il mio nome.»

«No, ho visto che leggeva il mio nome, Brigid Dunne, sulla targhetta. Senti, volevo solo dirti...»

«Dirmi che cosa, Brigid?»

«Che è una mezza pazza, per cui stai con gli occhi aperti.»

«Grazie mille, mia cara, cara Brigid», concluse lui, rendendosi conto che era da molto che non la chiamava così.

La serata era tiepida quando uscirono e si accinsero a passeggiare per Roma.

«Stasera ci diamo alle mondanità… andiamo a bere qualcosa nella famosa piazza Navona. Domani ci occuperemo di arte e di religione per quelli che lo desiderano. Quelli che invece preferiscono andare in giro per conto loro o sedersi a bere un caffè, possono farlo.» Signora era ansiosa di ricordar loro che non erano intruppati, ma lesse nei loro occhi che volevano vedere quante più cose possibili. Così raggiunsero la piazza e sedettero tranquilli, tutti e quarantadue, ad ammirare il tramonto romano.

Signora era accanto ad Aidan. «Nessun problema con la telefonata?» chiese con una certa inquietudine.

«No, no. Solo Brigid che voleva sapere se eravamo contenti dell'albergo. Le ho detto che è magnifico.»

«Brigid è stata di grande aiuto, ci teneva moltissimo che questo viaggio si rivelasse un successo, per lei, Aidan, e per tutti noi.»

«E così sarà.» Sorseggiarono i caffè. Qualcuno prese una birra, altri una grappa. Signora aveva detto che i prezzi erano piuttosto alti e aveva consigliato loro di ordinare una cosa sola. Dovevano tenersi un po' di soldi da spendere quando sarebbero andati a Firenze e a Siena. Sorrisero quasi increduli quando fece questi nomi. Erano realmente in Italia per il loro viaggio? Sì, non si trattava più di una conversazione in classe durante un piovoso martedì o un freddo giovedì.

«Sì, sarà un successo, Aidan», asserì Signora.

«Brigid ha aggiunto qualcos'altro. Non voleva che ci preoccupassimo, ma è andata all'agenzia una mezza pazza. Voleva sapere dove alloggiavamo. Brigid ha pensato che fosse qualcuno che poteva causare guai.»

Signora scrollò le spalle. «Li abbiamo portati fin qui, possiamo affrontare qualsiasi cosa ormai, non crede?»

In piccoli gruppi, i componenti del corso serale si misero in posa davanti alla fontana dei Fiumi.

Aidan le prese la mano. «Ora possiamo affrontare qualsiasi cosa», disse.

«È arrivata la sua amica, signor Dunne», annunciò la padrona dell'albergo quando tornarono.

«Amica?»

«La signora proveniente dall'Irlanda. Ha voluto solo controllare l'albergo e accertarsi che alloggiaste tutti qui.»

«Ha lasciato il nome?» chiese Aidan.

«Nessun nome, le interessava soltanto sapere se alloggiavate tutti qui. Le ho detto che domani mattina andrete a fare un giro turistico in pullman. Giusto?»

«Giusto», rispose Aidan.

«Aveva l'aria di una pazza?» chiese in tono casuale.

«Pazza, signor Dunne? No, no, per niente», rispose la donna.

«Tutto bene, allora.»

«Tutto bene», ripeté Signora, sorridendo.

I più giovani avrebbero sorriso se avessero saputo quanto aveva significato per loro sedere mano nella mano a veder spuntare le stelle su piazza Navona.

Il giro turistico per la città doveva trasmettere loro l'atmosfera di Roma, disse Signora, poi coloro che lo desideravano avrebbero potuto tornare con comodo a visitare dei luoghi particolari. Non tutti avevano voglia di trascorrere tante ore nei Musei vaticani.

Signora disse anche che, dal momento che la prima colazione era molto ricca, molta gente si preparava dei tramezzini con formaggio o salumi da mangiare più tardi. E poi ci sarebbe stata un'abbondante cena, nel ristorante non lontano dall'albergo. Ripeté che nessuno era obbligato ad andare. Ma sapeva che ci sarebbero andati tutti.

Non fu fatto cenno alla donna che era passata a cercarli.

Signora e Aidan erano troppo occupati a discutere l'itinerario con l'autista per pensarci.

Ci sarebbe stato il tempo per scendere e buttare una moneta nella famosa fontana di Trevi? Il pullman sarebbe riuscito a parcheggiare vicino alla Bocca della verità? Al gruppo sarebbe piaciuto infilare le mani nella bocca del grande viso di pietra che, si diceva, mangiava le dita dei bugiardi. Li avrebbe lasciati in cima o ai piedi della scalinata di piazza di Spagna? Non avevano tempo di pensare alla donna che li stava cercando. Chiunque essa fosse.

Quando tornarono esausti dal giro, ebbero due ore di riposo prima di ritrovarsi per la cena. Signora si diresse verso il ristorante, lasciando Connie addormentata in camera. Voleva controllare il menu e l'organizzazione.

Sulla porta vide un biglietto listato di nero con scritto: «Chiuso per lutto di famiglia». Si sentì cogliere da un impeto di rabbia. Perché non morire in un altro momento? Perché morire proprio mentre quarantadue irlandesi stavano per arrivare a cena? Adesso aveva meno di un'ora per trovare un altro posto. Non provava alcuna pietà per la famiglia in lutto, soltanto rabbia. E perché nessuno aveva telefonato all'albergo, come aveva detto di fare, se ci fosse stato qualche contrattempo?

Percorse su e giù le strade attorno alla stazione Termini. Alberghetti, alloggi a buon mercato per gente che scendeva dai treni, ma nessun ristorantino allegro come quello che aveva prenotato. Mordendosi il labbro, si avviò verso un locale chiamato *Catania*. Doveva essere siciliano. Che fosse di buon auspicio? Poteva affidarsi al buon cuore del gestore e spiegare che entro un'ora e mezza quarantadue irlandesi si aspettavano un lauto pasto e un buon prezzo. Non le restava che tentare.

«Buona sera», disse.

Il ragazzo tarchiato dai capelli neri alzò lo sguardo. «Signora?» disse. Poi la guardò di nuovo, incredulo. «Signora?» ripeté. «Non è possibile, Signora», disse ancora dirigendosi verso di lei con le mani tese. Era Alfredo, il figlio maggiore di Mario e Gabriella. Era entrata in quel ristorante per caso. La baciò sulle guance. «È un miracolo!» esclamò e le indicò una sedia.

Signora sedette. Si sentiva così stordita che si aggrappò al tavolo per non cadere.

«Stock 84», disse Alfredo e le versò un bicchiere del forte brandy italiano.

«Oh, grazie...» Signora lo portò alla bocca e sorseggiò il liquore. «È il tuo ristorante, Alfredo?» chiese.

«No, Signora, lavoro qui. Lavoro per guadagnare...»

«Ma il tuo albergo? L'albergo di tua madre? Perché non lavori lì?»

«Mia madre è morta, Signora. È morta sei mesi fa. I suoi fratelli, i miei zii, cercano di intromettersi, di prendere decisioni... ma non sanno niente. Noi non possiamo far niente. C'è ancora Enrico, ma è un bambino, mentre l'altro fratello che è andato in America non torna. Io sono venuto a Roma per guadagnare di più.»

«Tua madre è morta? Povera Gabriella. Che cosa le è successo?»

«Un cancro, molto, molto veloce. È andata dal medico solo un mese dopo la morte di papà.»

«Mi dispiace tanto», disse Signora. «Non riesco a dirti quanto mi dispiaccia.» E all'improvviso fu troppo per lei, Gabriella che moriva adesso, invece di anni fa, il forte cognac in gola, nessun posto dove andare quella sera, Mario nella tomba vicino ad Annunziata. E pianse, mentre Alfredo le accarezzava la testa.

Nella sua stanza Connie era sdraiata sul letto con gli asciugamani bagnati avvolti attorno ai piedi. Perché non aveva portato con sé del balsamo per i piedi, o quelle scarpe da passeggio morbide come guanti? Non aveva voluto disfare una borsa piena di costosi cosmetici o di eleganti abiti davanti alla semplice Signora, ecco perché. Ma chi avrebbe capito che le sue morbide scarpe erano costate quanto nessuno dei suoi compagni di viaggio riusciva a guadagnare in tre settimane? Avrebbe dovuto portarle, adesso le rimpiangeva. Domani avrebbe potuto andarsene di nascosto in via Veneto e regalarsi un bel paio di scarpe italiane. Nessuno se ne sarebbe accorto e anche se se ne fossero accorti? Non era gente ossessionata dalla ricchezza o dalla differenza sociale. Non erano tutti come Harry Kane.

Che strano poter pensare a lui senza provare tutte quelle emozioni. Alla fine dell'anno sarebbe uscito di prigione. Aveva saputo dal vecchio Mr Murphy che intendeva andare in Inghilterra. Degli amici si sarebbero occupati di lui. Siobhan Casey sarebbe andata con lui? Aveva fatto delle indagini, chiedendo come si chiede di persone estranee che significano poco, o di personaggi televisivi. Quando lui l'aveva saputo, c'era stato un raffreddamento nei rapporti. Sapeva anche che si era rifiutato di vedere Miss Casey quando era andata a trovarlo in prigione. Evidentemente la incolpava di tutto quello che gli era successo.

Connie Kane non aveva provato un gran piacere sentendolo. In un certo senso sarebbe stato più facile pensare a lui con un'altra donna a cui era legato da sempre.

Udì bussare alla porta. Signora doveva essere già tornata. Ma no, era la proprietaria dell'albergo. «C'è una lettera per lei», disse.

Era una semplice cartolina. «Potresti facilmente morire nel traffico romano e nessuno sentirebbe la tua mancanza.»

I capi stavano contando i partecipanti al viaggio per andare a pranzo. Erano presenti tutti tranne tre, Connie, Laddy e Signora. Pensarono che Connie e Signora fossero insieme e che dovessero arrivare da un momento all'altro.

Ma dov'era Laddy? Aidan non era salito nella camera che dividevano. Forse Laddy si era addormentato. Aidan salì le scale ma non riuscì a trovarlo.

In quel momento arrivò Signora, pallida e con la notizia che il luogo di ritrovo era stato cambiato, ma il prezzo no. Era riuscita a prenotare al ristorante *Catania*. Aveva l'aria stressata e preoccupata. Aidan non volle parlare della scomparsa di Laddy. In quel momento Connie scese le scale, profondendosi in scuse. Era pallida e ansiosa. Aidan si chiese se non fosse troppo per quelle donne: il caldo, il traffico, l'eccitazione. Ma poi si rese conto di aver lavorato di fantasia. Era compito suo trovare Laddy. Avrebbe preso il nome del ristorante e li avrebbe raggiunti più tardi. Signora gli diede un biglietto. Mentre glielo porgeva le tremava la mano.

«Tutto bene, Nora?»

«Bene, Aidan», rispose lei.

* * *

Percorsero la strada chiacchierando e Aidan cominciò a cercare Laddy. Il proprietario dell'albergo conosceva già il signor Lorenzo: si era offerto di pulire i vetri con lui. Un signore molto gentile. Anche lui lavorava in un albergo in Irlanda. Era contento di sentire che c'era stata una visita per lui.

«Una visita?»

«Be', era venuto qualcuno a lasciare una lettera per un membro del gruppo irlandese. Il signor Lorenzo aveva detto che doveva essere il messaggio che aspettava ed era molto contento.»

«Ma era per lui il messaggio?»

«No, signor Dunne. Mia moglie gli ha detto di aver consegnato la lettera a una delle signore e il signor Laddy ha replicato che si trattava di un errore, che era sicuramente per lui. Ma non c'era problema, ha aggiunto, conosceva l'indirizzo, quindi se n'è andato.»

«Mio Dio», esclamò Aidan Dunne. «L'ho lasciato solo per venti minuti e lui crede che quella dannata famiglia abbia mandato qualcuno a cercarlo. Oh Laddy, sarò nei guai per colpa tua.»

Prima dovette andare al ristorante dove tutti stavano fotografando lo striscione che diceva: «Benvenuti, irlandesi».

«Ho bisogno dell'indirizzo dei Garaldi», sussurrò a Signora.

«No. Non può essere andato là.»

«Così sembra, invece.»

Signora lo guardò preoccupata. «Sarà meglio che vada io.»

«No, ci vado io. Lei rimanga qui a sorvegliare la cena.»

«Lasci fare a me, Aidan. Parlo la lingua, sono io che gli ho scritto.»

«Allora andiamo tutti e due», suggerì lui.

«A chi affidiamo la responsabilità? A Costanza?»

«No, c'è qualcosa che la turba. Vediamo. Francesca e Luigi mi sembra che siano i più adatti.»

Fu passata la voce. Signora e Mr Dunne erano andati in cerca di Lorenzo e ora c'erano due nuovi capi, Francesca e Luigi.

«Perché quei due?» mormorò qualcuno.

«Perché eravamo i più vicini», rispose Fran modestamente.

«E i migliori», aggiunse Luigi, un ragazzo che voleva primeggiare.

* * *

Presero un taxi e raggiunsero la casa dei signori Garaldi. «È perfino più elegante di quanto pensassi», osservò Signora.

«Senz'altro non è mai entrato in un posto come questo.» Aidan sembrò colpito dal grande ingresso di marmo e dal cortile retrostante.

«Vorrei parlare con qualcuno della famiglia», disse Signora al portiere in uniforme, con una sicurezza che non provava da molto tempo. L'uomo le chiese nome e motivo, andò al telefono e parlò. Sembrò impiegarci un'eternità.

«Spero che se la stiano cavando al ristorante», disse Signora.

«Ma certo. È stata bravissima a trovare un posto così in fretta. Sembrano molto cordiali.»

«Sì, sono stati straordinari.» Sembrava lontana mille miglia.

«Tutti sono così gentili, ovunque. È veramente fantastico», osservò Aidan.

«Pensi che conoscevo il padre del cameriere. Sembra quasi incredibile!»

«Quando era in Sicilia?»

«Sì.»

«E lei conosceva il figlio?»

«Da quando è nato... L'ho visto andare in chiesa per essere battezzato.»

Tornò il portiere. «Il signor Garaldi dice che la cosa è molto confusa e desidera parlarle personalmente.»

«Sì, è meglio se entriamo, non posso spiegare le cose al telefono», convenne Signora in italiano. Aidan capì e si meravigliò del suo coraggio. Ma era un po' sconcertato dalla riscoperta di un passato siciliano.

Attraversarono un cortile con una grande fontana al centro e salirono per un maestoso scalone fino a un'imponente porta. Quelle erano persone decisamente ricche. Ma Laddy era davvero entrato lì?

Furono introdotti in un'anticamera e subito un uomo dall'aria irata venne loro incontro in cerca di spiegazioni. Attraverso una porta aperta videro in una stanza comunicante una signora che cercava di calmarlo e, completamente perso, il povero Laddy che sedeva sullo sgabello del pianoforte.

Vedendoli, si illuminò in viso. «Signora», esclamò. «Mr Dunne. Adesso potrete spiegare voi tutto. Non ci crederete, ma ho dimenticato il mio italiano. Sono riuscito solo a dire i giorni della settimana, le stagioni e a ordinare il piatto del giorno. È stato terribile.»

«Stai calmo, Lorenzo», gli disse Signora.

«Vogliono sapere se sono io O'Donoghue, continuano a scriverlo.» Non era mai parso tanto ansioso e agitato.

«Per favore, Laddy, sono io O'Donoghue, questo è il mio nome, ecco perché hanno creduto che fossi tu. È così che ho firmato la lettera.»

«Ma lei non è O'Donoghue», esclamò Laddy. «Lei è Signora.»

Aidan passò un braccio intorno alle spalle tremanti di Laddy e lasciò che Signora parlasse ai Garaldi. La spiegazione fu chiara e tranquilla. Raccontò dell'uomo che aveva trovato il loro denaro in Irlanda un anno prima, un uomo che lavorava come facchino in un albergo e che aveva creduto che le loro gentili parole di gratitudine fossero un invito a venire in Italia. Parlò anche degli sforzi che aveva fatto per imparare l'italiano. Spiegò chi erano lei e Aidan e disse che quella sera avevano ricevuto un messaggio in albergo. Laddy aveva creduto che fosse per lui, da parte loro. Adesso se ne sarebbero andati, ma forse il signor Garaldi e la sua famiglia avrebbero potuto compiere un gesto di cortesia per mostrare a Laddy che si ricordavano della sua gentilezza e della sua onestà nel restituire il rotolo di banconote. Denaro che molta gente non si sarebbe sentita in dovere di restituire.

Aidan in piedi, cingendo le spalle tremanti di Laddy, rifletté sulle strane svolte della vita. Come sarebbe andata, se fosse diventato preside di Mountainview? L'aveva desiderato tanto, non molto tempo prima. Adesso si rendeva conto di quanto l'avrebbe invece detestato. Non avrebbe mai avuto in tasca quegli appunti per la lezione al Foro romano, non si sarebbe mai trovato lì in quella sontuosa dimora romana a rassicurare un agitato facchino d'albergo e a guardare con orgoglio e ammirazione quella strana donna che occupava un posto così importante nella sua vita. Aveva riportato comprensione e cordialità sul volto dell'uomo che solo poco prima era parso perplesso e seccato.

«Lorenzo», disse il signor Garaldi, avvicinandosi a Laddy. «Lorenzo, amico mio.» Lo baciò su entrambe le guance.

«Signor Garaldi», ripeté Laddy in italiano, abbracciandolo. «Amico mio.»

Ci fu una veloce spiegazione e anche il resto della famiglia capì che cos'era successo. Furono portati del vino e dei salatini.

Laddy adesso era raggiante. «Giovedì», continuava a ripetere allegramente in italiano.

«Che cosa vuol dire?» chiese il signor Garaldi, alzando il bicchiere per brindare.

«Gli ho detto che ci saremmo fatti vivi con lei quel giorno, perché volevo impedirgli di venire qui per conto suo. Ho scritto nella mia lettera che saremmo passati a casa vostra giovedì, per dieci minuti. Non l'ha ricevuta?»

Il signor Garaldi sembrò vergognarsi. «Devo confessarle che ricevo così tante lettere con richieste di aiuto che ho pensato che si trattasse di qualcosa del genere. Se fosse venuto, gli avrei dato del denaro. Deve perdonarmi, ma non l'ho letta bene. E ora ne provo vergogna.»

«No, la prego. Lorenzo potrebbe venire comunque giovedì? Ci tiene tanto e magari potrei fargli una fotografia con lei, in modo che poi la possa mostrare in giro.»

Il signor Garaldi e la moglie si scambiarono un'occhiata. «Perché non venite tutti giovedì, a bere qualcosa e a festeggiare?»

«Siamo in quarantadue», rispose Signora.

«Queste case sono state costruite per riunioni del genere», ribatté l'uomo con un leggero inchino.

Fu chiamata una macchina e presto attraversarono Roma diretti al ristorante. Signora e Aidan si guardarono, orgogliosi come genitori che abbiano salvato un figlio da una brutta situazione.

«Vorrei che mia sorella potesse vedermi», disse Laddy.

«Sarebbe stata contenta?» chiese Signora in tono affettuoso.

«Be', sapeva che sarebbe accaduto. Siamo andati da un'indovina che ha detto che si sarebbe sposata, avrebbe avuto un bambino e sarebbe morta giovane; che io sarei stato bravo nello sport e che avrei attraversato il mare. Perciò non sarebbe stata una sorpresa, ma è un peccato che non sia vissuta abbastanza per vederlo.»

«Davvero! Ma forse adesso ti vede.» Aidan voleva essere rassicurante.

«Non sono sicuro che ci sia gente in cielo, Mr Dunne», disse Laddy.

«Davvero? Io ne sono sicuro ogni giorno di più», affermò Aidan.

* * *

Al ristorante avevano cantato *Low lie the fields of athenry* e, alla fine, i camerieri ammirati applaudirono fragorosamente. Quando il terzetto entrò ci fu un grido di benvenuto.

Alfredo corse a prendere la minestra.

«Brodo», disse Laddy in italiano.

«Passiamo direttamente alla portata principale, se volete», suggerì Aidan.

«Mi scusi, Mr Dunne. Sono io il responsabile e dico che Lorenzo deve avere la sua minestra.»

Luigi non era mai parso tanto feroce. Aidan si intimidì e disse che naturalmente c'era stato un errore. «D'accordo, allora», concluse Luigi con generosità.

Fran spiegò a Signora che uno dei camerieri più giovani continuava a chiedere a Kathy di uscire con lui più tardi e lei era preoccupata. Signora poteva dire che alla fine della serata dovevano tornare tutti insieme?

«Certo, Francesca», rispose Signora. Non era straordinario? Nessuno aveva chiesto che cosa fosse successo a Laddy. Avevano semplicemente pensato che, in qualsiasi situazione si fosse cacciato, lei e Aidan lo avrebbero tratto in salvo.

«Grazie a Lorenzo, siamo stati tutti invitati a un party giovedì», spiegò. «In una casa stupenda.»

«Giovedì», ripeté Laddy, perché nessuno sbagliasse il giorno. Sembrarono dare anche quello per scontato. Signora finì rapidamente la sua minestra. Si guardò in giro in cerca di Costanza e la vide, non animata come al solito, ma con un'aria assente. Doveva essere successo qualcosa, ma Costanza era una persona molto riservata e non avrebbe mai detto di che cosa si trattava.

Anche Signora era così, non avrebbe indagato.

Alfredo annunciò che ci sarebbe stata una sorpresa per tutti gli ospiti. Una torta con la bandiera irlandese; l'avevano preparata in loro onore, perché serbassero un buon ricordo dell'Italia. Conoscevano la bandiera irlandese fin dai tempi della Coppa del mondo.

«Non so come ringraziarti, Alfredo, per averci reso la serata così speciale.»

«Può farlo, Signora. Può venire a parlare con me domani?»

«Domani no, Alfredo, il signor Dunne terrà la lezione su Roma antica.»

«Lei può ascoltare il signor Dunne in qualsiasi momento. Io ho solo pochi giorni per parlarle. La prego, Signora.»

«Forse capirà.» Signora guardò in direzione di Aidan. Le sarebbe spiaciuto deluderlo. Sapeva quanto si fosse impegnato per quella lezione. Si era proposto che tutti potessero vedere com'era Roma ai tempi degli imperatori, delle bighe, del Colosseo e dell'Arco di trionfo. Ma il ragazzo sembrava davvero molto ansioso, come se avesse qualcosa di estremamente importante da dirle. In nome del passato doveva ascoltarlo.

Signora riuscì facilmente a riportare Caterina in albergo, lontano dalle mire del cameriere, dicendo semplicemente ad Alfredo di richiamare il ragazzo. Con i suoi languidi occhi aveva implorato Caterina di uscire con lui, magari un'altra sera. Prima di lasciarla andare le aveva baciato la mano e donato una rosa rossa.

Connie non aveva ancora risolto il mistero del messaggio. La proprietaria dell'albergo disse che chi aveva lasciato il biglietto aveva chiesto che venisse consegnato proprio alla signora Kane. Ma né lei né suo marito sapevano se fosse stato un uomo o una donna. Sarebbe rimasto un mistero, aveva affermato l'uomo. La notte rimase sveglia per la preoccupazione. Si chiedeva perché alcune cose dovessero sempre rimanere avvolte nel mistero. Aveva voglia di parlarne a Signora, ma non voleva intromettersi nella vita di una donna così riservata.

«No, naturalmente, se ha dei problemi personali. Problemi che hanno a che vedere con la Sicilia», disse Aidan il giorno seguente.

«Mi dispiace molto, Aidan. Ci tenevo veramente.»

«Certo.» Si girò in modo che lei non potesse notare la delusione dipinta sul suo volto, ma troppo tardi. Signora l'aveva vista.

«Non siamo obbligati ad andare a questa lezione», disse Lou, attirando Suzi nuovamente a letto.

«Voglio andarci.» La ragazza cercò di alzarsi.

«Ad ascoltare degli antichi romani, dei vecchi templi... non è necessario che tu ci vada.»

«Mr Dunne la sta preparando da settimane e comunque a Signora farebbe piacere che fossimo presenti.»

«Non ci andrà neanche lei», ribatté Lou.

«Come fai a saperlo?»

«L'ho sentita che lo diceva ieri sera», rispose Lou. «Mr Dunne era aspro come il limone.»

«Strano, non è da lei.»

«Be', così anche noi non siamo obbligati ad andare», aggiunse Lou, sistemandosi ancora più confortevolmente a letto.

«No, invece, dobbiamo proprio andarci per sostenerlo.» Suzi sgusciò dal letto e s'infilò la vestaglia prima che lui potesse protestare.

Lizzie e Bill si stavano preparando con cura i loro sandwich. «Non è un'idea magnifica?» chiese Bill, pensando che fosse una cosa fattibile anche nella vita di tutti i giorni. L'idea di risparmiare in tutti i modi era qualcosa che pregava entrasse nella testa di Lizzie. Durante quella visita si era dimostrata molto assennata e non aveva neanche guardato un negozio di scarpe. Aveva calcolato il costo del gelato in lire italiane e le aveva detto che non era a buon mercato. «Oh, Bill, non essere stupido! Se dovessimo comprare prosciutto, formaggio e una forma di pane come questa per preparare dei sandwich, spenderemmo di più che mangiare un piatto di minestra in un pub, come già facciamo.»

«Forse.»

«Ma quando avrai una posizione importante, allora potremo prendere in considerazione la cosa. Vivremo in albergo o in una villa nostra?»

«In una villa, immagino», rispose Bill cupo. Sembrava tutto così improbabile e lontano dalla realtà.

«Hai già fatto qualche ricerca?»

«Sulle ville?»

«No, sulle possibilità di lavorare per la banca all'estero. Non ricordi che è per questo che stiamo imparando l'italiano?» Lizzie aveva assunto un atteggiamento compassato.

«All'inizio, sì», ammise Bill, «ma adesso lo sto imparando solo perché mi piace.»

«Stai cercando di dirmi che non saremo mai ricchi?» I grandi occhi di Lizzie erano turbati.

«No, non sto dicendo questo. Saremo ricchi, vedrai. Anzi, andrò in alcune banche italiane a informarmi oggi stesso. Credimi, lo farò.»

«Ti credo. Adesso che li ho preparati e incartati, potremo mangiarli dopo la lezione e scrivere le cartoline.»

«Potremo mandare una cartolina anche a tuo padre.»

«Ti intendi bene con lui, non è vero?»

Erano andati a trovarlo a Galway e avevano tentato di riunire i genitori di Lizzie. Se non altro avevano ripreso a parlarsi.

«Sì, mi è piaciuto, è stato molto divertente.» Bill pensò che quello era un modo magistrale per descrivere un uomo che gli aveva quasi frantumato la mano stringendogliela e che gli aveva chiesto in prestito dieci sterline dopo venti minuti che lo conosceva.

«È un tale sollievo che ti piaccia la mia famiglia», commentò Lizzie.

«E a te la mia», disse Bill.

I suoi genitori si stavano abituando ai modi di Lizzie. Indossava gonne più lunghe e scollature meno profonde. Faceva delle domande a suo padre sul modo migliore di tagliare il prosciutto e sulla differenza tra prosciutto cotto e affumicato. Giocava a lungo con Olive, lasciandola quasi sempre vincere. Il matrimonio non sarebbe stato così carico di pericoli come aveva temuto.

«Andiamo a sentire delle vestali», disse Bill con un gran sorriso.

«Che cosa?»

«Lizzie! Non hai letto i tuoi appunti? Mr Dunne ne ha consegnato una copia a ognuno di noi.»

«Dammela», disse Lizzie.

Aidan Dunne aveva disegnato una piccola piantina mettendo in rilievo i luoghi che avrebbero visitato e che lui avrebbe descritto. Lizzie la lesse rapidamente e gliela restituì.

«Credi che vada a letto con Signora?» gli chiese con gli occhi scintillanti.

«Se è così, Lorenzo e Costanza si sentiranno un po' di troppo», ribatté Bill.

Costanza e Signora si erano vestite ed erano pronte a scendere per la colazione. Entrambe avevano la sensazione che delle parole fossero come sospese tra loro.

«Costanza?»

«Sì, Signora?»

«Posso chiederle di prendere appunti quando Mr Aidan parlerà oggi? Non posso andarci. Mi dispiace e penso che dispiaccia anche a lui. Si è molto prodigato...» Il volto di Signora appariva triste.

«Lei non può venire?»

«Non posso.»

«Sono sicura che capirà, ma io presterò molta attenzione a quanto dirà e poi le racconterò tutto.» Ci fu una pausa, poi Connie parlò di nuovo. «Signora?»

«Sì, Costanza?»

«Per caso... ha mai sentito qualcuno nel nostro gruppo parlar male di me, con risentimento, o che ha perso del denaro con mio marito o qualcosa del genere?»

«No, mai. Non ho mai sentito nessuno dire qualcosa su di lei. Perché me lo chiede?»

«Qualcuno mi ha lasciato un biglietto orribile. Probabilmente si tratta di uno scherzo, ma mi ha sconvolta.»

«Che cosa diceva? La prego, parli.»

Connie glielo mostrò. Gli occhi di Signora si riempirono di lacrime. «Quando è successo?»

«È stato lasciato all'albergo ieri sera prima che uscissimo. Nessuno sa chi l'ha lasciato. L'ho chiesto ai proprietari, ma non lo sanno.»

«Non può essere qualcuno di questo gruppo, Costanza. Questo è certo.»

«Ma chi altri sa che siamo a Roma?»

Signora ricordò qualcosa. «Aidan ha detto che a Dublino una mezza pazza ha chiesto in che albergo alloggiavamo. Che sia questo il motivo? Qualcuno che ci ha seguiti fin qui?»

«È difficile crederlo. Anzi, direi, piuttosto inverosimile.»

«Ma è ancor più difficile pensare che sia un membro del nostro gruppo», ribatté Signora.

«Perché io? Adesso? E proprio a Roma?»

«C'è qualcuno che ha subìto un torto?»

«Centinaia, a causa di quello che ha fatto mio marito Harry. Ma ora è in prigione...»

«Qualche pazza, magari con problemi mentali?»

«Non che io sappia.» Connie si dette deliberatamente una scrollata. Doveva smetterla di fare congetture e preoccupare anche Signora. «Camminerò lontano dal traffico e starò attenta. Stia tranquilla, Signora, prenderò appunti. Glielo prometto, sarà come se lei fosse lì.»

«Alfredo, spero che sia una cosa importante. Non hai idea di quanto abbia addolorato una persona mancando alla sua lezione.»

«Ci saranno molte lezioni, Signora.»

«Questa era speciale, ha richiesto molto impegno a chi l'ha preparata. Dunque?»

Il ragazzo preparò il caffè e sedette accanto a lei. «Signora, ho un grandissimo favore da chiederle.»

Lo guardò, angosciata. Stava per chiederle dei soldi? Lui non poteva sapere che non aveva niente.

Tornata a Dublino non avrebbe avuto un centesimo. Avrebbe dovuto chiedere ai Sullivan di lasciarla rimanere gratis fino a settembre, quando avrebbe ricevuto di nuovo lo stipendio della scuola. Aveva speso tutto quello che aveva per pagarsi quel viaggio. Come poteva quel ragazzo di campagna che faceva il cameriere in uno squallido ristorante di Roma saperlo? Doveva vederla come responsabile di quaranta persone, una donna importante. Potente perfino.

«Non sarà facile. Ci sono tante cose che non sai», incominciò.

«So tutto, Signora. So che mio padre l'amava e che lei amava lui. Che lei sedeva a quella finestra a cucire mentre noi crescevamo. So che si è comportata bene con mia madre e che, sebbene non volesse andarsene, quando mia madre e i miei zii le hanno detto che era ora di farlo, è partita.»

«Sapevi tutto questo?» disse in un sussurro.

«Sì, tutti sapevano.»

«Da quanto tempo?»

«Da sempre.»

«È così difficile crederlo. Pensavo... be', non importa quel che pensavo...»

«Eravamo tutti così tristi quando è partita.»

Alzò il volto e gli sorrise. «Davvero?»

«Sì, tutti. Ci ha aiutati con la sua presenza. Lo sappiamo.»

«Come fate a saperlo?»

«Perché mio padre ha fatto cose che altrimenti non avrebbe fatto. Il matrimonio di Maria, il negozio ad Annunziata, mio fratello che è andato in America... tutto. È stato tutto merito suo.»

«No, non tutto. Tuo padre vi voleva bene. Voleva il meglio per voi. Ne parlavamo. Tutto qui.»

«Avremmo voluto rintracciarla quando è morta la mamma o almeno scriverle per dirglielo. Ma non sapevamo neanche il suo nome.»

«È stato gentile da parte vostra.»

«E adesso... È Dio che la manda qui, lo credo davvero.» Signora rimase in silenzio. «E adesso posso chiederle questo grande, grandissimo favore.» Signora si strinse forte al tavolo, sperando che non le chiedesse dei soldi. Perché non aveva denaro. Anche se la maggior parte delle donne della sua età aveva qualche soldo da parte, anche pochi.

Lei era stata così incurante dei beni materiali. Se avesse avuto qualcosa avrebbe potuto venderlo per quel ragazzo che doveva averne realmente bisogno per chiederlo a lei...

«Il favore, Signora...»

«Sì, Alfredo.»

«Sa qual è?»

«Chiedimi pure, Alfredo e se posso lo farò.»

«Vogliamo che lei torni. Vogliamo che torni a casa, Signora. La casa a cui appartiene.»

* * *

Costanza non fece colazione, ma andò per negozi. Comperò le morbide scarpe che desiderava, una lunga sciarpa di seta per Signora e tagliò l'etichetta dello stilista nel caso Elisabetta riconoscesse il nome e dicesse quanto doveva essere costata. Poi tornò per unirsi alla visita al Foro fomano.

La lezione piacque a tutti. Luigi affermò che riusciva quasi a vedere i poveri cristiani portati al Colosseo, le corse delle bighe, la vita di Roma antica. Mr Dunne aveva detto che era soltanto un vecchio insegnante di latino e promesso di essere breve. Ma quando ebbe terminato, applaudirono tutti e chiesero che proseguisse. Il suo sorriso fu di sorpresa. Rispose a tutte le domande e, di tanto in tanto, guardava Costanza che sembrava agitare una macchina fotografica vicino a lui, senza però mai scattare una foto.

A pranzo si separarono in piccoli gruppi per mangiare i sandwich. Connie osservò Aidan. Non si era portato né panini né altro, si diresse verso un muro, dove sedette guardando assente nel vuoto, rattristato al pensiero che la persona per cui aveva preparato la lezione non fosse venuta.

Connie si chiese se dovesse raggiungerlo oppure no, ma non aveva nulla da dire che potesse in qualche modo aiutarlo. Perciò entrò in un ristorante e ordinò pesce ai ferri e vino. Ma non toccò quasi nulla, chiedendosi invece chi potesse essere venuto da Dublino per spaventarla. Che Harry avesse mandato qualcuno? Era una cosa troppo allarmante su cui soffermarsi. Sarebbe stato assurdo cercare di spiegarlo alla polizia italiana e altrettanto difficile trovare un poliziotto in Irlanda che la prendesse sul serio. Una lettera anonima ricevuta in un albergo a Roma? Impossibile prenderla sul serio. Ma tornò in albergo camminando rasente i muri.

Al suo rientro chiese nervosamente se c'erano altri messaggi.

«No, signora Kane, nessuno.»

* * *

Barry e Fiona stavano andando al bar dove Barry aveva conosciuto tutti quegli italiani durante la Coppa del mondo.

«Hai scritto loro per dire che saremmo venuti?» chiese Fiona.

«No, non è così che va. Ti presenti e sono tutti lì.»

«Tutte le sere?»

«No, ma quasi.»

«Ammettiamo che vengano a cercarti a Dublino, potresti non essere al pub la sera in cui vengono. Non hai nomi e indirizzi?»

«Non sono importanti in cose come queste», rispose Barry.

Fiona si augurò che avesse ragione.

Quella era una serata libera per tutti. Se le cose fossero state diverse, Connie avrebbe potuto andare a guardare le vetrine con Fran e Kathy e bere un caffè in un bar all'aperto. Ma aveva paura di uscire di sera, temendo che qualcuno volesse realmente spingerla contro una macchina.

Se le cose fossero state diverse, Signora e Aidan avrebbero cenato insieme e organizzato insieme la visita al Vaticano per il giorno dopo. Ma lui era triste e abbattuto, mentre lei aveva bisogno di tranquillità per pensare alla sconvolgente proposta che le era stata fatta.

Volevano che tornasse ad aiutare all'albergo, a portare in giro i clienti di lingua inglese, a far parte di una vita che per tanto tempo aveva guardato dal di fuori. Adesso per lei ci sarebbe stato un futuro oltre che un passato. Alfredo l'aveva pregata di tornare. Anche solo per una visita, per vedere come stavano le cose. Perciò Signora sedeva sola in un caffè pensando a che cosa avrebbe fatto.

Poco lontano, Aidan Dunne sedeva pensando a tutte le buone cose che erano nate dal corso d'italiano. Era riuscito a creare una classe che non solo era rimasta unita per tutto l'anno, ma che era andata fino a Roma al completo. E non l'avrebbero mai fatto senza di lui. Aveva trasmesso a loro il suo amore per l'Italia, nessuno si era annoiato durante la lezione di quel giorno. Era riuscito a fare tutto quello che si era proposto. In realtà era stato un anno trionfale. Ma udì anche un'altra voce che gli diceva che gran parte del merito era di Nora. Era stata lei a far scaturire l'entusiasmo, con i suoi giochi e le scatole che fungevano da ospedali, stazioni e ristoranti. E adesso che era tornata in Italia, la magia del paese l'aveva catturata di nuovo.

Doveva parlare di affari, gli aveva detto. Che affari poteva avere con un cameriere siciliano, anche se lo conosceva da bambino? Ordinò una terza birra senza neanche accorgersene. Osservò la folla che passeggiava nella calda notte romana. Non si era mai sentito tanto solo in vita sua.

Kathy e Fran dissero che sarebbero andate a fare una passeggiata fino a piazza Navona, dove erano state la sera prima. Laddy voleva andare con loro?

Laddy guardò la cartina. Sarebbero passati vicino a dove abitavano i Garaldi. «Non entreremo», disse, «ma posso indicarvi la casa.»

Quando la videro, Fran e Kathy rimasero molto sorprese.

«Impossibile che siamo invitati a una festa in una casa come questa», commentò Kathy.

«Giovedì», disse Laddy con orgoglio. «Giovedì, vedrete. Ci vogliono tutti. Tutti e quarantadue.»

Era soltanto un altro fatto straordinario di quella vacanza.

Connie aspettò per qualche tempo che Signora tornasse in camera; voleva darle gli appunti e il regalo. Ma si fece buio e lei non era ancora rientrata. Decise allora che non era giusto rimanere imprigionata per colpa di quella lettera meschina e vigliacca. Chiunque fosse, non l'avrebbe ammazzata in un luogo pubblico, anche se fosse mandato da Harry.

«Che vada al diavolo! Se stasera non esco, avrà vinto», disse a voce alta. Andò in una pizzeria dietro l'angolo e sedette. Non notò qualcuno che la seguiva quando uscì dall'albergo.

Lou e Suzi erano a Trastevere. Avevano passeggiato con Bill e Lizzie intorno alla piccola piazza ma, come li aveva avvertiti Signora, i ristoranti erano un po' troppo cari per loro.

«Forse avremmo dovuto mangiare ancora dei sandwich», osservò Lizzie.

«Non possiamo neanche mettere il naso dentro uno di questi posti», aggiunse Suzi con filosofia.

«Il sistema non è giusto», asserì Lou. «La maggior parte di quella gente è pronta a cogliere l'occasione favorevole. Hanno tutti un interesse, credetemi, lo so.»

«Certo Lou, ma non importa.» Suzi non voleva rivangare il passato. Non ne discutevano mai, vi facevano accenno solo quando Lou diceva che la vita sarebbe stata più facile se lei non fosse stata così rigorosa.

«Stai alludendo alle carte di credito rubate?» chiese Bill con interesse.

«No, niente del genere. Solo favori. Qualcuno fa un piccolo favore e riceve in cambio un pranzo. Ne fa uno grosso e riceve molti pranzi, o una macchina. Semplicemente questo.»

«Devi fare un sacco di favori per avere una macchina», osservò Lizzie.

«Sì e no. Non è una questione di numero ma di affidabilità. Credo che sia questo che la gente vuole quando chiede e offre un favore.»

Annuirono tutti, disorientati. A volte Suzi guardava l'enorme anello di fidanzamento. Avevano dichiarato talmente in tanti che poteva essere un vero smeraldo che lei aveva incominciato a credere che potesse essere il risultato di un enorme favore che Lou aveva fatto a qualcuno. C'era un modo di appurarlo, farlo valutare. Ma così avrebbe saputo la verità. Molto meglio non saperla.

«Vorrei che qualcuno ci chiedesse di fargli un favore», disse Lizzie, guardando il ristorante con i suonatori che passavano di tavolo in tavolo e i venditori di rose che giravano tra i commensali.

«Tieni gli occhi aperti, Elisabetta», osservò Lou con una risata.

E in quel momento un uomo e una donna si alzarono dal tavolo vicino alla strada, la donna schiaffeggiò l'uomo in volto, l'uomo le strappò la borsetta e saltò oltre la piccola siepe che fungeva da muro del ristorante.

In due secondi Lou lo acciuffò. Gli assicurò un braccio dietro la schiena e gli alzò l'altra mano, quella che teneva la borsa, in modo che tutti potessero vedere. Poi lo spinse fin dal proprietario.

Si scambiarono varie, possibili spiegazioni in italiano fino all'arrivo dei carabinieri, ma nessuno riuscì a sapere che cosa fosse accaduto. Alcuni americani dissero che forse la donna aveva rimorchiato un gigolò. Degli inglesi dissero che l'uomo era il boyfriend della donna in crisi da astinenza da droga. Una coppia francese disse che era soltanto una lite tra innamorati, ma che era bene che l'uomo venisse portato al comando di polizia.

Lou e i suoi amici divennero gli eroi del momento. La donna offrì al gruppo una ricompensa. Lou fu lesto a tradurlo in un pasto per quattro. La proposta sembrò conveniente per tutti.

«Compresa una bottiglia di vino, se è possibile», aggiunse in italiano Lou. Bevvero fino allo stordimento, poi dovettero prendere un taxi per tornare a casa.

«È stata la cosa più divertente della mia vita», disse Lizzie mentre inciampava due volte prima di salire sul taxi.

«È solo questione di cercare le occasioni», concluse Lou.

Alla pizzeria Connie si guardò intorno. C'erano prevalentemente giovani dell'età dei suoi figli. Erano allegri e pieni di vita, s'interrompevano l'un l'altro ridendo. E se quello fosse stato l'ultimo posto al mondo che poteva vedere? E se fosse vero che qualcuno la seguiva lasciando biglietti intimidatori all'albergo? Ma poteva venir uccisa lì davanti a tutti? Impossibile. Tuttavia in quale altro modo si poteva spiegare la lettera? L'aveva ancora nella borsetta. Forse doveva scrivere due righe per spiegare come temeva che potesse essere di Harry. O di uno dei suoi soci, come soleva chiamarli. Ma quella era follia. Che lui stesse tentando di farla impazzire? Connie aveva visto dei film in cui le cose andavano così. Non doveva permettere che le accadesse.

Un'ombra cadde sul tavolo e lei alzò lo sguardo, aspettandosi un cameriere o qualcuno che volesse una sedia libera. Ma i suoi occhi incontrarono quelli di Siobhan Casey, l'amante di suo marito. La donna che aveva aiutato Harry a far sparire il denaro, non una, ma due volte.

Il suo viso era diverso adesso, più vecchio e molto più stanco. Gli occhi erano lucidi e folli. D'improvviso Connie ebbe davvero molta paura. Non riuscì a proferir parola.

«Sei ancora sola», disse Siobhan con disprezzo. Connie non riusciva tuttora a parlare. «Non importa in quale città o quanti viaggi farai, ma finirai sempre per essere sola.» E scoppiò in una risata rauca.

Connie si sforzò di restare calma, non doveva mostrarsi impaurita. I lunghi anni in cui aveva fatto finta che tutto fosse normale, le passarono davanti agli occhi in quel momento. «Non sono più sola», disse, spingendo una sedia verso Siobhan.

E lei si rabbuiò ancora di più. «Sempre la gran dama senza niente alle spalle. Niente.» Parlava ad alta voce, con ira. La gente cominciò a guardarle, sentendo che stava per verificarsi una scenata.

Connie parlò a bassa voce. «Questo non mi sembra il posto per una gran dama», disse, sperando che non le tremasse la voce.

«No, fa parte della routine di una duchessa visitare i quartieri poveri. Non hai veri amici, perciò frequenti i derelitti, fai viaggi a buon mercato con loro, ma anche così nessuno ti vuole. Sarai sempre sola, preparati a questo.»

Connie respirò un po' meglio. Forse, dopotutto, Siobhan non intendeva perpetrare un attacco omicida contro di lei. Non avrebbe parlato di un futuro vuoto e solitario, se fosse stata sul punto di ucciderla. Quel pensiero la rincuorò.

«Ci sono preparata. Non sono stata sola per anni?» chiese semplicemente.

Siobhan la guardò, sorpresa. «Sei molto fredda, vero?»

«No, non proprio.»

«Sapevi che la lettera era mia?» le chiese. Era delusa e compiaciuta di averle instillato tanta paura. I suoi occhi brillavano ancora di follia. Connie non sapeva come comportarsi. Era diventato un incubo.

«Pensavo che lo fosse, non ne ero sicura.» Si meravigliò di quanto fosse ferma la sua voce.

«Perché io?»

«Sei l'unica che tenesse abbastanza a Harry per scriverla.»

Ci fu silenzio. Siobhan era appoggiata allo schienale della sedia. Intorno a loro ripresero le chiacchiere e le risate. Le due donne straniere non stavano per litigare, non erano più interessanti. Connie non le chiese di sedersi. Non voleva fingere che le cose tra loro fossero tanto normali che potessero sedersi allo stesso tavolo come persone comuni. Siobhan Casey aveva minacciato di ucciderla, era letteralmente pazza.

«Lo sai che non ti ha mai amato, lo sai questo?» chiese Siobhan.

«In verità, all'inizio mi ha amata, prima che sapesse che non mi piaceva il sesso.»

«Piaceva! Ha detto che eri patetica, stesa lì a piagnucolare, terrorizzata. È questa la parola che ha usato. Patetica.»

Connie strinse gli occhi. Quello era assolutamente sleale. Harry sapeva quello che aveva provato, quanto lo aveva desiderato. Era stato crudele raccontare a Siobhan tutti quei particolari.

«Ho provato, sai, a fare qualcosa.»

«Oh, sì?»

«Sì. È stato sconvolgente, angosciante e doloroso e poi alla fine non è servito a nulla.»

«Ti hanno detto che eri lesbica, vero?»

«No, e non credo sia così.»

«Allora, che cosa ti hanno detto?» Siobhan sembrava suo malgrado interessata.

«Hanno detto che non potevo avere fiducia negli uomini, perché mio padre aveva sperperato tutti i nostri soldi.»

«Questa è una grossa scemenza», disse Siobhan.

«È quello che ho detto anch'io. Un po' più educatamente, ma è questo che intendevo», disse Connie con l'ombra di un sorriso.

Inaspettatamente, Siobhan tirò indietro una sedia e sedette. Adesso che la vedeva più da vicino, Connie notò i danni che gli ultimi mesi le avevano causato. La camicetta era macchiata, la gonna sformata, le unghie sporche e mangiucchiate. Non aveva trucco e muoveva la faccia continuamente. Deve avere due o tre anni meno di me, pensò Connie, ma sembra molto più vecchia.

Era vero che Harry aveva chiuso con lei? Doveva essere stato quello a sconvolgerla a tal punto. Notò il modo in cui si passava coltello e forchetta da una mano all'altra. Siobhan era molto inquieta. E lei non ancora fuori dai guai.

«Ripensandoci, è stato tutto un tale errore. Avrebbe dovuto sposare te», disse Connie.

«Io non ho la tua classe. Non avrei potuto essere la padrona di casa che voleva lui.»

«Quella era solo una piccola parte molto superficiale della sua vita. Praticamente viveva con te.» Connie sperava che quella tattica funzionasse. Lusingarla, dirle che era il centro della vita di Harry. Non lasciarla riflettere e rendersi conto che adesso era tutto finito.

«A casa non aveva amore e, naturalmente, doveva cercarlo altrove», disse Siobhan. Stava bevendo, adesso, del Chianti dal bicchiere di Connie.

Connie, con un'occhiata e un cenno del dito, fece capire al cameriere che volevano dell'altro vino e un altro bicchiere.

«L'ho amato per molto tempo.»

«Bel modo di dimostrarlo, l'hai fatto mandare in galera.»

«In quel momento avevo smesso di amarlo.»

«Io mai.»

«Lo so. E anche se tu mi odi, io non ti ho odiato.»

«Ah, sì?»

«No, sapevo che aveva bisogno di te e forse ne ha ancora.»

«Non più, hai pensato anche a questo. Quando uscirà, andrà in Inghilterra. È tutta colpa tua. Gli hai reso impossibile vivere nella sua patria.»

«Immagino che andrai con lui.»

«Immagini male.» Ancora quell'espressione folle.

Connie doveva dire la cosa giusta ora. Era terribilmente importante. «Ero gelosa di te, ma non ti odiavo. Tu gli hai dato tutto, amore, sesso, lealtà, comprensione totale sul lavoro. Trascorreva la maggior parte del suo tempo con te. Per l'amor di Dio, come potevo non essere gelosa?» Adesso aveva l'attenzione di Siobhan, per cui continuò. «Ma non ti odiavo, credimi.»

Siobhan la guardò con interesse. «Pensavi forse che era meglio che stesse con me piuttosto che avere tante altre donne, non è così?»

Connie capì che adesso doveva stare molto attenta. Tutto poteva dipendere da quello che avrebbe detto. Guardò la faccia segnata di Siobhan Casey che aveva amato Harry appassionatamente e che ancora lo amava. Possibile che Siobhan, che pure gli era tanto vicina, non sapesse delle altre donne: la ragazza della compagnia aerea, la proprietaria dell'alberghetto a Galway, la moglie di uno degli investitori? La scrutò in volto. Per quanto potesse capire, lei si credeva la sola donna nella vita di Harry Kane.

Connie parlò con calma. «Suppongo sia vero. Sarebbe stato umiliante pensare che se ne andasse in giro con chiunque... ma anche se la cosa non mi piaceva..., sapevo che tra di voi c'era qualcosa di speciale. Come ho detto, avrebbe dovuto sposare te, fin dall'inizio.»

Siobhan ascoltò. Rifletté. I suoi occhi da pazza erano ridotti a due fessure, quando alla fine parlò. «E quando hai capito che ti avevo seguito fin qui e scritto quel biglietto, perché non hai avuto paura?»

Connie aveva ancora molta paura. «Ho pensato che avresti capito. Che qualsiasi fossero state le difficoltà, tu eri la sola che avesse mai contato nella vita di Harry.» Siobhan ascoltava. Connie continuò. «Naturalmente, prima di uscire ho lasciato uno scritto, in modo che se mi avessi fatto del male, sarebbero risaliti a te.»

«Tu che cosa?»

«Ho scritto una lettera al mio avvocato, disponendo che venisse aperta nel caso fossi morta improvvisamente a Roma o altrove, accludendo una copia del tuo biglietto e affermando che nutrivo dei sospetti su di te.»

Siobhan annuì, quasi ammirata. Sarebbe stato magnifico pensare che ragionasse. Ma quella donna era ancora troppo turbata per farlo. Non era il momento di fare un discorso da donna a donna sul fatto che avrebbe potuto rendersi più gradevole e procurare a Harry una casa in Inghilterra in attesa del suo rilascio. Connie era sicura che ci fosse ancora del denaro, denaro sfuggito alle ricerche. Ma non intendeva organizzare la vita di Siobhan. Le tremavano le gambe. Era riuscita a rimanere calma e normale davanti a una persona tanto pericolosa, ma non sapeva quanto avrebbe resistito. Anelava alla sicurezza del suo albergo.

«Non ti farò niente», disse Siobhan con un filo di voce.

«Bene, sarebbe davvero un peccato che tu entrassi da una porta della prigione mentre Harry esce dall'altra», osservò Connie in tono casuale, come se stessero parlando di souvenir.

«Come fai a rimanere così fredda?» chiese Siobhan.

«Anni e anni di solitudine», rispose Connie. Si asciugò un'inaspettata lacrima di autocommiserazione dall'occhio e si diresse verso il cameriere per pagare il conto.

«Grazie, signora», fece lui.

Quelle parole le ricordarono la sua compagna di camera che a quell'ora doveva certamente essere tornata. Connie voleva rivederla e darle la sorpresa che aveva preparato per lei. Signora e tutti i suoi compagni di viaggio le apparvero molto più reali della donna triste che sedeva in pizzeria, la donna che era stata per quasi tutta la vita l'amante di suo marito e che era venuta a Roma per ucciderla. Lanciò una rapida occhiata a Siobhan, ma non la salutò. Non c'era altro da dire.

C'era molto rumore nel bar dove Barry e Fiona andarono a cercare gli amici incontrati per la Coppa del mondo.

«Questo è l'angolo in cui eravamo seduti», disse Barry.

Vi trovarono una gran quantità di giovani seduti davanti al televisore gigante, che era stato messo in modo da esser visto da tutti. Davano una partita e tutti facevano il tifo per gli avversari della Juventus. Non importava chi fossero, la Juventus era la nemica. La partita cominciò e Barry vi rimase coinvolto suo malgrado. Anche Fiona si appassionò e urlò di rabbia per una decisione contraria ai desideri di tutti.

«Le piace il calcio?» le chiese un uomo.

Barry le cinse immediatamente le spalle con un braccio. «Ne capisce un po', ma io ero qui, proprio in questo bar per la Coppa del mondo. Quella contro l'Irlanda.»

«Irlanda!» esclamò l'uomo piacevolmente sorpreso. Barry mostrò le sue fotografie. L'uomo disse di chiamarsi Gino e passò le foto agli altri, che vennero a dare manate sulla schiena di Barry. Si scambiarono i nomi… erano bravi ragazzi. La birra cominciò a scorrere.

Fiona perse completamente il filo della conversazione. Le venne mal di testa. «Se mi vuoi bene, Barry, lasciami tornare in albergo. Non è lontano e so arrivarci da sola.»

«Non so.»

«Per favore, Barry. Non chiedo molto.»

«Barry, Barry», gli amici lo stavano chiamando.

«Stai attenta», le disse.

«Lascio la chiave nella porta», e gli mandò un bacio.

Le strade erano sicure come nel suo quartiere a Dublino. Fiona si diresse a passo veloce verso l'albergo, contenta che Barry avesse trovato i suoi amici. Nessuno ricordava il nome degli altri all'inizio, ma forse gli uomini erano così. Osservò le cassette di gerani alle finestre. I fiori sembravano molto più colorati che a casa sua, naturalmente dipendeva dal clima. Si poteva far crescere qualsiasi cosa con tutto quel sole.

Mentre passava accanto a un bar, scorse Mr Dunne che sedeva solo con una birra davanti a sé, il volto triste e distante mille miglia. D'impulso Fiona entrò nel locale. «Be', Mr Dunne... tutti e due soli.»

«Fiona!» esclamò. «E dov'è Bartolomeo?»

«Con i suoi amici del calcio. Mi è venuto mal di testa e così mi ha lasciato tornare a casa.»

«Oh, li ha trovati. Non è fantastico?» Mr Dunne abbozzò un gentile, stanco sorriso.

«Sì, è molto contento. Si sta divertendo, Mr Dunne?»

«Sì, molto.» Ma la voce suonò un po' falsa.

«Non dovrebbe star qui solo. Ha organizzato il viaggio con Signora. A proposito, dov'è?»

«Ha incontrato alcuni amici siciliani, del paese in cui viveva.» La sua voce suonò triste e amara.

«Oh, che bello!»

«Bello per lei, passa la serata con loro.»

«È solo una serata, Mr Dunne.»

«Per quanto ne so.» Si ribellava come un ragazzino dodicenne.

Fiona lo guardò, incuriosita. Sapeva tante cose, tutto su Nell, la moglie di Mr Dunne che aveva avuto una relazione con il padre di Barry. Adesso era finita, ma c'erano ancora lettere e telefonate infuocate da parte di Mrs Dunne che non sapeva che fosse Fiona la responsabile della rottura. Fiona sapeva da Grania e Brigid che il padre non era felice; appena rientrava a casa si ritirava nel suo studio e non ne usciva quasi. Sapeva, come tutti i partecipanti al viaggio, che era innamorato di Signora. Ricordò che in Irlanda era possibile il divorzio.

Pensò che la timida Fiona avrebbe lasciato le cose come stavano, non avrebbe interferito. Ma la nuova Fiona, la versione felice, s'intromise decisa. Trasse un profondo respiro. «L'altro giorno Signora mi ha confidato che lei ha fatto avverare il sogno della sua vita. Ha detto che si sentiva inutile, finché non le ha affidato quest'incarico.»

Mr Dunne non reagì come Fiona avrebbe voluto. «Questo prima che incontrasse quei siciliani.»

«L'ha ripetuto oggi a colazione», mentì Fiona.

«Davvero?» Era come un bambino.

«Mr Dunne, posso parlarle francamente e in gran segreto?»

«Naturalmente.»

«E non dirà mai a nessuno quel che le riferirò, tantomeno a Grania e Brigid?»

«Certo.»

Fiona si sentì improvvisamente molto debole. «Forse ho bisogno di bere qualcosa», disse.

«Un caffè, un bicchier d'acqua?»

«Un brandy.»

«Se le cose sono così gravi, prenderò anch'io un brandy», disse Aidan Dunne.

«Lei sa che Mrs Dunne non è qui con lei.»

«L'ho notato», confermò Aidan.

«Bene, ha avuto una relazione più che amichevole con il padre di Barry. La madre di Barry l'ha presa male, molto male. Ha tentato di uccidersi.»

«Che cosa?» Aidan Dunne appariva profondamente sconvolto.

«Comunque, adesso è tutto finito. È finito la sera della festa a Mountainview. Se lei ricorda, Mrs Dunne è rientrata a casa in gran fretta e adesso la madre di Barry è tornata quella di prima. E suo padre non è più, be', tanto amico di Mrs Dunne.»

«Fiona, non può essere vero.»

«Sì, invece, Mr Dunne, ma lei ha giurato che non lo dirà a nessuno.»

«È una sciocchezza, Fiona.»

«No, è tutto vero. Può chiederlo a sua moglie quanto torna a casa. È la sola persona a cui può dirlo. Ma forse è meglio non tirare in ballo questa storia. Barry non lo sa, Grania e Brigid nemmeno, quindi è inutile sconvolgere tutti.» Sembrava così decisa che Aidan le credette.

«Allora perché me lo dici, se nessuno deve sapere e rimanere sconvolto?»

«Perché... perché desidero che lei e Signora siate felici, immagino. Non voglio che lei pensi di essere stato quello che ha fatto la prima mossa tradendo sua moglie. Volevo dire che il tradimento c'era già stato e che la strada è già stata aperta.» Fiona s'interruppe all'improvviso.

«Sei una ragazza sorprendente», commentò lui. Pagò il conto e si avviarono verso l'albergo in silenzio. Nell'atrio le strinse la mano in modo formale. «Sorprendente», ripeté.

E Aidan salì nella stanza dove Laddy aveva preparato tutti gli oggetti che il Papa avrebbe benedetto l'indomani. L'udienza del Papa a San Pietro. Aidan si prese la testa fra le mani. Se n'era completamente dimenticato. Laddy aveva sei corone del rosario da far benedire. Era seduto nella piccola anticamera intento a prepararle. Aveva già pulito le scarpe insieme ai proprietari dell'albergo, che non sapevano più che cosa pensare. «Domani, mercoledì, vedremo il Papa», annunciò festoso in italiano.

Di sopra Lou dovette ammettere con Suzi di desiderarla come sempre, ma di temere che la prestazione non sarebbe stata all'altezza. «Ho bevuto troppo», spiegò.

«Non importa, abbiamo bisogno di tutte le nostre energie per vedere il Papa domani», disse Suzi.

«Oh Dio, avevo dimenticato l'udienza dal Papa», ribatté Lou e si addormentò di colpo.

Bill Burke e Lizzie si erano addormentati vestiti. Si svegliarono intirizziti alle cinque del mattino dopo.

«Oggi è una giornata tranquilla, per caso?» chiese Bill.

«Dopo la visita del Papa, credo di sì.» Lizzie aveva un terribile mal di testa.

Barry inciampò nella sedia e Fiona si svegliò spaventata. «Ho dimenticato dove eravamo», spiegò lui.

«Oh, Barry, dal bar era tutto diritto e poi a sinistra.»

«No, in albergo. Ho continuato ad aprire le porte sbagliate.»

«Sei proprio ubriaco», disse Fiona, comprensiva. «È stata una bella serata?»

«Sì, ma c'è un mistero», spiegò Barry.

«Ne sono sicura. Bevi un po' d'acqua.»

«Ma poi chissà quante volte mi alzerò questa notte.»
«Be', è logico, dopo tutta quella birra...»
«Ma tu come hai fatto ad arrivare all'albergo?» chiese Barry all'improvviso.
«Come ti ho detto, era una strada tutta diritta.»
«Hai parlato con qualcuno?»
«Solo con Mr Dunne, l'ho incontrato lungo la strada.»
«È a letto con Signora», riferì con orgoglio Barry.
«Impossibile. Come fai a saperlo?»
«Li ho sentiti parlare al di là della porta», spiegò.
«Cosa diceva lui?»
«Parlava del Tempio di Marte.»
«Come durante la lezione?»
«Proprio così. Credo che gliela stesse ripetendo.»
«Dio mio», esclamò Fiona. «Non è strano?»
«Ti dirò qualcosa di ancora più strano», aggiunse Barry. «Tutte quelle persone al bar, non erano di Roma, venivano anche loro da fuori.»
«Che cosa vuoi dire?»
«Sono di un paese che si chiama Messagne, nel Sud dell'Italia, vicino a Brindisi. Un posto pieno di fichi e olive, dicono.» Appariva turbato.
«Che cosa c'è di male? Veniamo tutti da qualche altra parte.» Gli fece bere ancora un po' d'acqua.
«È la prima volta che vengono a Roma, non posso averli conosciuti quando sono stato qui.»
«Ma sembravate così amici.» Fiona era rattristata.
«Lo so.»
«Che si sia trattato di un altro bar?»
«Non saprei.» Era molto malinconico.
«Forse hanno dimenticato di essere già stati a Roma», suggerì speranzosa la ragazza.
«Sì, ma non è il genere di cose che si dimentica, ti pare?»
«Ma si sono ricordati di te.»
«Anch'io ho creduto di ricordarmi di loro.»
«Su, va' a letto. Domani dobbiamo essere in forma per l'udienza dal Papa», disse Fiona.
«Oh Dio, il Papa», concluse Barry e si addormentò.

* * *

Una volta in camera Connie aveva dato a Signora la sorpresa che le aveva preparato. Era la registrazione del discorso di Aidan. Aveva comperato il registratore e registrato ogni parola.

Signora si commosse. «L'ascolterò da sotto il cuscino in modo da non disturbarla», disse.

«No, mi fa piacere risentirlo», asserì Connie.

Signora la guardò. Aveva gli occhi lucidi e il viso arrossato. «Tutto bene, Costanza?»

«Oh, sì, perfetto, Signora.»

E sedettero insieme... ognuna aveva avuto una serata che avrebbe potuto cambiare la sua vita. Connie Kane era realmente in pericolo a causa della folle Siobhan? E Nora O'Donoghue sarebbe tornata in Sicilia, nel paese che era stato il centro della sua vita per ventitré anni? Anche se si erano scambiate qualche confidenza, per abitudine si tenevano i loro guai. Connie si chiedeva che cosa avesse impedito a Signora di assistere alla lezione di Aidan, trattenendola fuori fino a tardi. Signora desiderava chiedere a Connie se avesse avuto altre notizie della persona che aveva scritto quello spiacevole biglietto.

Andarono a letto e decisero l'ora della sveglia.

«Domani c'è l'udienza dal Papa», disse Signora all'improvviso.

«Oh Dio, me n'ero dimenticata», ammise Connie.

«Anch'io. Siamo proprio un disastro?» fece Signora con una risatina.

L'udienza dal Papa piacque a tutti. Il Santo Padre apparve un po' fragile, ma di buon umore e diede loro l'impressione di guardarli direttamente. C'erano centinaia e centinaia di persone in piazza San Pietro, tuttavia sembrò che si rivolgesse proprio a loro.

«Sono contento che non sia stata un'udienza privata», osservò Laddy, come se una cosa simile fosse stata possibile. «Questa con tante persone è meglio, mostra che la religione non è morta e in più non devi pensare cosa dirgli.»

Prima di andare all'udienza, Lou e Bill Burke bevvero tre birre gelate e quando Barry li vide si unì rapidamente a loro. Suzi e Lizzie presero due gelati ciascuna e scattarono delle fotografie. C'era una colazione facoltativa a cui tutti parteciparono. La maggior parte di loro, o per i postumi della sbornia o per i propri problemi, non aveva pensato a prepararsi dei sandwich.

«Spero che domani siano più in forma per il party dai Garaldi», disse Laddy in tono di disapprovazione a Kathy e Fran.

Mentre lo diceva, passò Lou. «Dio santo, il party», fece tenendosi la testa tra le mani.

«Signora?» le disse Aidan dopo colazione.

«È un po' troppo formale, Aidan, mi chiami Nora.»

«Ah, già.»

«Ah, già che cosa?»

«Com'è andato il suo incontro ieri, Nora?»

La donna restò un momento in silenzio. «È stato interessante e, malgrado si sia svolto in un ristorante, sono riuscita a rimanere sobria, a differenza del resto del gruppo. Mi meraviglio che il Santo Padre non sia stato sollevato dalla sedia dai fumi di alcol prodotti dal nostro gruppo.»

Aidan sorrise. «Anch'io sono andato in un bar ad annegare i miei dispiaceri nell'alcol!»

«E quali sono questi dispiaceri?»

Cercò di mantenere un tono leggero. «Be', il principale è che lei non era presente alla mia lezione.»

Il volto di Signora si illuminò, poi lei frugò nella borsetta. «Ma c'ero. Guardi che cos'ha fatto per me Costanza. Ho ascoltato tutto. È stato magnifico, Aidan, e alla fine hanno anche applaudito. È come se avessi visto tutto. In realtà, quando avrò un po' di tempo libero, tornerò in quei luoghi ad ascoltare il nastro. Sarà come avere una lezione privata, tutta per me.»

«Posso fare una replica, sa.» I suoi occhi erano pieni di calore. Fece per prenderle la mano, ma lei si ritrasse.

«No, Aidan, per favore. Non è giusto. Farmi pensare cose che non dovrei pensare, come... se io le interessassi, o le interessasse il mio futuro.»

«Ma Dio, Nora, sa che è così.»

«Sì, ma è più di un anno che proviamo questo genere di simpatia reciproca, e lei sa che è impossibile. Lei vive con sua moglie e la sua famiglia...»

«Non per molto ancora», ribatté Aidan.

«Ah già, Grania si sposerà, ma nient'altro cambierà.»

«Sì, invece. Molte cose sono già cambiate.»

«Non posso ascoltarla, Aidan. Devo prendere una decisione molto seria.»

«Vogliono che torni in Sicilia, non è vero?» chiese con il cuore stretto e il volto rigido.

«Sì.»

«Non le ho mai chiesto perché è venuta via dall'Italia.»

«No.»

«E neanche perché ci è rimasta così a lungo.»

«Questo cosa dimostra? Neanch'io io faccio domande.»

«Risponderò, lo prometto, e non ometterò nulla.»

«Aspetti. Non è il momento di rivolgerci domande e darci risposte qui a Roma.»

«Ma se non lo facciamo ora, lei potrebbe andare a vivere in Sicilia e poi...»

«E poi che cosa?» La sua voce era dolce.

«La ragione più importante della mia vita se ne sarebbe andata», rispose lui, gli occhi pieni di lacrime.

I quarantadue invitati arrivarono alla residenza dei signori Garaldi alle cinque di giovedì. Si erano vestiti con cura e avevano portato anche le macchine fotografiche.

«Pensi che potremo scattare qualche foto, Lorenzo?» chiese Kathy Clarke.

Laddy era la persona più autorevole quel giorno. Ci pensò un momento. «Ci sarà certamente un fotografo ufficiale, per l'occasione e noi potremo scattare fotografie all'esterno. Ma francamente penso che non dovremmo scattare fotografie dei loro beni, nel caso qualcuno li potesse vedere e rubare.»

Acconsentirono tutti. Laddy aveva studiato ogni particolare. Quando videro il palazzo rimasero sbalorditi. Perfino Connie Kane, che era abituata a frequentare splendide case.

«Impossibile che ci facciano entrare qui», sussurrò Lou a Suzi, allentando la cravatta che incominciava a soffocarlo.

«Smettila, Lou! Come potremo mai salire la scala sociale, se ti lasci cogliere dal panico davanti a un po' di soldi e di classe», gli sussurrò Suzi.

«Questo è il genere di vita per cui sono fatta», dichiarò Lizzie Duffy, inchinandosi graziosamente alla servitù che li fece entrare e salire lo scalone.

«Non essere ridicola, Lizzie», Bill Burke era in ansia. Non aveva imparato realmente nessuna frase sull'attività di una banca internazionale che avrebbe migliorato la sua carriera. Sapeva che lei ne sarebbe rimasta delusa.

La famiglia Garaldi era al completo e aveva invitato il suo fotografo. Niente in contrario se venivano scattate fotografie che sarebbero poi state distribuite agli ospiti al momento d'andar via? Niente in contrario? Erano galvanizzati. Prima ripresero Lorenzo e il signor Garaldi. Poi Lorenzo con tutta la famiglia e un gruppo con Signora e Aidan. Dopo le fotografie vennero invitati tutti a salire le scale.

I due imbronciati ragazzini che Laddy aveva intrattenuto nelle sale di biliardo a Dublino erano molto più allegri e condussero Laddy a vedere la loro stanza dei giochi. C'erano vassoi con vini, birra e bevande varie. E piatti di crostini, tartine, dolcetti.

«Posso fare una fotografia ai piatti?» chiese Fiona.

«La prego, faccia pure.» La moglie del signor Garaldi sembrava commossa.

«È per la mia futura suocera, sa, mi sta insegnando a cucinare, vorrei che vedesse qualcosa di così elegante.»

«È una persona gentile, sua suocera?» chiese interessata la signora Garaldi.

«Sì, molto gentile. Ha avuto un periodo difficile, ha tentato di suicidarsi, perché suo marito aveva una relazione con la moglie di quell'uomo. Ma adesso è tutto finito. In verità, l'ho fatta finire io. Io, in persona!» Gli occhi di Fiona si erano fatti lucidi per l'eccitazione e per il Marsala.

«Dio mio!» La signora Garaldi si portò una mano alla gola. Tutto quello nella Santa cattolica Irlanda!

«L'ho conosciuta dopo il tentato suicidio», continuò Fiona. «È stata ricoverata nell'ospedale in cui lavoro e, in un certo senso l'ho fatta guarire io. Di ciò mi è molto grata, così mi sta insegnando l'alta cucina.»

«Alta cucina», mormorò la signora Garaldi.

Lizzie le passò accanto, gli occhi sbarrati per l'ammirazione. «Che bella casa», disse in italiano.

«Parla italiano?» osservò la signora Garaldi.

«Sì, ne avremo bisogno quando Guglielmo verrà destinato a un incarico internazionale in banca, probabilmente a Roma.»

«Potrebbe essere veramente mandato a Roma?»

«Potremo scegliere Roma, o qualunque altro posto, ma questa è una così bella città.»

Quindi tutti si riunirono per il discorso. Signora prese il braccio di Aidan. «Chissà che idea si sono fatti di noi, ho sentito la signora dire al marito che qualcuno è un chirurgo internazionale che salva le vite, ed Elisabetta ha rivelato che Guglielmo ha una posizione importante in banca e sta considerando l'idea di trasferirsi a Roma.»

Aidan sorrise. «E ci hanno creduto?»

«Ne dubito. Intanto Guglielmo ha chiesto tre volte se poteva incassare un assegno e qual è il cambio di oggi. Non ispira grande fiducia.» Ricambiò il sorriso. Qualunque cosa si raccontassero sembravano affettuosamente divertiti.

«Nora?» disse lui.

«Non ancora... dovremmo iniziare.»

Il discorso fu estremamente cordiale. I Garaldi non erano mai stati tanto ben accolti come in Irlanda, non avevano mai incontrato tanta onestà e amicizia. Quella giornata ne era un ulteriore esempio. Erano andati in casa loro da estranei e l'avrebbero lasciata da amici.

«Amici per sempre», disse il signor Garaldi che alzò il braccio di Laddy. Anzi era invitato a tornare in quella casa ogni volta che avrebbe voluto. E loro sarebbero andati ancora nell'albergo di suo nipote.

«Potremmo dare una festa per voi quando verrete a Dublino», disse Connie Kane e a quelle parole tutti annuirono, promettendo di parteciparvi. Arrivarono le fotografie. Splendide, grandi foto scattate sugli eleganti gradini del cortile.

Poi si salutarono e ringraziarono, quindi il corso serale di Mountainview ritornò per le strade di Roma. Erano le undici passate e tutti erano fuori per la passeggiata serale. Nessuno aveva voglia di tornare a casa, si erano divertiti troppo.

«Io torno in albergo. Devo ritirare le vostre foto?» chiese Aidan d'improvviso. Sembrava guardare il gruppo, ma in realtà era in attesa che Signora parlasse.

Lei parlò lentamente. «Vengo anch'io. Porteremo le foto con noi, così se vi ubriacherete di nuovo, non le perderete.»

Si sorrisero l'un l'altra con intenzione. Forse quello che sospettavano da un anno, stava per accadere.

Camminarono mano nella mano finché trovarono un ristorante all'aperto con della musica. «Ci hai messo in guardia contro tutto questo», osservò Aidan.

«Ho solo detto che questi posti erano cari, non ho detto che non fossero fantastici», ribatté Nora O'Donoghue.

Sedettero e parlarono. Lei gli raccontò di Mario e Gabriella e di come era vissuta felicemente alla loro ombra per tanto tempo.

Lui le raccontò di Nell e di come non riuscisse a stabilire quando e perché il loro matrimonio era fallito. Ma era fallito. Adesso vivevano come estranei sotto lo stesso tetto.

Lei gli disse che Mario era morto prima e Gabriella poi e che i loro figli volevano che ritornasse ad aiutarli con l'albergo. Alfredo aveva pronunciato le parole che aveva tanto desiderato sentire: che l'avevano sempre considerata una specie di madre.

Lui le confessò di sapere che Nell aveva una relazione. Che non ne era rimasto né scioccato né ferito, soltanto sorpreso.

Lei mormorò che avrebbe dovuto incontrare di nuovo Alfredo e parlargli. Non sapeva ancora che cosa gli avrebbe detto.

Lui le rivelò che quando fossero tornati a casa, avrebbe detto a Nell di voler vendere la casa. Le avrebbe dato metà del ricavato. Non sapeva ancora dove sarebbe andato a vivere.

Ritornarono lentamente all'albergo. Erano troppo vecchi per avere il problema dei giovani che non sapevano dove andare. Ma era comunque un problema. Non potevano chiudere fuori Laddy dalla stanza per tutta la notte. E nemmeno Costanza. Si guardarono.

«Buona sera», cominciò Nora O'Donoghue. «Ci sarebbe un problema...»

Ma non rimase a lungo irrisolto. Il proprietario dell'albergo era un uomo di mondo. Trovò loro senza indugi e senza fare domande un'altra bellissima camera.

A Roma i giorni volarono, poi venne il giorno che si recarono alla stazione Termini e presero il treno per Firenze.

«Firenze», dissero tutti in coro quando apparve quel nome sul tabellone della stazione. Non erano dispiaciuti di partire, perché sapevano che sarebbero tornati. Non avevano tutti gettato la loro monetina nella fontana di Trevi?

Si sistemarono in treno, con i sacchetti del picnic bene confezionati.

Infatti i proprietari dell'albergo avevano dato loro una quantità di cibo. Quel gruppo così simpatico non aveva creato problemi. E poi la storia inaspettata tra i due capi gruppo! Troppo vecchi, naturalmente, non sarebbe durata perché sarebbero tornati dai rispettivi coniugi, tuttavia faceva parte della follia di una vacanza.

Stavano già pensando a organizzare il viaggio dell'anno seguente. Si sarebbero recati a sud di Roma. Signora disse che dovevano assolutamente vedere prima Napoli e poi si sarebbero diretti in Sicilia in un albergo che conosceva quando viveva lì. Lei e Aidan l'avevano promesso ad Alfredo. Gli avevano anche detto che la figlia di Aidan, Brigid, o qualcuno dei suoi colleghi sarebbero andati nel suo albergo per vedere se potevano combinare un pacchetto viaggio-soggiorno per i turisti irlandesi.

Su insistenza di Signora, Aidan aveva telefonato a casa. La conversazione con Nell era stata più breve e più facile di quanto avesse potuto immaginare.

«Prima o poi dovevi venirlo a sapere», disse Nell brusca.

«Allora metteremo in vendita la casa e divideremo a metà il ricavato.»

«Bene», acconsentì lei.

«Non ti dispiace, Nell? Dopo tutti questi anni?»

«Sono finiti, non è questo che stai dicendo?»

«Sto dicendo che dovremo discutere il perché siano finiti.»

«Che cosa c'è da discutere, Aidan.»

«È solo che non volevo che ti preparassi per il mio ritorno a casa... e che questo fosse una specie di fulmine a ciel sereno.» Ancora una volta si rese conto di quanto fosse gentile.

«Non voglio deluderti, ma in realtà non so nemmeno in quale giorno torni», ribatté Nell.

Sul treno Aidan Dunne e Signora sedettero separati dagli altri, in un mondo tutto loro, con un futuro da pianificare.

«Non abbiamo molti soldi», osservò Aidan.

«Non ho mai avuto soldi, ma la cosa non mi preoccupa.» Signora si espresse con sincerità.

«Porterò via tutte le mie cose dalla stanza: la scrivania, i libri, le tende e il divano.»

«Sì, sarà meglio prendere un tavolo da pranzo, anche in prestito.» Signora era pratica.

«Potremmo prendere un appartamentino, appena torniamo.» Era ansioso di dimostrarle che non ci avrebbe rimesso non tornando in Sicilia.

«Una stanza andrà bene.»

«No, dobbiamo avere più di una stanza», protestò lui.

«Ti amo, Aidan.»

E, per qualche ragione, in quel momento il treno non stava facendo alcun rumore e gli altri erano silenziosi, così le loro parole furono udite da tutti. Per un momento si scambiarono delle occhiate. Ma ormai la decisione era presa. Al diavolo la discrezione. Festeggiare era più importante. E gli altri passeggeri sul treno non capirono mai perché quaranta persone con targhette su cui era scritto VISTA DEL MONTE applaudissero e cantassero una varietà di allegre canzoni irlandesi, per terminare con una versione stonata di *Arrivederci Roma*.

E non capirono mai perché tanti di loro si asciugassero le lacrime dagli occhi.

FINE

Collana «Superbestseller»

Romanzi

853. M. Halter, *Intrigo a Gerusalemme*
854. R.J. Waller, *I ponti di Madison County*
855. B. Taylor Bradford, *Un sogno tutto nuovo*
857. D. Bellomo, *La settima onda*
858. J. Fletcher & D. Bain, *La Signora in Giallo - Martini & follia*
859. J. Kellerman, *Solo nella notte*
861. C. Arnothy, *Sotto il cielo dell'Africa*
862. J. Kellerman, *Lo schermo buio*
863. O. Goldsmith, *Una mamma da sposare*
865. L. Scott, *Fino a prova contraria*
866. D. Steel, *La lunga strada verso casa*
867. D. Steel, *Il fantasma*
868. S. Brown, *Il segreto di una donna*
869. J. Mitchard, *Il coraggio dell'innocenza*
870. C. Andrews, *Stato di salute*
871. M. Higgins Clark, *Ci incontreremo ancora*
872. J. Higgins, *L'anno della tigre*
873. J. Lindsey, *Dimmi che mi ami*
874. G. Magrini, *Come un diamante*
876. R. Cook, *Vector - Minaccia mortale*
877. M. Haran, *Una storia di famiglia*
878. J. McNaught, *Quando i sogni si avverano*
879. T. Hoag, *Giustizia negata*
880. M. Blake, *La danza dell'ultimo bisonte*
881. S. Coonts, *Destini di guerra*
883. S. King, *Insomnia*
885. I. Johansen, *Doppio volto*
886. B. Kingsolver, *Gli occhi negli alberi*
887. D. Koontz, *Tracce nel buio*
888. N. Sparks, *Le parole che non ti ho detto*
889. M. Binchy, *Ritorno a Tara Road*
890. A. Mark, *Le ragioni del cuore*
891. G. Pansa, *Il bambino che guardava le donne*
892. J. Michael, *Un certo sorriso*
893. S. Casati Modignani, *Vaniglia e cioccolato*
894. S. King, *Rose Madder*
895. B. Plain, *Il silenzio di una donna*
896. B. Bickmore, *La prima stella della sera*
897. O. Goldsmith, *I tre gusti della vendetta*
898. M. Gayle, *Avviso di chiamata*
899. L. Scott, *Giustizia sommaria*
900. D. Steel, *Un dono speciale*
901. R. Bachman (S. King), *L'uomo in fuga*
902. P. Margolin, *L'ultimo innocente*
903. S. Finnamore, *Prove tecniche di matrimonio*
904. B. Taylor Bradford, *Il potere di una donna*
905. K.C. McKinnon, *Le candele brillavano a Bay Street*
906. A. Vachss, *La seduzione del male*
907. B. Erskine, *La notte è un luogo solitario*
908. J. Lent, *Vento d'autunno*
909. J. Sandford, *Il punto debole*
910. D. Koontz, *Sopravvissuto*
911. M. Higgins Clark, *Accadde tutto in una notte*
912. A. Liu, *La casa delle colline dorate*
914. J. Fletcher & D. Bain, *La Signora in Giallo - Manhattan & omicidi*
915. J. Shields, *La mangiatrice di fichi*
916. J. Kellerman, *Buon viaggio bastardo*
917. D. Steel, *Dolceamaro*
918. R. Bachman (S. King), *La lunga marcia*
919. C. Lim, *Lacrime di cristallo*
921. F. Bardelli, *Ancora un tango*
922. J. Higgins, *Attacco al presidente*
923. B. Plain, *Un incontro, una svolta*
924. J. Archer, *L'undicesimo comandamento*
925. D. Bellomo, *L'ultima notte sul Normandie*
926. S. King, *La bambina che amava Tom Gordon*
927. M. Haran, *Qualcosa di mio*
928. R. Cook, *Invasion*
929. D. Kennedy, *Un amore senza fine*

930. J. Mitchard, *La relatività dell'amore*
931. J. McNaught, *Sussurri nella notte*
933. S. Coonts, *Cuba*
934. S. Sheldon, *L'amore non si arrende*
935. L. Forbes, *Tempesta su Bombay*
936. S. King, *Cuori in Atlantide*
937. N. Sparks, *Un cuore in silenzio*
938. M. Higgins Clark, *Prima di dirti addio*
939. B. Taylor Bradford, *L'uomo giusto*
940. D. Koontz, *Mezzanotte*
941. A. Trigiani, *Una stagione d'amore a Big Stone Gap*
942. S. Beauman, *Il segreto di Rebecca*
943. S. Brown, *Alibi di una notte*
944. C. Wilkins, *Il momento perfetto*
945. M. Binchy, *Come un dolce ben riuscito*
946. A. Linklater, *Il codice dell'amore*
947. M. Palmer, *Il paziente*
950. D. Steel, *Immagine allo specchio*
951. I. Johansen, *Occhi innocenti*
952. B. Bickmore, *Finalmente a casa*
953. L. Scottoline, *Il momento della verità*
954. P. Margolin, *La morte non ha fretta*
955. M. Allan Collins, *Era mio padre*
956. S. Coonts, *Hong Kong*
957. B. Kingsolver, *Una magnifica estate*
958. D. Steel, *Le nozze*
960. M. Higgins Clark e C. Higgins Clark, *L'appuntamento mancato*
961. J. Sandford, *Preda facile*
962. G. Magrini, *Il falò delle bugie*
963. J. Fletcher & D. Bain, *La Signora in Giallo - Omicidi & fantasmi*
965. D. Koontz, *Falsa memoria*
966. D. Steel, *Forze irresistibili*
967. J. Kellerman, *Una vittima scomoda*
968. S. King e P. Straub, *La casa del buio*
969. M. Higgins Clark, *Sapevo tutto di lei*
970. J. Higgins, *Vendetta privata*
971. J. Fletcher & D. Bain, *La Signora in Giallo - Rum & delitti*
972. R. Cook, *Shock*
973. P. Margolin, *Prova d'accusa*
974. B. Plain, *Un colpo di fortuna*
977. S. King, *L'acchiappasogni*
978. S. Casati Modignani, *Vicolo della Duchesca*
979. M. Tornar, *Niente più che l'amore*
980. B. Taylor Bradford, *Amore lontano*
981. J. Reardon, *Il diario di Ellen Rimbauer*
982. O. Goldsmith, *Nemici per amore*
983. J. Lindsey, *Il primo bacio*
984. T. Matsuoka, *Nube di passeri*
985. F. Sherwood, *Il Vicolo d'oro*
986. V.A. Chandra, *Missione Kashmir*
987. J. Stanton Hitchcock, *Sussurri e crimini*
988. M. Andrews, *La felicità che cercavo*
989. P. Cogan, *La bussola del cuore*
990. D. Koontz, *Il cattivo fratello*
991. L. Scottoline, *Legittima vendetta*
992. S. Brown, *Gioco pericoloso*
993. D. Steel, *Aquila solitaria*
994. B. Kingsolver, *L'albero dei fagioli*
996. J. Graham, *La stagione dei fiori selvatici*
997. M. Higgins Clark, *Dove sono i bambini?*
999. D. Steel, *Granny Dan - La ballerina dello zar*
1000. S. Casati Modignani, *6 Aprile '96*
1001. J. Kellerman, *Istantanee di morte*
1002. J. Higgins, *L'infiltrato*
1003. J. Fletcher & D. Bain, *La Signora in Giallo - Assassinio a bordo*
1004. I. Black, *Il predatore*
1005. S. Grea, *Saigon, addio*
1006. C. Higgins Clark, *Quattro diamanti per un delitto*
1007. R. Cook, *Esperimento*
1008. P. Cogan, *Il tempo delle due lune*
1009. L. Rice, *Incontro alle stelle*
1010. A. Liu, *Il posto delle lanterne colorate*
1011. D. Kennedy, *Storia di noi due*
1012. M. Binchy, *La ricetta di un sogno*
1013. N. Sparks, *I passi dell'amore*
1014. D. Steel, *La casa di Hope Street*
1015. O. Goldsmith, *La moglie di mio marito*
1016. J. Clark, *Figlia dell'oceano bianco*
1017. A. Soussan, *Il mistero del candelabro*
1018. D. Koontz, *L'ultima porta del cielo*
1019. B. Taylor Bradford, *Un posto per me nel tuo cuore*

1020. M. Lawson, *Il sentiero per Crow Lake*
1021. B. Plain, *Una finestra sul domani*
1022. D. Steel, *Un uomo quasi perfetto*
1023. T. Hoag, *La prova del fuoco*
1024. L. Scottoline, *Colpevole o innocente*
1025. J. Mitchard, *Forte come la vita*
1026. M. Higgins Clark, C. Higgins Clark, *Ti ho guardato dormire*
1027. J. Fletcher & D. Bain, *La Signora in Giallo - Gin & pugnali*
1028. S. King, *Tutto è fatidico*
1029. D. Steel, *Atto di fede*
1030. L. Schwartz, *Il cammino di Angels Crest*
1031. J. Siegel, *Derailed - Attrazione letale (Ultima corsa)*
1032. J. Kellerman, *Cuore freddo*
1033. I. Black, *Il fotografo*
1034. M. Higgins Clark, *La seconda volta*
1035. J. Higgins, *L'ultima sfida*
1036. R. Cook, *La cavia*
1037. J. Graham, *Quando sale la marea*
1038. J. Fletcher & D. Bain, *La Signora in Giallo - Omicidio in primo piano*
1039. G. Brayda, *L'anatra dalla testa bianca*
1040. F. Itani, *Il silenzio intorno*
1041. M. Binchy, *Notte di pioggia e stelle*
1042. J. Burdett, *L'uomo di Bangkok*
1043. S. Sheldon, *Hai paura del buio?*
1044. D. Koontz, *Il luogo delle ombre*
1045. T.C. Greene, *Per non dirle addio*
1046. L. Scottoline, *Processo alla difesa*
1047. L. Rice, *Un rifugio tra le tue braccia*
1048. T. Hoag, *Verità sospette*
1049. B. Taylor Bradford, *Una stella splende a Broadway*
1050. D. Steel, *Brilla una stella*
1051. D. Kennedy, *Polvere e stelle*
1052. AA.VV., *Giulia, Sofia, Caterina e le altre*
1053. J. Fletcher & D. Bain, *La Signora in Giallo - Delitto in maschera*
1054. B. Plain, *I nostri anni migliori*
1055. N. Sparks, *Come un uragano*
1057. M. Willett, *La spiaggia dei ricordi*
1058. S.K. Lynch, *Pane e cioccolato*
1059. M. Higgins Clark, *Una luce nella notte*
1060. J. Sandford, *Preda nuda*
1061. D. Kennedy, *Morte di un fotografo*
1062. R. McLarty, *Sognavo di correre lontano*
1063 S. King, *Buick 8*
1064 A. Grecchi, *L'età delle passioni*
1065. D. Steel, *Il bacio*
1066. B. Plain, *Solo per amore*
1067. K. Guilfoile, *Il creatore delle ombre*
1068. J. Kellerman, *Il lato oscuro*
1069. J. Fletcher & D. Bain, *La Signora in Giallo - Delitto à la carte*
1070. J. Higgins, *Atto finale*
1071. M. Guterson, *Qui tutto bene*
1072. I. Borrelli, *Tanto rumore per Tullia*
1073. B. Sherwood, *Ho sognato di te*
1074. G. Zevin, *Frammenti di una storia d'amore*
1075. S. Finnamore, *Prémaman a vita bassa*
1076. N. Sparks, *Un segreto nel cuore*
1077. S. Beauman, *Ritratto di ragazza*
1078. D. Kennedy, *Una donna tranquilla*
1079. D. Koontz, *Il volto*
1080. A. Appiano, *Scegli me*
1081. M. Binchy, *In viaggio verso casa*
1082. G. Magrini, *Amiche per sempre*
1083. B. Plain, *Il canto delle stelle*
1084. R. Cook, *Marker, segnali d'allarme*
1085. J. Fletcher & D. Bain, *Assassinio in prima classe*
1086. D. Grespan, *Indagine su un amore*
1087. C. Higgins Clark, *Festa di nozze con brivido*
1088. M. Keyes, *Nemiche del cuore*
1089. S.-K. Lynch, *Latte e miele*
1090. L. Scottoline, *Il prezzo del silenzio*
1091. D. Steel, *Il Cottage*
1092. S. Casati Modignani, *Qualcosa di buono*
1093. B. Taylor Bradford, *Appuntamento a Parigi*
1094. C. Kelly, *Un posto tutto per noi*
1095. B. Samuel, *Il profumo delle ore*
1096. J. Sandford, *L'assassina*
1097. M. Higgins Clark, *Quattro volte domenica*
1098. P. Sykes, *Come divorziare da un miliardario*

Gentile lettore,

la ringraziamo per aver scelto uno dei libri della linea Economica.

Per poter soddisfare sempre meglio le sue esigenze e i suoi gusti, le chiediamo di voler gentilmente compilare il seguente questionario. Se ci fornirà anche il suo indirizzo, le invieremo le informazioni relative alle nuove pubblicazioni del gruppo Sperling & Kupfer e alle iniziative speciali rivolte ai nostri lettori. Se invece preferisce registrarsi sul nostro sito www.sperling.it, riceverà nella sua casella e-mail la nostra newsletter informativa.

Ho trovato questo questionario nel volume dal titolo

....

Ho acquistato questo volume

☐ in libreria ☐ in edicola ☐ al supermercato

Numero libri acquistati in un anno: ....

Il mio autore preferito è: ....

Il mio genere preferito è

☐ Narrativa ☐ Narrativa per ragazzi
☐ Thriller ☐ Saggistica
☐ Narrativa al femminile ☐ Business

INFORMAZIONI ANAGRAFICHE

Età: Sesso: ☐ M ☐ F

Professione: ....

FACOLTATIVO

Nome ....
Cognome ....
Via .... n. ....
Città .... Provincia .... CAP ....
E-mail

....

Informativa ai sensi dell'art. 13 D. Lgs n. 196/2003
I suoi dati saranno trattati da Sperling & Kupfer Editori S.p.A. e dalle società con essa in rapporto di controllo e collegamento ai sensi dell'art. 2359 cod. civ. – titolari del trattamento – per evadere la sua richiesta di invio di materiale d'informazione libraria delle titolari e più in generale per finalità di marketing, attività promozionali, offerte commerciali e per indagini di mercato da parte delle stesse titolari.
Nome, cognome, indirizzo sono indispensabili per il suddetto fine. Il suo indirizzo di posta elettronica è necessario solo se desidera ricevere via mail i suddetti materiali.
Inoltre, previo suo consenso, i suoi dati potranno, altresì, essere comunicati a soggetti operanti nei settori editoriale, largo consumo e distribuzione, vendita a distanza, arredamento, telecomunicazioni, farmaceutico, finanziario, assicurativo, automobilistico, e a enti pubblici e Onlus, per propri utilizzi aventi le suddette medesime finalità.
Responsabile del trattamento è il Responsabile Dati presso Sperling & Kupfer Editori S.p.A. L'elenco completo e aggiornato delle società in rapporto di controllo e collegamento ai sensi dell'art. 2359 cod. civ. con Sperling & Kupfer Editori S.p.A., delle aziende terze a cui i dati possono essere comunicati e dei responsabili è disponibile al seguente indirizzo e-mail: privacy@mondadori.com.
I suoi dati saranno resi disponibili agli incaricati preposti alle operazioni di trattamento finalizzate all'elaborazione e gestione dei dati.
Ai sensi dell'art. 7 D. Lgs. n. 196/2003, potrà esercitare i relativi diritti, fra cui consultare, modificare e cancellare i suoi dati o opporsi al loro trattamento scrivendo a Sperling & Kupfer Editori S.p.A. Ufficio Promozione - Via Marco d'Aviano 2 - 20131 Milano.
Acconsente che i suoi dati siano comunicati ai suddetti soggetti terzi e da questi utilizzati per le finalità e secondo le modalità illustrate nell'informativa? sì ☐ no ☐

La preghiamo di tagliare lungo la linea tratteggiata e di inviare in busta chiusa e affrancata a:

Sperling & Kupfer Editori S.p.A. Ufficio Promozione
Via Marco d'Aviano 2 - 20131 Milano

Finito di stampare nel gennaio 2008
presso la Mondadori Printing S.p.A.
Stabilimento N.S.M. di Cles (TN)
Printed in Italy

Prova d'acquisto
978-88-6061-245
2008